經學研究論叢

◆第七輯◆

林慶彰主編

臺灣 學ᗧ書局 印行

編者序

　　本《論叢》收到的國內外來稿,越來越多,除特約稿外,大抵按來稿的先後順序刊登。本輯刊載之稿件,有必須說明者如下:

　　一九九八年年底中央研究院中國文哲研究所召開「元代經學國際研討會」時,希望蔡方鹿教授能給《經學研究論叢》賜稿。蔡教授回四川後,即賜下〈朱熹詩經學新論〉一文。今年八月,蔣秋華、楊晉龍先生參加「第四屆詩經國際學術研討會」,帶回劉毓慶先生〈論詩文評點及詩話發展對明代詩學轉向的影響〉一文。另臺南成功大學中文系的張高評教授,告知南京師範大學的趙生群教授,研究《左傳》頗有成就,即主動向趙先生約稿。不久,趙先生即賜下〈論三傳不書之例〉一文。

　　目錄學家胡玉縉(1859-1940)逝世後,遺稿多由王欣夫教授整理,已完成者有《許廎學林》二十卷、《四庫全書總目提要補正》六十卷、《四庫未收書目提要補正》二卷,已由大陸中華書局陸續出版。未整理之遺稿,於七十年代歸復旦大學圖書館,由吳格先生陸續整理中。本輯所刊〈四庫未收書目提要續編經部稿〉一文,即為吳先生整理胡氏遺稿的部分成果。

　　今年一月為執行「清乾嘉揚州學派研究計畫」,赴揚州考察,拜訪揚州大學中國文化研究所所長王小盾教授時,王教授說他有不少越南漢文古籍的資料,可以先將經部的整理出來。本輯〈越南所存的漢文經學古籍〉,即是王教授整理這些漢文資料的部分成果。

　　除上述諸位先生外,也感謝邱秀春、曹美秀、張建軍、吳萬鍾、陳秀琳、彭林、馮曉庭、張淑惠、連清吉等先生之賜稿。另陳恆嵩、蕭開元、陳淑誼、馮曉庭等數位學弟,撰作「出版資訊」,也一併感謝。

1999 年 9 月 **林慶彰**誌於南港

中央研究院中國文哲研究所籌備處

經學研究論叢 第七輯

目　次

【附　　錄】

經 學 研 究 論 叢
第 七 輯　　　頁1～42
臺灣學生書局　1999 年 9 月

《白虎通義》所反映的社會結構觀

邱秀春*

一、緒論

　　《白虎通義》❶不只是一部禮書，它更是一部建構社會秩序、強化社會組織、講求社會功能的法典，是一部頗具規模的社會組織法，規劃著天子以至於庶人之行爲準則，這是漢章帝所欲付之實行的「國憲」。❷《白虎通義》之所以能利用社會學的理論與方法研究，主要原因在於它的內容涵蓋社會學所關心的大部分議題，包括：經濟、教育與學術、宗教、法律、階級、家庭宗族、道德以及風俗習慣❸等等。透過道德、法律等議題討論，可以了解社會控制與其社會功能，它是社會秩序

---

* 邱秀春，淡江大學中國文學系講師。

❶ 關於《白虎通義》之書名，應爲《白虎通》？抑或《白虎通德論》？而《白虎通義》與《白虎通德論》是二書或爲一書？其作者爲誰？何時之作？，歷來學者議論紛紛，莫衷一是，近代學者洪業序《白虎通引得》提出新說，以爲《白虎通義》非班固所撰，疑其非章帝所稱制臨決者，疑其爲三國時作品。其雖言之成理，然而《白虎通義》一書中，多載漢時制度，疑點尚多，故仍襲舊說，以《白虎通義》爲章帝於建初四年十一月召開白虎觀會議時之作品，當時由楊終、班固所記錄者。

❷ 據侯外廬〈漢代白虎觀宗教會議與神學法典白虎通義〉曰：「白虎觀所欽定的奏議，也就是賦予這樣的『國憲』以神學的理論根據的讖緯國化的神學法典。」見《歷史研究》1956 年第 5 期，1956 年 5 月。

❸ 社會學的內容當然不止這些項目，其他尚有社會分析、社會變遷、社會心理學、文化社會學以及研究社會行爲、社區發展等等。

的維持者；階級的形成是社會結構中非常特別的一環，由此可以追索社會變遷之軌跡；至於教育，它是人類社會化的過程，經濟是社會結構的動脈，宗族血緣則是社會組織的基本構成，它們都與社會結構脫離不了關聯。最後，藉著風俗習慣的觀察，可以知道社會文化的形成與層積，進而探究其與社會之連結性所在。所以，利用社會學之理論研究《白虎通義》，確實有助於吾人考查當時之社會狀態。

　　《白虎議奏》之體裁，應如《石渠議奏》，因文獻散亡，已無法見其原貌。據《隋志》所載有《白虎通》六卷，不著撰人，入五經總義類。《舊唐書‧經籍志》載有《白虎通》六卷，注曰漢章帝撰，入七經雜解類。《新唐書‧藝文志》載班固等《白虎通義》六卷，入經解類。至宋代《崇文總目》載《白虎通德論》十卷凡十四篇❹，題名班固撰；陳振孫《書錄解題》亦作十卷，云凡四十四門。今所流傳之《白虎通義》版本極多，有：《四部叢刊》本十卷，入子部、《四庫全書薈要》上下兩卷，入子部儒家類、《四庫全書》所錄之四卷，入子部雜家類……等。本論文之寫作乃是採《四部叢刊》本（商務印書館出版），輔之以陳立《疏證》（商務印書館出版）。

　　《四庫全書》將《白虎通義》列入子部雜家類很不恰當，因為參與此次會議之大臣，大多是儒生，其討論議題亦是儒家典籍——經書，且《白虎通義》一書，具有濃厚的儒家思想，分別展示於禮樂、人倫道德、重德輕刑、教育、學術思想等方面。雖然，漢代的儒生已非先秦時期之傳統儒者，但，此乃肇因於時代的變遷與人為的摧殘（如秦始皇、項羽等）典籍。漢代儒家思想內部已產生變化，深受時代思想潮流——五行思想——之影響而作了局部修正與調整。五行思想深刻的影響漢人的政治、宗教、教育、刑罰、生活習慣，乃至於人倫倫理亦得法諸五行，故《白虎通義》之指導思想除了原始儒家學說以外，尚有五行之思想成分。易言之，這是受五行思想侵蝕之儒家思想。

　　儒家之孔子欲建立一個理想的社會乃至大同的世界，故社會學家「鮑加德斯

❹　《崇文總目》所錄之《白虎通義》應為四十四篇，而非十四篇，恐脫一「四」字，與陳振孫所云之四十四門，其數相同，故《四庫全書總目提要》云：「《崇文總目》所云十四篇者乃傳寫脫一四字耳。」（見子部二十八‧雜家類二）

在其所著《社會學思想史》中很推崇中國的儒家學說。他認爲儒家的社會思想與大同世界理想極爲高超，是爲社會學的起源。索羅金在其《當代社會學說》中亦指出孔子爲社會學的先驅，而儒家爲應用社會學的一種。」❺作爲儒家思想的傳承者，應抱有相同的情懷——經營一個人類理想的社會與環境，而《白虎通義》就是這種情懷的建構與實踐。

二、經濟體制

　　經濟活動是社會的動脈，所以養成群生者，即《漢書》所謂「生民之本」；「農殖嘉穀可食之物」，實就生產而言；而「布帛可衣及金刀龜貝，所以分財布利通有無」（見〈食貨志〉）則謂貿易。生產與貿易是人類社會之經濟行爲，透過這種經濟上之互助合作，互通有無，以共同經營生活，這是人類社會組織特有的型態，不同於飛禽走獸之處。

　　至於人類之經濟行爲，主要包括維持人類生活之物質之生產、分配、消費與財產之累積等，這些經濟活動又必須分工合作方可進行，而分工合作（互助），是人類進化的途徑。《白虎通義》一書，分別記錄耕桑（生產、分工）、商賈（貿易）等經濟行爲，藉此經濟行爲的考察，可知社會中，士、農、工、商四民之業的關聯，而此乃人類社會組識的另一種連結，是人類除了五倫以外之人際關係，連帶的，也牽涉到社會中的階級、政治問題，由此可追尋社會結構變遷之蛛絲馬跡。

㈠重農政策（生產與分工）

　　「勸農功」是漢初重要的經濟政策，譬若漢惠帝時「田租，復十五稅一」，又惠帝四年「舉民孝弟力田者，復其身。」均在田租方式上改革，鼓勵農耕。高后元年更「置孝弟力田二千石者一人」，以封官賜爵策勵人民務農力耕。

　　時至文、景，商人階級興起，社會上普遍重商而不力農，遂有賈誼、晁錯之上疏議論。旨在重農抑商，以爲農功乃國家富足之基石，甚至主張售爵除罪，以粟爲賞罰，意在勸農，以免商人兼併農人，致使農人流亡。漢文帝從晁錯之言，「令民入粟邊，六百石爵上造，稍增至四千石爲五大夫，萬二千石爲大庶長，各以多少

❺　見唐學斌：《社會學》（臺北：臺北市社區發展學會，1974 年）。

級數爲差」（見〈食貨志〉），並「下詔賜民十二年租稅之半，明年，遂除民田之租稅」（同上）。至景帝二年，「令民半出田租，三十而稅一」（同上），這些都是漢初施行的經濟策略。

　　直至漢末亦主張重農政策，所不同者在於商人之地位如日中天，已不可抑止。《白虎通義・耕桑》載：「王者所以親耕，后親桑❻何？以率天下農蠶也。天子親耕以供郊廟之祭，后親桑以供祭服。」從事農業生產是經濟行爲的基本型態，而王者與后親耕桑，乃欲率天下農蠶，鼓勵農業生產，上行下效，人民必勤於農事，故陳立《白虎通疏證》引《後漢書注》云：「古之王者，貴爲天子，富有四海，而必私置藉田，蓋其義有三焉：一曰以奉宗廟，親致其孝；二曰：以訓於百姓在勤，勤則不匱焉；三曰：聞之子孫，知稼穡之艱難，無違也。」王者親耕自有其意義，勸農從事農業耕作，以資生產。

　　分工亦是社會經濟組織的一種自然且普遍的現象，涂爾幹的「社會分工論」認爲分工合作是一種社會連帶關係的表現。而上文所言《白虎通義》載「王者所以親耕，后親桑」，可以說是兩性分工的一種型態。男人從事農耕，女人則從事農桑，這是社會的基本分工❼，從此向外推展，亦不難知整個社會之經濟組識。

（二）貿易行爲

　　社會之分工不只表現在生產方面，貿易行爲亦屬社會分工的一環。貿易行爲即是商業行爲，是促進經濟發展的動力。《白虎通義・商賈》云：

　　　　商賈，何謂也？商之爲言商也。商其遠近，度其有亡，通四方之物，故謂之商也。賈之爲言固也。固其有用之物，以待民來，以求其利者也。行曰商，止曰賈。

---

❻　先秦農家主張天子與百姓同耕食，而孟子則提出「勞心」、「勞力」之說予以分別。後世行封建制度、中央極權之後，此種天子躬耕的狀態已不存，然而漢文帝感賈誼之言，於是始開藉田，躬耕以勸百姓，即是重農政策的推行。

❼　《白虎通義》所記載者雖非原始社會之狀態，然而男女兩性之分工卻是原始社會經濟活動的現象，至於近代由於女權意識抬頭，使傳統價值觀產生變化，故男女兩性分工之界限已日趨模糊。

商賈行爲即是貿易行爲，其中商人互通有無，交易買賣；賈則是居積財貨，經營生利者，利用市場價格之波動而取利者。這些商業行爲由個人（或家庭、區域）連結成經濟體制，進而鞏固社會結構，所以，經濟發展穩固，是安定社會結構的力量之一。

就經濟發展而言，農人與商賈並非絕對對立，農民力耕殖產，商人流通貨物，各司所職，各取所需，如班固〈兩都賦〉所云：「士食舊德之名氏，農服先時之畎畝，商修族世之所鬻，工用高曾之規矩，粲乎隱隱，各得其所。」士農工商平衡發展，並且公平交易則有利於經濟成長，不會造成利益衝突。只可惜當時政府所施行之經濟策略，不能有效遏止商人兼併農民，以致弊病叢生。《白虎通義》一書，並列記載農事（生產）與商賈（貿易），在漢代經濟策略上頗爲特殊，但是它也沒有疏通二者，或者提出良好的對應方針❽，只在於現象的反映而已，無實際之經濟理論予以解決問題。

三、教育制度與學術發展

教育是個人社會化過程中最直接、最有效的方式。而「教育制度有多重的社會意義，足可使多樣、分裂、紛亂、衝突的社會趨於和諧，使用共同的語言，形成共同意識，以利人類營共同生活」。❾就《白虎通義》所載的內容來看，社會性的教育作用遠甚於對個人能力的培養❿，這與時代環境、社會需求、人們的價值觀念有莫大的關係，因爲《白虎通義》原就是爲維持社會秩序而作⓫，是故其教育理念

---

❽　章帝時，關於經濟政策之議論有田制之更議、均輸之制之復起（見瞿兌之所著《秦漢史纂》，香港：龍門書局，1967 年）等，《白虎通義》一書在此方面（經濟問題）並無提出對策，無甚貢獻。

❾　同註❺。

❿　教育的功能是雙重的：就個人而言，教育可以增進個人的能力，有助於其自我實現；同時教育也是一種社會化過程（唐學斌《社會學》）。就此二者而言，很明顯的，《白虎通義》的教育理念重後者甚於前者。

⓫　據楊向奎〈白虎通義的思想體系〉一文所云：「當時的世族豪門地主把宗族和親朋圍聚在一起，擁有大量土地，役使千百家農民，他們初步具有『割據自雄』的物質力量，這是使中央集權削弱的因素，是使大一統局面削弱的因素，是封建帝王最爲擔心的事，但這種局面終於

在於鞏固社會組織、人倫倫理之需求必遠超過人才的培養。

㈠施以德性教育以期社會化

　　《白虎通義》書中所反映出來的教育思想，全是以德性教育爲重心，並不涉及其他智能的、技術的、藝術的教育範疇，這種偏差式的教育制度，來自於整個社會的價值取向以及爲政者的政治目的。前者起源於儒家之重人倫道德，後者則肇端於統一政治下，社會秩序之訴求，由此可知，其間的社會化意義。故《白虎通義‧三教》云：

　　　　王者設三教者何？承衰救弊，欲民反正道也。三正之有失，故立三教，以
　　　　相指受。夏人之王教以忠，其失野，救野之失莫如敬；殷人之王教以敬，
　　　　其失鬼，救鬼之失莫如文；周人之王教以文，其失薄，救薄之失莫如忠。

三教法天地人，「天地人」是爲三才，據《易》：「是以立天之道，曰陰與陽；立地之道，曰剛與柔；立人之道，曰仁與義。」（說卦）將天道、地道與人事結合，是漢人思考之重心，就連教育思想亦不例外，尤其在人事制度上，特重德性之教育。其實，以儒家思想爲中心的教育理論均偏向於德性教化，《白虎通義》做爲儒家思想之傳遞者，教忠、教孝、教敬、教禮⑫等重要德目便充斥其中，其作用反應在人倫關係之締結與強化，而且儒家式的教育重點即在於人倫關係的建立與道德之培養，這是社會結構得以鞏固，社會秩序藉以維持的重要因素，亦是施政者採儒家

　　來臨了。宦官、外戚在朝廷中爭權奪利，世族豪強則掌握了地方上的實權，這時的階級矛盾日益尖銳化，正當所謂『太平盛世』的時候，也是流民問題最爲嚴重的時候。於是統治階級更加寄望於儒家的思想權威，企圖使儒家思想宗教化，利用宗教力量來強化思想統治。作爲白虎觀會議書面總結的《白虎通義》，正是這種情況下的產物。」（《中國經學史論文選集》，文史哲出版社，1992 年 10 月）統治階級利用儒家所重視的人倫、道德進行人民教化，透過人倫禮治的教化，來穩固人際關係，同時亦連結並強化社會組織，這是爲了鞏固社會的封建的秩序。

⑫　《白虎通義》曰：「未教不足與爲禮也。」（嫁娶）又據陳立《疏證》《白虎通義》云：「周文，庠序之教，恭讓之禮，粲然可觀也。」知其道德教化的内容除了教忠、教孝、教敬之外，尚且教禮。

思想爲治的重要因素。

㈡教育的政治目的

　　《白虎通義》對「教」下定義云：「教者，何謂也？教者，效也。上爲之，下效之。民有質樸，不教不成。故《孝經》曰：先王見教之可以化民。《論語》曰：不教民戰，是謂棄之。《尚書》曰：以教祗德。《詩》云：爾之教矣，欲民斯效。」（〈三教〉）又曰：「教者所以追補敗政，靡弊溷濁，謂之治也。」又曰：「王者設三教者何？承衰救弊，欲民反正道也。」足見爲政者爲民立教，有其政治目的，教化人民之動機更不單純，不但將教育指向倫理學、道德學乃至於政治學❸，於是出現：「師弟子之道有三，《論語》「朋友自遠方來」，朋友之道也。又曰：「回也視予猶父也」，父子之道也。以君臣之義教之，君臣之道也。」（〈辟雍〉）之言論。如此，上行下效則民易治、易使，政體亦加穩固，漢王國帝業便可長久。

　　明堂是帝王宣明政教的地方，大凡朝會、祭祀、慶賞、選士、養老、教學等大典在此舉行，大抵與清廟、太廟、太室、太學、辟雍同爲一事。《白虎通義》明載：「天子立明堂者，所以通神靈，感天地，正四時，出教化，宗有德，重有道，顯有能，褒有行者也。」（〈辟雍〉）這種政教合一的表現正是漢帝國所需要的，由《白虎通義》引《論語・爲政》文中孔子之言亦可知其梗概：「故孔曰：《書》曰：孝乎！惟孝，友於兄弟，施於有政，是亦爲政也。」（〈五經〉）教育人民以人倫道德，則社會秩序得以維持，社會秩序得以維持，則政治易推行，故教以父子之道、君臣之義、尊尊親親、長幼之序，則天下儀則，民大化而國大治。《白虎通義》雖云教育的目的在化民之性，但其間政治意味濃厚；爲政者辦教育，化民自然之性，覺悟其所不知者，期能治性變情致其道，使教育由人倫倫理推行至政治倫理，有深刻的政治意義在其中。

---

❸　楊向奎〈《白虎通義》的思想體系〉云：「傳統儒家的政治思想教育是從倫理學入手的，因此倫理學和政治學混爲一體，他們通過倫理來穩定人與人的關係，也就鞏固了封建秩序。這是倫理學，又是道德學，也是政治學。」

㈢教育的對象

　　西周時代之教育乃是貴族教育，平民不得入學受教，（這種情形直到孔子開私學之風，方有所改變）故天子之太子、諸侯之世子、群后之太子、王太子王子、公卿大夫元士之嫡子均是教育對象。《白虎通義》云：

> 天子之大子，諸侯之世子，皆就師於外者，尊師重先王之道也。（〈辟雍〉）
> 王太子，王子，群后之太子，公卿大夫元士之嫡子，皆造焉。（同上）

以上所言均指貴族教育；漢代亦有專爲貴族所設立的學校，名曰「四姓小侯學」❹，所不同者在於漢代之平民教育已頗具規模，有小學、中學❺、郡國學校、太學等。據《白虎通義》云：

> 鄉曰庠，里曰序。庠者庠禮義，序者序長幼也。《禮·五帝記》曰：「立庠序之學，則父子有親，長幼有序，善如爾舍，明令必次外，然後前民者也，未見於仁，故立庠序以導之也。」古者教民者，里皆有師，里中之老有道德者，爲里右師其次爲左師，教里中之子弟以道藝、孝、悌、仁義。……頑鈍之民，亦足以別於禽獸而知人倫。故無不教之民。（〈辟雍〉）

這是漢人的平民教育；平民教育與政府擢用人才結合，替人民開闢了入仕的管道，王國維《觀堂集林》卷四〈漢魏博士考〉云：「漢人就學，首學書法，其業成者得試爲吏，此一級也。其進則授《爾雅》、《孝經》、《論語》，有以一師專授者，

---

❹ 所謂四姓小侯學即宮邸學，據《後漢書·儒林傳》載：「明帝即位，……復爲功臣子孫、四姓末屬別立校舍，……悉令通《孝經》章句。」此乃專爲王室、貴族子孫所立之學校，有別於平民學校。

❺ 據王國維《觀堂集林·卷四·漢魏博士考》云：「六藝與此三（《論語》、《孝經》、小學三目），皆漢時學校誦習之書，以後世之制明之，小學諸書者，漢小學之科目，《論語》、《孝經》者，漢中學之科目，而六藝則大學之科目也。」漢代教育雖無小學、中學等名稱，然而分級進習，似後世小學、中學之別。

亦有由經師兼授者。《漢書・平帝紀》：「元始三年立學官，郡國曰學，縣道邑侯國曰校，校學置經師一人；鄉曰庠，聚曰序，序庠置《孝經》師一人。……且時但有受《論語》、《孝經》、小學而不受一經者，無受一經而不先受《論語》、《孝經》者。」其所云「業成得試爲吏」即是平民得甄試爲官。韓養民《秦漢文化史》亦云：「漢代地方官辦學校制度創始於漢景帝末年。……（太守文翁）在成都市中心設立學校，招收各縣子弟入學，學生免除徭役，卒業依其學習成績，分派官職。高者補郡縣吏，次者爲孝悌力田。平常治事，每選高材生在旁視事，出則帶著他們傳達教令。」由此知漢代之教育並非貴族之專利，百姓亦得以入學受教，而且有其晉身之階，以至於「縣邑吏民，見而榮之，數年，爭欲爲學官弟子，富人至出錢而求之，由是大化。」（見《漢書・循吏傳》）從中亦不難見漢代教育之發展。

㈣以五經為教材之教育與其學術之發展

　　漢代太學教育以五經爲教材，其教授者即是所謂「博士」❶❻。據《漢書・武帝紀》載：建元五年立《五經》博士、元朔五年爲置博士弟子員。而《歷代職官表・國子監》引《冊府元龜》亦曰：「漢興武帝初，置《五經》博士，掌教弟子，國有疑事，掌承問對。」博士於太學中教授弟子員以經學，則太學教育實以經籍爲教材，《白虎通義》云：

　　　　七八十五，陰陽備，故十五成童志明，入太學，學經籍。（〈辟雍〉）

亦說明此義。因此「《五經》的地位，過去是由私人，由社會所自由評定的；至此則《五經》取得政治上的法定權威地位。……且無形中，使典籍的地位，重於知識的地位。」（徐復觀《中國經學史的基礎・博士性格的演變》）由是，五經之學凌駕於其他學說之上，取得漢代學術的主流地位。

　　自從五經取得漢代學術主流地位之後，士子莫不視其爲晉身之階，儒生莫不冀望躋身於博士官之列，因爲博士所代表的是經典，而「被舉爲某經博士之人，他

---

❶❻　關於漢代官方（太學）教育以五經爲教材、太學博士之職務與任務以及其學術之發展可參見拙著《漢代學官制度與儒家典籍之發展》（臺北：淡江大學中研所碩士論文，1995 年）。

對自己代表的經所作的解釋，即成爲權威的解釋。並且自然演進爲『經的法定權威地位』，實際成爲博士們所作解釋的法定權威地位。」（見徐復觀書）師法、家法由是而生，漢人重視師法與家法其來有自，這是漢代學術的特質。

　　漢代經學之討論（辯論經義）熱烈，小者如殿議，即博士們在天子前辯論學術議題，如武帝使瑕丘江公與董仲舒議論《春秋》學，因瑕丘江公（本《穀梁》學）吶於口，不如董仲舒，而丞相公孫弘本爲《公羊》學，比輯其議，卒用董生（見《漢書‧儒林傳》），又甘露中，宣帝召《五經》名儒太子太傅蕭望之等大議殿中，平《公羊》、《穀梁》同異（見《漢書‧儒林傳》）均是；大者如漢代兩次重要學術會議——石渠閣議及白虎觀議，此二次大型的學術會議對漢代學術產生莫大的影響。五經經由學官（博士）的傳遞，不但在教育上產生影響，亦與政治、法律、學術有著微妙的關聯，因漢儒講「通經致用」，於是有關於人事的制度便讓它輕易的串聯起來，這是漢代學術發展的特色。

四、宗教⑰信仰

　　宗教與道德、法律同樣具有約束力量，起著維繫社會秩序、強化社會組織的功能；它又可藉著各種崇拜形式，與風俗習慣、社會組織結合在一起；「信仰對於社會每一成員具有中心、聯繫的作用，也就是強化社會道德和秩序的功能，與全體社會利益息息相關。……所以社會學家認爲宗教是一種社會制度，是經由信仰、祭

---

⑰ 中國到底有沒有宗教？若有，則起於何時？這些議題歷來學者討論頗多，並無一個確切的答案。今據社會學家涂爾幹所云宗教必備之二要素，作爲標準，其云：「一是信仰，就是誠心誠意無條件的信仰，因爲信仰可以發生力量。第二是實質上的行爲，除了無形的信仰之外，必須要有有形的儀式、禱祝、禮拜等行動，以增加信仰的氣氛，激發信心的力量。」（見唐學斌所著《社會學》）由此，則中國古代之上帝、天帝、鬼神信仰，加上制定的各種祭典、禮儀，即可稱之爲宗教。遠自周代始，即有天子祭天地、諸侯祭社稷、大夫祭五祀，人民祭祖先等儀式，其中禮樂並備，典祀有度。至漢代亦如是，仍有郊祭、封禪、五祀、祭社稷等祭祀活動，是故漢人思想模式中之「天人合一」、「天人感應」亦是宗教所欲達的境界，而其中所云之「天」，屬於「自然崇拜」（同上），如《白虎通義》書中「法三才」、「法五行」、「法天」、「法地」、日陽月陰等思想即是。

典、儀式以表達社會生活要求的一種生活方式與制度。」⓳擁有共同信仰的人集結成團體或組織，形成一股不小的力量。而統治者深知宗教具有社會制約作用，並加以利用，將二者密切配合，作爲統治工具；這作用源於宗教具有拘束力與安定人心的力量之外，尚因宗教在封建社會中可與政治、階級互相配合，層次分明，在專制體制中亦如是，爲政者透過宗教信仰繩民，因爲他們深知宗教在人類社會中的力量往往超越政治、法律。

「西漢中葉以後，讖緯學產生，儒家思想逐漸宗教化。到東漢章帝舉行白虎觀會議的時候，這種趨勢更加顯著。……但《白虎通義》的全部內容是使儒家更進一步宗教化，他們把已經宗教化的儒家理論結集起來，凝固起來，更把這些結集起來的條文公布於天下，成爲天下共同遵守的條文。在本質上這也是一種宗教教義。雖然儒家始終沒有正式成宗教——這是今文經學的企圖，後來的今文圖讖和傳統的迷信行爲相結合，便發展成爲道教。」⓴漢代宗教在道教尚未發展成功之前，讖緯之學與民間信仰結合是其前驅；大體而言，其時之宗教信仰仍屬於多神㉑的自然崇拜，敬天地日月、四時、五行、八風等自然變化，這種信仰甚至伸展至人事上，故《白虎通義》書中記載很多人事應「法三才」、「法五行」等思想，欲觀漢人之宗教信仰亦可從各種祭祀活動入手。

㈠祭天地山川

漢代哲學中之「天」有著多重的意涵，然而在宗教信仰中的天，是具有人格神的意志天，故漢人思想中有所謂的災變、災異㉒之說，他們認爲那是意志天的活動，用以警戒譴告人君之施政，而人君必須下詔罪己以謝天下，實具有約束人君行

⓳　同註❺。

⓴　見楊向奎著：〈白虎通義的思想體系〉一文。

㉑　唐學斌《社會學》云：「中國民間信仰由雛型發展到有系統不統一的宗教崇拜巳有天人合一的意味，將社會功能、神靈意念、親族祭曲等混雜結合，有步入多神教之傾向。」（第十八章·宗教與社會）

㉒　陳立《疏證》引《洪範五行傳》云：非常曰異，害物曰災。至於「堯遭洪水，湯遭大旱，命運時然。」（〈姓名〉）陳立《疏證》亦云：爲不善而災，報得其應也；爲善而災至，遭時運之會耳，非政所致也。

爲之作用。《白虎通義》明載：

> 天所以有災變何？所以譴告人君，覺悟其行，欲令悔過修德，深思慮也。《援神契》曰：「行有點缺，氣逆干天，情感變出，以戒人也。」（〈災變〉）災異者，何謂也？《春秋潛潭巴》曰：「災之爲言傷也，隨事而誅；異之爲言怪也，先發感動之也。」（同上）

漢人以爲天具有人格意志，所以能視人君施政之失予以警告，令其覺悟其行，並能悔過修德、深思慮也。人君爲求賜福祿亦得以祭天、告天功成，並通過「同類相感」，以達「天人感應」、「天人合一」的境界，所以天子祭天於郊，《白虎通義》載曰：

> 王者所以祭天何？緣事父以事天也。祭天必以祖配何？自內出者，無匹不行，自外至者，無主不止。故推其始祖，配以賓主，順天意也。……祭天必在郊何？天體至清，故祭必於郊，取其清潔也。祭日用丁與辛何？先甲三日，辛也，後甲三日，丁也，皆可以接事昊天之日，故《春秋傳》郊以正月上辛日。《尚書》曰：「丁巳，用牲于郊，牛二。」（〈郊祀〉）祭天歲一何？言天至尊至質，事之不敢褻瀆，故因歲之陽氣始達而祭之也。祭天作樂者何？爲降神也。（同上）

天子歲祭天於郊，配以祖禰，取其事父事天之義，乃是祈求天神風調雨順，天下太平，子子孫孫、世世代代永享盛福。

除了天子必須祭天地外，諸侯並得祭山川，《禮》曰：「天子祭天地，諸侯祭山川，卿大夫祭五祀，士祭其先」，〈曲禮〉亦記曰：「天子祭天地四方山川五祀，歲遍；諸侯祭山川五祀，歲遍；卿大夫祭五祀；士祭其先。」（《白虎通義》引）從祭天地四方、山川可見其信仰不外是自然界的崇拜，但是中國之自然崇拜不同於其他原始社會部族者，在於中國人的思維中企求「天人感應」以達到「天人合一」的境界，不止是祭天求福祉而已。

㈡祭祖

　　《白虎通義》曰：「宗廟先祖所處，鬼神無形體。」宗廟是用以祭祀先祖之
處所，這種祭祖活動屬於祖先崇拜，以祭事告諸祖先，期其降福賜長壽。這種祭祖
之宗教活動聯結了宗族組識，加強了宗族之團結力量，並且可以透過社會組織使社
會生活穩定，以達成家庭（宗族）生活、社會生活與宗教密切之連結，同時寄託人
類的心靈。《白虎通義》亦論及宗教信仰與人倫倫理、政治結合之現象，其曰：

> 王者所以立宗廟何？曰：生死殊路，故敬鬼神而遠之，緣生以事死，敬亡
> 若事存，故欲立宗廟而祭之。此孝子之心所以追養繼孝也。（〈宗廟〉）
> 宗者，尊也。廟者，貌也。象先祖之尊貌也。所以有室何？所以象生之居
> 也。祭宗廟所以禘祫何？尊人君，貴功德，廣孝道也。位尊德盛，所及彌
> 遠。謂之禘祫何？禘之爲言諦也。序昭穆，諦父子也。祫者，合也。毀廟
> 之主，皆合食於太祖也。三年一禘。禘祫及遷廟何？以其能世世繼君之
> 體，持其統而不絕，由親及遠，不忘先祖也。（同上）

宗廟一歲四祭，乃是配合四時運作，其用心在於「孝子感此新物，則思祭先祖也」
（陳立《疏證》）將宗教祭祀與孝子之心結合，有血緣繼承與追思先祖之德的意
味，如同曾子所云：「慎終追遠，民德歸厚矣」，形成一種宗教倫理的觀念，這是
人倫的延伸，故有「緣生以事死，敬亡者若事存」的想法出現，至此，宗教祭祀不
是只有禮節儀式，更具有社會教化的意義與效用。

　　至於宗教與政治之結合則表於：「諸侯以月且告朔于廟何？緣生以事死，故
國君月朔朝宗廟，存神受政也。」（〈宗廟〉）陳立《疏證》引《公羊》何休《解
詁》曰：「諸侯受十二月朔政于天子，藏于太祖廟中，每月朔朝廟，使大夫南面奉
天子命，君北面而受之，比時使有司先告朔，謹之至也。受于廟者，孝子歸美先
君，不敢自專也。」如此，宗教、政治、倫理結合爲一，是中國宗教特色之一。

㈢祭五祀

　　中國多神信仰表現最爲顯明的即是五祀之祭，門有門神、灶有灶神，而且約
定俗成，形成一種風俗習慣，深入民間，與民間家庭生活習習相關。五祀之祭如

《白虎通義》載：

> 五祀㉒者，何謂也？謂門、戶、井、灶、中霤也。所以祭何？人之所處出
> 入，所飲食，故爲神而祭之。（〈五祀〉）

五祀用牲頗有講究：「祭五祀，天子諸侯以牛，卿大夫以羊，因四時祭牲也。一說
戶以羊，竈以雞，中霤以豚，門以犬，井以豕。或曰：中霤用牛，餘不得用牛者用
豚。井以魚。」（〈五祀〉）自有其規矩，足見宗教祭儀之考究，謂「田心不容」
（陳立《疏證》）也。

四祭社稷

　　帝王除了祭天地之外，尚須祭祀社稷，土神曰社，穀神曰稷。中國人對土地
特別有感情，一方面是因爲中華民族以農立國，屬於靜態的社會組織，安土重遷，
世世代代大都居住在固定的地方，這就是賈誼、晁錯所謂之「地著」；這也是宗族
組織得以穩固發展的原因所在；另一方面土地生長穀食，滋養人類，感恩后土，所
以王者特別重視祭祀社稷，《白虎通義》云：

> 王者所以有社稷何？爲天下求福報功。人非土不立，非穀不食，土地廣
> 博，不可徧敬也。五穀眾多，不可一一祭也。故封土立社，示有土也。
> 稷，五穀之長，故立稷而祭之也。（〈社稷〉）
> 歲再祭之何？春求秋報之義也，故〈月令〉，仲春之月，擇元日，命民
> 社。仲秋之月，擇元日，命民社。《援神契》曰：「仲春祈穀，仲秋穫
> 禾，報社祭稷。」祭社稷以三牲何？重功故也。……〈王制〉曰：「天子
> 社稷皆太牢，諸侯社稷俱少牢。」宗廟俱太牢，社稷獨少牢何？宗廟太
> 牢，所以廣孝道，社稷爲報功。（〈社稷〉）

㉒　陳立《疏證》：此據《禮》戴說之殷制也。……若周制，則〈祭法〉云：天子立七祀，諸侯
　　立五祀，大夫立三祀，士立二祀。（〈五祀〉）

天子立社稷爲民求福報功，祭五土之總神與五穀之長者原隰之神，以敬其養民、有所本也。因土生長萬物，乃天下之所主也，故尊重之。一歲二祭，取其春求穀之功。其次，載祭祀所用牲，亦期民人不忘本，宣廣孝道也，此又與宗族、倫理、道德連繫，其間存有密切的關係。

㈤卜筮以決疑

　　每當重事決疑之時，天子下至士必以蓍龜占卜之，故上自天子下至士皆有蓍龜，定猶與，以示不自專。《白虎通義》云：

> 天子下至士，皆有蓍龜者，重事決疑，亦不自專。……《禮·三正記》曰：「天子龜長一尺二寸，諸侯一尺，大夫八寸，士六寸，龜陰，故數偶也。天子蓍長九尺，諸侯七尺，大夫五尺，士三尺，蓍陽，故數奇也。」（〈蓍龜〉）

陳立《疏證》：「《禮·曲禮》：『龜爲卜，筴爲筮。卜筮者，先聖王之所以使民信時日，敬鬼神，畏法令也，所以使民決嫌疑，定猶與也。』……《禮·禮器》云『家不寶龜』，注『大夫以下』者，彼謂不得以龜爲寶耳，故《家語·好生篇》：『臧氏有守龜，孔子以爲僭也。』」這是爲政者的用心，其目的是使民信時日，敬鬼神，畏法令。利用人民敬畏鬼神的心態，教化人民，實有助於政令的推行。時至漢朝，占卜吉凶亦所在多有，尤其是婚禮執雁問名之後，即占卜男女雙方之生辰八字，以問吉凶，若吉，則以雁爲禮，是爲「納吉」；直至今日其俗仍在，影響後世深遠。

　　中國並沒有統一的宗教，卻有多神的宗教信仰，由上文之論述可窺見一二。然而，漢代對於迷信[23]並不能自覺的予以摒除，作爲漢帝國法典的《白虎通義》仍

---

[23] 據唐學斌《社會學》云：「社會問題之一的『迷信』就是產生在宗教問題上。『誠則靈』的『誠』字與『迷信』的『迷』字兩者之間只有一紙之隔，信仰的行爲如果沒有正確的、適度的節制，往往曲解教義，走火入魔，變爲迷信。」（第十八章·宗教與社會）說明了宗教信仰之問題，若不能自覺則易陷入迷障之中。

然大量的記載著迷信思想，如：「日食者必救之何？陰侵陽也。鼓用牲于社，社者，眾陰之主，以朱絲縈之，鳴鼓攻之，以陽責陰也。……所以必用牲者，社，地別神也。尊之，故不敢虛責也。日食，大水則鼓用牲於社，大旱則雩祭求雨，非苟虛也。助陽責下求陰道也。月食救之者，陰失明也。故角尾交，日月食救之者，謂夫人擊鏡，孺人擊杖，庶人之妻楔搔。」（〈災變〉）日有蝕焉，以爲天狗食之，則鳴鼓以救，實出自迷信。對於天狗食日與占卜決疑這些言論，不但不能剔除迷信，未給予批判，亦不能提供進步的觀念，實在無法因時移而進化。

㈥陰陽五行思想之信仰

　　漢儒講「天人合一」、「天人感應」，所以五行、天地、四時、三才、日月，乃至於災異思想充塞其間，諸如：三教法天地人——忠法人，敬法地，文法天（〈三教〉）、「天子立明堂者，所以通神靈，感天地，正四時，……上圓法天，下方法地，八窗象八風，四闥法四時，九宮法九州，十二坐法十二月，三十六戶法三十六雨，七十二牖法七十二風。」（〈辟雍〉）、「天子所以有靈臺者何？所以考天人之心，察陰陽之會，揆星辰之證驗，爲萬物獲福無方之元。」（〈辟雍〉）等等。漢立明堂於丙巳，水木用事，交於東北，木火用事，交於東南，水土用事，交於中央，金土用事，交於西南，金水用事，交於西北，純爲五行思想❷。大凡五行相生相剋之理，或是五行配上方位、顏色、五臟、五味、五臭、五方、五音、四時乃至於五帝，變化更是繁多，似乎只要與數字「五」有關的都可以與之配合。而且影響層面廣泛，諸如社稷壇墠搭設之方位、配色、規格莫不與之有關：

　　　　其壇大如何？《春秋文義》❷曰：「天子之社稷廣五丈，諸侯半之。」其色
　　　　如何？《春秋傳》❷曰：「天子有太社也，東方青色，南方赤色，西方白

---

❷　見陳立《疏證》云：「今漢立明堂於丙巳，由此爲也。水木用事，交於東北，木火用事，交於東南，水土用事，交於中央，金土用事，交於西南，金水用事，交於西北。周人明堂五室，帝一室，合於數。」

❷　陳立《疏證》云：「文義，《通典》作大義。案《漢志》亦無《春秋大義》，未知出何書，盧（文弨）亦疑爲亦出《尚書》逸篇，《御覽》引作佚禮，或可從也。」

❷　陳立《疏證》云：「即《史記》所引之大傳。」亦即《春秋大傳》。

色，北方黑色，上冒以黃土。故將封東方諸侯，取青土，苴以白茅，各取
其面，以爲封社明土。謹敬潔清也。（〈社稷〉）

五行思想，影響漢人之深遠，實是無以復加，連刑罰亦染有這種色彩，無法
與之脫離關係，例如：

刑所以五何？法五行也。大辟法水之滅火，宮者法土之壅水，臏者法金之
刻木，剕者法木之穿土，墨者法火之勝金。科條三千者，應天地人情也。
（〈五刑〉）

此類說法顯然含有五行思想的成分，這是漢人法律摻有五行思想的特色。除此之
外，爵等之分亦法五行，其云：「爵有五等，以法五行也。或三等者，法三光也。
或法三光，或法五行何？質家者據天，故法三光。文家者據地，故法五行。」此類
天人相應於禮制上，均表現於書中（可參見附表一）。
另外，五祀亦可配五行；順五行之性，重以四時之序，依其相生相勝之理，
與之結合。《白虎通義》明載：

祭五祀所以歲一徧何？順五行也。故春即祭戶。戶者，人所出入，亦春萬
物始觸戶而出也；夏祭竈。竈者，火之主，人所以自養也。夏亦火王，長
養萬物。秋祭門。門以閉藏自固也。秋亦萬物成熟，內備自守也。冬祭
井。井者，水之生藏在地中。冬亦水王，萬物伏藏。六月祭中霤。中霤者
象土在中央也。六月亦土王也。故〈月令〉春言其祀戶，祭先脾。夏言其
祀竈，祭先肺。秋言其祀門，祭先肝。冬言其祀井，祭先腎。中央言其祀
中霤，祭先心。春祀戶，祭所以特先脾者何？脾者，土也，春木王然土，
故以所勝祭之也。是冬腎六月心，非所勝也，以祭何？以爲土位在中央，
至尊，故祭以心。心者，藏之尊者。水最卑，不得食其所勝。（〈五祀〉）

五行學說深植於漢人思想之中，尤其是宗教，它混合了民間迷信、讖緯思想，對於

五行相生相剋的思維方式含攝於其中，或可謂宗教發展到了漢代起了變化，深受當時五行思想影響，這是漢代宗教特色之一，也是中國宗教特色所在。五行思想影響所及，乃至於人倫亦取法五行：「三綱法天地人，六紀法六合。君臣法天，取象日月屈信，歸功天也；父子法地，取象五行轉相生也；夫婦法人，取象人合陰陽，有施化端也。」（〈三綱六紀〉）諸如此類，不勝枚舉（可參見附表一），五行思想實支配著漢人之生活，所以《白虎通義》之指導思想除了儒家學說以外，尚有五行之思想成分，不再是先秦之原始儒家思想了，這是受五行思想侵蝕、異化的儒家思想。

五、法律制度

　　法律是一種社會控制，用以約束個人行為，以達到保障個人生命財產安全，以臻安定社會、建立社會秩序的目的，其負有穩定社會秩序的重大功能。而法律之形成、改變自有其社會性因素，每當社會組織中產生新的價值觀、行為模式後，法律體制會針對這些改變作出反應，或依其修正，或因而更改，甚至淘汰法律條文。根據唐學斌《社會學》所言，法律的社會功能有五項，分別是：維持社會秩序、促進合作行為、保障人類基本權益、統一道德標準以及推動社會進步；其中統一道德標準一項，可以看出法律與道德之間的微妙關係。

　　儒家思想重德不任刑，刑罰是末節，因為「君子重德薄刑，賞疑（陳立《疏證》：何本「疑」作「宜」）從重。」（〈考黜〉）、「皋陶典刑不表姓，言天任德遠刑。」（〈姓名〉）這是儒家的重德教思想，非不得已不任刑，是原則亦是理想。然而從《白虎通義》中記載之其他言論：

> 安民然後富貴足，富足而後樂，樂而後眾，乃多賢，多賢乃能進善，進善
> 乃能退惡，退惡乃能斷刑。內能正己，外能正人，內外行備，孝道乃生。
> （〈考黜〉）

可以看出漢代儒家在任德、任刑之間的界線，與先秦儒家堅持任德不任刑的主張已有些微修正。《白虎通義》作為一部重新建構社會秩序的法典，自然會涉及維持社

會秩序的強制法領域：「古者人君下賢，降階一等而禮之，故進賢賜之納陛以優之也。既能進善，當能戒惡，故賜虎賁。虎賁者所以戒不虞而距惡。距惡當斷刑，故賜之鈇鉞，所以斷大刑，刑罰既中，則能征不義，故賜之弓矢，弓矢所以征不義，伐無道也」（〈考黜〉），但是，儒家在此已有德刑同重、並施的跡象。

　　其實，為求社會公平，人民在法律之前平等的目標[27]，同時亦為求國家社會之長治久安，法律之設置是必要的。《白虎通義》所云刑罰之設，乃應天地人情而起，以期發揮出最大的功效，其曰：

> 聖人治天下，必有刑罰何？所以佐德助治，順天之度也。故懸爵賞者，示
> 有勸也。設刑罰者，明有所懼也。（〈五刑〉）

刑罰之立乃為天子之佐德助治，懸爵賞者，目的在於勸善——設刑罰則使民有所懼而不至於作惡。犯罪之人，除了受刑罰之外，尚受社會價值觀之批判，甚至無法受到人道待遇而被放逐與禽獸為伍，重刑之下，必有其遏阻力量，此亦展示了法律的社會強制力量。

　　同樣具有社會約束力量但相對於刑罰的禮，據《白虎通義》的解釋是：

> 刑不上大夫何？尊大夫。禮不下庶人，欲勉民使至於士。故禮為有知制，
> 刑為無知設也，庶人雖有千金之幣，不得服。刑不上大夫者，據禮無大夫
> 刑，或曰：撻笞之刑也。禮不下庶人者，謂酬酢之禮也。（〈五刑〉）

禮乃用以明貴賤、序長幼、別親疏者。就《白虎通義》而言，禮與刑執行之差別在於有知、無知，對於有知之大夫則施之以禮，至於無知之庶人則導之以刑，其目的在使民去惡從善，而欲勉民，使之至於士，亦有其善導作用。另一方面，亦說明此

---

[27] 雖然《白虎通義》一書中並無所謂真平等，充斥著許多不平等的現象，所設之法律是以不齊為齊，但是實現社會公平，讓人民在法律之前平等卻是法治社會的目標，故法律之設置是必要的。

爲士族間的行爲準則——「是士族間的等級關係的表現，而『刑』是他們對待勞動人民的手段，士族和勞動人民之間當然無『禮』可言，所以東漢以後『禮』與『律』都是顯學，是這種現實的反映」❷。

　　法律原與道德不同，法律是人爲的規範系統，具有強制執行的力量，所謂「他律」者也；道德本是一種「自律」行爲，不過，有時他的制裁力量超過法律，此即戴震所謂：宋儒以禮殺人是也。其影響力可能更大，更具有制裁能力❷。法律與道德在《白虎通義》一書中，將之連結，連結的方式是將法律視爲道德之「鞭策」，其云：「五刑者，五常之鞭策也。」刑作爲五常的「護法」，更強化了人倫道德的社會約束意義。而且法不外人情，對於年老之罪犯不加其刑責：「《禮》八十九十曰耄，七年曰悼。悼與耄，雖有罪不加刑焉。」（〈考黜〉）刑法亦與《禮》之敬老結合，這是一大特色。

六、階級觀念重整

　　社會學家韋伯認爲階層化❸可由三種不同秩序形成一個系統：即經濟的、社會的與政治的；他又指出造成階級的另一原因在於社會的價值取向。因此，階級之形成與社會組織之價值系統、經濟體制之變化以及爲政者之政治目的均有關聯❸。縱觀《白虎通義》一書，其反映出之階層化是透過經濟實力（豪門大族之財富與勢力）、威望，通向政治權力之核心，以奪取政權、提高自己的社會地位。當時豪門大族割據勢力存在，王者無法漠視，故《白虎通義·三正》出現了「天下非一家所有」的說法：「王者所以存二王之後，何也？所以尊先王，通天下之三統也。明天

---

❷　同註❷。

❷　這種制裁力量，大多來自民間的私刑，衛道主義者自認爲正義化身，懲處其他不守道德規範的人，其中往往有冤情產生。

❸　唐學斌《社會學》云：「所謂『階層化』與階級不同，前者較抽象，凡任何事物在其安排上有高低上下多寡之分，即可謂其由若干階層組成。所以一個社會階級必定是一個階層。但一個階層不必是一個階級。」（第十一章·社會階級）

❸　據唐學斌《社會學》所云：「社會上的不平等與階級劃分形成的因素很多，其中最主要的就是人類社會的分工，以及社會地位相似的人群結合起來以求自保與共同利益等現象，這些現象又與財富的聚集、社會人種結構以及統治者的政策有直接關係。」

下非一家所有，謹敬謙讓之至也。」❸由此可見《白虎通義》所反映之社會結構——階級——已產生變化，封建制度既然不能鞏固社會階級之結構，專制體制之天子受豪門大族之奪取政治權力之壓力下，必須「釋放出一些權力」以應其要求，故「天下非一家之天下」之思想於焉產生。

　　社會階級關係改變之現象，反映在《白虎通義》書中的有以下幾項：

㈠「天子」之名下降為一爵稱

　　既然「天下非一家之天下」的思想已經產生，相對地，天子不再獨尊於天下，故「天子」之名遂下降為一個爵稱而已，《白虎通義》云：「天子者，爵稱也。」（〈爵〉）天子從一專制帝制中之至尊地位，下降為一爵號，相當於其他封爵者的地位，這是對天子地位的貶抑。在漢章帝親臨裁制之下，「作出天子為爵稱的論斷，這是值得注意的問題。這是重新調整階級關係的時候，在重新調整中，豪門大族的地位提高，而天子的地位貶低。天子之子亦稱『士』，士就是士族、世族、豪門大族的簡稱。」❸天子權力的釋放，豪門大族勢力的擴張，在中國封建制度下，是一大變革。

㈡士族、世族、豪門大族地位之提昇

　　社會階級的重新調整，肇因於豪門大族的經濟實力，影響了政治環境，豪門大族恃其強大的物質力量，企圖擁有實質的政治權力以及社會地位。而天子地位的貶抑，連帶天子之太子亦貶低稱「士」，《白虎通義》云：

　　　王者太子亦稱「士」何？舉從下升，以為人無生得貴者，莫不由士起。是

---

❸　據楊向奎〈白虎通義的思想體系〉云：「……王者存二王之後，與本朝為三，所以通三統，這是《公羊》古義，但『明天下非一家所有』卻是新說。傳統的儒家與經學都是說「天下一家」，都是說「溥天之下，莫非王土；率土之濱，莫非王臣」，如今卻提出「天下非一家所有」，這說明《白虎通義》不遵循《公羊》古義大一統的理論，而提倡諸侯對於天子有「天純臣」的關係：王者不純臣諸侯何？尊重之，以其列土傳子孫，世世稱君，南面而治，……異於眾臣也（〈王者不臣〉）。」明言漢代之社會階級因地方上的豪門大族爭政權利而起變化，當時豪門大族之地位有明顯提昇的現象。

❸　同註❶。

以舜時稱爲天子，必先試于士。《禮‧士冠經》：「天子之元子，士
也。」（〈爵〉）

說明天子地位之陵夷與「士」地位之竄升。「天子」是一個爵稱，是爲貴族，已不
再擁有至高無上的權力，因爲當時豪門大族擁有強大的經濟力量，籠絡賓客、門
生、部曲、故吏而形成如同磐石般堅固的勢力，成爲地方之領袖，如第五倫、朱
穆、種暠、馮緄等人，均是其宗族閭里的領袖，甚至宗族閭人尚須依其而生。況且
「家族財勢在絕大部分情形下是和家族仕宦相結合，仕宦之家通常也就是財勢之
家。」㉞如曹全一族「枝分葉有，所在爲雄」，其勢力勝過列侯貴族，後來取得割
據地位的也是這批人，這是個由豪強擁有政治權力的時代。宗族的力量也因此被勾
勒出來，這是宗族經過血緣的自然聯結所產生的力量，說明了宗族聯繫與社會階級
變遷之間的關係。由此觀之，《白虎通義》確實反映了整個時局社會的、經濟體制
的變遷，以及因之而起的社會階級的改變。

(三)商賈地位之高竄

漢初之商人地位並不高，頗受當時爲政者壓制，如「高祖爲商人乘時亂不軌
逐利，乃令賈人不得衣絲乘車，重租稅以困辱之。孝惠高后時，復弛商賈之律。然
市井子孫亦不得宦爲吏。惟封建世襲之制既已不復，殖產致富，以利言之，其事亦
等於封君。故人情之趨於貨殖，終不爲衰。」㉟時至文景，「商賈……因其富厚，
交通王侯，力過吏勢，以利相傾，千里游敖，冠蓋相望，乘堅策肥，履絲曳縞，此
商人所以兼并農人，農人所以流亡者也。」（見《漢書‧食貨志》載賈誼上疏文）
當時法律賤商人，尊農夫，然而商人富且貴，農夫卻貧苦窘迫。商人可以買爵得
官，亦得憑其財力役使平民，不啻封侯之貴族，「故封建世貴之制既廢，社會折而
入於以財相役，富不與貴期而貴自至。富貴不與驕奢期而驕奢自至。亦事勢之自然

㉞　見刑義田著〈東漢孝廉的身份背景〉一文，收錄在《第二屆中國社會經濟史研討會論文集》
　　（臺北：漢學研究資料及服務中心，1983 年 7 月）。

㉟　據錢穆《秦漢史》（臺北：東大圖書公司，1992 年）。

而至顯易見者也。」㊱商人藉著自身的經濟實力，提昇社會地位，不但影響經濟環境，同時亦重整社會階級、改變社會結構。商人之富結合買官以貴，圖利兼併農民，造成農民生計窘迫，衣食不足自給，以致平民自販為奴，只因賣身為奴，可以不必自己負擔政府之賦斂；重以當時官私均盛行蓄奴，商人又以販奴致富，如此循環，富者益富，窮者更窮。這種社會經濟之畸型發展，影響層面非常廣大，而豪傑任俠亦應之而起，社會結構為之改變，足見經濟體制的改變，無不反應在社會階級、結構的變化上。

到了東漢，這種情形更加嚴重，因為「東漢王朝是建立在豪強地主共同體基礎之上的。劉秀的功臣大多是些有實力有影響的豪強，他們在東漢政權中佔有重要的地位。東漢皇后一般都出於鄧、竇諸大族。而朝廷的許多措施，如果得不到諸豪大族的贊同，也往往不能順利貫徹下去。東漢豪族的囂張，連馬援這樣的名將也深為畏懼。」㊲當時「士族正在形成，遮（庶）族地主勉強可以升為士。……而庶族地主勉強可以升為士，否則庶人之子雖有千金，也不能以士禮相待。庶族可以升為士族，商人地主屬於庶族，但士族地主也有經營商業的」（楊向奎〈《白虎通義》的思想體系〉）。這是一個階級變化極大的社會，士族正在形成，而商人地主之庶族地位亦在攀升中，乃因經濟結構之改變，連帶影響社會階級產生變化。《白虎通義・商賈》亦反映了上種現象，從其特為商賈所下之定義可以標示出來，「這種肯定商賈的議論，在中國封建社會是少見的，這只能說隨著商人地主力量的強大，他們的地位在上升中。」（同上）由此可以窺見商賈地主如何晉身士族，如何提昇其社會階級，而社會階級異動又展現出社會經濟之變化，社會結構亦隨之變動。

七、宗族聯繫與國家觀念

家庭是一種經由血緣關係而連結共同生活的群體，是社會結構的基本單位，是人類社會生活的起點，個人人格發展亦由此開始。因為有了家庭組織，才有建立永久性社會的可能。中國人不但重視家庭，而且將之擴展成家族、宗族之觀念，因

㊱ 同前註。
㊲ 見黃朴民：《董仲舒與新儒學》（臺北：文津出版社，1992 年）。

爲從西周之有宗法始，宗族之觀念即生根於心中，而宗族之具有的社會力量更遠勝於家庭。這種基於血緣的承繼，是很難斷絕的。尤其是東漢時期，士族地位的竄升，以及豪門大族的經濟實力的彰顯，更突出宗族之力量，而士族、世族、豪門大族地位之所以能提昇，也是憑藉著其後宗族之力量方可達至，這又直接影響社會結構的改變，因爲某一階級地位的提昇即反映社會結構之變化，也呈現出社會變遷的軌跡。

㈠宗族聯繫

　　《白虎通義》一書，反映了那個時代由於宗族聯結的力量，所造成的社會變遷。其定義宗族云：

> 宗者，何謂也？宗者，尊也。爲先祖主者，宗人之所尊也。《禮》曰：「宗人將有事，族人皆侍。」古者所以必有宗，何也？所以長和睦也。大宗能率小宗，小宗能率群弟，通其有無，所以紀理族人者也。宗其爲始祖後者爲大宗，此百世之所宗也，宗其爲高祖後者，五世而遷者也。故曰：祖遷于上，宗易于下，宗其爲曾祖後者爲曾祖宗，宗其爲祖後者爲祖宗，宗其爲父後者爲父宗。父宗以上至高祖，皆爲小宗，以其轉遷，別于大宗也。別子者自爲其子孫祖，繼別也各自爲宗，小宗有四，大宗有一，凡有五宗，人之親所以備矣。（〈宗族〉）

又曰：

> 所以有氏者何？所以貴功德，賤伎力。或氏其官，或氏其事，聞其氏即可知其德，所以勉人爲善也。或氏王父字何？所以別諸侯之後，爲興滅國，繼絕世也。（〈姓名〉）

陳立《疏證》：「顧興滅繼絕，故紀族明所出。」上古時代氏是姓的分支，用以分別子孫之所由出，所以氏是表明宗族的稱號；通常以邑、以官、以祖父諡號與字爲氏。當時只有貴族有氏，平民則無。漢魏以後，姓氏合，姓也稱氏，而姓氏就代表

著宗族與血緣關係的建立。《白虎通義》展現出中國人特重宗族血緣的承繼與延續，所以將宗法關係闡釋的非常清楚，由群弟、小宗、大宗層層締結，主從與隸屬關係分明，人之親屬已紀其中，彼此互通有無，長相和睦。宗人有事，族人必待，宗族團結力量亦由此而生。《白虎通義》又釋族曰：

> 族者，何也？族者，湊也，聚也。謂恩愛相流湊也。上湊高祖，下至玄孫，一家有吉，百家聚之，合而爲親，生相親愛，死相哀痛，有會聚之道，故謂之族。（〈宗族〉）

大宗統率小宗，小宗率群弟，上下輻湊，利用宗族之結合，構成政治上、經濟上的強大力量，此種集團的影響力亦自不凡。這種以家族爲中心的宗法制度的維持，是根據血緣遠近區分嫡庶親疏的一種等級制度。它包含著古代社會規定的嫡庶系統的法則和家族中祭祀、婚嫁、慶弔、送終等事務的家法，遂有九族之說，用以定規範人倫之親疏關係，是人倫倫理得以成立的重要環扣。《白虎通義》將所有宗族之血緣關係盡錄其中，曰：

> 《尚書》曰：「以親九族。」族所以有九何？九之爲言究也，親疏恩愛究竟，謂之九族也，父族四，母族三，妻族二。四者，謂父之姓爲一族也，父女昆弟適人有子爲二族也，身女昆弟適人有子爲三族也，身女子適人有子爲四族也。母族三者，母之父母爲一族也，母之昆弟二族也，母昆弟子三族也，母昆弟者男女皆在外親，故合言之也。妻族二者，妻之父爲一族，妻之母爲二族，妻之親略，故父母各爲一族。（〈宗族〉）

古時若獲罪遭至「誅連九族」其牽連之大可知，而中國社會結構實建立於家庭、宗族之上。《白虎通義・宗廟》亦曰：「禘祫及遷廟何？以其能世世繼君之體，持其統而不絕，由親及遠，不忘先祖也。」宗族的聯繫在於血緣的一脈相承，而父母死後在喪禮中「點主」的禮儀，即是這種延綿不斷的關係的具體表現。

（二）國家觀念

　　透過氏族、宗法的團結，進而強化了國家觀念；《白虎通義》反映出中國與夷狄不相融的狹隘的世界觀，異於《公羊傳》「大一統」之下，中國、夷狄大融合的觀念❸。其載曰：

　　　　夷狄者，與中國絕域異俗，非中和氣所生，非禮義所能化，故不臣也。
　　　　《春秋傳》曰：「夷狄相誘，君子不疾。」《尚書大傳》曰：「正朔所不
　　　　加，即君子所不臣也。」（〈王者不臣〉）
　　　　王者制夷狄樂，不制夷狄禮何？以爲禮者，身當履而行之。夷狄之人，不
　　　　能行禮。樂者，聖人作爲以樂之耳。故有夷狄樂也。（〈禮樂〉）

這是《白虎通義》的夷狄觀，這些理論都和《公羊》學說相忤，《公羊》的理論是「王者無外」，《白虎通義》卻將中國、夷狄對立起來，不同於《公羊》「大一統」的觀念：

　　　　冬，楚子使椒來聘。（傳）椒者何？楚大夫也。楚無大夫，此何以書？始有
　　　　大夫也。始有大夫，則何以不氏？許夷狄者不一而足也。（文公九年）

何休《解詁》云：「許，與也。足其氏則當純以中國禮貴之，嫌夷狄質薄，不可卒備，故且以漸。」縱使夷狄質薄，不可卒備，亦不以民族之義以區隔之，當純以中國禮貴之，這是《公羊》的夷狄觀。

---

❸ 楊向奎著：〈《白虎通義》的思想體系〉云：「新興地主變成士族地主，新興地主階級的
　『大一統』理想，也被他們拋棄。原來在『大一統』的理論內，『中國』、夷狄都是政治上
　的界限或者是文化上的界限，『中國』可以退爲夷狄，夷狄可以進爲『中國』。……本來在
　《公羊》學體系內，夷狄、諸夏與『中國』，已經跳出民族或種族的界限，如今又退回到種
　族的概念中，站在大漢族立場，以爲夷狄『非中和氣所生，非禮義所能化，故不臣也』。這
　違背了《公羊》義法，違背了『大一統』的含義，《白虎通義》走上了絕路。」試將《公羊
　傳》與《白虎通義》作一比較，則可知楊向奎所言爲是。

又成公十五年載：

> 冬，十有一月，叔孫僑如會晉士燮、齊高無咎、宋華元、衛孫林父、鄭公
> 子鰍、邾婁人會吳于鍾離。（傳）曷為殊會吳？外吳也。曷為外也？《春
> 秋》內其國而外諸夏，內諸夏而外夷狄。王者欲一乎天下，曷為以外內之
> 辭言之？言自近者始也。

何休《解詁》云：「明當先正京師，乃正諸夏，諸夏正，乃正夷狄，以漸治之。」
這是《公羊》學所謂「三科九旨」⓷⓹，為別親疏之義，亦代表其國家觀與世界觀。
但是，這種層次是富有彈性的，是相對而言，並非絕對，由清末《公羊》學復辟，
滿清由異族地位，變成滿漢一家，共禦外侮（此即內其國而外諸夏，內諸夏而外夷
狄者），可以得知。所以夷狄在《公羊》學體系中，仍是大中國的範疇，《白虎通
義》則不是。《公羊傳》昭公二十三年又載：

> 戊辰，吳敗頓、胡、沈、蔡、陳、許之師于雞父。胡子髡、沈子楹滅，獲
> 陳夏齧。（傳）此偏戰也，曷為以詐戰之辭言之？不與夷狄之主中國也。然
> 則曷為不使中國主之？中國亦新夷狄也。其言滅獲何？別君臣也，君死于
> 位曰滅，生得曰獲，大夫生死皆曰獲。不與夷狄之主中國，則其言獲陳夏
> 齧何？吳少進也。

何休《解詁》云：「中國所以異乎夷狄者，以其能尊尊也。王室亂，莫肯救，君臣
上下敗壞，亦新有夷狄之行。」說明夷夏之分僅在中國能尊尊，能尊尊即有禮義，
若王室亂而莫肯救，君臣上下均敗壞，則與夷狄之行無別。《公羊傳》中，中國與

⓷⓹　三科九旨是《公羊》學家何休首先提出，分別是：新周、故宋、以春秋當新王；所見異辭、
　　所聞異辭、所傳聞異辭；內其國而外諸夏，內諸夏而外夷狄。第一科三旨，乃欲張顯時代性
　　格（商、西周、東周之歷史先後），展現出孔子的歷史判斷依據，以及其正統觀念。第二科
　　三旨，乃是展示孔子在處理不同的歷史材料時，所採取的態度。第三科三旨，則是所謂國家
　　認同與世界觀。

夷狄是可以互相轉化，二者之間不以種族之不同分別，反倒是依其行爲來判斷。

　　《白虎通義》將中國與夷狄對立，不似《公羊》學說之圓融、寬容，夷狄被置於大一統思想之外，此種夷夏之絕對化區別是否說明漢帝國的人民具有強烈的國家意識，從種族上自別於夷狄？其實不然，因爲「大一統」的思想已被士族拋棄了，當時的漢王朝已無力維護這大一統的局面，割據力量亦已成形，大一統的力量相對的被削弱，《白虎通義》無法維持《公羊》學派的理想。其實，這也是《白虎通義》一直強調要「強幹弱枝」的原因，因爲中央已無力阻止地方的割據勢力，只能藉著口號強化漢王朝的尊嚴，其云：「誅不親戚何？所以尊君卑臣，強幹弱枝，明善善惡惡之義也。」又曰：「諸侯之義，非天子之命，不得動眾起兵誅不義者，所以強幹弱枝，尊天子，卑諸侯也。」這種以中央爲重心而分散地方勢力的思想是漢王朝欲鞏固其政權的呼聲。

八、倫理道德觀念之強化

　　前面提及：倫理道德與法律同樣具有社會制約的作用，其均屬於社會控制，人生活在群體（社會）中，必受群體之規範，不同者是，法律具有強制執行的力量，屬於他律，倫理道德則屬於自律。但是在中國的社會裏，倫理道德的力量有時會超越法律的力量，這是由於中國人重倫理道德甚於法律的緣故，從孔子作《春秋》時採取之價值判斷（即春秋書法），所行之褒貶意義可知，這是一種「誅心論」[40]，是基於人倫道德的立場予以批判時立下的標準。其次，記載孔子言行之《論語》亦有「子爲父隱，父爲子隱，直在其中」的說法，均是出自重人倫倫理不重律法的心態與民族性格。《白虎通義》在這一方面的闡述則較以往更精細，著重點更多，以下試分析之：

㈠人倫新紀律的提出——「三綱六紀」

　　「三綱六紀」是《白虎通義》一書最主要的人倫思想，它規定著人與人之間的關係。所謂三綱指君臣、父子、夫婦，這在董仲舒《春秋繁露·基義》已提出，

---

[40]　此一說法參見顧頡剛《漢代學術史略》一書。

但是董仲舒只有五紀之說❹，至於六紀則是《白虎通義》首先提出的。《白虎通義》明載：

> 三綱者，何謂也？謂君臣、父子、夫婦也。六紀者，謂諸父、兄弟、族人、諸舅、師長、朋友也。故《含文嘉》曰：「君爲臣綱，父爲子綱，夫爲妻綱。」又曰：「敬諸父兄，六紀道行，諸舅有義，族人有序，昆弟有親，師長有尊，朋友有舊。」何謂綱紀？綱者，張也。紀者，理也。大者爲綱，小者爲紀。所以強理上下，整齊人道也。人皆懷五常之性，有親愛之心，是以綱紀爲化，若羅網之有紀綱而萬目張也。（〈三綱六紀〉）
> 六紀者，爲三綱之紀者也。師長，君臣之紀也，以其皆成己也；諸父、兄弟，父子之紀也，以其有親恩連也；諸舅、朋友，夫婦之紀也，以其皆有同志爲己助也。（同上）

「三綱六紀」之連繫是以血緣關係爲主軸，將人倫之環節、隸屬（尊卑）❷關係說明的非常清楚，「『六紀』，則是既包括血緣關係，如諸父、兄弟、族人、諸舅；又包含有社會關係，如師長、朋友等等。血緣關係與社會關係的結合，說明當時豪強勢力已相當龐大，於是有必要將朋友這一項寫入六紀，以便相處時能有一個倫理準則可以遵行。所謂的『朋友』，實際上就是依附於豪強的『賓客』。他們與主人之間沒有血緣關係，身份上又有相對的獨立性，爲了使主人與『賓客』兩相安定，和衷共濟，故名之爲『朋友』。『朋者黨也，友者有也』（〈三綱六紀〉），其奧妙正在此處，這種依據現實新形勢而提出『三綱六紀』說，也是《白虎通義》對董

---

❹ 董仲舒雖有五紀之說，但是並沒有提出具體的解釋。

❷ 唐兆君云：「以倫理規範的制度而言：三綱有明確角色的統屬地位，屬單向的主從；六紀是關係維繫的倫理規範，強調雙方的互動關係，而且諸父、諸舅、長幼、師長、朋友，均提及『大角』、『攝提』之星名，似乎欲以六紀取象天體運行之理以定人倫。《含文嘉》將六紀釋爲王者身旁六種道德位列，正如六星拱繞一般，頗有烘托王者名位之意旨，政治性濃厚，再加上三綱之『君爲臣綱、父爲子綱、夫爲妻綱』，君權父權的獨尊便昭然若揭了。」見唐氏著：《白虎通禮制思想研究》（臺北縣：輔仁大學中研所碩士論文，1994 年）。

仲舒新儒學的局部發展。」㊵在這意涵下，《白虎通義》的確重新定義了人倫關係。

　　其次，《白虎通義·姓名》亦有同樣的記載，其云：「人所以有姓者何？所以崇恩愛，厚親親，遠禽獸，別婚姻也。故紀世別類，使生相愛，死相哀，同姓不得相娶者，皆爲重人倫也。」這種人倫關係的定義，不但確定了以家庭爲出發點推至宗族的倫理關係，同時也是一種政治關係，即所謂「臣之事君，猶子之事父」，以事父之義事君，強調君臣關係猶如父子關係之絕對意義，藉由家庭倫理鞏固政治倫理，而孝道就是家庭倫理與政治倫理連結的線索。若再加上六紀（指三綱關係的延展），則《白虎通義》實涵蓋了社會中人際關係的所有脈絡，網羅了生活中所有與人接觸的各個層面，這樣多層次的人倫關係，透過隸屬、主從、尊卑的模式延伸，繩於「綱紀」之下，不管是家庭的、宗族的、政治的乃至於社會結構便綱舉目張，輕易的被描繪出來，層層相因，堅如磐石。如此，每個人的社會地位便清楚的標立，構築了社會完美結構，也是社會秩序得以維持的基礎。

㈡孝道的闡揚

　　《白虎通義》書中有關德教思想的記載非常多，如：〈五經〉所提出之：《樂》仁，《書》義，《禮》禮，《易》智，《詩》信者是也。因人情有五性，懷五常，不能自成，所以必須由聖人以五常之道，示人教人，助人民完成其德。還有所謂三教之教忠、教敬以及教禮等等，蓋傳承儒家思想之故耳。其中尤以孝道之闡述最爲繁多，實肇因於中國人講求孝道，以爲人之本歟，以爲百善孝爲先。邢昺《孝經注疏·序》云：「孝經者，百行之宗，五教之要。」孝，是一切德行之出發點。遠古之書──《尚書·堯典》就有孝行的記載，而《論語》書中亦記載許多孔子闡述孝道之言論，中國人重孝，可由中管窺一二。

　　漢人最重孝道，從其教育制度可知，因爲漢人上至天子，下至庶人讀書莫不讀《孝經》，王國維《觀堂集林》卷四〈漢魏博士考〉云：「漢人就學，首學書法，……其進則授《爾雅》、《孝經》、《論語》，……序庠置《孝經》師一人。……且時但有受《論語》、《孝經》、小學而不受一經者，無受一經而不先受

㊵　見黃朴民：《董仲舒與新儒學》（臺北：文津出版社，1992年）。

《論語》、《孝經》者。」漢代皇帝如昭帝、宣帝、元帝及東漢順帝均習《孝經》。又，《後漢書‧儒林傳》載：「明帝即位，……復爲功臣子孫、四姓末屬別立校舍，……悉令通《孝經》章句。」即使在宮邸學——四姓小侯學，亦令習之，漢人重視《孝經》，實因其闡釋孝道。又《後漢書‧獨行列傳‧向栩傳》亦載：「會張角作亂，栩上便宜，頗譏刺左右，不欲國家興兵，但遣將於河上北讀《孝經》，賊自當消滅。」漢人對《孝經》的信仰竟至如此地步，其來有自。

至於《白虎通義》記載有關闡明孝道之言論則有：

> 所以制朝聘之禮何？以尊君父，重孝道也。夫臣之事君，猶子之事父，欲全臣子之恩，一統尊君，故必朝聘也。聘者，問也，緣臣子欲知其君父無恙，又當奉土地所生珍物以助祭，是以皆得行聘問之禮也。（〈朝聘〉）
> 圭瓚秬鬯，宗廟之盛禮，故孝道備而賜之秬鬯，所以極著孝道。孝道純備，故內和外榮，玉以象德，金以配情，芬香條鬯，以通神靈。（〈考黜〉）
> 王者父事三老，兄事五更者何？欲陳孝弟之德以示天下也。（〈鄉射〉）

這類的話可說不勝枚舉。尤其是孝道溝通了政治倫理與家庭倫理，並且與敬老結合，形成中國道德觀念之獨特風貌。人倫之維繫，孝尤佔重要地位，這也是「三綱六紀」既是人倫倫理，又是政治倫理，二者之連繫，即在於此一孝字，故云：「以尊君父，重孝道也。夫臣之事君，猶子之事父，欲全臣子之恩，一統尊君，故必朝聘也。」「尊人君、貴功德、廣孝道也。」透過孝道得以溝通人倫倫理與政治倫理。就諸侯而言，不順宗廟則視爲不孝，不孝者削去爵位❹，這種處罰非常嚴厲，乃是特重孝道的緣故，足見孝道在漢人心目中所佔份量。

---

❹ 據《白虎通義》載：「《尚書大傳》曰：見諸侯，問百年，太師陳詩，以觀民風俗，命市納賈，以觀民好惡。山川神祇有不舉者爲不敬，不敬者削以地，宗廟有不順者爲不孝，不孝者黜以爵，變禮易樂者爲不從，不從者君流，改衣服制度爲畔，畔者君討，有功者賞之。《尚書》曰：明試以功，車服以庸。」（〈巡狩〉）明言對於不敬不孝者，分別削以地及黜以爵，申論對孝道的重視。

（三）婦道之要求

　　人倫之肇始於夫婦，《易·序卦傳》、《中庸》皆已言及，《白虎通義》承續之云：「男女之交，人倫之始，莫若夫婦。……人承天地施陰陽，故設嫁娶之禮者，重人倫，廣繼嗣也。」（〈嫁娶〉）夫妻能傳遞血脈，延綿子孫。藉由子嗣之衍生，產生了父子關係，由此再推至君臣，故稱夫妻關係之締結為人倫之肇始。夫婦之關係為何？《白虎通義》釋之曰：

> 夫婦者，何謂也？夫者，扶也，以道扶接也；婦者，服也，以禮屈服也。
> 《昏禮》曰：「夫親脫婦之纓。」《傳》曰：「夫婦判合也。」（〈三綱六紀〉）
> 夫婦者，何謂也？夫者，扶也，扶以人道者也；婦者，服也，服於家事，事人者也。（〈嫁娶〉）

說明了夫妻之間有夫尊婦卑的關係、婦女無外事等觀念；但另一方面，《白虎通義》又闡釋夫婦二者為兩對等的個體，這「正好指出了書中兩種精神兼具的現象，如同陰陽模式一般，既對等又有主從。」❹❺夫妻齊等之說法，諸如：「妻者齊也，與夫齊體，自天子下至庶人，其義一也。」（〈嫁娶〉）、「妻得諫夫者，夫婦榮恥共之。《詩》云：「相鼠有體，人而無禮，人而無禮，胡不遄死」，此妻諫夫之詩也。諫不從不得去之者，本娶妻非為諫正也，故一與齊，終身不改，此地無去天之義也。」（〈諫諍〉）這都是以平等相對立的方式看待夫妻之關係，基於此，夫妻沒有階級意涵，是對等的兩個個體，一個以道扶之，一個以禮事人。

　　另外，關於「主從關係者」，說明男為主，女為從，女性之行事必以男性為中心，行為必須恭敬且順從，因其「陰卑無外事」、「陰卑不得自專」須「就陽而成之」，並得恪遵「三從四德」之要求，如：

> 男者，任也，任功業也；女者如也，從如人也，在家從父母，既嫁從夫，

---

❹❺　同註❹❷。

夫歿從子也。《傳》曰：「婦人有三從之義」焉。（〈嫁娶〉）

婦事夫，有四禮焉。雞初鳴，咸盥漱，櫛縱笄總而朝，君臣之道也；惻隱之恩，父子之道也。會計有無，兄弟之道焉。閨閫之內，衽席之上，朋友之道焉。聞見異詞，故設此焉。（〈嫁娶〉）

此種婦道的要求實是建構君權、父權之漢人思想，那是以父系爲主的社會，對女性的要求較爲嚴苛，女性所學所師亦主在事人方面，其他知識及技能則闕，例如：

婦人所以有師何？學事人之道也。……〈昏禮〉經曰：「教於公宮三月。」婦人學一時，足以成矣。與君有緦麻之親者，教於公宮三月，與君無親者，各教於宗廟宗婦之室。國君取大夫之妾、士之妻老無子而明於婦道者祿之，使教宗室五屬之女。大夫士皆有宗族，自於宗子之室學事人也。（〈嫁娶〉）

陳立《疏證》：「古者爲師，教以婦德、婦言、婦容、婦功。」婦人必須學三從四德，學事姑舅，倍受儀禮所束縛。

此外，婦人不得去夫，縱使諫夫不從，夫有惡行亦不得求去，《白虎通義》曰：「夫有惡行妻不得去者，地無去天之義也。夫雖有惡，不得去也。故《禮·郊特牲》曰：一與之齊，終身不改。」（〈嫁娶〉）夫爲天，婦爲地，「地無去天之義」，指明婦人一旦出嫁從夫，必須終身不改，除非丈夫「悖逆人倫，殺妻父母，廢絕綱紀，亂之大者也，義絕乃得去也。」（同上）如此罪大惡極，恩斷義絕，婦人方得以自由，這種禮教之約束，實是女性與男性不平等之源。

九、風俗習慣

風俗習慣是人類長期社會化的結晶，亦是人類文化生活的重要組成部分，它具有時代性、穩定性、傳承性等特點。其中蘊含著濃厚的價值判斷，乃社會組成分子普遍接受的行爲標準。當它成形並晉昇爲道德規範，受人們遵行時，就不容輕易改變，不遵行者將遭到群體的譴責或制裁。《白虎通義》一書記載著許多有關服

飾、葬、婚、禮等風俗習慣，以下分述之。

㈠服飾

　　漢人對服飾非常講究，大凡官員入朝、祭祀、婚禮、朝賀，莫不戴冠，以示莊重。從其所著衣飾、配戴之冠，飾物之形制、顏色、大小、質料、數量可以看出其人之地位、職分甚至階級。《白虎通義》載：

> 故禮云：「天子玉藻十有二旒，前後邃延。」〈禮器〉曰：「天子麻冕朱綠藻，垂十有二旒者，法四時十二月也。諸侯九旒，大夫七旒，士爵弁無旒。」（〈紼冕〉）

　　據蔡邕《獨斷》云：三公、諸侯用九旒，珠用青玉；卿七旒、赤玉珠；九卿以下五旒，珠玉色黑。《獨斷》所記與《白虎通義》所載相同，可知冕旒是漢時帝王、諸侯、朝官所戴之禮冠。冕旒之製外黑內紅，有一長形冕板蓋其頂上，稱爲「綖」，其形前圓後方，象徵天圓地方之意。在綖的頂端有若干成串珠玉（即冕旒）垂下，乃紅綠彩線穿組而成。冕旒的多寡和質料的差異，用以區別貴賤尊卑。漢代皇帝祭祀天地，冕冠用十二旒（即十二排珠玉），白玉製成，前垂四寸，後垂三寸❹⑥。皇帝以下之三公、諸侯、九卿或用九旒、七旒、五旒、三旒不等，隨職位而異。

　　漢人除了職務、階級差異有不同冠戴之外，祭祀或處理公務時亦戴不同的禮冠，「皇帝上朝戴通天冠，諸侯戴委貌冠，文官戴進賢冠，執法官戴法冠，謁者、僕射、使者戴高山冠，五官左右虎賁、五官中郎將、羽林左右監、虎賁、武騎戴武冠或稱大冠，衛士戴卻敵冠。」（韓養民《秦漢文化史》）同一職別者，又因等級不同，所戴冠飾亦不同，如文官同是戴進賢冠，冠上之裝飾尚且有三梁、二梁、一梁之分，足見漢代社會階級分別細密；所分雖細，但是受經濟環境影響，商賈豪族

---

❹⑥ 禮冠前後垂旒的問題，歷來學者意見不一，然而叔孫通《漢禮器制度》確實載有前後垂旒之禮冠，爲各級官吏所佩戴。韓養民《秦漢文化史》（臺北：駱駝出版社，1987 年）亦云：「今山東沂南畫像石中有二人戴冕旒，前後各有三旒的冕，與叔孫通所說相符。可見官吏冕旒有前無後之說，不一定正確。」今從其說。

仗其雄厚財力，其階級地位正逐步提升中，如《鹽鐵論・散不足》所云：「今富者
羆、貂、狐白、鳧翁，中者麛衣、金縷、燕貉、代黃。」富人可以衣裘，原本只有
貴族可以穿的服飾，富人亦可得之。

　　漢人服飾除了用以別尊卑、辨職務、識階級外，尚可藉其得知當時社會價值
之趨向，《白虎通義》載：

> 《尚書》曰：「王麻冕。」冕所以前後邃延者何？示進賢退不能也。垂旒
> 者，示不視邪，纊塞耳，示不聽讒也。（〈紼冕〉）
> 委貌者，何謂也？周朝廷理政事、行道德之冠名。〈士冠〉經曰：「委貌
> 周道❹，章甫殷道，毋追夏后氏之道。」（同上）
> 聖人所以制衣服何？以爲絺綌蔽形，表德勸善，別尊卑也。（〈衣裳〉）

道德是漢人的價值取向，凡事以道德爲準繩，連服飾亦不例外。在漢人的觀念中，
服飾是用以表德勸善，所以明君子不忘本❹，敬謹自約整❹，又取遜順之義，其意
旨都是在彰有德。除了表德之外，亦可藉之見所能，而爲人君者亦要做到進賢退不
能，不視邪、不聽讒，方可謂之有德明君。

㈡葬俗

　　養生送死是中國人最重視的，所謂喪葬之禮亦緣生以事死，於是有許多葬俗
出現，如：「夏后氏殯於阼階，殷人殯於兩楹之間，周人殯於西階之上。」（〈崩
薨〉）等風俗習慣。漢人亦講究事死如事生者，《白虎通義》多有此方面之記載，
諸如：「人死必沐浴於中霤何？示潔淨反本也。《禮・檀弓》曰：⋯⋯祖於庭，葬
於墓，所以即遠也。奪孝子之恩以漸也。」（同上）生者替死者沐浴更衣，有潔

---

❹ 委貌雖爲周朝廷理政事行道德之冠名，然而漢朝諸侯亦戴委貌冠（見韓養民《秦漢文化
　　史》）。

❹ 據《白虎通義》載：「獨以狐羔何？取其輕煖，因狐死首邱，明君子不忘本也。羔者，取其
　　跪乳遜順也。」（〈衣裳〉）

❹ 《白虎通義》又載：「所以必有紳帶者，示謹敬自約整也，續續爲結于前，下垂三分，身
　　半，紳居二焉。」（〈衣裳〉）

淨、反本之意，此種風俗沿用至今。入歛時在死者口中唅之以物稱爲唅歛，「所以有飯唅何？緣生食，今死，不欲虛其口，故唅。用珠寶物何也？有益死者形體。」（同上）這是以生者之道事死者，因爲人活著的時候必須吃飯，爲了避免死者餓著，所以必不虛其口。「所以有棺槨何？所以掩藏形惡也，不欲令孝子見其毀壞也。棺之言爲之完，所以載尸令完全也。槨之爲言廓，所以開廓辟土，無令迫棺也。」（同上）人死之後，生者必須將死者的尸體放置棺中，掩藏其形惡，不令其毀壞；又恐死者在土中有壓迫感，所以在棺外再加一槨木，以免死者躺在棺木中不舒服。

　　死者之棺槨必須入葬於地下，漢人以爲：「葬之爲言下藏之也。所以入地何？人生於陰，含陽光，死始入地，歸所與也。」（〈崩薨〉）將尸體葬於地下，乃因人是后土所生，回歸其所始處也，含有不忘本之義。人死後，後世子孫祭祀不絕，立「神主牌」以祭，「所以虞而立何？孝子既葬，日中反虞，念親已沒，棺柩已去，悵然失望，彷徨哀痛，故設桑主以虞，所以慰孝子之心，虞，安其神也。」（〈宗廟〉）立主以代表祖先，亦是孝子寄託思慕之情所在，因爲逝者已矣，不見其形體，不聞其音聲，惟有立主以寄不忘親恩。

　　其次，在中國人的傳統觀念中，有喜事服吉服者，不得以弔唁，不以吉服臨人凶，以示助哀。如同《白虎通義》所云：「玄冠不以弔者，不以吉服臨人凶，示助哀也。」（〈崩薨〉）這不但是一種禮儀，而且已經發展成習俗了。

　　其他尚有合葬之俗與封樹之儀，《白虎通義》云：「合葬者所以固夫婦之道也。故《詩》曰：穀則異室，死者同穴。」（同上）、「封樹者，可以爲識，故《檀弓》曰：古也墓而不墳。今邱也。東西南北之人也，不可以不識也，於是封之，崇四尺。」（同上）這些都是傳統之葬俗，有的至今尚在流傳，奉行不已，不因時空之轉移而改變，這就是風俗習慣影響人、社會發展的重大因素。

㈢婚俗

　　「人道所以有嫁娶何？以爲情性之大，莫若男女，男女之交，人倫之始，莫若夫婦。……人承天地，施陰陽，故設嫁娶之禮者，重人倫，廣繼嗣也。」（〈嫁娶〉）人倫肇始者乃夫婦，締造此種關係的禮俗即是婚姻。「婚姻是伴隨著人類社

會而來的社會關係，是社會風俗和倫理關係的重要表現。」❺中國人在締結婚姻的過程中，有許多儀式與婚俗，《白虎通義》書中有專章記載這些婚俗；這些婚俗有許多至今仍存。有些婚俗則會隨著時代的遷異、價值取向的不同以及觀念的改變，自然地被淘汰了，如：「男不自專娶，女不自專嫁，必由父母，須媒妁何？遠恥防淫泆也。」（〈嫁娶〉）這種父母之命、媒妁之言，雖然今日已不流行，卻是當時普遍為民間遵行，不可移易者。

漢代婚禮儀式，分六個階段，即納采、問名、納吉、請期、親迎，是為六禮。《白虎通義》云：「《禮》曰：女子十五許嫁，納采、問名、納吉、請期、親迎，以雁為贄。納徵用玄纁，不用雁也。贄用雁者，取其隨時而南北，不失其節，明不奪女子之時也。又取飛成行，止成列也，明嫁娶之禮，長幼有序，不相踰越也。」（〈嫁娶〉）納徵即是今日所謂「聘禮」，當雙方議定婚事之後，男方送玄纁、束帛給女方，作為禮物。納徵之後的請期，即是今日所謂擇黃道吉日，在漢人的觀念中，不擇吉日成婚是不吉祥的，唯恐招至禍患，故婚禮必擇吉日。吉日定好之後，即舉行成婚儀式，男方要到女方家中迎娶，是為親迎。女方之父母則祭祀禰廟，告戒女兒，如同《白虎通義》所記：「遣女於禰廟者，重先人之遺體，不敢自專，故告禰也。」（同上）告拜祖先之後，男方迎娶女方至家中，再由主婚者主持，所謂「王者嫁女必使同姓主之」❺，禮畢婚禮即告完成。

《白虎通義》尚記載同姓、近親不可通婚者，如：「不娶同姓者，重人倫，防淫泆，恥與禽獸同也。……外屬小功已上，亦不得娶也。」（〈嫁娶〉）此乃避免近親聯姻，以防亂倫，有礙德教，是中國人婚俗中的禁忌。

㈣禮俗

《白虎通義》可以說是一部禮書，因為禮用以別尊卑、定職分、序長幼，制中立節，疏導人情，所謂「名以制義，義以出禮，禮以體政，政以正民，是以政成而民聽。」（《左傳》桓公二年）而《白虎通義》一書之制作，莫不以正人道、定人倫、別尊卑、立職分，以期正民成治。至於漢代的禮，大體上仍沿用古禮，即吉

---

❺　見韓養民《秦漢文化史》一書。

❺　此主婚之禮雖指王者嫁女而言，然而平民百姓嫁女亦須有主婚人，其理同也。

禮、嘉禮、賓禮、軍禮、凶禮等五種。吉禮乃是以祭祀爲主的典禮（已列入宗教範疇討論，不再贅述）；嘉禮主要有冠禮、婚禮、祝壽、冊立皇太子等（婚禮亦已列入婚俗中討論）。《白虎通義》論及冠禮云：

> 所以有冠者何？冠者，卷也，所以卷持其髮也。人懷五常，莫不貴德，示成禮有修飾文章，故制冠以飾首，別成人也。〈士冠〉經曰：「冠而字之，敬其名也。」……禮所以十九見正而冠者何？漸三十之人耳。男子陽也，成于陰，故二十而冠。（〈紼冕〉）

簡言之，冠禮乃是男子的成年禮，制冠以飾道，勉其成人。只要成人，即可成爲宗族中正式的一員，地位已受肯定。

　　賓禮主要指天子封聖賢、功臣之後之儀禮，《白虎通義》書中有〈封公侯〉一篇，明言「大夫功成未封而死，子得封者，善善及子孫也。《春秋傳》曰：賢者子孫宜有土地也。」其又明載冊立太子事宜云：

> 國在立太子者，防篡煞，壓臣子之亂也。《春秋》之弑太子，罪與弑君同。……君薨，適夫人無子，有育遺腹，必待其產立之何？專適重正也。曾子問曰：「立適以長不以賢何，以言爲賢不肖不可知也。」《尚書》曰：「惟帝其難之。」立子以貴不以長，防愛憎也。（〈封公侯〉）

冊封太子之用意，在於杜防臣子篡政造亂，同時亦爲防止眾皇子之爭權奪利，相互殘殺。

　　至於軍禮，《白虎通義》記有〈田獵〉一篇。古代大規模狩獵活動，常常依軍事組織進行，具有訓練和檢閱武力的作用，所以軍禮包含田獵此一項目。漢代亦承襲之，《白虎通義》曰：「王者諸侯所以田獵者何？爲田除害，上以共宗廟，下以簡集士眾也。……王者祭宗廟，親自取禽者何？尊重先祖，必欲自射，加功力也。」（〈田獵〉）田獵之用意一方面是爲了驅禽獸，因其多傷五穀；一方面「習兵事，又不空設，故因以捕禽獸，所以共承宗廟，示不忘武備。」（陳立《疏

證〉）既可驅害並保護田中作物，又可集士眾訓練武士，加強軍備。其次，凶禮主要是指喪禮，業已列入葬俗中討論，不再贅言。

總而言之，禮之作用在於「尊天地，儐鬼神，序上下，正人道也。」（〈禮樂〉）用禮在於教民敬，「孔子曰：為禮不敬，吾何以觀之哉？」（同上）故「朝廷之禮，貴不讓賤，所以明尊卑也。鄉黨之禮，長不讓幼，所以明有年也。宗廟之禮，親不讓疏，所以明有親也。此三者行，然後王道得，王道得，然後萬物成，天下樂之。」（同上）有了禮，可以明親疏，序長幼，定職分，導人情，尊尊親親，上下有序，以期臻至「盛不足，節有餘，使豐年不奢，凶年不儉，貧富不相懸」之安和且均富的社會，這是《白虎通義》所規劃的理想社會藍圖。

十、結論

《白虎通義》記錄生產、分工、貿易等經濟行為，藉此經濟行為可以察見其中的社會連結，以及社會結構因經濟體制的改變所產生的變化。譬如漢代商人階級之興起與整個國家之經濟政策、體制有必然的關聯存在。相對地，商人社會地位之提昇亦會影響經濟環境，同時改變社會結構。當時士族正在形成，商人地主雖屬於庶族，卻勉強可以升為士族，士族地主也有經營商業的，這兩個原本不同的階級，因經濟的連繫而淡化了其間的界限，變成可以相互溝通。這種社會階級之升降現象，主要來自經濟體制的改變與環境的變異，可見經濟影響了社會結構的重組。

社會階級之重新調整，肇因於士族、商人地位的竄升，以及豪門大族的經濟實力，而豪門大族經濟實力的彰顯，影響了政治環境，這又說明了階級與政治之間的微妙關係。豪門大族之所以具有強大的經濟實力，乃是依賴其背後的宗族力量，這種宗族力量包含著古代社會規定之嫡庶系統承繼法則和家族中祭祀、婚嫁、慶弔、送終等事務的家法，遂有「九族」之說，用以規範人倫之親疏關係，是人倫倫理得以成立的重要環扣，這同時也說明了人倫與階級之結合現象。

《白虎通義》書中反映出來的教育思想，全是以德性教育為重心，因為儒家式的教育首重人倫關係之建立與道德之培養，這是社會結構得以鞏固、社會秩序藉以維持的重要原因，亦是施政者採儒家學說為治的因素之一，由此可以窺見教育與人倫、道德關係之締結與穩固。人倫關係也是一種政治關係，多層次的人倫關係透

過隸屬、主從、尊卑之維繫，不管是家庭的、宗族的、政治的乃至於社會結構，便勾勒出來，層層相因，綱舉目張，每個人的社會地位標示的非常清楚，這是構築社會秩序的基石。

宗教亦與人倫相連結，因為宗教取其事父事天之義，形成一種宗教倫理的觀念，這是人倫的延伸，由此可知《白虎通義》已進一步將宗教信仰與人倫倫理、政治結合。如此，宗教、政治、倫理合而為一，是中國宗教的特色之一。

《白虎通義》作為儒家思想的傳承者，必重德教思想，非不得已不任刑，這是原則也是理想。道德與法律同屬社會控制，具有維繫社會秩序之功能，然而二者各具特質：法律是人為的規範系統，具有強制執行的力量，屬於「他律」；道德原是「自律」的行為，但在中國的傳統社會中，道德的制裁力量有時超越法律。《白虎通義》將二者的關係拉近，視法律為道德之「鞭策」，刑罰作五常的「護法」，更強化了人倫道德的社會約束意義，道德與刑罰不再對立，這樣法律又與道德結合在一起。

風俗習慣呈現了社會各種面貌與型態，諸如社會風氣、價值觀，乃至於階級意識的表現等，籍此研究，可知道德是漢人的價值取向，凡是以道德為準繩，連服飾亦不例外，服飾是用以表德勸善的，這又與道德連結起來。

綜合以上所言，經濟政策與體制，引發了社會階級之重新整合，如商人庶族、士族地位之竄升即是。而豪門大族憑著強大的經濟實力，得以擁有政治權力，則是依侍其背後龐大的宗族力量，宗族力量又是藉著人倫來維繫，人倫以孝道溝通了道德與政治，造成人倫關係亦是一種政治關係。其次，儒家思想重德不任刑，教育亦以德化教義為中心，習俗中多反應表德示能、明職分、序長幼，別尊卑等價值觀念，而宗教目的又在教孝、教敬，以存孝子之心，由此可見，階級、道德、教育、風俗習慣、政治、宗教、經濟、法律、宗法環環相扣，彼此脫離不了關聯。《白虎通義》一書呈現出來的正是這種緊密連結的社會結構，當然，它亦有缺失，甚至以今日眼光視之，更有許多不合時宜、不合理之處，乃因其具有時代性與局限性之故。除此之外，《白虎通義》亦建構了理想社會的遠景，那就是達到「盛不足，節有餘，使豐年不奢，凶年不儉，貧富不相懸」的目標，如此，才有安和、均富的社會。

附錄一

《白虎通》天人相應禮制表

禮　　制	與天相應之理	引證	出處
爵五等、三等	法五行、三光		爵
制土三等	土地有高下中三等		封公侯
天子祭祀歲一徧	順五行		五祀
五帝三王祭天一用夏正	夏正得天之數，天地交，萬物通，始終之正	易緯乾鑿度	郊祀
巡狩以四時仲月出	二月八月晝夜分，五月十一月陰陽終	尙書堯典	巡狩
天子封諸侯以夏	陽氣盛養之時也	禮記月令	封公侯
多至休兵不舉事	陽氣微弱之時	孝經讖	誅伐
天子置三公	天有三光、地有三形、人有三等		封公侯
天子建三公、序四諍，列七人	陽變於七，以三成		諫諍
王者受命必改正朔	明受之於天	禮大傳	三正
正朔有三	法天有三統	禮三正記	三正
王者必一質一文	陽之道極則陰道受，陰之道極則陽道受	尙書大傳	三正
	質法天、文法地	禮三正記	三正
	先質後文		三正
王者置三老五更於太學	三老，明於天地人之道而老 五更，明於五行之道而更事		鄉射
天子八佾、諸公六佾、諸侯四佾	法八風、六律、四時	春秋公羊傳	禮樂
天子明堂上圓、下方、八窗、四闥	上圓法天、下方法地、八窗法八風、四闥法四時（九宮法九州、十二坐法十二月、三十六戶法三十六雨、七十二牖法七十二風）		辟雍
天子堂高九尺	九爲極陽之數	禮記禮器	雜錄
君一娶九女 或曰天子娶十二女	法九州，象天之施 法天有十二月，萬物必生		五行 嫁娶
王者日四食	有四方之物，食四時之功		禮樂
天子用八音	法易八卦		禮樂

聖人治天下必有刑罰	佐德助治，順天之度		五刑
京師千里	法日月之徑千里	禮記王制	京師
臣年七十懸車致仕	七十陽道極	禮記曲禮、王制	致仕
十五入太學	十五陰陽備		辟雍
刑有五	法五行		五刑
經有五	象五常之道		五經
設嫁娶之禮	人承天地施陰陽	禮保傅記	嫁娶
男三十而娶，女二十而嫁 　（男長女幼） 　　一說男二十五，女十五	陽數奇，陰數偶 　（陽道舒，陰道促）	禮記內則 春秋穀梁傳	嫁娶
嫁娶必以春	天地交通，萬物始生，陰陽交接之時	周官、詩、夏小正	嫁娶
聲五、音八	聲本出於五行，音象八風		禮樂
龜長：天子一尺二寸、諸侯一尺、大夫八寸、士六寸 蓍長：天子九尺、諸侯七尺、大夫五尺、士三尺	龜陰，故數偶 蓍陽，故數奇	禮三正記	蓍龜
十寸爲尺（夏制） 十二寸爲尺（殷制） 八寸爲尺（周制）	法日數爲十 法一歲十二月 法婦人手長八寸		雜錄

經 學 研 究 論 叢
第 七 輯　　　頁43～88
臺灣學生書局　　1999年9月

袁枚疑經說

曹美秀*

一、緒論

　　提及袁枚，大多數人會把他歸爲「文學家」，其實袁枚的涉獵頗廣，《隨園隨筆》即中有囊括經、史、子、集各部類的箚記，其中頗多獨到的見解；在與朋友的書信中也頗多關於經、史等文學以外的論題，但後人對他的研究多集中在其文學作品、文學理論及思想，對於其他方面的成就多輕描淡寫，未加深究，因此，袁枚在經學方面的驚人之論──疑經思想，至今仍未獲得釐清❶。

　　身處經學大盛的乾隆時代，袁枚（1716-1798）的疑經思想無疑是驚世駭俗之論，章學誠（1738-1801）便批評他：「自來倡爲邪說，不過附會古人疑似以自便其私，未聞光天化日之下敢於進退六經，非聖無法，而恣爲傾蕩邪淫之說至於如是之極者也。」袁枚果眞是「非聖無法」、「恣爲傾蕩邪淫之說」嗎？本文便試圖一探袁枚疑經思想的究竟及其意義，並予之以一歷史定位，庶能對袁枚有更爲全面的了解。

---

*　曹美秀，高雄縣正義中學專任教師。

❶　對於袁枚的疑經思想，惟錢穆先生於《中國近三百年學術史》第九章附論袁枚的學術思想
　　時，對其疑經思想略作敘述，但語極簡要，尚未闡明袁氏疑經思想之內涵。

二、袁枚的治經態度

　　在論述袁枚的疑經思想之前，我們先來探討他的治經態度，確立袁枚對經學的根本觀點，以作爲分析其疑經思想的根據。

　　袁枚曾敘述自己的性情說：

> 且先有著作而後有書，先有書而後有考據。以故著作者，始於六經，盛于周、秦，而考據之學，則自後漢而始興者也。鄭、馬箋註，業已回冗。其徒從而附益之，抨彈踳駁，彌彌滋甚。孔明厭之，故讀書但觀大略；淵明厭之，故讀書不求甚解；二人者，一聖賢，一高士也。余性不耐雜，竊慕二人之所見，而又苦本朝考據之才之太多也，盍以書之備參者盡散之！❷

由於性情使然，他所嚮慕的是如孔明與陶淵明讀書觀大略、不求甚解的方式，所以他以爲讀書重在觀其大義，而非瑣碎考證。又在〈與是仲明書〉中論讀書態度與目的云：

> 《論語》曰：「學之不講」，講之云者，謂講求在己之學，審問明辨，益其身心，故與「德之不修」同憂，非如後世聚徒立舍者之所爲。❸

按：「德之不修」、「學之不講」皆見《論語·述而》。可知讀書所觀之大義乃爲修養自己，對自己身心有所助益，故將「學之不講」解釋爲講求己身的學問，乃向內求，是一種與生命、人格合而爲一的學問，而非僅是客觀的對知識的探討，所以他反對聚徒講學，及箋註詞章之學，因爲眞正的學問要親身體會，而非高談闊論或埋頭著書。一秉此觀點，在經典研讀上他亦持相同的看法，他說：

---

❷　〈散書後記〉，《小倉山房續文集》卷二十九，頁 1777，《小倉山房詩文集》（上海：上海古籍出版社，1988 年），下冊。

❸　〈與是仲明書〉，《小倉山房文集》卷十五，頁 1463-1464。

　　古之文人，孰非根柢六經者？要在明其大義，而不以瑣屑爲功。即如説
〈關雎〉，鄙意以爲主孔子哀樂之旨足矣，而説經者必爭爲后妃作，宮人
作，畢公作，刺康王作。説明堂，鄙意以爲主孟子王者之堂足矣，而説經
者必爭爲即清廟，即靈臺，必九室，必四室，必清陽而玉葉。問其由來，
誰是秉〈關雎〉之筆而執明堂之斤者乎？其他説經，大率類此。最甚者，
秦近君説「堯典」二字至三萬餘言，徐遵明誤康成八寸策爲八十宗，曲説
不已。一闓之市，是非麻起，煩稱博引，自賢自信，而卒之古人終不復
生。❹

　　與其讀書態度一致，在治經上袁枚亦主張明經文大義，而反對瑣屑考證及曲爲解説
的説經方式。以此段所舉的例子來看，「孔子哀樂之旨」指孔子所云：「〈關雎〉
樂而不淫，哀而不傷。」❺袁枚以爲孔子的話已道出〈關雎〉的篇旨，但後人卻陷
於作者爲誰的爭論中不能自拔，筆者以爲袁枚並不是反對探索經文作者，因爲作者
問題便是他疑經的重要理由（詳下文），只是歷來對作者的探討始終莫衷一是，以
致對於〈關雎〉篇的研究繞著作者打轉，卻未能進入經典深處作經義的探討，在袁
枚看來，這是本末倒置的做法。而關於明堂，《周禮》、《禮記》、《左傳》等書
都有相關記載，後來研究禮學的，對於明堂形制、用途等有各種不同的説法，考證
雖精，仍莫衷一是，袁枚以爲如孟子所説：「夫明堂者，王者之堂也。」❻已足
矣，因爲孟子雖未詳盡説明明堂形制，卻已掌握到先王設明堂之意，❼而後人考證

---

❹　〈答惠定宇書〉，《小倉山房文集》卷十八，頁 1529。

❺　見《論語・八佾》。

❻　見《孟子・梁惠王下》。

❼　該章全文爲：齊宣王問曰：「人皆謂我毀明堂，毀諸？已乎？」孟子對曰：「夫明堂者，王
　　者之堂也。王欲行王政，則勿毀之矣。」王曰：「王政可得聞與？」對曰：「昔者文王之治
　　岐也，耕者九一，仕者世祿，關市譏而不征，澤梁無禁。罪人不孥。老而無妻曰鰥，老而無
　　夫曰寡，老而無子曰獨，幼而無父曰孤，此四者天下之窮民而無告者。文王發政施仁，必先
　　斯四者。《詩》云：『哿矣富人，哀此煢獨。』」王曰：「善哉言乎！」曰：「王如善之，
　　則何爲不行？」王曰：「寡人有疾，寡人好貨。」對曰：「昔者公劉好貨。《詩》云：『乃
　　積乃倉，乃裹餱糧，于橐于囊，思戢用光；弓矢斯張，干戈戚揚，爰方啟行。』故居者有積

雖較孟子精詳，卻始終無法進入經典義理之殿堂。餘如秦近君、鄭康成等亦然。總之，闡明經典深義才是研經的目的。由此可知，袁枚以爲只要能得經典義理，何種的解經方法都可取，所以他常會對各種不同的門戶之見採取調和的態度，蓋求自得則其所得、所體會必人人而異，從他在〈代潘學士答雷翠庭祭酒書〉中爲陸王作調人之語便可看這一點：

> 書中斥陸王爲異端，亦似太過。《周易》曰：「仁者見之謂之仁，智者見之謂之智。」子曰：「仁者樂山，智者樂水。」夫道一而已矣，何以因所見而異，因所樂而異哉？然仁者之樂山，固不指智者之樂水爲異端也。❽

明末清初便有不少人企圖融合朱、王二家❾，至乾嘉時期，雖然朱、王之爭並非學界主流，但當時的學者仍或多或少有偏朱或偏王的傾向，袁枚的態度則相當圓融，他認爲道雖一，因所見有所不同，所樂亦因之而異；所樂不同者並非彼此互爲異端，猶如仁者之樂山與智者之樂水並不互相衝突，因其樂一也，其所以見道亦一也。故對當時學界的漢、宋學之爭，他表示不以爲然，

> 六經之道，如帝都然，仰而朝宗者，舟驪馬車，各以其具行，要其能至已耳。惟力之至大者，乃能卓然獨往，而無所附依。或張市禁而申之，曰：必取庸于某而後可。嘻，其惑矣！吾友綿莊，深於經者，卓然獨往者也……著《易》、《詩》、《書》、《三禮》、《魯論》，的的然言其所

倉，行者有裹囊也，然後可以爰方啓行。王如好貨，與百姓同之，於王何有？」王曰：「寡人有疾，寡人好色。」對曰：「昔者太王好色，愛厥妃。《詩》云：『古公亶父，來朝走馬，率西水滸，至于岐下；爰及姜女，聿來胥宇。』當是時也，內無怨女，外無曠夫。王如好色，與百姓同之，於王何有？」此處所論雖爲王政的實質內容，是先王設明堂的用意，爲禮義的範疇，而非禮制研究，顯然袁枚反對禮制的繁瑣考證，但求禮制的精神。

❽　〈代潘學士答雷翠庭祭酒書〉，《小倉山房文集》卷十七，頁 1517。

❾　關於此點，可參曹美秀：《回歸原始儒學──晚明清初儒學風氣之探討》（臺北：臺灣大學中文研究所碩士論文，1998 年），第三章。

言，非先儒所言。其言曰：「墨守宋學，已非，有墨守漢學者，爲尤非。孟子不云：『君子深造之以道，欲其自得之』乎？」又曰：「宋人毀孫復背先儒。夫不救先儒之非，何以爲孫復？」其言如此，其著述可知。❿

　　袁枚以赴帝都爲喻，只要有足夠的毅力，雖採用不同的交通工具，同樣可以到達目的地的，治經亦然，方法不拘，只求能得經文大義。而此處對程廷祚的經著深加讚許，乃因程氏的經學觀與袁枚十分相近，其經著亦爲其經學觀的具體表現，即不守窠臼，能自創蹊徑，求其自得。結合前述袁枚的治學態度，我們可從兩個角度來解釋袁枚此文所要表達的經學觀：一者，用不同的方法治經皆可得經典的眞義，如漢學與宋學，宋學者攻擊漢學爲非，漢學者譏宋學爲異端，各自以爲獨得先儒之傳，其實二者皆是，只是二者的方法不同；從另一角度來看，漢學與宋學皆非，因爲二者都墨守自己的門戶，排斥異己，不知聖人氣度開闊，仁者、智者各自爲樂，不互相指斥對方爲非的眞義。二者，對經文的不同解釋都可得著經典的眞精神，即都可得著涵詠修養的效果，如程廷祚對經典的解釋與先儒絕異，孫復尙且背先儒之說，但袁枚都深致以贊許，蓋治學在求大義以修養自身，即如《孟子・離婁下》所云「君子深造之以道，欲其自得之。」如此看來，則可將帝都之喻的目的地「帝都」解爲：獲致自我精神的提昇、粹煉人格修養等，這便是經典的眞精神，亦可見袁枚不以爲經文有一固定確解，經典中最根本而不可動搖的是蘊藏在其背後的精神，這也是他不從事考據，也不落入門戶之爭的重要原因。

　　從袁枚的治經態度來看，袁枚對經典都是持肯定態度的，他對所疑之經採取的觀點如何？在〈答惠定宇第二書〉他說：

　　　六經中惟《論語》、《周易》可信，其他經多可疑。疑，非聖人所禁也。孔子稱「多聞闕疑」，又稱「疑思問」。僕既無可問之人，故長闕之而已。⓫

---

❿　〈徵士程綿莊先生墓誌銘〉，《小倉山房文集》卷四，頁1240。

⓫　〈答惠定宇第二書〉，《小倉山房文集》卷十八，頁1531。

他引孔子的話自許，以爲「疑」乃所以爲學之道，就此看來，所謂疑並不是對經典的否定，而是對經典內涵意義的無法理解，故疑經乃所以治經也，從這個角度來看，所謂疑經乃是袁枚研經所得，故在他有意識、自我要求的範圍內，疑，是應該的，但不可無根據地妄下結論，故對不能確定的經典亦取孔子之訓，採取較爲保守的態度，所謂「長闕之而已」，即不妄下斷語，寧可長闕之，以符孔子「多聞闕疑」的聖訓，故他對所疑之經多只提出所以疑的理由，而不試圖解釋或下堅定的結論，但也並非全然此，這是他的理論，至於他是否眞的做到這一點，那是另一回事了，關於此點，下文將論及。

　　另值得一提的是袁枚對孔子及孟子的尊崇，他在〈答李穆堂先生問三禮書〉中云：

> 夫三代遠矣，今之微文大義，幸不絕如線者，賴有孔子。孔子之言又雜矣，今之可信者，賴有《論語》。引孔子爲斷，而三代之禮定；引《論語》爲斷，而孔子之言定。⑫

他以爲孔子爲三代聖人大義的惟一傳人，想當然孔子必爲研經的惟一標準，故尊經必尊孔子，而六經中惟《論語》與《周易》可信，則《論語》便成爲研究經典的根本了，如他在〈答沈大宗伯論詩書〉中云：

> 子曰：「可以興」、「可以群」，此指含蓄者言之，如〈柏舟〉、〈中谷〉是也。曰：「可以觀」、「可以怨」此指說盡者言之，如「蠚妻煽方處」、「投畀豺虎」類是也。曰：「邇之事父，遠之事君。」此詩之有關係者也。曰：「多識于草木鳥獸之名。」此詩之無關係者也，僕讀詩常折衷於孔子。⑬

---

⑫　〈答李穆堂先生問三禮書〉，《小倉山房文集》卷十五，頁1453。
⑬　〈答沈大宗伯論詩書〉《小倉山房文集》卷二十七，頁1503-1504。

由此例可知他對孔子的尊崇，就此可進一步說明袁枚治經上的兩點特色，一者，有關經典的詮釋，凡孔子言及者，後人遵之即可，不必再創新說、異說，故前引（註❸）關於《詩經》〈關雎〉篇作者的爭論他以爲徒勞無功，因爲孔子所云「樂而不淫，哀而不傷」已道出其篇旨。二者，孔子之言只有《論語》所記爲足信，所以在讀經時，他非常注意《論語》中相關的記載，以致凡是《論語》中論及的，他便以爲是定論，不必再生歧見，如〈關雎〉篇及此處所引皆然。三者，他雖明言六經中惟《論語》與《周易》可信，但在論及其他經典時並未舉《周易》，而只以《論語》爲據，可見袁枚以爲《論語》爲治經之本。

關於孟子，他說：「後世學孔子者莫如孟子……孟子守先王之道以待後之學者。」❹所以孟子之言他亦頗爲遵信，故而在涉及經典的相關問題時，他也常引孟子爲證，如前引關於明堂的說法，他便主張採孟子之說（下文將有許多相關例子，此不繁引）。再者，他對三代聖人亦是頗致尊崇，他說：

　　詞章之學最古，始于六經，盛于《三傳》，皆殷、周賢聖之才。❺

他以爲六經、三傳皆殷周聖人所作，而且他對於經典之致疑常是：三代聖人當不如此、斷不會制定如此不合理制度之類的理由（關於此點下文將再論及）。

由上所述，可知袁枚對經典基本上是採取肯定、尊崇態度的，對於三代聖賢及孔、孟也是推崇備至，而且六經、三傳是出於殷、周聖賢之才，又經孔、孟承繼之以維繫於不墜，既然如此，爲何會疑經呢？其實這正是他疑經思想產生的原因，其說詳下文。

---

❹　〈答李穆堂先生問三禮書〉，《小倉山房文集》卷十五，頁 1454。

❺　〈寄奇方伯〉，《小倉山房尺牘》卷七，頁 149，《袁枚全集》（南京：江蘇古籍出版社，1993 年 9 月）第 5 冊。

三、袁枚的疑經思想

㈠經的範圍

「經」書的數目，漢時只有五經，後來增至七經、九經，至南宋時稱「經」的書已增至十三，但袁枚常喜以「六經」爲稱，蓋後人所稱「經」的書中只有六部先秦時已存在，即《易》、《書》、《詩》、《禮》、《樂》、《春秋》六部，如其於〈史學例議序〉中云：

> 古有史而無經。《尚書》、《春秋》，今之經，昔之史也；《詩》、《易》者，先王所存之言；《禮》、《樂》者，先王所存之法，其策皆史官掌之。⓰

他以爲只有這六部書是先王之書，雖然當時不稱經，但在袁枚心目中，只有這六部書配得上「經」之名，故他喜稱六經，並以之泛稱所有當時稱爲「經」的書，如他說：「六經中惟《論語》、《周易》可信，其他經多可疑。」⓱便以《論語》爲「六經」中可信者，但《論語》並不在六經之列，此點袁枚當然知悉，如他在〈與托師健冢宰〉一文中便云：「公獨涵詠聖涯，闡發道蘊於六經、《論語》，得古人未有。」⓲此處就把《論語》與六經分開，不將《論語》視爲六經之一；又如在《隨園隨筆》「九錫之訛」一條中云：「六經無九錫之說，《周官》：『上公九命』，〈王制〉：『有加則錫』，不過九命，非九錫也。」⓳〈王制〉爲《禮記》中之一篇，但《周官》與《禮記》皆不在古「六經」之列，袁枚卻舉此二書以證明「六經無九錫」之說，更可見袁枚所云「六經」只是對經典的泛稱。又其〈答李穆堂先生問三禮書〉⓴中以爲《周禮》非周公所作、《儀禮》非先秦禮書，乃後人所

⓰　〈史學例議序〉，《小倉山房文集》卷十，頁1382。
⓱　同註❻。
⓲　《小倉山房尺牘》卷三，頁51。
⓳　《隨園隨筆》卷十七，頁302。
⓴　《小倉山房文集》卷十五，頁1452-1458。

作而附會於周公,實不足信,此乃其疑經思想之一,而《周禮》亦不在六經之列,但時人皆以之爲經,故袁枚亦以爲經而疑之。又云:

> 三代上無「經」字,漢武與東方朔引《論語》稱傳不稱經。成帝與翟方進引《孝經》稱傳不稱經。㉑

在袁枚的時代《論語》與《孝經》皆在「經」之列,他才會做此考證以證明《論語》與《孝經》二書稱經之不當,可見袁枚亦同於當時人以之爲經而疑之。故他說:

> 予於經學,少信而多疑。㉒

他所謂經學當然不能脫離當時人的定義,就是廣義的經——十三經,更何況他所謂對「經學」的「少信多疑」,常常表現在對當時學風的懷疑與反對(此點下文將詳論之),而當時學界最盛行的便是對經典的研究,其範圍便廣及十三經,所以袁枚雖屢稱「六經」,然其「疑經」的對象並不僅限於六經,故他稱程綿莊云:

> 吾友綿莊,深於經者也,卓然獨往者也……著《易》、《詩》、《書》、《三禮》、《魯論》,的的然言其所言。㉓

稱讚程綿莊深於經而舉其《詩》、《書》、《三禮》、《魯論》之著作,而這些書並不全在六經之中,而是在廣義的「經」之定義下才稱爲經,故對袁枚而言,南宋以後人所言十三經皆是經,皆在他疑經的範圍之內。下文有不少處袁枚明云「六經」,實則其所指並不限於六經者,筆者一併於此交待,不再另作說明。

㉑　〈答定宇第二書〉《小倉山房文集》卷十八,頁 1530。
㉒　〈虞東先生文集序〉,《小倉山房文集》卷十,頁 1381。
㉓　〈徵士程綿莊先生墓誌銘〉,《小倉山房文集》卷四,頁 1241。

㈡經典的本質

　　袁枚對經典有一些個人的，這決定他的疑經思想之內涵及其及探求其產生的原因，茲略述之。

　　1.六經皆史

　　在袁枚的觀念裡，六經都是前人所留下的史料，他說：

> 古有史而無經。《尚書》、《春秋》，今之經，昔之史也；《詩》、《易》者，先王所存之言；《禮》、《樂》者，先王所存之法，其策皆史官掌之。㉔

他以為後人稱為六經的書，都是古時的歷史記錄，《尚書》跟《春秋》是古時的史書；《詩》、《易》為古時先王言論的記錄；《禮》、《樂》為先王所訂的儀法之記錄，而以上這些記錄都由史官來掌管；但前云袁枚以為六經、三傳都出於殷周聖賢之才，與此似有出入，其實二者並不互相衝突，先王之言出於先王，也就是所謂殷周聖賢之才之口，禮、樂也是三代先王所制定，而《尚書》、《春秋》等史書記錄的都是三代聖賢治理之下的史實，只是非聖人親筆所寫定，而為史官所職掌，所以袁枚對六經的看法可以「六經皆史」來概括。但後人為何將古時的史料稱為經呢？袁枚提出以下解釋：

> 德行本也，文章末也。六經者，亦聖人之文章耳，其本不在是也。古之聖人，德在心，功業在世，顧肯為文章以自表著耶？孔子道不行，方雅言《詩》、《書》以立教，而其時無六經名。後世不得見聖人，然後拾其遺文墜典，強而名之曰「經」，增其數曰六，曰九，要皆後人之為，非聖人意也。是故真偽雜出，而醇駁互見也。夫尊聖人，安得不尊六經？然尊之者，又非其本意也。㉕

㉔　〈史學例議序〉，《小倉山房文集》卷十，頁1382。
㉕　〈答惠定宇書〉，《小倉山房文集》卷十八，頁1529。

聖人本意在立功、立德，不肯斤斤於文章之末，如孔子之雅言《詩》、《書》也是不得已而然，故所謂「經」並非聖人手創，而是後人爲尊聖人而拾其遺文墜典並尊之爲「經」，尊之之本意則是，但站在聖人的角度來看，其所尊者只是聖人之糟粕耳。所以站在後人的角度，袁枚是贊成尊經的，但是他同時也能站在聖人的立場而反對尊經。從這個角度來看，袁枚所謂疑經乃是以聖人爲本位，對後人所傳經典眞實性及經典本身價值的重新思考。

　　袁枚又從史、志之著錄來證明今日之經皆昔日之史：

> 劉道原曰：「歷代史出於《春秋》，劉歆《七略》、王儉《七志》皆以《史》、《漢》附《春秋》而已，阮孝緒《七錄》才將經、史分類。」不知古有史而無經，《尚書》、《春秋》皆史也，《詩》、《易》者，先王所傳之言，《禮》者，先王所立之法，皆史也；故漢人引《論語》、《孝經》皆稱傳不稱經也。「六經」之名始于《莊子》，經解之名始于戴聖，歷考「六經」并無以「經」字作書名解者。❷❻

前者以經書之內容、性質來定其爲史❷❼，此處他以考證的方法提出更進一層的證據，證經之不當稱「經」，一者，後人稱爲「經」的書在漢人並不稱經，如《論語》、《孝經》等漢人僅稱「傳」，可見當時尙無經。二者，經之名並非始於聖賢，按：此處所云六經之名始於《莊子》乃據《莊子·天運》篇：「孔子謂老聃曰：『丘治詩書禮樂易春秋六經，自以爲久矣，孰知其故矣。』」及〈天道〉篇：「孔子西藏書於周室。子路謀曰：『由聞周之徵藏史有老聃者，免而歸居，夫子欲藏書，則試往因焉。』孔子曰：『善。』往見老聃，而老聃不許，於是繙六經以說。」這是六經之名之始。至於說戴聖創爲「經解」之名，當是指《禮記》中的〈經解〉篇，其實〈經解〉篇名並非戴聖所創，袁枚以其首見於小戴記而以爲戴聖所創耳。三者，由古人著錄體例證經之爲史，如《七略》、《七志》之著錄皆將

---

❷❻　「古有史無經」條，《袁枚隨筆》卷二十四，頁414。

❷❼　參註❷❶引文，及其論述。

《史》、《漢》附於《春秋》，可見其時視《春秋》爲與《史》、《漢》同類，直至阮孝緒的《七錄》才將經、史分開，故經、史分家是後人所爲。

這是他的六經皆史之說，姑不論其說當否，即此可見出袁枚對經典的幾個態度，首先，他是非常尊崇經典的，因爲六經爲古聖先王所傳，其神聖位自不待言，由此亦可知爲何袁枚對於所疑之經要採取「闕疑」的審慎態度，蓋所以尊之也。再者，由於以經爲史，所以孔、孟的功勞在於保存歷史，而非創作，以此推之，六經並非孔子所作（詳下）。三者，由於以經爲史，故遇有說法不一者，袁枚總以時代較早者爲斷，這也是他在研經上主張以孔子爲斷的原因。同時，在經典的研究上，他注重追求歷史事實，將經典回歸其原始的性質與面目，所以他常會指摘後人研經之非，尤其是對後人掇拾遺文便妄稱爲經的情形不以爲然，這點與經古文家相近。

2.六經非孔子所作

袁枚既以爲六經皆史，當然不以爲六經爲孔子所作，這二個看法是一體的，他說：

> 《詩》、《書》、《周易》皆在孔子之前……述而不作，不敢臆斷古人也。[28]

前已言之，袁枚以爲《詩》、《易》爲先王之言；《書》爲古史，如此當然在孔子之前便已存在，故非孔子所作，但他也承認孔子曾對這些古史作了「述」的工作，故又云：

> 孔子編《詩》不作《詩》，贊《易》不擬《易》，修《春秋》不自爲綱目。今所傳《論語》，乃孔子死，有子、曾子之徒追記之，非孔子朝作某語，暮命某人作語錄也。[29]

---

[28]　《牘外餘言》卷一，第十條，頁4。

[29]　〈與是仲明書〉，《小倉山房文集》卷十五，頁1463。

所謂「編」、「贊」、「修」，便是對《詩》、《易》、《春秋》等所作的整理工作，就是所謂「述」，雖然僅是整理，袁枚也不否認在去取的標準上會有主其事者的主觀意見，故六經雖非孔子所作，卻也蘊涵著孔子的深意，以《詩經》爲例：

> 宋大中年博士沈朗《進新毛詩四章表》云：「〈關雎〉言后妃，不可爲《三百》之首。故別選堯舜詩二章，取虞人箴爲禹詩，〈文王〉篇爲文王詩。」是翻孔子之案也，而朝廷嘉之，可發一笑。[30]

顯然他反對如沈朗所爲改動《詩經》篇章，認爲那是「翻孔子之案」，翻孔子之案者，改動孔子的本義，可見他認爲《詩經》中是蘊涵孔子之義理的，但孔子之編定六經乃不得已而然，蓋六經只是聖人之「文章耳」，非其所欲建功立德之根本，故云：

> 孔子編《詩》不作《詩》，贊《易》不擬《易》，修《春秋》不自爲綱目……三月無君則皇皇然，六十返魯，述而不作，使孔子貴且顯，或早死，至今無講學名。[31]
> 古之聖人，兵農禮樂，工虞水火，以至贊《周易》，修《春秋》，豈皆沾沾自喜哉！時爲之耳。[32]

孔子是在周遊列國而得不到明君重用，才返回魯國對古史作「述」的工作，乃不得已而爲之，所謂「時爲之耳」，前引〈答惠定宇書〉一段他也提到爲尊聖人而尊六經的作法正是違反了聖人的眞意，所以他必然的要反對今文學家所言孔子藉六經改制，以素王自居的說法，他說：

---

[30]　〈王柏疑《三百篇》〉，《隨園隨筆》卷十九，頁 340。
[31]　同註[16]。
[32]　〈答友人某論文第二書〉，《小倉山房文集》卷十九，頁 1547。

《春秋》本魯史之名，未有孔子，先有《春秋》。孔子述而不作，故「夏
五」、「郭公」悉仍其舊。寧肯如舞文吏，以一二字爲抑揚，而眞以素王
自居耶？㉝

一般認爲六經中最可能爲孔子所作的《春秋》，袁枚也一概認爲非出於孔子手筆，
他不否認孔子曾有「述」的工作，如云「修《春秋》」等，但其「述」並非如後人
所云是「以素王自居」，如其所舉「夏五」、「郭公」之例，按：《春秋》文公十
四年經：「夏五，鄭伯使其弟語來盟。」㉞《左傳》記此事云「夏，鄭子人來尋
盟，脩曹之會」並不對「夏五」多作說明，杜預「夏五」下注：「不書月，闕文
也」亦以爲「夏五」有闕文，故無法多作說明，《公羊》、《穀梁》則不然，傅隸
僕《春秋三傳比義》云：「《公羊》言『無聞』，即是不知爲缺文還是衍文，《穀
梁》謂『傳疑』，義同。」㉟。又春秋莊公二十四年《經》：「多，戎侵曹，曹羈
出奔陳，赤歸于曹。郭公。」此段《左傳》無傳，杜預於「郭公」下注云：「無
傳，蓋經闕誤也。」傅隸樸云：「按：此段與桓十四年之『夏五』同爲史之闕
文。」㊱袁枚持同樣的看法，以「夏五」、「郭公」皆有闕文，他認爲這種闕文在
魯史中已存在，孔子只是沿其舊，蓋孔子述而不作，《春秋》只是對魯史的整理，
但今文學家卻以爲孔子以素王自居，藉《春秋》中一二文字而妄爲褒貶，故對如夏
五、郭公等闕文亦妄加穿鑿附會，不但未得經文正解，更遺卻孔子「述」之本義。

　　可見袁枚並不將聖人與後人所謂「經」劃上等號，因爲六經只是史料的遺
留，即使經孔子的整理，亦不可視六經即爲孔子欲傳諸後世的成果，一方面，六經
之整理，並非孔子本意，乃不得已而爲之；另一方面，乃針對後人解經而發，欲打
破後人因對經典盲目崇拜而穿鑿附會的陳習。

　　3. 經典爲文章之祖

㉝　同註㉓，頁1383。

㉞　《三傳》對於此段經文記載略有出入，如《公羊》：「夏五，鄭伯使其弟禦來盟。」

㉟　傅隸樸：《春秋三傳比義》（臺北：臺灣商務印書館，1983年5月），頁125。

㊱　引書同上註，頁132。

　　前云袁枚對六經的看法頗與經古文學家相似，但他有另一種特別的觀點是經古文學家所不曾提及的：

　　　六經、三傳，古文之祖也。㊲
　　　六經、三傳，文之祖也。㊳
　　　六經者，文章之祖，猶人家之有高、曾也。㊴
　　　若夫始爲古文者，聖人也。……六經，文之始也。㊵

他以爲六經、三傳是文章之祖，意謂自有六經而始有文章，這裡的文章當是指廣義的「文學」，包括各式文體，而非後人所云狹義的「文章」，故他說：

　　　有韻之文，始自〈關雎〉，降而五、七古，降而五、七律……無韻之文，
　　　始自〈堯典〉，降而漢、魏，降而六朝……㊶

他明確的指出〈關雎〉爲韻文之祖，〈堯典〉爲散文之祖，結合上引諸段文字看來，他的意思是：六經爲文學之嚆矢，降而漢、魏、六朝等，各種文體、風格等自此展開。此處有一點值得注意的，前已言及，袁枚以爲六經非聖人所作，而且無意著書傳後，但此處所說「始爲古文者，聖人也」、「六經，文之始也」卻將六經視爲聖人所作，二者顯然互相衝突，這是袁枚理論、行文的不周密處，這在袁枚的疑經思想中隨處可見，以下將詳論之。

　　從六經之內容、性質來說，袁枚以爲六經皆史，既是史，當然非孔子所作，孔子只是作整理的工作而已，但袁枚也不否認在整理的過程中帶有孔子的主觀成分；另外，站在文學進化的觀點，袁枚以爲六經是文學的源頭，這是他對六經的看法。

㊲　〈與程蕺園書〉，《小倉山房續文集》卷三十，頁1800。
㊳　〈書茅氏八家文選〉，《小倉山房續文集》卷三十，頁1813。
㊴　〈答定宇第二書〉，《小倉山房文集》卷十八，頁1531。
㊵　〈與邵厚菴太守論杜茶村文書〉，《小倉山房文集》卷十九，頁1544。
㊶　〈答戴敬咸進士論時文〉，《小倉山房尺牘》卷三，頁50。

㈢疑經態度

　　袁枚自稱「予於經學，少信而多疑。」❷在經學盛的乾隆時代，這是非常駭人聽聞的話，但就袁枚本人而言，他的疑經是有其思想成分在內，非妄發誑語，前已引及（註❶），他引用孔子所云「多聞闕疑」、「疑思問」的話證明「疑」是作學問的重要方法，所以「疑」經正是遵孔子之教，故云：「其疑乎經，所以信乎聖也。」❸可見袁枚是為尊聖而疑經。又云：

> 六經者，文章之祖，猶人家之有高、曾也。高、曾之言，子孫自宜聽受，然未必其言之皆當也。六經之言，學者自宜參究，亦未必其言之皆醇也。疑經而以為非聖者無法，然則疑高、曾之言，而為之幹蠱，為之譏諫者，亦可謂非孝者無親乎？❹

他用孝道的邏輯來證明疑經不必然即是非聖無法，言下之意，後世流傳的經典並不能與聖人劃上等號，所以為了尊聖，對於經典更需小心擇別，於是有「疑」心之起。另外，他以為六經皆史，治史必先求史實（參下文），故在他而言，治經之前先確定經典的真實性，尤其他講求的是經典大義，偽經會導致義理的偏差，必需小心擇別，故疑經思想生焉。再者，前云袁枚對三代聖人的尊崇，更可說明他在他的思想中，尊聖與疑經間的必然關係，因為經典是惟一賴以窺見聖人面目的憑藉，所以說：「夫尊聖人安得不尊六經」，但是經書屢經後人附會、掇拾，以致真偽互見，如云：「諸子百家冒孔子之言者多矣。」故安得不疑？又云：

> 夫禮，與其過而廢之，寧過而存之，此好古者之苦心。然不辨其真偽，不摘其純疵，而概以為先王之書，莫敢眇視，則所關於世道人心者甚鉅。❺

---

❷　同註❷。

❸　同註❶，頁 1530-1531。

❹　同註❷。

❺　〈答李穆堂先生問三禮書〉，《小倉山房文集》卷十五，頁 1455。

這是針對三禮而言，他以爲當時流傳的禮書已有許冒入者，眞僞互見。正因爲尊聖人、尊孔子，故對後人所云經書應特別謹愼，以免後人僞託、冒入者魚目混珠，不但有損聖訓，亦於世道人心有害，這便是所謂「以疑經爲尊聖」。

　　筆者歸納袁枚所提出的疑經證據，主要可從兩方面來講，一者，由「經」之得名來懷疑經典，他論述「經」之名之由來云：

> 夫窮經而不知經之所由名者，非能窮經者也。三代上無「經」字，……六經之名，始於莊周；經解之名，始於戴聖。莊周，異端也；戴聖，藏吏也。命名未可爲據矣。桓、靈刊石經，匡、張、孔、馬以經顯。歐陽歙贓私百萬，馬融附姦，周澤彈妻，陰鳳質人衣物，熊安生稱觸觸生，經之效何如哉！[46]

袁枚由經之得名之不可靠來否定經，這是最根本的「正名」法。首先，經之名起於莊周，並非儒家所起之名；再者，始作經解者戴聖爲一藏吏，非聖人之徒，故「經」之得名已不足爲據，何況其書？他又舉一些歷史上有名的經學家，其制行皆不佳，經之效如此，其書怎可尊信？另袁枚又從經典本身證明經之僞，他曾明言：

> 且僕之疑經，非私心疑之也，即以經證經而疑之也。[47]

他認爲自己並非妄發議論，而是有根據的，是經由「以經證經」的過程而起的懷疑。歸納其以經證經的方可分以下二種情況：

　1. 以本經證本經

> 人多疑古文尚書，而不疑其征苗者，何也？……夫「竄三苗于三危」，〈舜典〉也；「三苗丕敘」，〈禹貢〉也；「苗民淫刑以逞，是用剿

---

46 同註**42**，頁 1530。

47 同註**42**。

絕」，〈呂刑〉也。苗既竄矣，何事於征？苗既敘矣，何必再征？苗剿絕矣，又何曾格？其他「分北三苗」、「何遷乎有苗」，皆無來格之說。以《尚書》證《尚書》，而真偽定。❹⓼

至乾隆時，古文《尚書》之偽幾成定讞，但卻沒有人就古文《尚書》所記征苗之事來證古文《尚書》之偽。〈堯典〉、〈禹貢〉、與〈呂刑〉為當時公認為真的篇章，而三篇所記三苗皆已征服、逃竄，則古文尚書所記征苗之說自是可疑，這是以《尚書》證《尚書》來證明古文尚書所載征苗之事為偽。又如他疑《論語》非一人所作云：

> 陸象山先生曰：「觀《易》、《詩》、《書》聖人手定者，方知編《論語》者，頗有語病。」初聞此言，似乎太妄，然平心玩之，亦似有理。大抵《論語》記言，不出一人之手，又其人非親及門牆者，故不無所見異詞，所傳聞異詞之累。即如論管仲，忽而褒，忽而貶；學不厭，誨不倦，忽而自認，忽而不居；皆不可解。❹⓽

其所以敢於判斷《論語》非一人所作，乃將《論語》本書前後文相對照，發現同為《論語》所載，其語頗多矛盾之處，如論管仲，在〈憲問〉篇盛稱之為仁，在〈八佾〉篇卻又指責他器小、奢侈以致僭越禮節；又如在〈述而〉篇中孔子稱自己「好學不厭，誨人不倦。」在〈公冶長〉中亦稱自己好學，但在〈衛靈公〉中卻否認自己為「多學而識之者」，在〈述而〉篇亦以「學之不講」為己之所憂，如此看來，《論語》必非出於一人之手。這便是以本經證本經，而發現其中有可疑之處。

2.以他經證本經

除了以本經不同篇章互證外，袁枚又以不同的經互相對照以見出某經之偽，如他在〈答李穆堂先生問三禮書〉中云：

---

❹⓼　〈征苗疑〉，《小倉山房文集》卷二十二，頁 1629。

❹⓽　〈答葉書山庶子〉，《小倉山房尺牘》卷八，頁 162。

後世學孔子者莫如孟子，證《春秋》者莫如《左傳》。孟子言周室班爵祿，其詳不可得而聞，言井田經界，亦以己意爲之，而引《詩》及龍子之言爲證。使當日《周禮》尚存，則郊遂川澮之名，歷歷可數。孟子守先王之道以待後之學者，而竟目不一見此書，其所守者何道也？子產爭承於晉，子服景伯卻百牢於吳，不引大行人之職以折之。郤至懼金奏，知罃卻桑林，不引大司樂之職以謝之。諸賢皆博物君子，而所學乃不如鄭、馬，其所博者又何物也？仲孫湫曰：「魯秉周禮。」未知周禮何指。韓宣子聘魯見《易》象與魯《春秋》，曰：「周禮盡在魯矣。」然則《易》象、《春秋》即周禮也，非別有所謂《周禮》也。❺⓪

這是將孟子與《孟子》與《周禮》相參，而證當時所傳《周禮》之僞。按：孟子言經界見〈滕文公上〉，子產爭承見《左傳》昭公十三年；子服景伯卻百牢見《左傳》哀公七年；郤至懼金奏見《左傳》成公十二年；知罃卻桑林見《左傳》公二年，這些人在論及相關制度時，都未曾引用《周禮》，袁枚以此推論當時並無《周禮》一書，故定《周禮》爲後人所僞託者。可見前引（註❸）袁枚對於明堂的說法主張孟子之說，並非單純是對經文的解說上的問題，他以爲《周禮》爲僞，所以後世一切以《周禮》爲依據的研究當然皆在其否定之列，後世關於明堂形制的說法大多是根據《周禮》，這是比經文解說更爲根本的眞僞之辨。又如其疑《儀禮》云：

　疑《儀禮》者，謂班氏《七略》，劉歆九種，尚無此書。〈聘禮〉芻禾之數，與《周官》掌客不合。❺①

此乃因《周禮》與《儀禮》不合而疑《儀禮》，又：

　覲禮，〈蓼蕭〉之詩，〈康王〉之誥，何是等華飾，而《儀禮》則云：諸

---

❺⓪　〈答李穆堂先生問三禮書〉，《小倉山房文集》卷十五，頁 1454。

❺①　同註❹⑧，頁 1455。

侯肉袒于廟門之外。當嘉禮之行，作受刑之狀，不祥可憎，作偽更可憎。㊾

此以《詩經》與《尚書》證《儀禮》之偽，蓋《儀禮》所記覿禮與《詩》、《書》大異，故定《儀禮》所載爲偽。

以上所論爲袁枚以經證經的兩種情形，筆者又分析他疑經的幾個方式，即構成他疑經的理由，約略有下列數種情形，茲各舉一二例以說明之。

1.因不合史實而疑經

即以歷史事實作爲判斷一經之眞偽的標準，如上所引他因偽古文尚書所記載征苗之事不合史實，故判斷偽古文尚書爲偽。這對袁枚而言，應是發揮他疑經思想很重要一個途徑，因爲他以爲六經皆史，在他的觀念中，史最重在求「實」，而非史家之褒貶、史筆等，如他在《隨園隨筆》「作史」條中便云：

> 作史只須據事直書，而其人之善惡自見，以己意定爲奸臣、逆臣，原可不
> 必。既已分列其目，則褒貶自宜允當。㊿

他並不贊成史家以個人意見來評判歷史人物，而他以爲六經皆史，《春秋》也是史之一，故不以爲孔子在《春秋》中有一字褒貶之隱義，如前引（註三十三）「夏五」、「郭公」之例便是。同文中他又說：

> 《春秋》，繼《尚書》者也，《尚書》無褒貶，直書其事而義自見。㊾

前已論及，他以爲《尚書》與《春秋》皆是古史，而《春秋》乃繼《尚書》而作者，《尚書》是以直書其事的方式來記史，《春秋》當然亦是如此，這才是他的理想中的寫史方法。袁枚既以六經皆史，以內容是否合於史實而斷其眞否自是理所當

㊾　同註㊽，頁1456。

㊿　《隨園隨筆》「作史」條，頁58。

㊾　同註㊷。

然。

2.因於情理不合而疑經

袁枚常以情理衡經，於情理不合者便疑之，如他以爲〈金縢〉篇雖爲今文《尚書》，但該篇亦是僞的，其理由之一爲：

> 孔子曰：「不知命，無以爲君子。」又曰：「丘之禱久矣。」三代聖人，夭壽不貳。武王不豫，命也，豈太王、王季、文王之鬼神，需其服事哉？以身代死，古無此法，後世村巫里媼之見，則有之矣。廣陵王胥曰：「死不得取代，庸身自逝」周公豈廣陵之不若乎？[55]

按：此乃針對〈金縢〉篇本文「若爾三王，是有丕子之責于天，以旦代某之身。」[56]一句話而發，袁枚以爲〈金縢〉篇中的周王爲武王，「以旦代某之身」乃周公祭祀太王、王季、文王以求能代武王死。但袁枚以爲就情理衡之，此事非眞，因爲三代聖人皆能至夭壽不貳的境地，太王、王季、文王當亦如此，並不需武王以鬼神之禮事之，故武王之「不豫」乃命也，非三王之能降罪或赦免；且以一人代另一人而死，古來並無此法，只有後世村里之俗巫老媼方有此說，周公必不至如此鄙俗，以此定〈金縢〉篇爲僞。又如他疑《儀禮》所持理由之一如下：

> 〈聘禮〉，賈人啓櫝，取圭。鄭註：賈人在官，知物價者。夫聘以通兩君之好，藉圭將敬，而乃令賈人與之，以廉讓之堂爲交易之所，過矣。[57]

聘禮乃兩君通好之禮，而《儀禮》所記聘禮竟使賈人參與之，豈不是將兩君行禮之殿堂視爲賈人交易之所，實於理不合，故而疑之。又如他疑《春秋》非孔子所作，理由之一爲：

---

[55] 〈金縢辨上〉，《小倉山房文集》卷二十二，頁1623。

[56] 屈萬里：《尚書釋義》（臺北：中國文化大學出版部，1984年11月重排本），頁103。

[57] 同註[48]，頁1455-1456。

作《春秋》史官之事也，孔子非史官，「不在其位，不謀其政」，有侵史官之權而妄爲代作，曰：「知我罪我」，儼然以素王自居，不但夫子不肯，魯之君臣及史官亦不能容也。㊸

袁枚以爲六經皆史，且由史官掌之，而孔子非史官，必不致侵權以「作」《春秋》，後人履言《春秋》爲孔子所作，非也；並因此否定孟子所言「知我罪我」㊹之語。這是以史官之權、六經本質及孔子心態說明孔子作《春秋》之說不合理。

　3. 因義理不當而疑經
　　袁枚亦有因經書內容之義理不當而疑該經者，如：

夫子之所最重者仁也。以顏子之資，僅許以三月，其他令尹子文、陳文子皆不許也。何至於管仲而曰：「如其仁，如其仁」？管仲果仁矣，天下有仁人而器小不儉，且不知禮者乎？天下之知禮能儉，且器不小者，或未必仁也。騰口說而持之過堅，使前後不合，後世之慎言語少許可者且不然，而謂聖人然乎？㊿

六經中袁枚所相信的只有《論語》與《周易》二書（見前引），但在對《論語》作一番深思後仍不免有所懷疑，因〈憲問〉篇中孔子稱贊管仲爲仁，但在〈八佾〉篇卻又責管仲器量狹小且過於鋪張以至僭越了禮法，二種說辭相去何其遠，但在《論語》記載中竟都出自孔子之口，這不得不使袁枚起了疑心，但此處他並沒有因此而定《論語》爲僞書，而是爲此情形作解釋，其說詳下文。又在〈再答李少鶴〉一文中他提出：「《禮記》一書，漢人所述也，未必皆聖人之言。」㊽以《禮記》爲漢人所作，並非聖人之言，但他對其中的〈大學〉另有一番看法，他認爲〈大學〉

㊸　〈答葉書山庶子〉，《小倉山房尺牘》卷八，頁 162。
㊹　按：見《孟子‧滕文公下》孟子引孔子語曰：「知我者，其惟《春秋》乎？罪我者，其惟《春秋》乎？」
㊿　〈論語解四篇〉，《小倉山房文集》卷二十四，頁 1669。
㊽　〈再答李少鶴〉，《小倉山房尺牘》卷十，頁 207。

「文古理醇」、「意義周匝，絕無漏隙。」⑥，至於爲何在漢人所作的《禮記》中會這麼一篇「文古理醇、意義周匝」的文章，袁枚並未作交待，而其判斷〈大學〉古醇的理由便是針對〈大學〉本文玩其文字、味其義理所下的結論，他說：

> 《大學》……序治平修齊誠正之先後畢矣。慮其無所致功，蹈思而不學之弊，故以致知格物次之。天之物又多矣，慮其探賾索隱，蹈博而寡要之弊，故又以物有本末知所先後曉之，而且以聽訟一章證之。其始終條貫，燦若列星，傳固未嘗缺也。⑥

他對〈大學〉評價如此之高，乃因爲〈大學〉所蘊涵的義理純正，而且其本文已足，特提「未嘗缺」，顯然是針對朱熹的〈大學補傳〉。但是對於同爲宋儒所重視、同列於四書之一且爲《禮記》中一篇的〈中庸〉，袁枚就不予如此高的評價，亦以其義理而定之。他在〈書大學補傳後〉將〈中庸〉與〈大學〉對照說：

> 〈大學〉雖出《戴記》，而文古理醇，不似〈中庸〉敷衍。⑥

他所說「〈中庸〉敷衍」，是相對於〈大學〉「文古理醇」而言，自然是就義理言之，可見他因義理而疑經，亦因義理而信經。

4.考查文獻而後疑經

前面所列以情理、以義理來疑經都是比較見仁見智的理由，不容易有一客觀的標準，袁枚亦提出些較爲客觀的證據來支持其疑經說，如經由文獻的甄別、考查而後定某經爲可疑：

> 若魯所守先世之禮，與他國所存周家之書，亦未嘗無一可考者。史克對宣

---

⑥　〈書大學補傳後〉，《小倉山房續文集》卷三十，頁1810。

⑥　同註⑥。

⑥　同註⑥。

公曰：「先君周公制周禮，曰則以觀德，德以處事。」又：「作誓命曰：竊賄爲盜，盜器爲奸。」單子稱周制曰：列樹以表道，列郵食以表路。周之秩官曰：敵國賓至，關尹以告。申無宇曰：「文王之法曰：『有亡荒閱』。」此數書者，考之今之《周禮》，絕無其詞。豈左氏之所引者亡而左氏之所未引者反存耶？抑左氏、孟子均不足信，而今之《周禮》、《儀禮》爲足信耶？⑥⑤

按：「史克對宣公曰」二段見《左傳》文公十八年，「申無宇曰」見《左傳》昭公七年。袁枚將《左傳》、《孟子》中所載與周制有關的部分（《孟子》部分已見前引「後世學孔子者莫如孟子」一段）與《周禮》、《儀禮》相比較，發現有幾種情形：一，《左》、《孟》記載而《周禮》、《儀禮》闕略者，如此處所舉《左傳》有關周禮的記載，在《周禮》中皆無。二，《左》、《孟》所載粗略，而《周禮》、《儀禮》中反而詳盡的，如前引孟子論明堂及井田、經界、爵祿的制度等。而袁枚是尊信孟子的，對於《左傳》袁枚也是信服的⑥⑥，故從這種對照而定《周禮》、《儀禮》爲不足信。又如他提出《儀禮》篇數與內容的問題：

按：漢初高堂生始傳《士禮》十七篇，而今不止于士禮，若〈燕禮〉、〈大射〉、〈聘禮〉、〈公食大夫〉、〈覲禮〉五篇，皆諸侯之禮也。〈喪服〉一篇，總包天子以下之制服。然則所謂士禮者，僅十一篇耳。或后倉及門人慶普等取諸他禮以應其數，而非高堂之原本，亦未可知也。⑥⑦

他根據文獻有關《士禮》的記載，比對當時所傳《儀禮》，發現有名實不符的情形，蓋今日所見《儀禮》所載並不全是「士」這一階層的禮，還包括了諸侯之禮及天子以下各階層的喪禮，與書名「士禮」並不相符，所以袁枚懷疑凡非士禮的篇章

---

⑥⑤ 同註⑱。

⑥⑥ 如云：「證《春秋》者莫如《左傳》」，另參註⑩。

⑥⑦ 同註㉑，頁 1457-1458。

都是後竄入的。又如他考證「經」字之來源，推翻已根深蒂固的經典之崇高地位，以作爲他疑經的有力證據，也是使用這種方法，這是較爲接近所謂「乾嘉考證學」的方法，只是袁枚並非考證學家，故他所做的考證並不嚴謹。前云因不合史實而疑經其實也是使用這種考證的方法，但因爲袁枚以爲六經皆史，史實對他而言具有特別的意義，故將之獨立出來。

以上爲袁枚建立疑經思想的具體理論，另需一提的是，他雖總是概括地說某經爲僞、某經不可信，但他的疑經實是以「篇」爲單位，而非以「經」爲單位，即不因一經中有疑處便全盤否定該經，如前已引者，他以爲「經」乃後人掇拾遺文墜典而成，故其中「眞僞雜出，醇駁互見」，既同時有眞僞、醇駁，則一經中此篇不可信，未必他篇亦不可信，故他雖認爲今文《尙書》〈金縢〉爲僞，但二典及〈禹貢〉仍可信，故云：「論堯舜必折衷於二典、〈禹貢〉。」⑱前引對於《大學》、《中庸》的看法中，顯然是以《禮記》爲可疑，但又以其中〈大學〉一篇是可信的。從這裡我們也可以知道，他所說惟《論語》與《周易》爲可信的話，其實並不是很嚴格的說法。

再者，袁枚所認爲可疑甚或是僞的經書，對他而言並不是就一無可取，一概加以否定，由他對於所疑之經仍有取於其義理一點可看出來，如：

> 大抵古之聖賢，未有不以讀書窮理爲功者。《書》稱「學古入官」，易稱「君子多識前言往行以蓄其德」。子貢曰：「賢者識其大，不賢者識其小。」孟子曰：「博學而詳說之，將以返說約也。」皆是格物致知之本旨。⑲

按：「學古入官」出僞古文尙書〈周官〉篇，又〈答門生王禮圻問作令書〉云：

> 政綱旣舉，首淸刑罰。淸之云者，非寬減之謂，得當之謂也。皋陶曰：

---

⑱　〈讀左傳〉，《小倉山房文集》卷二十三，頁1651。
⑲　同註⑱，頁1811。

「罪疑惟輕。」言罪之疑者輕之，其不疑者不輕也。❼⓿

按：「罪疑惟輕」出僞古文尚書〈大禹謨〉。閻若璩《尚書古文疏證》出，僞古文尚書之僞已成定論，袁枚亦無異議，在〈征苗疑〉一文中他只是感慨人皆疑古文尚書，而未有人發現征苗一事亦僞，顯然他也贊成僞古文尚書爲僞的說法，但此處他卻引僞古文尚書來加強他論點，以其中所涵義理可取故也。又如他在〈書大學補傳後〉說：

> 《論語》曰：「敏而好學」惟其敏，故好學。《記》曰：「學然後知不足。」惟其學，故知不足。背者反是。❼⓵

按：《記》是指《禮記》，「學然後知不足」一語出〈學記〉，但袁枚是認爲《禮記》是不可信的❼⓶，但此處卻明引《禮記》之文以爲立論根據，亦以「學然後知不足」之理足取也。在〈爲張東皋太夫人祝壽〉一文中亦引《禮記》之文以說理：

> 恭聞孟冬元日，太夫人古稀榮壽……緣牽俗事，未遂摳衣……望隔江之山色，遙捧霞觴，分席上之蟠桃，有輪青鳥……先遣家奴，小申敬意，《戴記》曰：「君子不以菲廢禮。」其斯之謂歟？❼⓷

---

❼⓿ 〈答門生王禮圻問作令書〉，《小倉山房文集》卷十八，頁1525。

❼⓵ 〈與楊生書〉，《小倉山房文集》卷十九，頁1538。

❼⓶ 他在〈答李穆堂先生問三禮書〉中云：「枚……但自幼讀禮而疑，稍長泛覽百家，而疑乃益深。」其文中所提出三禮不可信之理由雖多是針對《周禮》與《儀禮》，而無一語及《禮記》者，但在條列《儀禮》之可疑者數條後云：「《周禮》、《戴禮》較《儀禮》紕繆更甚，先儒掊摭亦更多，故所疑百十條不錄。」顯然以《周禮》與《戴禮》較《儀禮》更不可信，而其對《儀禮》評價之低，云：「昭公名知禮，太叔儀曰：『是儀也，非禮也。』古之人且賤儀而尊禮，而何《儀禮》爲經之說乎？」顯然以《儀禮》爲非，則《周禮》與《禮記》更不足信；關於此點，另可參註❻⓵。

❼⓷ 〈爲張東皋太夫人祝壽〉，《小倉山房尺牘》卷三，頁58。

按：「君子不以菲廢禮」出《禮記·坊記》。菲，薄也。此乃爲自己未能親臨祝壽致歉。又如《中庸》，袁枚以爲此書義理敷衍，實不足信❼，然他亦有取於中庸之義，如〈答尹似村書〉云：

> 《中庸》曰：「博學之，審問之。」《書》曰：「好問則裕，自用則小。」使宋儒而果賢也，有不審問者乎？有肯自用者乎？若一聞異己而即怒，是婞佷木強者耳，烏乎賢？❼

按：此處所引《尚書·仲虺之誥》爲公認眞實的經文，此處與《中庸》並舉，顯然是同意《中庸》所提出博學、審問的觀念。以作爲批評宋儒的根據。又如他在〈與程蕺園書〉中說：

> 綿莊寄足下與彼之札來，道顏、李講學有異宋儒者，足下以爲獲罪於天，僕頗不謂然……《中庸》曰：「天地之大，人猶有所憾。」人憾天地，而子思許之，人憾宋儒，而足下不許，又何也？❼

他說「人憾天地，而子思許之」可見此處他是以《中庸》爲子思所作；他甚至還將《中庸》與孔子聯繫起來，

> 《中庸》先言「率性之謂道」，再言「修道之謂教」，蓋言性之所無，雖教亦無益也。孔、孟深明此理，故孔教伯魚，不過學《詩》、學禮，義方之訓，輕描淡寫，流水行雲，絕無督責。❼

---

❼ 參註❻。

❼ 〈答尹似村書〉，《小倉山房文集》卷十九，頁 1559。

❼ 〈與程蕺園書〉，《小倉山房文集》卷十九，頁 1563。

❼ 〈與香亭〉，《小倉山房尺牘》卷八，頁 161。

此處顯然以《中庸》所云與孔、孟相合；非但如此，袁枚還以《中庸》之言來處世，在〈答魚門〉一信中他便表明：

> 《中庸》云：「君子素富貴行乎富貴。」僕亦素隨園行乎隨園而已。[78]

個人處世行事是何等重大的原則，而袁枚引《中庸》以自白；若只看以上他反駁別人論點、表達教育理念及表明自己處世態度皆引《中庸》爲說看來，實難想像他曾說過「《中庸》敷衍」，並且視《禮記》爲僞書的情形。又如他在〈公生明論〉中說：

> 《周官》論刑曰：議親議貴。孔子於賢曰：「舉爾所知」，於親曰：「父爲子隱」。《詩》曰：「遷其私人」曰：「言私其豵」。古之聖人不自諱其私，又惴惴焉若懼人之忘其私，而爲之代遂其私。嗚呼！何其公也。[79]

按：「議親議貴」出《周官·秋官·司寇》，前已言及，袁枚以爲《周禮》之紕謬甚多，實不足信，但此卻又引之以爲論據，並且與孔子及《詩經》並列，最後還下結論說：古之聖人如何如何，顯然以所引諸語爲古聖人之言，那麼《周官》之語亦如聖人語值得奉爲圭皋了。

　　像上引這種不信該經，在發表議論時又引之以爲依據、加強論說的情形，在袁枚的文章中實不勝枚舉，由此諸例可看出一個共同點，就是以上諸文皆非嚴謹的對學術問題之討論，或是友朋間的書信，或是應酬文章，或是讀書心得，而那些被袁枚視爲可疑的經書，卻是他從小就濡染浸淫其間者，他有詩回憶小時嬬姑教授他的情形道：

---

[78]　〈答魚門〉，《小倉山房尺牘》卷二，頁38。
[79]　〈公生明論〉，《小倉山房文集》卷二十，頁1579。

　　我年甫五歲……其時有孀姑，亦加鞠育恩，授經爲解義，噓背分餘溫。⑧

　　年甫五歲，其孀姑便授之經義。古時文人莫不如此，自小所受教育便是傳統四部之學，尤以經典爲要，袁枚自小便讀經典，反復吟誦，經文、經義必深入其心，其價值觀、人生觀必受經典影響，故在日常生活中不論與友朋書信往返討論，表達自己思想及待人接物等，時有經典的影子便是自然而然的；及至袁枚學問成熟，有獨立思考能力，方能以客觀態度重新對經典作評詁，但那些已深入腦海的觀念與價值系統是不容易抹去的，故雖有大膽而獨樹一幟的疑經思想，仍無法掩蓋內心深處對傳統經典的尊敬，或者無法卸下從小所承受的傳統包袱；再者，袁枚即使對經典再懷疑、再不相信，他當亦無法否認，在那些或許並不可靠的經書中，的確蘊涵著一些不變的智慧與眞理，如他所引以爲說的那些部分便是，在他文章的字裡行間已說明了這一點。筆者以爲這是造成袁枚在文章、書信中不諱使用他所疑之經的原因，他並沒有想要刻意避開，也無法避開那些深印腦海的、自小視爲聖訓的語言。從這個角度看來，袁枚所謂疑經的意義，在很大的部分是指就歷史事實而言，站在歷史的角度看，那些經典或許並不符合後人所說是三代之書，是某聖人所作；再者，那些經典原來並不稱經，「經」乃後人所起之名，就正名的角度來看，經的確是僞的；又，經典經後人之整理，摻入了許多僞託不實的成分，故今日所見之經並非全然可信。但袁枚並不否認那些經典中蘊涵著不少的智慧與眞理。

　　與上述情形相反的，袁枚對所信之經亦非全然不疑，如《論語》，六經中袁枚最相信者莫如《論語》，他曾說：「六經中惟《論語》、《周易》爲可信。」又說：「書之可信者，莫如《論語》。」⑧因此他以爲孔子的話可信與否要以《論語》爲判斷標準，故他說：「孔子之言，《戴經》不足據也，惟《論語》爲足據……僕讀詩常折衷於孔子。」⑧如此看來，袁枚必以《論語》所載句句屬實、句句可信，實則非也，袁枚的懷疑精神是很強的，他說：「雖《論語》，吾不能無疑

---

⑧　〈秋夜雜詩〉，《小倉山房詩集》卷十，頁197。

⑧　〈答沈大宗伯論詩書〉，《小倉山房文集》卷二十七，頁1503。

⑧　同註⑱。

焉。」⑧其所疑者，如前所舉《論語》中論管仲前後論點不一，孔子之自稱亦前後不一的情形便是使袁枚起疑心的地方，但袁枚對此疑點的處理方法與他經並不相同，對於所疑之經，袁枚多定之爲非聖人所作、非三代之書，且以其內容爲不可信，但對《論語》則不然，袁枚並不因此以爲《論語》所記不實或不可信，而是試圖爲這種矛盾的情形找一個合理的解釋，故對《論語》中孔子論管仲之語前後大相逕庭的情況，他說：

> 然則何以有此？曰：《論語》有《齊論》、《魯論》之分。齊人最尊管仲，所謂「子誠齊人也，知管仲、晏子而已矣。」以管仲爲仁者，齊之弟子記之也。故上篇「齊桓公正而不譎。」下篇「陳成子弑簡公。」非《齊論》而何？魯人素薄管仲，所謂「五尺之童，羞稱五霸。」以管仲爲無一可者，魯之弟子記之也。故上哀公問社，下文子語魯太師以樂，非《魯論》而何？均有偏託，未足爲信。⑧

按：「齊桓公正而不譎」及「陳成子弑簡公」皆見〈憲問〉篇，「哀公問社」及「子語魯大師以樂」見〈八佾〉篇。袁枚以爲《論語》中論管仲的前後矛盾乃是《齊論》與《魯論》的差異所造成，齊人尊管仲，故稱管仲爲仁是孔子的齊人弟子所記；魯人羞稱五霸，故批評管仲之語乃魯人弟子所記。他並舉〈憲問〉篇與〈八佾〉篇的例子以見今日《論語》中果同時參有《齊論》與《魯論》，他以爲如此便可使《論語》中不合理的地方便獲得合理的解釋。由此情況我們可做幾點推論，首先，袁枚將對孔子的尊崇轉化爲對《論語》一書的推崇，所以雖同稱「疑」，他對於《論語》中疑點的處理態度及方法，與對待他經並不相同；同時，《論語》便是袁枚建立疑經思想的最主要標準，他所說的「折衷於孔子」，表現在研經上便是折衷於《論語》，這也是他必需對《論語》中的疑點做合理解釋的原因；正因爲《論語》對其疑經思想具如此關鍵性的作用，以致爲了證明《論語》的合理性而使袁枚

---

⑧　〈論語解四篇〉，《小倉山房文集》卷二十四，頁 1669。

⑧　同註⑧。

對《論語》疑點的解說顯得有些牽強，推而廣之，其疑經的諸論點亦有不甚合理之處（關於此點，下文將詳論之）。另外，袁枚以爲諸經中惟《論語》與《周易》爲可信，但其文集中提及《易經》之處很少，故無法得悉其論據。

四、袁枚疑經思想之商榷

從以上對袁枚疑經思想的敘述，可看出其中有不少矛盾及不嚴謹的地方，不嚴謹的地方如：他常以概括性的語言來表達其實並不具概括性、普遍性的原則，如前已述及的，他說六經中惟《論語》與《周易》可信，但從上述的論述我們可知，其實經典中爲他所相信的並不只此二書，如他以爲論堯舜要以《尚書》中的〈堯典〉、〈舜典〉、〈禹貢〉爲準的，這便是以此三篇爲可信了；又如他認爲〈大學〉的義理圓融，文字古奧，亦是將之與其所不信的《禮記》分開看待。再者，他的用字遣詞亦不甚嚴謹，如他在〈與是仲明書〉中說：「孔子編《詩》不作《詩》，贊《易》不擬《易》，修《春秋》不自爲綱目。」[85]在〈與林遠峰書〉中又說：

> 周公贊《周易》節卦曰：「不節若，則嗟若」孔子曰：「奢則不遜，儉則固，與其不遜也寧固。」所謂不遜者，非必玉杯象箸，日食萬金之謂也。[86]

按：「不節若，則嗟若」爲《易經》節卦六三爻辭。前者云孔子贊《周易》，此處又說贊《周易》者爲周公，孔子之贊當指十翼，周公之贊當指爻辭，但袁枚並沒有分別清楚。再者，所謂信不信、疑不疑的界限非常模糊，如前引不信之經文又以之爲論據諸例，也就是在論經典本身時以之爲疑、爲不可信，但在發揮議論或個人思想情感時又以之爲是；以之爲不可疑時棄如敝屣，以之爲可信時卻奉爲圭臬，其取捨皆以一己主觀意念爲主。又如他說對於所疑之經皆付之闕如，故對於大部分所疑之經他都不試圖作解釋，而只提出疑點，但對《論語》他卻不如此作，而是試圖對

---

[85]　〈與是仲明書〉，《小倉山房文集》卷十五，頁1463。

[86]　〈與林遠峰書〉，《小倉山房尺牘》卷八，頁167。

《論語》中不合理之處作合理的解釋，因爲他相信《論語》中記孔子之言皆是可信的，這是以先入爲主的觀念對不同的經書作不同的處理。

　　另外，袁枚有許多論證並不嚴謹，以致有許多矛盾之處，如他在〈論語解四篇〉中爲了證明今本《論語》孔子稱管仲爲仁乃是因《齊論》本而來，而特別對《論語》的體例作說明，以爲《論語》中的諸疑點乃是記言體裁所造成的，他說：

> 孟武伯、孟懿子及游、夏問孝，聖人答之不同。仲弓、顏回、樊遲、司馬牛問仁，聖人答之不同。子貢、子路、仲弓問政，聖人答之不同。宋儒以爲就人所不足者教之，非也。當時問者各有其人之議論，而夫子爲之折衷。記言者不詳載問詞，而統括大義，則曰：問仁、問孝、問政云爾。人非木偶，豈有言無枝葉，突然舉一字以相問者？況仁、孝、政，一問可也，何必重複問耶？一人問可也，何必各人問耶？⑧⑦

其云記言者不詳載問詞，在當時書寫工具之不方便與不普遍的情形下或許可能；但云：一人問他人不必問則不盡合情理，孔子這些弟子未嘗不可能在不同的地點、時間問出相同的問題，更何況所謂仁、孝、政等都是孔子所最重視的，雖然筆者此見亦是主觀臆測，並無直接證據，袁枚之見又何嘗不如此？宋儒之說亦不例外，可見此類問題並無法由文獻上得到確切的明證，後人以其主觀想法來作解釋，以致眾說紛紜，袁枚之說便是其中之一。另外，他在其他文章對《論語》中論點不一的情形作了另一種解釋：

> 書中斥陸、王爲異端，亦似太過。《周易》曰：「仁者見之謂之仁，智者見之謂之智。」子曰：「仁者樂山，智者樂水。」夫道一而已，何以因所見而異，因所樂而異哉？然仁者之樂山，固不指智者之樂水爲異端也。顏淵問仁，曰，克復。仲弓問仁，曰，敬恕。樊遲問仁，曰，愛人。隨其人各爲導引。使生後世，則仲弓必以顏淵爲異端，顏淵又必以仲弓爲異端

---

⑧⑦　同註⑧⓪，頁1670。

矣。㊟

所謂「隨其人各爲導引」不正是前云宋儒所說：就人所不足者教之，爲何彼處以爲非者，此反以爲是？這是袁枚本人論證的矛盾。又如他在〈論語解四篇〉中對《論語・公冶長》篇孔子與弟子言志一段中曾點之言有如下意見：

> 「如或知爾，則何以哉？」問酬知也。曾點之對，絕不相蒙，而夫子何以與之？王充以舞雩爲祭名，童子爲歌童，未免附會。吾以爲非與曾點也，與三子也。明與而何以實不與？曰：沂水春風，即乘桴浮於海也；從我之由，即吾與之點也。「子路聞之喜」，即點之從而後也。……無如轍環天下，終於吾道之不行，不如沂水春風，一歌一浴，較浮海居夷，其樂殊勝。蓋三子之言畢，而夫子之心傷矣，適曾點曠達之言，泠然入耳，遂不覺嘆而與之，非與聖心契合也。㊟

他認爲曾點之回答與夫子之問絕無相關，《論語》中所載「與之」，並非指曾點，而是指其餘人；袁枚並將沂水春風解釋爲即乘桴浮於海之義，而非如後人所解舞雩爲祭名；「詠而歌」亦非與童子同歌，蓋三子所言皆治國之事，正孔子之志，然孔子知道之不行而心傷，適曾點提出乘桴浮於海之見，恰合孔子不得道之心，故嘆而與之。但在〈答朱君尚書〉一信中，他卻對同一個問題有不同解釋：

> 夫游亦何過之有？若云師弟不可同游耶，則樊遲不應從游于舞雩之下；若云年少不可同游耶，則曾點「浴乎沂，風乎舞雩」，不偕年高有德之人，乃與童冠同游，反爲夫子所與者，何也？㊟

㊟　〈代潘學士答雷翠庭祭酒書〉，《小倉山房文集》卷十七，頁 1518。

㊟　同註㊐，頁 1671。

㊟　〈答朱石君尚書〉，《小倉山房尺牘》卷九，頁 181。

此處顯然是承認曾點所云「浴乎沂，風乎舞雩」是與童子同游而非前所云是乘桴浮於海之意，亦認爲夫子所與者曾點也，與上文之解釋實相逕庭，爲何會如此？筆者試爲此一情形作解釋，蓋袁枚晚年嘗特地外出遍覽名山大川，其中有弟子爲伴同游，石尙書知此，來書指摘袁枚與弟子同游是不合理的，袁枚此封〈答朱石君尙書〉便是回覆之以爲自己此舉作辯解，他以爲師弟同游不但合理，且爲孔夫子所贊許，其證據便在於《論語》中，故引之以爲自己辯說；而前引〈論語解四篇〉乃是袁枚對《論語》的一些問題提出特別見解，其篇首便云：「雖《論語》，吾不能無疑焉。」但其所疑並非針對《論語》本身，而是針對前人對那些問題所作的解釋，故而他提出另一種與以往完全不同的解說；但是他仍未忘記那些沿襲已久的說法，在他需要爲自己辯說，而《論語》中便有支持他的論點時，他便自然而然地引用，雖然需採用傳統的且爲自己所不認同的說法，但孔子是爲他所尊崇的，還有什麼證據比孔子之言更強有力呢？前面所舉袁枚對《論語》中不同弟子問相同的問題，而夫子所答不一的情形有互相矛盾的解釋也是同樣原因所造成，當他要提出與以往不同的見解，爲孔子論管仲之互相矛盾尋找合理的解釋，且其理由之一是記言體裁所造成的限制時，他便盡量在《論語》中找出可以證明《論語》因記言體所造成的矛盾，以證明其論點之能成立；但當他要緩和別人的門戶之見，提出各人性情、資質本不相同，不必因所見不同而互相斥對方爲異端的意見，又同時發現《論語》中有可支持他的論據，雖然這要採取傳統說法，而異於他自己的獨特見解，他也毅然舉出這一例子，以加強自己的說服力。從這裡我們可看出袁枚的狡猾之處，同一段資料，在何種解說下能支持他的論說的，他便採用之；翻閱《袁枚全集》，筆者也發現，袁子才在某方面來說眞是位才子，他的獨立標桿，喜與人辯論，而議論風發，引據廣博、左右逢源，但就在這種風發的議論中他忽略了嚴謹的功夫，雖然他曾廣讀四部之書，但他是一個感性的文人，而非一絲不苟的學者，所以他的議論本較不嚴謹，有關疑經的論點更常是主觀之說，但他卻習於堅定強硬的語氣，以至看來持之頗堅的意見，其實只是隨興所寫，這種氣質與魄力，用於與人論辯清談或許可左右逢源，但用於經典研究便會漏洞百出，所以他的說法會互相出入便是可以想見的。

　　另有一些說法是根本錯誤的，袁枚卻言之鑿鑿，如前云《論語》中論管仲前

後不一的情形，袁枚以齊論、魯論的不同來解釋，如此說來，《論語》的不同版本便是不同派別的弟子所造成，但他仍認爲這些話都出於孔子之口，如此，孔子所言互相衝突的疑問仍未解決。又如袁枚以爲經之得名之不可信，原因之一，始作經解釋者乃贓吏戴聖，實則所謂「經解」者，乃《禮記》中之一篇，並非戴聖所作，此袁枚不明《禮記》體例也。

　　上述這些理論上的不嚴謹甚至互相矛盾，主要乃是環繞著《論語》這本他篤信不疑的書而言，而且這些都是對文句解釋的見人見智的問題，做爲袁枚疑經說的最大支柱，這種爲《論語》打圓場的情形尚可理解，但對於他經，他也犯了這些錯誤，如前已述者，袁枚以爲《春秋》非孔子所作，只是以直書其事的方式記史，並不如後人所言於其中有寓有褒貶之義，但卻又說：

> 夫論天下之是非者，不計其人之賢否也。孔子曰：「攻乎異端，斯害也已。」孟子曰：「能言距楊、墨者，聖人之徒也。」孔、孟此言，專爲中人說法，大爲之防，猶之《春秋》之義，亂臣賊子人人得而誅之。**91**

此處顯然以《春秋》寓有褒貶之微言大義，對亂臣賊子口誅筆伐，與前論實相抵牾。關於禮制，袁枚之說更是漏洞百出，前已論之，袁枚是不信三禮的**92**，但他又說：

> 夫服中月而禫，再期而除，非孝子所得已也。先王制禮，賢者不敢過，愚者不敢不及……夫衰麻苴絰，非先王以之苦人也，念孝子哀痛之心，誠于中，形于外，其服食起居有不至于是而不安者，故爲之制，而又爲之節……故禮曰：「親喪外除。」言外除者，明乎其內未除也。**93**

91　〈再答彭尺木進士書〉，《小倉山房文集》卷十九，頁 1571。
92　參註**72**。
93　〈與從弟某論釋服作樂書〉，《小倉山房文集》卷十五，頁 1446。

按：「中月而禫」出《禮記‧間傳》，「親喪外除」出《禮記‧雜記》，此處顯然以《禮記》所記爲先王所制之禮，與前述疑三禮的態度迥不相牟。袁枚引《禮記》爲論據者，又如辯《尚書‧金縢》爲僞，所提出的證據之一乃周公祭太王、王季、文王之禮不合於當時禮俗，云：

> 禮……又曰：士大夫去國，爲壇位，向國門而哭，爲無廟也。當是時，太王、王季、文王赫赫寢廟，周公非去國之時，雖曰支子不祭，然公爲武王禱，非爲身禱也。舍太廟而爲野祭，不祥孰甚焉！❾❹

其中所引之禮見《禮記‧曲禮下》；又他說周公祭祀時諱稱武王之名亦不合於禮云：

> 周人以諱事神，名，終將諱之。故禮卒哭乃諱。其時武王雖病，並未終也，不稱元孫發以禱，而稱元孫某以諱，是先以死人待武王也。……禮凡祭不諱，臨文不諱，臨之以高祖，則不諱曾祖以下。……詩曰：「一之日觱發。」曰：「駿發爾私。」皆公作也。尋常歌詠，不諱於其子成王之前，而一旦禱祀，反諱於祖、父太王、王季、文王之前，於義何當？❾❺

其中所引禮皆出於《禮記》，分別見〈曲禮上〉、〈檀弓下〉、〈雜記下〉、〈玉藻〉等篇。又他提出三年之喪的意見云：

> 毛西河以三年之喪爲三十六月，作議數千言，殊乖《禮經》「二十五月而畢」之義。❾❻

---

❾❹ 〈金縢辨滕〉，《小倉山房文集》卷二十二，頁 1623。

❾❺ 〈金縢辨上〉，《小倉山房文集》卷二十二，頁 1624。

❾❻ 〈喪三十六月之疑〉，《隨園隨筆》卷十九，頁 342。

按：三年之喪「二十五月而畢」出《禮記・三年問》。關於《儀禮》，袁枚亦以爲絕非三代之書，但卻在其他議論文中以《儀禮》爲論據，如：

> 蘇子曰：恐其父以飲食之名聞於諸侯。則更謬矣。夫籩豆之事，其昭告於鄰國者，古未有也。即《儀禮》所載，腏膴鼎俎，雖有定數，然考之三傳，徵之史冊，未聞有列國之諸侯大夫爲增一果減一牲而受美惡名。**⑨⑦**

此處以《儀禮》所載之禮爲標準，並配合三傳之史實，以反駁蘇子之論，豈非以《儀禮》所載眞爲三代之禮，故而引爲論據，前云對所疑之經仍取於其義理猶有可說，此處引不可信之史以爲眞，則紕謬之甚，不可不察。關於《周禮》，他說：

> 《周官》大司徒以荒政救萬民，其六曰安富。富之安與不安，似與荒政無與。而先王慮之者，何也？**⑨⑧**

此處明以《周官》爲先王之書。又：

> 《癸辛雜志》云：「〈詩序〉云：『〈關雎〉，后妃之德也。』后字作君字解，非太姒也。古稱夫人不稱后，天子夫人稱后始于秦始皇。」按：《周禮》：「膳夫掌王之飲食膳羞，以養王及后、世子。」以及內宰、女史諸職所稱「后」字頗多，似周制天子之夫人皆稱后，而不始于秦矣。又《春秋》桓公八年：「祭公來，遂逆王后于紀。」此王后者，紀季姜也，亦天子夫人稱后之證。**⑨⑨**

此處引《周禮》而推論：「周制天子之夫人稱后」，亦是以《周禮》所記載爲周代

---

⑨⑦　〈駁蘇子屈到嗜芰議〉，《小倉山房文集》卷二十一，頁 1609。

⑨⑧　〈與江蘇巡撫莊公書〉，《小倉山房文集》卷十七，頁 1499。

⑨⑨　〈后妃非太姒〉，《隨園隨筆》卷十七，頁 303-304。

制度，與前引〈與李穆堂生論三禮書〉中以《周官》爲後人偽託者又相牴牾。又他亦以古文尚書爲偽，但他作〈六宮辨〉辯古無六宮，卻引偽古文尚書〈冏命〉：

> 《尚書·顧命》陳設瑣屑，〈冏命〉訓飭侍御，均無六宮。⑩

這是以〈冏命〉所記爲古史實，二者實相矛盾。以上這些關於禮制的問題並非主觀的義理解說，而攸關客觀的史實眞假，袁枚在此等處自相矛盾，實是其疑經說的一大漏洞。

又前云他的大膽疑經思想，以爲六經中多諸子百家冒入者，其中惟《論語》與《周易》可信，但在〈與程綿莊論《楞嚴經》〉一文中他說：

> 吾儒「六經」，大都言情紀事，無空談者。惟《周易》一書，圓通廣大，憑虛而立，然六十四卦中，何嘗不指物陳象，暢所欲言！從無贅詞複筆，方知周、孔之教，終非如來所能夢見。⑩

這裡他以爲六經能表現儒家特色所在，以顯出儒家與佛教不同之處，若如其前所言，今日所見六經多後人冒入、六經多不可信，則如何由其中見出儒家眞精神？又前云袁枚否認六經本儒家所起書名，爲何又稱「吾儒六經」？若六經果無空談者，則何來上述疑經思想？即使袁枚所信者爲古六經，所疑者爲流傳後世、已摻入不實成分之六經，但古六經已不可見，袁枚如何肯定的說六經皆言情紀事而無空談？其所見者必爲後世流傳之六經，而後世之六經正爲他所懷疑，故從這點看來，袁枚之疑經說實自立而又自破，無法在他的作品中看到完整的體系。

再從袁枚疑經之理由來說，在第三節中筆者分析袁枚的疑經理由，歸納爲四項，然觀《袁枚全集》中與疑經相關的文章，這四項中袁枚最常採用的是第二項，即因經典所書與情理不合而疑之，而所謂情理，雖說袁枚總託之於三代聖人如周

---

⑩ 〈六宮辨〉，《小倉山房文集》卷二十二，頁1627。
⑩ 〈與程綿莊論《楞嚴經》〉，《小倉山房尺牘》卷一，頁11。

公、孔子等，而其實是他自己以今律古所想出的情理，故他的論點常是：周公「當」不會如此、三代聖人「必」不如此、孔子之聖「不應」如何之類的理由，然而六經既不可信，袁枚如何得知三代聖人之實情？其所云必不如此之類的判斷標準何在？推論起來，所謂三代聖人之情、三代盛世之理，大部分是袁枚自己的想法，所謂情理，便是袁枚一人之情、一人之理了。

再整體觀察袁枚所有相關作品，可發現多是零星的短文或隨筆、箚記，且彼此互不相干，並無任何有系統的詮釋，加上他所言多只在經典的外圍，而未深入對任何一經作全面而系統探討，故他只可說是個經論者，而非經學家；然而他也的確研讀過各經，故在某些問題上，或許袁枚能有獨特的見解，但並無法構成完整的體系，筆者以爲這是構成他在許多地方互相衝突矛盾、無法自圓其說的原因。又袁枚的治經態度，前已論之，他讀經重在玩其大義，以修養自己的身心，而非斤斤於各種制度、儀節或微言大義，故即使人人體會各不相同亦無妨，所以他並不如經學家般以非常嚴謹的態度來論經，而帶點隨興的味道，前云他對於所疑之經仍取於其義理，這也是其中一個因素；而上述他的論點之前後不一也是這樣造成的。而袁枚所提出的那些疑經理論，看似大膽而又自信、堅定，在考察袁枚經論作品後，我們發現，那只是他的理論，實際上他對經典研究的成果並未達到他的理論高度。

五、略論袁枚疑經思想產生原因及其時代意義

楊鴻烈先生在《袁枚評傳》中說：「就先生的思想系統而說，差不多先生因否認道統而進一步來反抗儒家——雖然先生還沒有完全擺脫儒家的思想支配。」[102] 袁枚的確是反道統的，他曾說過「道無統也」的話，但筆者以爲袁枚並未因反道統是而反抗儒家，他的反道統其實僅針對宋儒而發，畢竟道統之說是自宋儒才興盛，而且宋儒並不代表所有儒家，袁枚對這點體會甚深，故批評宋儒云：

> 夫人之所得者大，其所收者廣；所得者狹，其所棄者多。以孔子視天下才，如登泰山察丘陵耳，然於子產、晏嬰、甯武子等，無不稱許。至孟

---

[102] 楊鴻烈：《袁枚評傳》（臺北：牧童出版社，1976年3月）頁149。

子，於管晏則薄之已甚，此孟子之不如孔子也。孟子雖學孔子，然于伯夷、伊尹、柳下惠均稱爲聖。至朱子則詆三代下無完人，此朱子之不如孟子也。王通稱孔明能興禮樂，邵伯溫作論駁之。康節怒曰：「爾烏知孔明之不能興禮樂乎？」此伯溫之不如邵子也。夫堯、舜、禹、湯、周、孔之道所以可貴者，正以易知易行，不可須臾離故也。必如修眞煉舉之說，以爲丹不易得，訣不易傳，鍾離而後，惟有呂祖。愈珍秘愈矜嚴，則道愈病。[103]

宋儒喜作玄虛之論，並以爲獨得儒家精髓，自以爲孔、孟以來只有自己承續此道，這就是他們的道統論，袁枚對此大加批駁，他看出這不是儒家的眞精神，所以他要反宋儒、反道統。顯然就袁枚而言，不但反道統與反儒家乃二事，甚至反道統正是爲了彰顯儒家，故對時人尊宋儒過於孔、孟的情形批評道：

> 綿莊寄足下與彼之札來，道顏、李講學有異宋儒者，足下以爲獲罪於天，僕頗不謂然。宋儒非天也，宋儒爲天，將置堯、舜、周、孔於何地？過敬鄰叟，而忘其祖父之在前，可乎？夫尊古人者，非尊其名也，其所以當尊之故，必有昭昭然不能已于心者矣。若曰人尊之，吾亦尊之云爾，是鄉曲之氓逢廟必拜者之爲也，非眞知所尊者也。[104]

他以爲時人尊宋儒是震於其名，卻不曾思索其實質；而時人因尊宋儒而忘卻儒家之始祖及其原始意涵，亦非是。可見袁枚的確是反宋儒的，反對時人對宋儒的過分尊崇，亦反對宋儒的思想系統，但並不因反宋儒而反儒家，由前面所述他動輒稱周公、孔子，及明言疑經乃所以尊聖可知矣。他對儒家只有景仰、尊崇，沒有絲毫反抗，所以袁枚之疑經仍是在儒家系統內來對經典作重新思考。引發這種思考的乃其性情與身處時代的學風格格不入使然。乾嘉時期正是所謂「乾嘉考證學」處於顚峰

---

[103]　〈代潘學士答南雷翠庭祭酒書〉《小倉山房文集》卷十七，頁 1518。
[104]　〈與程蕺園書〉，《小倉山房文集》卷十九，頁 1563。

的時代，但其時考據已不如清初之實事求是，錢穆先生敘述此時學風云：

> 清初諸儒治經，尚能辨眞僞、別醇疵，而務其大。及於簡齋之世，則治經
> 者大率從事訓詁考釋，篤信之風日盛，懷疑之情日減。⑩

如此學風，加以浪漫、感性的氣質，讀書但觀大義的觀念，袁枚便對考據學起了強
烈的反感。他在一封與友人書中云：

> 僕不敢自知天性所長，而頗自知天性所短，若箋註，若律曆，若星經、地
> 志，若詞曲家言，非吾能者，決意絕之。⑩

他以為自己不耐煩雜的個性無法從事如箋註律曆、天文、地理等需考據的學科，即
如詞曲家亦非性之所喜，則所喜者何？他有一首題〈遣興〉的詩云：

> 鄭孔門前不掉頭，程朱席上懶勾留。一舟直渡東沂水，文學班中訪子游。⑩

這裡他表明自己不從事鄭、孔之學，即箋註之經學；亦不留心於程朱之學，即理
學，其志只在於文學，而這文學又非詞曲家言，自然是指與考據相對的古文了，他
說：

> 本朝尚考據，趨之者，如一群之貉，累萬盈千。其中忽有韓、柳、歐、
> 曾，為古文于舉世不為之時。此外，亦無他名家，歷歷鼎峙。蓋其道本至
> 難，其境亦最狹故也。形而上者謂之道，形而下者謂之器。古文道也，考
> 據器也，器易而道難。作者之謂聖，述者之謂明。古文作也，考據述也，

---

⑩　錢穆：《中國近三百年學術史》，頁 478。
⑩　〈答友人某論文書〉，《小倉山房詩文集》下冊，頁 1545。
⑩　〈遣興〉，《小倉山房詩集》卷三。

述易而作難。⑱

此處所批評的便是乾嘉考據學的情形，他以爲當時學人群趨考證，如一群之貉，乃
因考據學爲形而下之器，述之而已，爲之易也；而古文爲形而上之道，作之者也，
爲之難也，故舉世不爲，不難看出袁枚言下感慨之意⑲。又云：

> 詞章之學最古，……考據之學最後，始于馬、鄭，盛于邢、孔，皆漢唐齷
> 齪之士，甚至戴聖、歐陽歙盡贓吏矣！其拘牽附會，穿鑿侔張，殊非「大
> 樂必易，大禮必簡」之旨，不過天生笨伯，借此藏拙消閑則可耳，有識之
> 人，斷不爲也。⑩

所謂「天生笨伯」、「藏拙消閑」，顯然是直指乾嘉考據學者而言，而袁枚既不從
事考據，又致力於詞章之學，就是古文，這裡的有識者，隱隱然便指著他自己了。
他甚至將古文與考據學比喻爲水火之不相容：

---

⑱ 〈覆家實堂〉，《小倉山房尺牘》卷三，頁 66。

⑲ 袁枚對於考據的批評極多，主要都是針對考據因襲而無創作而言，易於藏拙等，如云：「記
曰：『作者之謂聖，述者之謂明。』六經、三傳，古文之祖也，皆作者也。鄭箋、孔疏，考
據之祖也，皆述者也。苟無經傳，則鄭、孔亦何所考據耶？」（〈與程蕺園書〉，《小倉山
房續文集》卷三十，頁 1800）又如云：「考據之學，枚心終不以爲然。大概著書立說，最怕
雷同，拾人牙慧。賦詩作文，都是自寫胸襟，人心不同，各如其面，故好醜雖殊，而不同則
一也。考史證經，都從故紙堆中得來，我所見之書，人亦能見，我所考之典，人亦能考。雖
費盡氣力，終是疊床架屋，老生常談。」（〈寄方伯〉，《小倉山房尺牘》卷七，頁 148-
149）又如：「凡書有資著作者，有備參考者。備參考者，數萬卷而未足，資著作者，數千卷
而有餘。何也？著作者，鎔書以就己，書多則雜；參考者，勞己以　書，書少則漏。著作者
如大匠造屋，常精思于明堂奧區之結構，而木屑竹頭非所計也；考據者如計吏持籌，必取證
于質劑契約之紛繁，而主撮毫釐所必爭也。二者皆非易易也。然而一主創，一主因；一憑虛
而靈，一核實而滯；一恥言蹈襲，一專事依傍；一類勞心，一類勞力。二者相較，著作勝
矣。」（〈散書後記〉，《小倉山房續文集》卷二十九，頁 1777）

⑩ 〈寄奇方伯〉，《小倉山房尺牘》卷七，頁 149。

……有索僕古文者……僕于此事，因孤生懶，覺古人不作，知音甚稀。其弊一誤于南宋之理學，再誤于前明之時文，再誤于本朝之考據。三者之中，吾以考據爲長。然以之涸古文，則大不可。何也？古文之道，形而上，純以神行，雖多讀書，不得妄有摭拾。韓、柳所言功苦，盡之矣。考據之學，形而下，專引載籍，非博不詳，非雜不備，辭達而已，無所爲文，更無所爲古也。嘗謂古文家似水，非翻空不能見長。果其有本矣，則源泉混混，放爲波瀾，自與江海爭奇。考據家似火，非附麗于物，不能有所表見。極其所至，燎于原矣，焚大槐矣，卒其所自得者皆灰燼也。以考據爲古文，猶之以火爲水，兩物之不相中也久矣。記曰：「作者之謂聖，述者之謂明。」⑪

他說古文爲三事所誤：南宋理學、明朝時文、清朝考據，故欲倡古文，必由此三處著手。袁枚之反理學前已略述；明朝時文，明末清初學者已多所反省⑫；至於考據學，則是他所面對的最強大壓力，而當時考據學的對象便是所謂「經」，爲了對抗當時盛行的考據學，袁枚由考據學的核心——經典著手，由下面這段文字可清楚看出袁枚疑經思想之產生與其欲對抗考據學風有極大的關聯，前已引及，爲求明晰，此處再一引：

德行本也，文章末也。六經者，亦聖人之文章耳，其本不在是也。古之聖人，德在心，功業在世，顧肯爲文章以自表著耶？孔子道不行，方雅言《詩》、《書》以立教，而其時無六經名。後世不得見聖人，然後拾其遺文墜典，強而名之曰「經」，增其數曰六，曰九，要皆後人之爲，非聖人意也。是故眞僞雜出，而醇駁互見也。夫尊聖人，安得不尊六經？然尊之者，又非其本意也。震其名而張之，如托足權門者，以爲不居至高之地，

⑪ 〈與程蕺園書〉，《小倉山房續文集》卷三十，頁1800。

⑫ 關於此點可參曹美秀：《回歸原始儒學——晚明清初儒學風氣之探討》第四章。

不足以躪轢他人之門戶，此近日窮經者之病，蒙竊恥之。⑬

所謂窮經者之病，便是針對當時的考據學家而言，考據學者不懂得聖人的眞精神，只是震於其名而妄尊之，誤以爲經典爲聖人傳世之作，便不分辨眞僞，盲目的研究、詮釋。袁枚的疑經說正是針對世人對經典的迷信、崇拜而發，欲擇別其中的不實成分，以衝破考據學的迷思，達到眞正的尊聖。而且袁枚與考據學對抗的立場極爲堅定，從〈與惠定宇書〉中可見出此點：

> 僕齔齒未落，即受諸經，賈、孔註疏，亦俱涉獵，所以不敢如足下之念茲在茲者，以爲六經之于文章，如山之昆崙、河星宿也。善遊者必因其胚胎濫觴之所，以周巡夫五嶽之崔巍，江海之交匯，而後足以盡山水之奇。若矜矜然孤居獨處于昆崙、星宿間，而自以爲至足，則亦未免爲塞外之鄉人而已矣。試問今之世，周、孔復生，其將抱六經而自足乎？抑不能不將漢後二千年來之前言往行而多聞多見之乎？夫人各有能不能，而性亦有近不近，孔子不強顏、閔以文學，而足下乃強僕以說經。倘僕不能知己知彼，亦爲以有易無之請，吾子其能舍所學而相從否？⑭

惠棟是當時有名的經學家，他勸袁枚亦從事於經學，袁枚舉孔子之學生各有所長爲例，說明各人性情不同，不能強人以就己；並試問惠棟，若吾亦欲僕捨經學而從於我之文學，足下可否願意？雖然我們看不到惠棟的回答，可以想見，他的回答必是否定的；相同的，袁枚對惠棟的建議亦持否定態度。由此可見袁枚之堅持，及其拂逆時流、提倡古文的艱辛。

　　由於他敢於拂逆時流，提出當時經學者所想不到的見解，故對於當時的考據學風，有較客觀的考察與批判，如他說：

---

⑬　〈答惠定宇書〉，《小倉山房文集》卷十八，頁 1529。
⑭　同註⑰，1530。

六經之於文章，如山之崑崙，河之星宿也。善遊者必因其胚胎濫觴之所，
以周巡夫五嶽之崔巍，江海之交匯，而後足以盡山水之奇。若矜矜然孤居
獨處於崑崙、星宿間，而自以爲至足。則亦未免爲塞外之鄉人而已矣。試
問今之世，周、孔復生，其將抱六經而自足乎？抑不能不將漢後二千年之
前言往行，而多聞多見之乎？⑪

他提出的正是乾嘉時期研究經學者所犯的毛病，他們埋首於六經，考證雖精詳，卻
不知聖人本意不在此也。袁枚這種意見，對於拘拘於古經書、終其一生跳脫不開經
典束縛的考據者，實具警惕作用，由此也可看出，乾嘉考證學大盛的時期，並非如
一般學術史、經學史所講，群趨考證，舉世皆治經學，而有一些學者在考證之外獨
立蹊徑，袁枚便是一例，餘如章學誠、戴震等亦然⑯，故論乾嘉學術不能籠統的以
考證學來概括，方能窺見其底蘊。另外，這些考據之外的聲音在暗中伏流著，顯示
考據學之不能孚人心，需要尋求新的出路，袁枚的批評正是這種探索的嘗試，爲當
時學者提供另一種不同的思考模式。

六、結論

　　一向被視爲文學家的袁枚，其實在四部之學皆有所造詣，尤其他因爲性情所
向，並且爲了提倡志趣所在的古文以與考據學相抗而提出大膽的疑經思想，這並不
表示袁枚反對儒家，相反的，他是極尊崇儒學的，同時亦尊孔、孟，他的疑經乃所
以尊經，爲了打破當時考據學者對經典的盲目崇拜、盲目研究，同時抉別當時流傳
經典中的不實成分。這些疑經理論乃建立在他對經典的本質定義上，包括六經皆
史、六經非孔子所作、經典爲文章之祖等。他分別從經之得名與研經所得來建構他
的疑經說。就經之得名而言，分別站在聖人本位，以聖人非欲著書傳後的心理，以
及經書稱「經」乃後人所起兩點來說明尊經之非及經之不當稱經。就治經所得，則
分別以本經證本經，及以不同經書互證提出現存經典的不可信處，其理由包括經文

---

⑪　同註⑩，頁 1530。
⑯　關於章學誠與戴震，前人已多所論述，此不贅引。

所載不合史實、不合情理、義理不當以及經由文獻甄別以見其不可信等。雖然袁枚並非嚴謹的學者，而且無法跳脫深印腦海的傳統儒家思想及經說，以致其疑經說有許多矛盾、錯誤之處，而與自己的治經理論無法相應，但他敢於提出拂逆時流的見解，爲當時埋首考證的學人提供一個超脫的思考方向，在考據學大盛的時代，這種論調很值得當時學人吸取來對當時學風作反省；他玩取大義的治經態度與時人大異，亦值得考據學者取以補其短；再者，袁枚反對門戶之見，對堅守考據門戶者特加撻伐，而主張人各有性情，學術走向亦以其性情而異，這種以性情打破門戶之見，不僅值得時人鑑戒，亦值得吾人深自警惕。另外，藉由袁枚對疑經說之探討，現下學者當注意，乾嘉學術不應以考據學籠統概括，而應就不同的層面、不同的角度來考察，方能對乾嘉學術有全面的了解。

經　學　研　究　論　叢
第　七　輯　　　頁89～108
臺灣學生書局　　1999 年 9 月

論宋人劉敞對舊傳經學的態度
——以《七經小傳·書小傳》爲例

馮曉庭*

壹、前言

　　所謂「舊傳經學」，指的是宋仁宗（趙禎，1010-1063）慶曆（1041-1048）以前，依循著自漢代肇始、歷經魏晉南北朝、在李唐形成完整體系的「漢唐注疏之學」。之所以會以此作爲思考的指標以及範圍界定的準繩，主要是淵源於歷來的相關敘述：

> 國史云：「慶曆以前，學者尚文辭，多守章句注疏之學，……」（宋·吳曾〔?-?〕：《能改齋漫錄·事始·注疏之學》，卷 2，頁 26）❶
>
> ……元祐史官謂：慶曆前，學者尚文辭、多守章句注數（疏字之誤）之學，……（宋·晁公武〔1105-?〕：《郡齋讀書志·經部·經解類·七經小傳》五卷，卷 1 下，頁 12 下）❷
>
> 漢儒至於慶曆間，談經者守訓故而不鑿，……陸務觀（陸游）曰：「唐及國

---

*　　馮曉庭，東吳大學中國文學系講師。

❶　北京：中華書局，1985 年，《叢書集成初編》本。

❷　臺北：臺灣商務印書館，1978 年 1 月影印宋理宗淳祐年間【1421-1252】袁州刊本。

初，學者不敢議孔安國、鄭康成，況聖人乎？自慶曆後，諸儒發明經旨，非前人所及。……」（宋・王應麟〔1223-1296〕：《困學紀聞・經說》，卷 8，頁 774）❸

經學自唐以至宋初，已陵夷衰微矣。然篤守古義，無取新奇；各承師傳，不憑胸臆；猶漢、唐注疏之遺也。宋王旦作試官，題爲「當仁不讓於師」，不取賈邊解師爲眾之新說，可見宋初篤實之風。《困學紀聞》云：「自漢儒至於慶曆間，談經者守訓故而不鑿，……」據王應麟說，是經學自漢至宋初未嘗大變，至慶曆始一大變也。（清・皮錫瑞〔1850-1908〕：《經學歷史・經學變古時代》，8，頁 221）❹

宋初經學，大都遵唐人之舊，《九經・注疏》既鏤板國學，著爲功令矣。即重定《孝經》、《論語》、《爾雅》三《疏》，亦確守唐人《正義》之法。……宋儒遵《孟子》，遂與《孝經》、《論語》、《爾雅》並參《九經》之列，亦以之試士，是又宋代官學增於前代者也。惟是因襲雷同，既不出唐人《正義》之範，則宋初經學，猶是唐學，不得謂之宋學。迄乎慶曆之間，諸儒漸思立異。（馬宗霍〔1898-？〕：《中國經學史・宋之經學》，第 10 篇，頁 109-110）❺

詢繹以上五段文字，可以發現，歷代學者對於經學發展至宋代的共同印象是：其一，在宋代初期，無論是研讀經書或者研究經學，絕大部份的學者是嚴實謹守「章句注疏之學」的，所謂「談經者守訓故而不鑿」、「不敢議孔安國（？-？）」、鄭康成（鄭玄，127-200）」、「篤守古義，無取新奇；各承師傳，不憑胸臆」，學風保守而封閉，學者可以說幾乎沒有揮灑自我認識的空間與表現。而不僅只是個人治經篤守「章句注疏之學」，宋初中央政府也同時抱持著遵循「漢、唐章句注疏之學」的態度。除了承續並完成五代時期已經開始、在唐朝形成體制的《九經・注

---

❸　〔清〕翁元圻注，臺北：臺灣商務印書館，1978 年 4 月。
❹　周予同注，臺北：學海出版社，1985 年 9 月。
❺　臺北：學海出版社，1985 年 9 月。

疏》刊板印行工作之外，邢昺、孫奭在編纂《論語》、《孝經》、《爾雅》三部經書的說解時，也「確守唐人《正義》之法」。另一方面，在開科取士之際，不依注疏爲說的考生遭到黜落。可以這麼說，經學發展至宋代初年，「猶是唐學」，仍然承續著「漢、唐注疏之學」的遺風，不能以具有時代特色的名詞——「宋學」爲稱。其二，保守而封閉的學術風貌，到了宋仁宗慶曆年間逐漸有所轉變。慶曆時期，學者治經「漸思立異」，開始提出不同於「注疏之學」的見解，在經書的詮釋與闡發上，超越了前人構築的規模。

　　就此而言，在時間的範疇中，宋仁宗慶曆時期被認定爲學術風氣轉變標竿，而學風新舊的檢視評判標準，則是經說經解與「章句注疏之學」的關係。很明顯地，學者在言及宋代經學發展的歷程時，代表「章句注疏之學」的各經《正義》總是被用來與慶曆以後新創經說相互比對，因此，在這樣的命題意識下，以「舊傳經學」做爲名稱，對「漢、唐注疏之學」而言，應該是合理而可以成立的。而至於所謂「舊傳經學」，筆者以爲，除了慶曆以前解釋經書文字以及闡釋經書義理的文獻以外，還包含了這些經說依附的重心與存在的意義，也就是在詮釋學上被定義爲文本的各經經文。

　　關於劉敞與經學研究風氣轉變的關聯，吳曾（《能改齋漫錄‧事始‧注疏之學》，卷2，頁26）與晁公武（《郡齋讀書志‧經部‧經解類‧七經小傳五卷》，卷1下，頁12下）依據宋代官方的記錄，斷定劉敞就是首位研習經書能夠打破注疏藩籬、創造新說的宋代學者。而時代晚於晁公武的陳振孫（？-？），針對劉敞撰作的《七經小傳》，則標列如是考語：

> ……前世經學，大抵祖述《注》、《疏》，其以己意言經、著書行世，自敞倡之。（《直齋書錄解題‧經解類‧七經小傳三卷》，卷3，頁77-78）❻

文中提及的「祖述《注》、《疏》」與「以己意言經」，二者在創造意識上可以說立場迥異，恰好成爲正反對比，在相當程度上凸顯了劉敞研治經學的變革特性。隨

---

❻　臺北：臺灣商務印書館，1978年5月。

後，王應麟的《困學紀聞》在「漢儒至於慶曆間，談經者守訓故而不鑿」的敘述之後，也連綴著「《七經小傳》出，而稍尚新奇矣」（〈經說〉，卷 8，頁 774）等語辭。顯然，《七經小傳》相對於「章句注疏之學」是「新奇」，劉敞是宋代經學風氣轉變的指標性人物，在宋代已經成爲學界普遍的共識。而延續著這項共識，清高宗（愛新覺羅弘曆，1711-1795）乾隆（1736-1795）年間「四庫館臣」撰寫《四庫全書總目》（經部・五經總義類・《七經小傳》三卷提要，卷 33，頁 7 上-9下，P662-663）❼、清代末期皮錫瑞編修《經學歷史》（〈經學變古時代〉，8，頁 221），也都以相同的角度看待劉敞以及《七經小傳》一書，即便是日人本田成之（1882-1945）撰寫的《中國經學史》，也這樣說道：「……劉敞作《七經小傳》，對從來的《注》、《疏》立異。」（〈唐宋元明底經學〉，第 6 章，頁238-239）❽就上述諸家意見來看，說劉敞以及《七經小傳》開宋人治經「以己意說經」、「不信守注疏」風氣之先，是自來學術界的共同認識，應該是可以成立的。

　　然而，說劉敞治經在「漢、唐注疏之學」以外另闢蹊徑，倡導風氣之先，語氣似乎過於絕對。早在唐代後期，便已經出現啖助（724-770）、趙匡（？-？）等人研治經學不再依循固有體制的狀況，所以，歐陽修（1001-1072）與宋祈（998-1061）主編的《新唐書》如此說道：

> 大曆時，助、匡、質以《春秋》，施士匄以《詩》，仲子陵、袁彝、韋
> 彤、韋茝以《禮》，蔡廣成以《易》，強蒙以《論語》，皆自名其
> 學。……（〈儒學傳下〉，卷 200，頁 5707）
> ……啖助在唐，名治《春秋》，摭訕三家，不本所承，自用名學，憑私臆
> 決……（〈儒學傳下〉，卷 200，頁 5708）❾

---

❼　〔清〕永瑢、紀昀領銜撰，臺北：臺灣商務印書館，1983 年 6 月影印清乾隆年間寫文淵閣四庫全書本。

❽　孫俍工譯，臺北：學海出版社，1985 年 9 月。

❾　臺北：洪氏出版社，1977 年 6 月。

歐、宋二人所謂的「自名其學」、「自用名學」，描述的正是治經不再遵循舊有成說的現象；而「憑臆私決」——根據自身的認識立說，則進一步指出「以己意言經」的痕跡。這些表現，都可以作為「舊傳經學」已經開始受到挑戰的明證。事實上，根據筆者的觀察，雖說宋仁宗慶曆以前整體學術環境仍然守舊封閉，但是部份學者對於「舊傳經學」，已經有了批判的意識與行為。例如由唐經五代入宋的王昭素（？-？），就在《易論》一書中寔正《易經》文字以及糾舉《注》、《疏》的錯誤；此外，柳開（947-1000）、王禹偁（954-1001）等古文家，也在議論文章中討論舊經說的適當性並且闡發經書的義理。❿就此而言，歷來學者所謂「以己意言經」「自敞倡之」的共識，實在有修正的必要。

另一方面，雖然劉敞並非「不篤信注疏」、「以己意言經」的創始者，但是據學者的整體表現詳加論較，可以發現：先前的學者或者僅僅專治一經、對於經書沒有全面性的詮釋，或者只是針對某些問題提出疑義、對於經學沒有系統性的認知，相對於劉敞兼治各經的能力與成就，顯然有著程度上深入與否的差異，無怪乎歷來學者會視劉敞為經學研究風氣轉變的指標人物。筆者以為，就這個角度看來，探討劉敞經說的風貌，除了可以進一步證明新學風的確存在之外，更重要的是能夠比較多元性地觀察到新學風之下學者對「舊傳經學」的態度以及新經學的實質內容。

基於上述幾項認識，本文預定以《七經小傳·書小傳》⓫為例，分類概略敘述劉敞對於「舊傳經學」的態度。

貳、寔正經書文字篇章

所謂「寔正經書文字篇章」，就是學者說的「疑經改經」，對於傳承自漢代諸儒的經書文字或篇章完整與正確性產生質疑，進而加以修改訂正，是宋儒治經的特色之一，〈書小傳〉中，劉敞也有因為懷疑經書的完整性而加以更改的表現。

---

❿ 見馮曉庭：《宋初經學發展述論》（臺北：東吳大學中國文學系碩士論文，1995 年 6 月）。

⓫ 本文徵引的《七經小傳》原文全數依清乾隆十六年【1751】水西劉氏刊本為準，以下僅標卷、頁，不再重複紀錄版本。

一、改〈堯典〉：「申命羲叔，宅南交。」（《尚書》，卷2，頁9下，P21）⑫為「申
　　命羲叔，宅南，曰交趾。」（卷上，頁1上-1下）

　　　〈堯典〉經文「申命羲叔，宅南交。」《僞孔傳》採「春與夏交」爲說，以
季節的交替解釋「南交」一詞。對於這個說法，劉敞提出反駁，認爲：其一，在季
節交替的規律上，除了「春與夏交」之外，尚有「冬與秋交、秋與夏交、春與冬
交」等環節，如果「春與夏交」可以作爲「南交」的合理解說，那麼經文在其他三
季爲什麼「不曰西交、北交、東交乎」？其二，經文在敘述羲、和二氏四季所宅之
地時，「春曰嵎夷、曰暘谷，秋曰宅西、曰昧谷，冬曰朔方、曰幽都」，這些詞
彙，「皆指地而言」，所說的都是地名，而循著這項原則檢覈全文體例，則可以推
知經文「至於夏獨以氣言」的不正確、不完整與可疑性。基於這些認識，劉敞做出
經文所謂「宅南交」原來應該是「宅南，曰交趾」，因爲後人傳鈔書寫脫漏，佚失
了「曰」、「趾」兩字的結論。以爲經書文字有所脫漏而加以修正補苴，「疑經改
經」的想法及行爲，劉敞在此可以說表現地相當明顯。

　　　其實，經書文字的原貌是否眞如劉敞所構思的那般形式完整，是一個值得探
尋的層面。經文內涵代表了經書作者對於事物的認識，而經書作者對事物的認知，
則多少展現了當時的文化風貌，今人程元敏先生就曾說過，中國文明的發展，依照
時間先後，西方早於東方、北方早於南方，而南方的開化尤爲遲緩，因此，對於南
方的情狀，身處中原的知識份子可能相對地所知甚少，〈堯典〉完成的同時，中原
地區與交趾一地是否已有交通、或者交趾之名是否已經廣爲人知，根本是難以確認
的問題，所以，「宅南交」一句，釋爲「居於南方邊郊偏遠之地」較爲適切。⑬如

---

⑫　本文徵引的《尚書》原文，全數依清嘉慶二十年【1815】江西南昌府學刊《十三經注疏》本
　　（舊題〔漢〕孔安國傳，〔唐〕孔穎達（574-648）正義，臺北：藝文印書館，1985 年 12 月
　　影印）爲準，以下僅標卷、頁，不再重複紀錄版本名。

⑬　程先生 1990 年 10 月於臺灣大學中文系講授《尚書·堯典》時說。除此之外，宋人王柏
　　（1197-1274）《書疑》云：「『宅南交』之閒疑有缺文焉，說者指交趾之地，愚恐未然。交
　　趾在舜時爲要、荒之外，而洞庭、彭蠡之閒，三苗負固不服，則何以萬里建官於歠踶鳥跡之
　　中乎？」（〔清〕徐乾學（1631-1694）等輯、納蘭成德（1654-1685）校刊，清康熙十九年
　　【1680】刊通志堂經解本，臺北：大通書局，1970 年 2 月影印。卷 1，頁 11 上，第 13 冊，
　　P7514）很明顯地，這樣的說法也是透過檢視文化進展與地域開發的合理時間性，否定解
　　「交」爲「交趾」，改經文爲「宅南，曰交趾」的觀點。

果〈堯典〉成篇之際，知識份子的認知、整體文化風貌正如程先生所說，那麼經文可以說反映了某種程度的文化認識，只能說相對於後世文明可能顯現出些許不完備性格，而實質上並無缺失。設若定要依據後來較爲完整的四方地理概念強爲質疑與解說，將經文「宅南交」增補爲「宅南，日交趾」，基本上很有可能已經造成「以今律古」的錯誤。

　　另一方面，如果就經文的整體結構進行表象思考，很容易發現「宅南交」三字的確存在著相對不完整性，而在劉敞之前，漢人鄭玄就曾經秉著「上下對文」的概念，認爲〈堯典〉經文既然在冬季作「宅朔方，日幽都」，那麼在夏季應該相對地作「宅南交，日明都」，今傳經文的面貌之所以有所偏差，是因爲「日明都」三字在流傳的過程中「摩滅」了。（《尚書‧正義》，卷1，頁17下）雖然鄭玄和劉敞所判定的結果不相同，但是二者都是由於認定「文本」的絕對完備而有所作爲，思考模式基本一致，則是不爭的事實。筆者以爲，如果就此說劉敞的「疑經改經」是遠師鄭玄，不但證據薄弱而且毫無意義，但是，設若說歷來學者都有可能爲了追求經書（也就是「文本」）的完整性而「疑經改經」，則應該是可以被認同的。從經學歷史的發展層面來說，這樣的心態與做法，固然不足以做爲學者檢視後世宋儒治經所以「動輒改經」的絕對全面範式，也不能使研究者自此輕忽改動經書所造成的疑惑與偏差；但是，依循著「追求聖人經書的完備性」理念深入思索，或許可以尋得「疑經改經」的最原始、最裡層面貌，而在這個面貌之下，宋人「疑經改經」行爲的內涵似乎就並不僅只是「更動經書以就己意」──爲了彌合自身說法而篡改經文、一味地求新求異，那樣的單純鄙陋而毫無價值了。

二、以〈舜典〉：「夔曰：『於！予擊石拊石，百獸率舞。』」（《尚書》，卷3，
　　頁26上，P46）為錯衍。（卷上，頁2上-2下）

　　〈舜典〉帝舜「分命二十二人」，命夔任「典樂」「教冑子」，經文在敘述舜的命論之後，續以「夔曰：『於！予擊石拊石，百獸率舞。』」數語；而〈益稷〉篇中在稱頌禹以及皋陶的功勳、接著描述昇平和樂景象之際，也相同地陳列「夔曰：『於！予擊石拊石，百獸率舞。』」這段文字（卷5，頁15上，P73）。對於如是的完全重複，劉敞認爲，「〈舜典〉之末衍一簡」，〈舜典〉之中「夔曰：『於！予擊石拊石，百獸率舞。』」等文句是錯衍。原因是：其一，綜觀全

篇，舜所任命的二十二人，對於己身被委任職銜，「莫不讓者」，沒有一人不推辭謙讓，而惟獨夔不但無所推讓，並且更進一步地「自讚其能」，自我誇示推崇，夔明智賢德，絕對不至於有如是輕率的行止。其二，夔在當時方纔被委命為「典樂」，一切政令施為均尚未推動，設若就已經出現「百獸率舞」的事蹟，從時間的先後程度來看，是「今日適越而昔至」，完全不合乎事理發展的順序邏輯。

　　分析上述論點，可以發現，之所以認定〈舜典〉的文句是誤衍錯簡，主要肇因於劉敞認識到其他受委任的官員都有謙辭推讓的行為，而惟獨夔不但不然，並且還自誇能事，顯然，劉敞已經理想性地認定〈舜典〉經文中人物謙退辭讓的必然性。客觀地說，經書文字記載的真實性有多高，是無法檢覈的命題，而夔的謙讓與否並無絕對性，則是必定可以確認的部份，劉敞因著自身的理想認知，極力說明「夔曰：『於！予擊石拊石，百獸率舞。』」數語廁於〈舜典〉的不妥當性，這樣的思考模式雖然過於武斷唐突，但是卻足以勾勒出宋人「疑經改經」是以對經文大義的理解與發揮為基礎、希望藉此而更切近「文本」的基本精神。

　　另一方面，〈舜典〉屬「今文《尚書》」、為真，〈益稷〉為「古文《尚書》」、為偽，是現下一般學者都能夠認同的成說，然而從經學發展的進程來看，所謂經文真偽的問題，對於劉敞來說，是不存在的，於是，〈書小傳〉以二者相互對比，認為出現在〈舜典〉的文句，是因為誤衍了〈益稷〉經文。事實上，在無法釐清篇章文字的淵源、確知「古文《尚書》」的偽造者是否親見〈益稷〉舊文的情形之下，確實存在的〈舜典〉經文是否才應該是〈益稷〉經文鈔襲的範本，才是一個值得探討的論題。筆者以為，雖然不能「以今律古」，以經書真偽批駁〈書小傳〉的論點，但是這條思考路向，在相當程度上凸顯了劉敞說法的不正確性，應該是學者都能同意的。

三、更動調整〈武成〉（《尚書》，卷11，頁18上-26下，P159-163）經文次序。（卷
　　上，頁8下-9上）

　　〈武成〉一篇，根據《書序》的說法，是記載武王克商、偃武修文事蹟的篇章，然而內容文字次序顛倒錯亂，早在初唐，孔穎達就說〈武成〉一文「簡編斷絕，經失其本」，所以其中文辭「不次」（《尚書》，卷11，頁19上，P160）。劉敞也認為〈武成〉經文「簡冊錯亂，兼有亡佚」，所以重新釐定經文為：

其一，篇首「惟一月壬辰旁死魄，越翼日，癸巳，王朝步自周于征伐商」，以下應
該接續「底商之罪，告于皇天后土，所過名山大川……」，至「大賚于四
海，而萬姓悅服」。劉敞認爲，以上所記載的是武王「在紂都所行之事」。

其二，「厥四月哉生明，王來自商，至于豐」，以下應該接續「丁未，祀于周
廟……」，至「予小子其承厥志」。劉敞認爲，「武王之誥」至於「予小子
其承厥志」一語，事實上並未終了，以下照理當有「百工受命之語」，經文
在此可能脫漏了五、六片竹簡。

其三，「乃偃武修文，歸馬于華山之陽，放牛于桃林之野，示天下弗服」爲第三部
份。

其四，篇末「列爵惟五，分土惟三」至「垂拱而天下治」爲最後一個部份。

　　〈武成〉經文文句次序錯亂，學者就內文略加分析，自然可以輕易地發現，
而〈武成〉文字經過劉敞的編排，的確也較爲通暢可讀。今存的〈武成〉篇屬於
「僞古文《尚書》」，其內容襲自前代「古簡」，已是不爭的事實，❹而既然是彙
鈔僞造，那麼經文順序不符邏輯、前後倒置的原由以及經文重新編排得正不正確，
似乎都已經沒有討論的意義，比較重要的，反而是劉敞面對這些經書文字的態度。
即使劉敞的認知與行動是否曾經受到孔穎達《正義》的引導，在沒有實質依據的情
形下，已無討論的空間，但是相對於孔穎達的只是「疑而不改」，劉敞逐行更動編
排經文，的確顯得強烈而大膽，筆者以爲，二者的行爲固然不能視做代表全面的範
式，但是經過相互比對以後，說此時學者對經書文字的態度確實已經有所轉變，開
始試圖匡正經書文字與篇章在流傳過程中產生的錯誤與不合理、恢復聖經原貌，則
應該是可以成立的。另一方面，更動經書文字，在經學發展史中，是非常重要的環
節，依理而論，凡是有所異動，學者應當竭力搜羅文例，證成己說，然而劉敞在編
排〈武成〉之際，卻未曾提出任何可以令人信服的實證，僅只是說經文「簡冊錯
亂，兼有亡佚」，需要重加釐定，而關於內文「武王之誥」在「予小子其承厥志」
一語之下應該還有「百工受命之語」的看法，也只是簡單地按理推斷，沒有較爲完

❹ 見屈萬里（1907-1979）：《尚書集釋‧附編三‧僞古文尚書襲古簡注》（《屈萬里先生全
　集》，冊2，臺北：聯經出版事業公司，1983年2月），頁321-322。

整的論說。這樣的模式，展現了劉敞依循自身認識面對舊傳經書的態度，因為本著內在理路的自身認知，所以解經只要能夠自我申明其說，便已圓融，傳統的訓釋、長篇大論或者確切例證，其實是不需要的。依循著自身認識說解經書、探研經學，無庸置疑的正是學者所謂的「以己意說經」，而如是的表現，清晰地說明了「以己意說經」的行進路線的確存在於劉敞的基本學術思維中，並且已經發揮重大的影響。

參、駁正注疏、另立新解

　　唐初孔穎達等人奉命纂修《五經正義》以後，官學有所依據，在中央政府的推動與科舉考試的輔助之下，除了《五經正義》之外，其餘各經經《疏》也陸續行世，「注疏之學」逐漸發展完備，經學發展進入穩定而變動極少的環境中。直到宋初，除了中央政府刊行《十二經‧注疏》之外，學者治經也仍然「篤守注疏」，「漢唐注疏之學」依舊處於絕對權威的地位。在治學求新求變的學者眼中，所謂的絕對權威，當然是攻詰問難的最主要目標，於是，對引導經學研究三百餘年的「注疏之學」，劉敞開始提出批駁，並且樹立新說。

一、駁《偽孔傳》釋〈舜典〉：「既月乃日」。（《尚書》，卷3，頁5上，P36）（卷上，頁1下）

　　〈舜典〉：「輯五瑞，既月乃日，覲四岳群牧，頒瑞于群后。」《偽孔傳》認為：「既」字義應為「盡」，而「月」義為「正月」；所謂「既月乃日」，說的是舜「盡以正月中，乃日日見四岳及九州牧監」，帝舜在整個元月份，日日會見四方領袖與九州州長。對於這個說法，劉敞並不認同，以為：「『既月乃日』者，既正月之明日，謂二月朔耳。」所謂「既月乃日」，指的是元月份最終日的次日，也就是二月始日，而帝舜在二月的首日，歸還先前輯集的諸侯圭瑞，頒布新行的曆法。「盡以正月中，乃日日見四岳及九州牧監」、「既正月之明日，謂二月朔」，兩者的詮釋全然不同，可以說清楚地展現出劉敞解經不順從《注》《疏》的態度。

二、駁《偽孔傳》釋〈益稷〉：「州十有二師」。（卷5，頁11上，P71）（卷上，頁4下-5上）

　　〈益稷〉：「禹曰：『弼成五服，至于五千，州十有二師，外薄四海，咸建

五長，各迪有功。』」《僞孔傳》解「師」爲師旅，以每師二千五百人計，「州十有二師」，可以推知大禹治水「一州用三萬人功」，所以九州一共動用了「二十七萬庸」。劉敞認爲，「師」字不當作「師旅」解，應該訓爲「長」，而所謂「長」，就商周時期的定制加以推演，指的是《禮記・王制篇》稱述的「屬長」、「連率」、「卒正」等諸侯領袖之類。⓯因著這個解釋，〈書小傳〉於是說：在制度上，「五國有長，而十長有師」；所謂「長」，是五國諸侯的首領，而所謂「師」，則是統領十個諸侯首領的領袖。統領「十長」的「師」，一共掌理五十個諸侯國，以「一州十二師」計，則每州轄下有六百個諸侯國；每州轄下既然有六百個諸侯國，那麼十二州⓰共計有七千二百個諸侯國。原有十二州內的七千二百個諸侯國，累加上「十二州之外，薄于四海」，也施行五國設一長制度的各諸侯國，則可以推得「禹會諸侯於塗山，執玉帛者萬國」的狀況。很明顯的，劉敞以爲，所謂「州十有二師」，指的並不是大禹治水「一州用三萬人」，而是在陳述「州六百國」的制度，進而申明萬國諸侯於治水皆有輔助之功。這樣的詮釋方向和意識，確實與《僞孔傳》大相逕庭，是劉敞治經能脫離舊規範的明證。

三、駁《僞孔傳》釋〈湯誓・序〉曰：「伊尹相湯伐桀，升自陑。」（《尚書》，卷8，頁1上，P108）（卷上，頁6下）

〈湯誓・序〉曰：「伊尹相湯伐桀，升自陑。」《僞孔傳》云：「桀都安邑，湯升道從陑，出其不意，……」認爲成湯伐桀，取道於陑，有預謀地經由險惡迂曲的路徑，出其不意地發動攻擊。對於《僞孔傳》指稱成湯以詭譎的計倆攻伐夏桀，劉敞深不以爲然，認爲：其一，「陑者，桀恃險也」，而「升之者，言其易也」，《書序》的意思，是說成湯的師旅，輕而易舉地攀登並攻陷夏桀所倚賴仗勢的險扼據點。其二，《書序》所要強調的，是夏桀雖然占據險要地形，但是仍「不能拒湯」的客觀形勢；面對成湯的仁義之師，夏桀儘管盤據險要，依然不能與之抗

⓯　〔漢〕鄭玄注，〔唐〕孔穎達正義：《禮記》（臺北：藝文印書館，1985 年 12 月影印清嘉慶二十年【1815】江西南昌府學刊十三經注疏本），卷 11，頁 16 上，P219。

⓰　劉敞在此處是以〈堯典〉「肇十有二州」（《尚書》，卷 3，頁 13 下，P40），分天下爲十二州爲基準，並非以〈禹貢〉的九州爲計。

衡，這正就是所謂的「地利不如人和」；《僞孔傳》以「出其不意」爲解，將成湯的仁義之師視爲機詐巧變的「孫吳之師」，很顯然掩蓋並傷害了湯與伊尹仁義胸懷。另立新說，並且批評《僞孔傳》的說法傷害伊尹與成湯的仁義本質、曲解史實，就此看來，認爲劉敞勇於批駁舊說、創造新解，應該是可以成立的。

四、駁《僞孔傳》釋〈伊訓〉：「臣下不匡，其刑墨。」（《尚書》，卷8，頁15下，P115）

〈伊訓〉：「臣下不匡，其刑墨。」《僞孔傳》云：

邦君卿士，則以爭臣自匡。正臣不正君，服墨刑，鑿其額，涅以墨。

分析這些文字可以知道，所謂「臣下不匡，其刑墨」，是說爲臣子的若不能善盡職責，匡正君上的缺失，便是失職，必須接受墨刑，在額頭上刺紋，染以墨色。對於這個解釋，劉敞並不贊同，認爲：其一，〈伊訓〉經文所說的「其刑墨」，指的並非處以「鑿其額，涅以墨」的「墨刑」，其眞正的意涵，是說「臣下不匡」應當受到與罪名爲「墨」同等的刑懲。其二，罪名爲「墨」，究竟何指？《左傳・昭公十四年》云：「貪以敗官爲墨。」官員貪污納賄而有虧職守稱爲「墨」，也就是「不絜」，而根據皋陶制定的法條，爲「墨」者與罪名定爲「惡而掠美」的「昏」、「殺人不忌」的「賊」等同，都必須處死。❼其三，臣下怠忽職守，不能匡正君上之惡，忝居高位、空享俸祿，顯然是戀棧貪位，所以「使坐貪」，以「墨」的定其罪名，必須處以死刑。

對於「其刑墨」這個詞彙，一方認爲是「鑿其額，涅以墨」的「墨刑」，一方認爲是等同於「貪以敗官」、必須處死的罪名「墨」，兩相比照之下，強烈地表現出劉敞駁正《注》《疏》，另立新解的學術風格。

五、駁《僞孔傳》釋〈泰誓〉：「惟十有一年，武王伐殷。」（《尚書》，卷11，頁

---

❼ 舊題〔周〕左丘明（?-?）著，〔晉〕杜預（222-284）注，〔唐〕孔穎達正義：《左傳》（臺北：藝文印書館，1985 年 12 月影印清嘉慶二十年【1815】江西南昌府學刊十三經注疏本），卷47，頁 5 下，P821。

1 上，P151）　（卷上，頁 8 上）

〈泰誓‧序〉：「惟十有一年，武王伐殷。」《僞孔傳》於敘述本篇相關史事時說：「（武王三年服畢）觀兵孟津，以卜諸侯伐紂之心，諸侯僉同，乃退以示弱。」認爲武王之所以於孟津大會諸侯師旅，是爲了「卜諸侯伐紂之心」，檢視各諸侯國的向背，而在確認諸侯國心態一致、同仇敵愾之後，便「退以示弱」，表示對於商紂不敢輕行冒犯。對於《僞孔傳》的疏釋，劉敞極不認同，於是首先舉《詩經‧大雅‧文王有聲》詩句「匪棘其欲，遹追來孝」 ⓭爲義，以爲武王的所有施爲，一應承襲自文王，文王雖然「三分天下有其二」，仍舊恭順地王事商紂，不敢視天下爲己身私產，而武王既然承襲王父餘業，面對商紂，一定也是恭謹守禮，絕對沒有「私天下之心」。在確信武王沒有「私天下之心」的前提之下，劉敞認爲：其一，「觀兵孟津」的行動，其實僅是爲了「憚紂」，給與商紂若干警惕，最終目的仍舊是期待紂王能夠因此「畏威悔過，反善自修」。設若「紂遂能改」，那麼「武王亦北面事之而已」，依然稱臣順服。其二，依循著上述的基調推論，可以知道武王「觀兵孟津」之際，軍旅的進退端視商紂是否能夠「反善自修」；由此可之，武王「進非示強」、「退非示弱」，進退的用意，「所以警其可畏」、「所以待其可改」，很明顯地，「武王之退」並不是向商紂示弱，而是承襲了文王順事紂王的遺志。

指明《僞孔傳》說法的錯誤，並紓發議論申明己見，《七經小傳》所表現的，的確超越了「注疏之學」的範圍，賦予經學研究新的面貌。

綜觀上述文例，可以得知：其一，從劉敞批駁《注》《疏》、創立新說的表現來看，當時學者的思維已經能夠超越舊有學說的藩籬，已是不爭的事實，雖然不能就此推得學術風氣自此就有重大轉變，但是改變的端倪已經確實展現，而這也正是劉敞在經學發展史上被視爲標竿人物的原因。其二，劉敞所創新說，並非全然出於自身構思，還包含了參酌前代文獻的部份；如說〈益稷〉「州十有二師」，

⓭ 〔漢〕毛亨（?-?）傳，〔漢〕鄭玄箋，〔唐〕孔穎達正義：《詩經》（臺北：藝文印書館，1985 年 12 月影印清嘉慶二十年【1815】江西南昌府學刊十三經注疏本），卷 16-5，頁 11 下，P583。

「師」應訓爲「長」，便是承襲漢人鄭玄的說法；⑲而說〈伊訓〉「臣下不匡，其刑墨」，則依《左傳》的記載爲基準，做出不同於《注》《疏》的解釋；這個現象，在相當程度上說明了劉敞甚或宋儒解經，並非只是一味地反傳統，而可能是以更寬廣的視野與包容力，檢驗並且接受標準以外的多元方向，當然，選擇的主體，還是研究者本身，在如是的基本心態之下，以「以己意說經」爲主軸的學術風貌，形成的路徑相當清晰。其三，《僞孔傳》說成湯「升自陑」是在戰略上「出其不意」、說武王「觀兵孟津」是爲了「卜諸侯之心」，《七經小傳》分別以「地利不如人和」、「聖人豈有私天下之心」爲理由加以反駁，顯然是不同意這樣的解釋；當然，文本涵蓋的史事眞實內容爲何，已經難以分辨，但是，透過面貌不同的說法，卻可以發現時代學術風氣的好尙；分析這些實例，可以發現，劉敞之所以會提出反駁，是基於認爲舊說傷害或扭曲了歷來學者對於古代聖王仁義爲懷、孝慈爲訓的固有理想認知；筆者以爲，雖然劉敞的看法不見得正確，但是以構築得更完備、理想性更高的史觀或者道德意識看待經書，的確能夠創造出與單純講究「文字訓詁」層次歧異的經學研究風貌，而這樣的思考模式，也就是宋儒治經著重義理追尋的表現。

肆、依循舊說、深入發揮

　　對於舊傳經學，《七經小傳》中除了寔正以及批判的條文之外，還包含了承繼前說，進一步深入闡釋、發揮義理的部份，而這樣的承續與發揚，或許可以凸顯經學發展相互接續傳承的脈絡。

一、釋〈舜典〉：「五載一巡守。」（《尚書》，卷3，頁9下，P38）（卷上，頁2上）

　　〈舜典〉「五載一巡守」，《僞孔傳》無說，而《正義》也只是簡單地依字面說帝舜「每五載一巡守」（《尚書》，卷三，頁 10 下，P38），對於制度的詳細內容，並沒有多做說明。劉敞認爲，帝舜之所以施行「五載一巡守」的制度，是因爲「唐虞氏」依地理位置的遠近分天下爲「甸」、「侯」、「綏」、「要」、

---

⑲ 〔唐〕陸德明（566-627）：《經典釋文・尚書》微引，《尚書》，卷5，頁11上，P71。

「荒」「五服」❷。「五服」之中，位置在王畿之內「甸服」的諸侯國君，「則皆執事之人也」，與帝舜朝夕相見，因此「不特修朝覲之禮」，不再另行實施朝見天子的禮節；位在「侯服」各諸侯國君，因爲地理位置較近王畿，所以於第一年行「朝覲之禮」；環繞在「侯服」之外的「綏服」各諸侯國，因爲地理位置稍遠，所以在第二年朝見天子；而距離王畿更遠的「要服」各諸侯國，須在第三年赴王都覲見天子；至於距離王畿最遠的「荒服」各諸侯國，則在第四年晉京行「朝覲之禮」。四年之中，普天下的諸侯「畢皆一朝」，都行過「朝覲之禮」，而在天下諸侯於四年間全數行過「朝覲之禮」以後，第五年則輪到天子巡守四境，制度如此，所以〈舜典〉經文說帝舜「五載一巡守」。

「五載一巡守」的制度，〈舜典〉經文記載簡要，《注》《疏》也未多加闡釋，經文的記載姑且不論，《注》《疏》對於這個問題的輕忽態度，的確會導致讀經者心生困惑，無法獲得全面性的認識。劉敞以《正義》「每五載一巡守」說爲基礎，參酌「五服」的觀念，建構了能夠自圓其說的體系，雖然不見得能勾勒出實際狀況，但是卻能在相當程度上塡補《注》《疏》的缺失，並且滿足讀經者對於經書義理完整性認知的追求。

二、釋〈大禹謨〉「惠迪吉，從逆凶，惟影響」（《尚書》，卷4，頁3上，P53）（卷上，頁3上）

〈大禹謨〉「禹曰：『惠迪吉，從逆凶，惟影響。』」《僞孔傳》認爲，所謂的「惟影響」，是用來述說「惠迪吉，從逆凶」，循道遵義而行必得善果、違理背道而施必獲惡報，行善爲惡所得到的吉凶報應，就如同「影之隨形、響之應聲」，絕對不會出現錯誤差池。〈書小傳〉以爲，所謂「惟影響」，是用以說明「賞罰之審且速也」，形容帝舜賞善罰惡的絕對正當與明快，而舜就是因爲具備「賞罰之審且速」的德行，所以能「爲天下君」。很明顯的，劉敞是接受了《僞孔傳》「吉凶之報不虛」的說法，進而加以引申，因而推演出帝舜不但「賞罰」能

---

❷　《僞孔傳》解〈益稷〉經文「弼成五服」，以「五服」爲「侯」、「甸」、「綏」、「要」、「荒」，在次序上與劉敞所稱有所差異，無法確定是劉敞誤引、流傳刊刻之誤，或者別有新見。

「審」、並且行動也相當迅捷的論點。這樣的說法，不但在經書義理的層次上確實較《注》《疏》的解釋深入，也同時強化了舜的聖人道德形象，展現出要求經書內涵包容性提昇的可能性。

三、釋〈皋陶謨〉「九德」「寬而栗、柔而立、愿而茶、亂而敬、擾而毅、直而溫、簡而廉、剛而塞、彊而義」。㉑（《尚書》，卷4，頁18下-19上，P60-61）

　　（卷上，頁3下-4下）

　　〈皋陶謨〉皋陶標舉「九德」「寬而栗、柔而立、愿而茶、亂而敬、擾而毅、直而溫、簡而廉、剛而塞、彊而義」，《僞孔傳》與《正義》除了解說「九德」的意義之外，還因著以下經文「日宣三德，夙夜浚明，有家」、「日嚴祗敬，六德亮采，有邦」、「翕受敷施，九德咸事，俊乂在官，百僚師師，百工惟時，撫于五辰，庶績其凝」說「能日日布行三德，早夜思之，須明行之，可以爲卿大夫」、「日日嚴敬其身，敬行六德，以言政事，則可以爲諸侯」、「能合受三六之德而用之，以布施政教，使九德之人皆用事，謂天子如此，則俊德治能之士勻在官」，表達敷行「九德」的層次與效能。

　　對於皋陶所列「九德」，《七經小傳》除了改「愿而恭」爲「愿而茶」，並且認爲「彰厥有常，吉哉」之「吉」，字義應訓爲「士」，指的就是能夠持續有恆地遵循「九德」中任何一德的所謂「吉士」之外，還同時申明奉行「九德」的道德修養指標：「常所謂有恆」、「三德所謂善人」、「六德所謂君子」、「九德所謂聖人」──能夠經常奉行一德者稱爲「有恆者」、奉行三德者稱爲「善人」、奉行六德者稱爲「君子」、奉行九德者稱爲「聖人」。而「惟有聖人能王天下，君子可以爲諸侯，善人可以爲卿大夫，有恆者可以爲士」，因此，各有德者在政事位階與政治能力上的相對關係是，「於九德之中能一德有常」，則具備了「士」的資格，能夠遂行三項道德，便足以爲「卿大夫」，保有六種德行，應該可以勝任列國諸侯；至於「九德」皆完備者，則得以表率天下，爲「王天下」。

　　兩相比較之下，可以發現，除去竄改經文以及釋「彰厥有常，吉哉」與《注》《疏》的說法略有不同之外，劉敞的說解，基本上還是遵照著《注》《疏》

㉑ 「愿而茶」，〈皋陶謨〉作「愿而恭」，劉敞以爲字誤而改。

的脈絡深入鋪陳，《七經小傳》以「舊傳經學」爲根本、進一步分析說明的詮釋方式，在此可以說清晰地展現出來。

另一方面，在依循《注》《疏》闡釋以「九德」爲道德修養與政事位階、從政能力標準的深層意義之後，劉敞更進一步以《論語》❷的記載爲輔助，就孔子的論述來說明道德修養與從政能力實質內涵：其一，具備「九德」的聖人，所施所爲的應該是「行夏之時，乘殷之輅，服周之冕」（〈衛靈公〉，卷 15，頁 4 下，P138）等與普天下風俗教化制度相關的事務，而這正是「王天下之任」，天子所應該擔負的責任。其二，具備「六德」的君子，所施所爲的應該是「先有司，赦小過，舉賢才」（〈子路〉，卷 13，頁 1 上-1 下，P115）等與治國興邦方針相關的事務，而這正是「君一國之任」，諸侯國君所應該擔負的責任。其三，具備「三德」的善人，由於道德與能力「升堂未入於室」，因此所施所爲應該如同孔子說子路「千乘之國，可使治其賦」（〈公冶長〉，卷 5，頁 3 上，P42）般，輔佐諸侯國君推動政務，而這正是「卿大夫之任」，諸侯國的卿大夫所應該擔負的責任。其四，至於具備「一德」的有恆者，雖然道德修爲與能力層次較低，但是所作所爲應當如同「不得中行而與之，必也狂狷乎？狂者進取，狷者有所不爲」（〈子路〉，卷 13，頁 8 下，P118）所稱的「狂狷之士」，懷抱著理想的堅持與取捨，而這正是「吉士之任」，一般士人所應該善盡的本分。

除了直接詮釋申引「九德」之外，〈書小傳〉還疏釋了一個讀經者可能抱持的疑義：「九德」之中，包含了「柔而立」、「剛而塞」兩項，依照常理判斷，人的性格之中，「未有能秉剛柔者也」，不可能兼具「柔順」與「剛強」兩項性質，設若「聖人備九德」，那麼「聖人之性」便成爲既剛又柔、相互矛盾的存在，實在令人感到困惑。對於這個疑惑，劉敞以爲：聖人神明寬遠，「其性無所不備」，雖然「無所不備」的事物，難以輕易地有所見識或聽聞，但是仔細觀察聖人的行事風格與軌跡，卻能因此獲悉一二。皋陶稱舜：「臨下以簡，御眾以寬」（《尚書・大

---

❷　以下徵引的《論語》原文，全數依清嘉慶二十年【1815】江西南昌府學刊《十三經注疏》本（〔魏〕何晏（190-249）注，〔宋〕邢昺（932-1010）疏，臺北：藝文印書館，1985 年 12月影印）爲準，以下僅標卷、頁，不再重複紀錄版本。

禹謨》，卷 4，頁 7 上，P55），指的就是「九德」中的「寬而栗」、「簡而廉」
兩項的實踐內涵，而推演皋陶的觀點，可以得知兼備「九德」的聖人天子應該是
「御眾以寬，事親以柔，行己以愿，臨事以亂，任賢以擾，秉德以直，臨下以簡，
斷謀以剛，敷政以強」，各種德行所指涉的範圍並不一致，在性格上也不相統屬，
因此，「柔」「剛」並備，表現的是道德的完備，而非性格有相互矛盾的可能性。

在認識了〈書小傳〉對於〈皋陶謨〉「九德」的闡釋之後，可以發現：其
一，《七經小傳》在《注》《疏》以「卿大夫」、「諸侯」、「天子」等政治位階
說解「三德」、「六德」、「九德」的基礎上，增賦三者「善人」、「君子」、
「聖人」的道德修養意義，又推演各自實踐內涵，說明指涉的範圍不同，釐清了
「九德」可能相戶扞格的疑慮，凡此種種，除了可以做為經書「文本」於此獲得較
深入解釋的明證之外，也展現了劉敞對於經書義理追尋的重視，並且凸顯出以較強
道德觀詮釋經書的角度確實存在。其二，劉敞為「九德」所作的解釋，不僅在義理
發揚的層次上超越《注》《疏》，在字義名物訓詁的解釋上，也較《注》《疏》為
詳，由此看來，說《七經小傳》的確表現了依循舊說並且深入發揮的面貌，應該是
能夠成立的。另一方面，就訓解的詳細度來說，筆者以為，《注》《疏》的簡略是
相對性的，對《偽孔傳》與《正義》的作者而言，注釋的內容能夠符合當時的需
要，就可以稱為圓融飽滿，不必字字事事詳加剖析，然而時移事遷，「文本」在學
者文化認知不斷更革的情形之下，擔負的功能與意義已經有所轉變，先前的注解文
字，無法完全因應從新視野以及新角度入手的觀察，是可以理解的，就在這樣的思
維路線之下，為了滿足新學風的需要，以前說為基礎、較為詳細或者在層次上較為
深入的新解經方式於焉產生，而劉敞所從事的，正是新經學的構築工作，當然，這
項工作並不僅只是增飾與發揮，還包括了刪減與修正的部份。

伍、結論

對於「舊傳經學」而言，《七經小傳》竄正更動經書文字、指摘《注》
《疏》的錯誤而另造新說、遵循舊說進一步深入發揮，的確表現出不同的學術風
貌，雖然其中說解不見得合理正確，但是仔細分析劉敞的論述及其中意涵，不僅可
以證實「新學風」在當時已經存在，也能夠藉此發掘若干經學發展史上的重要議

題：

其一，分析《七經小傳》修正以及闡釋「舊傳經學」的實例，可以發現，無論是改動經文、批駁注疏或者創立新說，劉敞幾乎不曾提出本身論點的實證。例如改「宅南交」爲「宅南，日交趾」、刪「夔曰于擊石拊石……」等文字、說「州有十二師」指的是「每州六百國」、駁武王「觀兵孟津」是爲了「卜諸侯之心」的見解，所述所論，可以說全數出源於自身的認知，即使偶而提出相關文獻，如引《左傳‧昭公十四年》經文說「其刑墨」指的不是「墨刑」，其作用也只是用來強化早已經認定的觀點，這樣的做法，事實上就是標準的「以己意說經」形式，而綜合劉敞的表現，後來的學者因著這個意識，將創造出與「漢唐注疏之學」大異其趣的「新經學」，則是可以預期的。

其二，〈書小傳〉除了批駁「舊傳經學」的條文之外，還包含了藉《注》《疏》爲基石、發揚經書義理或者深入解說的部份。依循《注》《疏》，固然表示其中說解被接受，而必須進一步發揮義理或者作詳盡的說明，則說明了《注》《疏》的不足性。事實上，正確與充足的屬性不同，正確的解說，雖然能夠被完全接受，卻不見得能夠滿足追求「文本」深層或全體內涵的學者，而這樣的缺陷，或許較錯誤的存在更能夠刺激對於「舊典範」的反動以及對於「新學風」的期待思維，促使學者勇於立說。另一方面，劉敞藉著《注》《疏》表達己身以爲層次更高、涵蓋更廣、道理更完備的認知，雖然表現出經書隨著文化意識的積累，在當時很有可能已經擔負了不同前代的責任、具備了不同以往的意義，舊說已經無法完整解答問題，「新經學」必須展開的迫切性，對於「漢唐注疏之學」，其實也表現出相當程度的肯定。筆者以爲，如果將「漢唐注疏之學」視作所謂的「典範」，並且就這個思考路線加以審視，可以發現，宋人對於原有的典範，至少在學術風氣轉變的初期抱持的並非如後世學者所說的全面否定態度，因爲舊典範的衰微，是源自於不足，而非錯誤；或許，在看待「漢唐注疏之學」逐漸衰微、「新經學」逐漸勃興這一個關於學風轉折議題時，學者可以站在宋儒並非盲目攻詰舊典範的角度，重新謹慎地察覈兩個學術系統的關聯。

其三，《七經小傳‧書小傳》收錄的經說一共只有二十二則，相對於篇幅相當龐大的《尚書正義》而言，所述所論的問題可謂九牛一毛，而在這樣的差距之

下，即使是每則經說都精闢入理，也無法就此說劉敞對於「《尚書》學」所得甚深，有全面性的認識。或許，新意識或新認知涵蓋的比例仍然很低，「舊傳經學」依然能夠發揮重大影響，就是劉敞的學術性格，同時也是當時經學研究的眞實面貌，無怪乎歷來學者總是以《七經小傳》中的新說爲區隔經學發展歷史的標竿。

經 學 研 究 論 叢
第 七 輯　　頁109～120
臺灣學生書局　　1999 年 9 月

〈思齊〉、〈皇矣〉新證

張建軍*

〈大雅·思齊〉

思齊大任，主王之母。思媚周姜，京室之婦。大姒嗣徽音，則百斯男。(一章)
惠于宗公，神罔時怨，神罔時恫。刑于寡妻，至于兄弟，以御于家邦。(二章)
雝雝在宮，肅肅在廟。不顯亦臨，無射亦保。　(三章)
肆戎疾不殄，烈假不瑕。不聞亦式，不諫亦入。　(四章)
肆成人有德，小子有造。古之人無斁，譽髦斯士。　(五章)

《毛序》：「文王所以聖也。」《箋》：「言非但天性，德有所由成。」三家無異議。鄭玄《詩譜》列此詩爲文王時詩。朱熹《詩集傳》曰：「此詩亦歌文王之德，而推本言之。」此詩自古及今，基本上都解爲歌頌文王的，現、當代《詩經》學者也多信從傳統說法，不見提出質疑。

但是，深入探究一下，就會發現，該詩的傳統解釋，是很難自圓其說。

首先，按照傳統的頌文王之說，對該詩二、三章的主人公，對首章與二、三章的關係的解釋，是難以合理、通達的。

詩二章六句，詩三章四句，都沒有主語，按照傳統的說法，這兩章的主語都

---

* 　張建軍，蘇州大學文學院博士生。

應該是文王，從詩的上下文看，這樣解釋是否通達？讓我們回頭來看一下詩首章，按詩首章主要是講到了周人三位偉大的母親。此章末二句云「大姒嗣徽音，則百斯男。」《毛傳》：「大姒，文王之妃也。大姒十子，眾妾則宜百子也。」朱熹《詩集傳》則云：「百男，舉其成數而言其多也。」顯然朱子之說更為通達，「則百斯男」，即大姒多子的意思。孫鑛評首章云：「本重在太姒，卻從太任發端，又逆推上及太姜，然後以嗣徽音實之，極有波折。若順下，便味短。」這說明首章的重點是「大姒」，而「大姒」之所以偉大，又在於「則百斯男」。她養育了眾多的文王的兒子。因此從詩歌的思路講，二、三章的主語，當是文王的兒子，即立周的武王。反之，若主語為文王，則與首章的重點與思路相背。此是其一。

其二、據《史記·周本紀》，未載文王有兄弟之說，詩二章曰「刑于寡妻，至于兄弟」，武王為文王次子（長子為伯邑考，早卒），下又有兄弟若干（周公旦、管叔、蔡叔等）。所以，「至于兄弟」一語，不合文王，而合於武王，有此二據，故可推斷，該詩二、三章主語應是大姒之子，立周的武王，而非文王。傳統的頌文王之說是不成立的。

第二，按傳統的說法，對該詩第四章：「肆戎疾不殄，烈假不瑕。」很難給出令人信服的解釋來。

按詩四章：「肆戎疾不殄，烈假不瑕。」《毛傳》：「肆，故今也。戎，大也。故今大疾害人者，不絕之而自絕也。烈，業。假，大也。」《箋》：「厲、假，皆病也。瑕，已也。文王於辟廱德如此，故大疾害人者，不絕之而自絕；為厲假之行者，不已之而自已。言化之深也。」朱熹《詩集傳》：「肆，故今也。戎，大也。疾，猶難也。大難，如羑里之囚及昆夷獫狁之屬也。殄，絕。烈，光。假，大。瑕，過也。⋯⋯言文王之德如此，故其大難雖不殄絕，而光大亦無玷缺。」又，王先謙《詩三家義集疏》引馬瑞辰云：「詩兩『不』字，皆句中助詞。『肆戎疾不殄』即言『戎疾殄』也。『烈假不瑕』，即言厲蠱之疾已也。厲，《說文》作『癘』，云：『惡疾也。』《公羊傳》作『痢』，何注『痢者，民疾疫也。』『烈』即『癘』之假借。『假』當為『蠱』，蠱、假亦一聲之轉。《隸釋》載〈漢唐公房碑〉，作『厲蠱不遐』，蓋本三家詩。是知《箋》訓『厲假』為『病』，亦本三家《詩》也。」王先謙案：「《傳》釋『疾』為『疾害』，與下句無別。今案

《詩》蓋言文王德化入人至深，凡大爲人所疾惡者已殄絕矣。『厲蠱』，喻惡疾害人。漢碑作『不遐』，瑕、遐同音通用。言凡如惡病害人者，已遐遠矣。〈釋地〉：『四極，云九夷、八狄、七戎、六蠻』。郭注：『九夷在東，七戎在西。』李巡本作『六戎在西』，數不同，而在西者稱『戎』不異。太王時混夷病周，文王時稱串夷，〈皇矣〉篇鄭注：『串夷，西戎國名。』蓋雖有『夷』稱，其實『戎』也，爲周患苦，有若疾然，故曰『戎疾』。〈緜〉篇『肆不殄厥慍』，即此詩之『肆戎疾不殄也』。文王之大業，不足爲其患害，無能瑕疵文王者，猶〈狼跋〉篇之『德音不瑕』也。」

　　按：1.《毛傳》解「戎」爲「大」，「戎疾」爲「大疾」。鄭《箋》未釋，到朱熹《詩集傳》仍沒有說「戎疾」就是西戎之患，只說：「戎，大也。疾，猶難也。如羑里之囚及昆夷獫狁之屬也。」而到了王先謙《詩三家義集疏》則解「戎疾」爲「西戎之疾」。按「戎」之訓大，《詩經》中非此一處，如《周頌・烈文》「念茲戎功」，《毛傳》：「戎，大也。」此詩中「戎」訓「大」，《毛傳》當有所據。王氏之說，似有望文生義之嫌。

　　2.「烈假」，《毛傳》訓「烈」爲「業」，「假」訓「大」。鄭《箋》則云：「烈、假，皆病也。」而異於毛，亦未知何據。馬瑞辰乃變「烈」爲「厲」，又以「厲」通「癘」，轉了兩個彎子說「烈」即「癘」；又以聲轉釋「假」，以爲「假當爲蠱」。如此曲折說字，以迎合鄭《箋》，過於迂曲，似難令人接受。

　　3.此二句詩義，《毛傳》說：「故今大疾害人者，不絕之而自絕。」這僅僅是解說了第一句，第二句則付之闕如，鄭《箋》則曰：「故大疾害人者，不絕之而自絕，爲癘瘕之行者，不已之而自已。」對照原詩，「肆戎疾不殄，烈假不瑕」，毛、鄭都有添字解詩之弊。「之而自絕」，「之而自已」，不知從何而來？馬瑞辰懲於毛、鄭之病，乃曰：「詩兩『不』字，皆句中助詞。『肆戎疾不殄』即『戎疾殄』也。」但這種說法也是很令人懷疑的。因爲在《詩經》中除此處外，再無他例，唯《小雅・棠棣》「棠棣之華，鄂不韡韡」王引之《經傳釋詞》卷十：「不字乃語詞。『鄂不韡韡』，猶言『夭之沃沃』耳。」但《棠棣》中之「不」，鄭《箋》曰：「承華者曰鄂，不當作柎。鄂足也，鄂足得華之光明則韡韡然盛。」王引之的說法並不正確，《辭源》即不取王氏之說，是很有見地的。因此，馬瑞辰的

說法也是不可信的。（「不顯亦臨」之「不」實爲「丕」，大。古字丕通作「不」，與此又不同也。）

　　因而，按傳統的說法，不管歷代學者怎樣盡力爲之彌縫，曲爲解說，對這二句詩仍不能作出令人信服的結論。

　　那麼，這兩句究竟該作何解釋呢？聯繫我們前面對二、三章主語的考察，認爲二、三章是頌武王的，據周史所載，武王完成克商大業不久即患病身亡，此時周立國未久，政局未穩，成王又年幼，周公姬旦爲穩定局勢，乃「踐阼代成王，攝行政，當國。」似與此二句相合，沿著這個思路考慮則可對「肆戎疾不殄，烈假不瑕」作出如下新的讀解：肆，故今也（《毛傳》）。戎疾，戎，大也；戎疾，大疾也（《毛傳》、《箋》）。殄，絕也（《毛傳》、《詩集傳》），與前面「戎疾」聯繫起來「疾病絕」即痊癒的意思。烈，業（《毛傳》），這裡是指王業。假，《說文》：「假，非眞也。」又《史記正義》；「假，攝也。」可知假可作「攝」解。瑕，應通暇，瑕、暇古音近，隸文字形又近，易混。《小雅·何草不黃》：「哀我征夫，朝夕常行，不得閑暇。」可見「不暇」即不得閑暇之義。兩句可逐字解爲：「故今……大病不能治癒，……攝行王業，不得閑暇。」兩句也都沒有主語。參諸史載武王、周公之間歷史情形，《史記·周本紀》「武王已克殷，後二年，……武王病，天下未集，群公懼，穆卜，周公乃祓齋，自爲質，欲代武王。武王有瘳，後而崩。太子誦代立，是爲成王。成王少，周初定天下，周公恐諸侯畔周，公乃攝行政，當國。……行政七年，成王長，周公反政成王，北面就群臣之位。」《史記·魯周公世家》則曰：「武王克殷二年，天下未集。武王有疾，……其後武王既崩，成王少，在強葆之中。周公恐天下聞武王崩而畔，周公乃踐阼代成王，攝行政當國。管叔及其群弟流言於國，曰：『周公將不利於成王。』周公乃告太公望、召公奭曰：『我之所以弗辟而攝行政者，恐天下畔周，……武王蚤終，成王少，將以成周，我所以爲之若此。』……及七年後，還政成王，北面就臣位。」呂思勉《先秦史》說：「《書·大誥》『王若曰』疏云：『鄭玄云：王，周公也。周公居攝，命大事則權稱王。』」❶將這些史料與詩中：「肆戎疾不殄，烈假不

---

❶　呂思勉《先秦史》（上海：開明書店，1941 年），頁 133。

瑕」相對照，史詩互證，可知此二句主語分別為武王、周公。兩句大意是說：因為武王大病不癒（大病不癒即「死」的委婉說法），周公攝行（假）王事（烈，業）不得閑暇。

綜上所述，可知該詩首章頌武王、周公的母親大姒，二章、三章頌武王之德聖，四章頌周公攝政，這樣不僅符合當時武王、周公時歷史情況，詩、史互為參證，若合符契，而且文義通達，合情合理。所以本詩的創作背景應是成王朝、周公攝政時期。該詩頌讚的應是武王、周公。為使人們對〈思齊〉一詩有更清晰理解以糾舊說之謬，這裡就將全詩大意說解如下：

首章，頌武王、周公的三位女性先輩，溫順的周姜（武、周之曾祖母）她是大王的妻子；端莊的大任，她是文王的母親（武、周祖母）；同樣具有美德的大姒（武、周的母親），她生下了眾多優秀的兒子（當然指武、周等人）。

二章，頌武王，他順奉宗神，神靈對他無所怨忿，他給妻、子作出標準，進而至於兄弟，推廣到宗族、國家。

三章，頌武王，他在宮中是溫和的，在宗廟是肅穆莊敬的，他以光明臨於臣下，並且勤政不倦，為保有大業殫精竭思。按：「丕顯」指光明。「無射」，「射」，即「厭」，無射即不知疲倦之意。按《史記》武王「自夜不寐」為國事思慮，武王克商厥後第二年既患病而卒，正是思慮過度，積勞成疾所致。

四章，頌周公，按：武王完成克商大業不久既患病身亡，周立國未久，政局未穩，成王又年幼，周公為穩定局勢，乃「攝行政當國」，繼武王開國之後，完成了定天下的大業。確是為周朝立過大功之人，亦是大姒的優秀兒子。詩中頌他「烈假不瑕」，「不瑕」即「不得閑暇」，正可與《韓詩外傳》所載周公一飯三吐哺相參照。❷詩又頌他美德出於自身，「天性與天合也」（《毛傳》）。「雖事前所未聞者，而亦無不合于法度，雖無諫諍之者，亦未嘗不入于善。」（《詩集傳》）

五章（末章），讚朝中人才濟濟，年輕的、年老的臣子，都各有其美德與功勛。這都是前王（文、武）所選拔的人才。按，由此可見，此詩應作於成王即位之初也，即周公攝政之初。

---

❷　《韓詩外傳》卷三。

〈大雅‧皇矣〉

　　〈皇矣〉，《毛序》：「美周也。天監代殷，莫若周，周世修德，莫若文王。」朱熹《詩集傳》「此詩敘大王、大伯、王季之德，以及文王伐崇、伐密之事也。」鄭玄《詩譜》列該詩為文王時詩。而明何楷《詩經世本古義》則將此詩斷代為武王朝時。

　　在今天看來，文王時說是不能成立的。按《史記‧周本紀》：「……明年，西伯崩，太子發立，是為武王，……詩人道西伯，蓋受命之年稱王，而斷虞芮之訟，後十年而崩，諡為文王。改法度，制正朔矣。追尊古公為太王，公季為王季，蓋王瑞自太王興。」張守節《正義》云：「《易緯》云：文王受命，改正朔，布王號於天下。鄭玄信而用之，言文王稱王，已改正朔，布王號矣，按：天無二日，土無二王，豈殷紂尚存而周稱王哉？若文王自稱王，改正朔，是功業成矣，武王何復得云大勳未集，欲卒父業也？《禮記‧大傳》云：『牧之野，武王成大事而退，追王太王亶父、王季歷、文王昌。』據此文乃是追王為王，何得文王自稱王，改正朔也？」可見武王克殷得天下後，始追封太王、王季、文王為王，根據當時歷史情形及中國歷史上的慣例，張守節的看法無疑是正確的。

　　而〈皇矣〉詩中曰：「維此王季……載錫之光，受祿無喪，奄有四方」（三章）。又曰：「維此王季，帝度其心，奄有四方」（三章）。又曰「維此王季，帝度其心，貊其德音。其德克明，克長克君。王此大邦，克順克比」（四章）。又：「比于文王，其德靡悔，既受帝祉，施及孫子。」可見，作〈皇矣〉詩時，公季歷、西伯姬昌皆已被追尊為王。因而詩中稱二人為：王季、文王。並且說王季「受祿無喪，奄有四方」，「克長克君」，「王此大邦」；又說文王「既受帝祉」，即二人都是受命之君。

　　再看詩首章：「皇矣上帝，臨下有赫。監觀四方，求民之莫。……乃眷西顧，此維與宅。」《詩集傳》：「天下臨下甚明，但求民之安定而已。……于是乃眷然西顧，以此岐周之地，與大王為居宅也。」二章：「作之屏之……帝遷明德，串夷載路。天立厥配，受命既固。」《詩集傳》：「明德，謂明德之君，即大王也。……上帝遷此明德之君，使居其地，而昆夷遠遁。天又為之立賢妃以助之，是

以受命堅固，而卒成王業。」馬瑞辰《毛詩傳箋通釋》：「下章『帝作邦作對』，
《傳》，對，配也。……『天立厥』，正與『作對』同義，謂立君以配天也。古以
受天命爲天子爲『配天』，……〈文王篇〉『殷之未喪師，克配上帝。』配上帝，
亦配天也。……胡承珙曰，妃之爲媲，不必定謂男女配偶。毛訓配爲媲，正當爲配
天之義，不得如《箋》以爲賢妃。」可見〈皇矣〉中太王也已被認爲是受命的天子
了。

　　由以上所述，可知〈皇矣〉一詩不應是文王時詩，文王時說是不可能成立
的。

　　那麼，是否明何楷的武王時說就正確的呢？按以上考證只能證明該詩不可能
早於武王克商立周之時，並不能證明該詩必爲武王時詩。要想確定該詩的創作時
代，還需依據詩的本文結合有關歷史情形，審時度勢地進行考察，尤其需要憑借於
我們今天現有所能掌握的有關文獻材料來幫助考證。

　　今按：周初追封三王是武王所爲，但由於武王本人在滅商後第二年即病死，
周初系統的文化建設，則主要是在武王死後，成王朝周公、召公、成王主持下完成
的，從情理上推測，該詩以作於成王朝可能性爲大❸。

　　求諸周代文獻，我們發現；成王朝太保召公奭在成王七年所作〈召誥〉與該
詩存在內在關聯與周一之處，多有可以互相溝通，互相參照的地方。

《大雅·皇矣》	《尚書·召誥》
皇矣上帝	皇天上帝
監觀四方，求民之莫。	天亦哀于四方民，其眷命用懋。
維彼二國，其政不獲。	相古先民有夏，天迪從子保；
	面稽天若，今時既墜厥命。
	今相有殷，天迪格保，面稽天若，
	今時既墜厥命。

❸　以《尚書》爲例，成王朝 17 篇，其中今古文皆有的 13 篇，武王朝 5 篇，其中今古文皆有的
　　僅《洪範》1 篇，而《洪範》又是殷遺箕子之作，非周人的著作。

　　按：「維此二國，其政不獲。」歷來解釋，分歧很大，共有四種說法：《毛傳》：「二國，殷、夏也。」王符《潛夫論》：「言夏、殷二國之政不得。」朱熹《詩集傳》從之。這是第一種說法。鄭玄《箋》：「『二國』，謂今殷紂及崇侯也。」這是第二種說法。姚際恒《詩經通論》：「二國，商、周也。」這是第三種說法。范家相《詩瀋》：「二國，邰與豳也。」這是第四種說法。考察這四種說法，范氏之說與本詩詩旨相悖，顯為謬說；姚際恒對詩句的解釋不通達，有牽強之病；鄭玄之說以崇與商並舉，亦與情理不合（崇為商的屬國，按照《西周史》的說法是「商人在渭水流域的重要據點」）。對照《尚書・召誥》中文字，顯然《毛傳》、《詩集傳》的說法為正確。又：

《大雅・皇矣》	《尚書・召誥》
予懷明德，不大聲以色， 不長夏以革。 不識不知，順帝之則。	王敬作，所不可不敬德。 我不敢知曰：有夏服天命，惟有歷年；我不敢知曰，不其延。惟不敬厥德，乃早墜厥命。我不敢知曰：有殷受天命，惟有歷年；我不敢知曰，不其延。惟不敬厥德，乃早墜厥命。……

　　按：〈皇矣〉詩中：「不大聲以色，不長夏以革。不識不知，順帝之則。」幾句，究竟如何解釋，各家歧異較大，歷來是解說難點。「不大聲以色，不長夏以革。」《箋》：「不虛廣言語，以外作容貌，不長諸夏以變更王法者。」馬瑞辰《毛詩傳箋通釋》云：「汪氏德鉞曰，不大聲以色者，不道之以政也。聲謂發號施令，色謂象魏懸書之類。不長夏以革者，不齊之以刑也。夏謂夏楚，撲作教刑也。革謂鞭革，鞭作宮刑也。其說得之，可正《傳》、《箋》之誤。」高亨則認為此二句是「不要太溺於聲色，不要長用甲兵。」的意思。❹馬瑞辰之說，對後世影響很

---

❹　參考高亨：《詩經今注》（上海：上海古籍出版社，1980 年），頁 392。

大，有的學者還據之試圖用「夏」、「革」來爲該詩斷代。❺但是，對照〈召誥〉中文字，〈皇矣〉裡這兩句仍以《箋》說爲長，「不大聲以色，不長夏以革」與「敬作」，「所不可不敬德」意義相通，總的來說都是要謹愼恭敬之義。

「不識不知，順帝之則。」這兩句歷來解說更爲紛雜：有以爲是「不識古今，順天之法而行」的（《箋》）；有以爲是「生而知之，無待于識古今」的（《通釋》）；有認爲是「不知不覺地自然遵循上帝的法則」的（《詩經今注》）。其實，對照〈召誥〉中文字，可知此處的「不識不知」實是「不敢知」，「不識不知，順帝之則」是說：「不敢企圖知道天命的長短，而只能恭敬明德，以秉順上帝。」而所謂「生而知之，無待于識古今」，所謂「不知不覺地自然遵循上帝的法則」，都是脫離了當時時代思想的臆度之說。

以上對〈皇矣〉與召公奭所作〈召誥〉進行比較，所表現出來的，並不只是一些詞句的相似，而是思想方法，觀念意識的同一性。尤其是「不識不知」等語，如不是求諸於〈召誥〉文字的參考，是很難作出比較合乎情理的解釋的。所以，很有可能這兩篇作品是同一個人的製作，即都是召公奭的作品。至於同樣的思想，在〈皇矣〉中語言表達十分簡略，而在〈召誥〉中則相當詳盡、具體，這當是由文體不同造成的。

認眞分析一下，說〈皇矣〉是召公奭所作，還有以下合理之處。

首先，《西周史》：「白川靜認爲旨方當是召方……在周人東進時，召族折而與周人合作，遂有周初與太公周公齊名的召公，同爲一時重要領袖。……按召公爲姬姓從無別說，但向來不能決定其所自出。如果召族爲姬姓諸族中由山西向南開拓的一支，則向西開拓的周人在東向圖商時，同爲姬姓的召族與周聯盟，自在情理之中，崇爲商人重鎭，然在周召合擊之下，恐也難爲商守。」❻可見召公（奭）是參加了伐崇之役的。〈皇矣〉中伐密伐崇，寫伐密之役，幾乎沒有具體戰鬥場面的描畫，而寫伐崇之役則云：「臨衝閑閑，崇墉言言。執訊連連，攸馘安安。是類是禡，是致是附，四方以無侮。臨衝茀茀，崇墉仡仡，是伐是肆，是絕是忽，四方以

❺　劉毓慶《雅頌新考》（太原：山西高校聯合出版社，1996年4月），頁194。
❻　許倬雲《西周史》（北京：三聯書店，1994年），頁89、90。

無拂。」使人讀之如同身臨其境，親睹了戰鬥實況。這是由於密國在今甘肅靈臺之境，伐密主要是文王自己的力量，召公可能並沒有真正參加那次戰鬥，而伐崇則是其親身經歷的。詩中寫文王出兵伐密，云：「王赫斯怒，爰整其旅，以按徂旅。」寫出兵伐崇，則云：「詢爾仇方，同爾兄弟。以爾鈎援，與爾臨衝，以伐崇墉。」戴震《毛鄭詩考證》云：「以崇強暴不易伐，故詢大國與己匹者，而連合眾與國然後興師。」一方面可見伐密基本是周人自己力量，而伐崇則已聯合了多族（包括召公奭所領導的召族）之力。另一方面從「鈎援」，「臨衝」的戰具，也可見出作者對此次戰役確是有親身經歷的。

　　第二、根據《尚書》等，召公奭在成王朝擔任太保之職，《西周史》說：「《顧命》記載康王即位的儀式，太保（召公奭）是最重要的儀式主持人，⋯⋯這個儀式中，太保是聖職人員」❼，則召公奭的職守，約相當於《周禮》中春官大宗伯之職：「大宗伯之職：掌建邦之天神、人鬼、地示之禮，以佐王建保邦國。以吉禮事邦國之鬼神示；以禋祀祀昊天上帝，以實柴祭日月星辰，⋯⋯以肆獻祼享先王，以饋食享先王，以祠春享先王，以禴夏享先王，以嘗秋享先王，以烝冬享先王。」（《周禮・春官宗伯》）是掌管各種祭祀等禮儀的。〈皇矣〉一詩歷敘太王、王季、文王的功績，當與對「先王」的祭祀有關。因此，該詩作於太保召公之手，是合情合理的。另外，召公奭本人，也確是一個文化素養很高的人，具備作此詩的條件（〈召誥〉即是明證）。

　　第三、〈皇矣〉四章首句「維此王季」，《左傳・昭公二十八年》引詩作「唯此文王」。陳奐、吳闓生等據之逕改爲「維此文王」。聯繫下文「比于文王，其德靡悔。」這樣改很難通達。陳子展《詩經直解》已對之進行了辨證，當代大多數《詩經》版本亦不取此說，此處不再贅言。但就〈皇矣〉一詩來說，對王季的評價確實是很高的，詩中不僅讚揚他「因心則友，則友其兄，則篤其慶，載錫之光。」而且稱他「受祿無喪，奄有四方」、「其德克明，克明克類，克長克君，王此大邦，克順克比。」太王、王季雖與文王一起被追尊爲王，但對王季給以如此高的讚譽，在《詩經》、《尚書》似乎並不多見。可能正是因爲這個原因，陳奐等人

---

❼　《西周史》，頁 205。

才堅持認爲四章「維此王季」應爲「維此文王」。聯繫殷周之際史事，我們認爲，
〈皇矣〉對王季評價較高，似與召公（及其部族）對王季看法有關。按《西周史》
引陳夢家輯《竹書紀年》佚文及《後漢書・西羌傳》注中材料，認爲：「（季歷
時）這一系列與戎狄的戰爭，大率都在山西進行，……周人能在山西成功，可能有
一部分原因是由於周人在先周時代與戎狄雜居，沾染戎狄文化，知道如何應付戎
事。另一方面，山西汾域原是先周時代姬姓的舊地，打進山西，只能算是光復故
物……。」❽《西周史》又引白川靜之說法，認爲召族本在山西，在殷末周初「分
布原在晉南豫西一帶」。❾今按，王季經營山西，當贏得了召族（與周同爲姬姓）
的相當的尊敬，因此〈皇矣〉中才對之有較高揄揚。這也說明〈皇矣〉的作者應該
是召公奭。

綜上所述，〈皇矣〉一詩應是成王時之作，其時代可能略晚於〈思齊〉而與
〈召誥〉創作時間比較接近（它們體現出了思想上的一致性），從詩本文及有關歷
史情形推測，它很可能就是周成王時大臣召公奭的詩作，約作於成王七年前後。

經 學 研 究 論 叢
第 七 輯　　頁121～144
臺灣學生書局　　1999 年 9 月

先秦引詩用詩方式與《毛詩》的解釋

吳萬鍾*

一、引言

　　爲了探究毛詩解釋的淵源和特色，首先探討在春秋戰國時期《詩三百》爲人們所使用的情況，是最基本的步驟。通過《左傳》襄公二十九年季札觀樂一事的記載來看，《詩三百》的初步編定在此前早已完成。如果考察《左傳》、《國語》引詩、賦詩的情況，起碼春秋中期即有一種流行版本，董治安先生統計歸納兩書的用詩情況，說：「春秋前期引詩僅兩見，無賦詩；進入春秋中期，引詩、賦詩明顯大量出現。這自然是由於歷史的發展，諸侯國之間的交往更趨頻繁，同時與三百篇愈益廣泛的傳播也當有直接關係。然而，使人感到困惑的是，今本《詩經》的編定必在文公六年（此年秦人「賦〈黃鳥〉」）之後，而此前累見於記載的引詩、賦詩已多達三十九條（…），這是爲什麼呢？合理的解釋衹能是，《詩》三百並不是在春秋後期某個時間被一次編成定本後才驀然傳布開去，而是早於此前，久已在可觀範圍內爲人們所傳習、所熟悉，因而在事實上已獲得相當的流傳。」❶《詩三百》的初期編定流傳情況大體如董先生所言。

　　《詩三百》初步編定之後，到春秋末期的孔子時代之間，至少社會上層階級諸侯、士大夫已熟悉且「歌」、「賦」、「誦」、「引」它。從《左傳》、《國

---

*　吳萬鍾，北京大學中國語文學系博士。

❶　參見董治安：《先秦文獻與先秦文學》（濟南：齊魯書社，1994 年 11 月），頁 26-28。

語》的用詩情況來看，《詩》常是依音樂吟唱的。《論語》的有關《詩三百》的記載反映了在它成書前後的那個時期詩的音樂成分逐漸喪失的訊息。其記載內容可分為三種：第一種是有關儀式音樂的內容；❷第二種是孔子或其他人的引詩，是《左傳》的引詩傳統的繼承，並帶有道德化的傾向；❸第三種是孔子鼓吹弟子學詩的內容。❹這些內容大抵透露了《詩三百》的音樂功能在春秋戰國時代，逐漸喪失音樂因素而到重視詩詞義的歷史進程。音樂功能喪失的原因可能是由於隨著《詩》在典禮儀式中實際使用頻數漸漸減少，而人們對《詩》的思辨抽象意義感興趣。❺賦詩的資料在戰國時期的文獻中完全消失，而引詩的數目大量增加，正反映這一歷史事實。

重視詩篇和詩句的思想內容與戰國時期文獻裏大量出現引詩資料有相因的關係。《孟子》引詩 35 次，《荀子》引詩 82 次，《禮記》引詩 103 次，這也說明戰國中、後期在儒家的傳統裏《詩三百》的重要性逐次增加，最終發展到引詩論事、徵事之風盛行。秦漢之際的重要文獻如《呂氏春秋》、《淮南子》都有引詩的資

---

❷ 如：三家者以《雍》徹。子曰：「『相維辟公，天子穆穆』，奚取于三家之堂？」（〈八佾〉）；子曰：「〈關雎〉樂而不淫，哀而不傷。」（〈八佾〉）

❸ 如：子貢曰：「貧而無諂，富而無驕，何如？」子曰：「可也，未若貧而樂，富而好禮者也。」子貢曰：「《詩》云，『如切如磋，如琢如磨』，其斯之謂與？」子曰：「賜也，始可與言《詩》已矣，告諸往而知來者。」（〈學而〉）；子擊磬于衛，有荷蕢而過孔氏之門者，曰：「有心哉，擊磬乎！」既而曰：「鄙哉，硜硜乎！莫己知也，斯己而已矣。深則厲，淺則揭。」子曰：「果哉！末之難矣。」（〈憲問〉）；子曰：「興于《詩》，立于禮，成于樂。」（〈泰伯〉）；子曰：「《詩三百》，一言以蔽之，曰：『思無邪。』」（〈為政〉）

❹ 如：子曰：「小子何莫學夫《詩》？《詩》，可以興，可以觀，可以群，可以怨；邇之事父，遠之事君，多識于鳥獸草木之名。」（〈陽貨〉）；陳亢問于伯魚曰：「子亦有異聞乎？」對曰：「未也。嘗獨立，鯉趨而過庭。曰：『學《詩》乎？』對曰：『未也。』『不學《詩》，無以言。』鯉退而學《詩》。他日，又獨立，鯉趨而過庭。曰：『學禮乎？』對曰：『未也。』『不學禮，無以立。』鯉退而學禮。聞斯二者。」陳亢退而喜曰：「問一得三，聞《詩》，聞禮，又聞君子之遠其子也。」（〈季氏〉）

❺ 參見 Steven Van Zoeren, *Poetry and Personality*, California, Stanford University Press, 1991, p.25-49.

料。從《左傳》到《淮南子》的引詩內容是在詩經學史上從春秋到漢初之間現存可參考的寶貴資料。這些引詩內容與毛詩解釋內容之間有何影響關係是我們所關心的。

先秦諸子為何引詩？引詩的作用是什麼？他們引詩儘管斷章取義，大部分與詩的原義不相關，但其目的確是要增強引詩者的論點或論據的說服力，而引詩確實起到這種作用。西方學者有〈引用的基本作用〉一文，提出了引用的三種主要作用：一是訴諸權威；二是顯示博學；三是修飾。這三種不同作用基本上都帶有維持文化連續性的功能。❻換句話說，任何引用文都帶有傳統的成分。那麼，我們可以追究《詩三百》的引用裏維持看什麼樣的文化連續性，即傳統呢？

下面我們分析《詩》篇的句子在先秦至漢初的文獻裏被引用的實際情況。在分析的過程當中，顯現出同樣的詩句如何在不同文章裏產生不同意義。引詩者借用傳統給詩句賦予的權威而加強論調，而所借用的意義往往是與詩句原義不同。隨著《詩三百》句子在先秦、漢典籍裏反覆引用，這些引用本身在儒家傳統裏增強了它們的權威，並且《詩三百》也逐漸具有更高的權威。被引用的話句不受詩句的本義的制約，而引詩者從詩句中自由的導出引申義。因而我們可以看到，雖然引用本身具有維持文化連續性的作用，但是其維持文化連續性的作用並沒有限制對引用詩句作出新解釋的可能。詩句離開了原詩的環境而置於新的文章脈絡中，其句義發生變化。這種句義的變化不僅由於時間的流逝而產生不同理解，並且更直接地受到不同文章脈絡的影響而產生。雖然引詩句在不同文章脈絡中產生不同意義，但其詩句本身代表或維持著《詩》的權威所賦予的傳統意味。

二、關於引釋〈曹風‧鳲鳩〉 「其儀一兮，心如結兮」

我們分析從春秋戰國至漢初之間的引詩方式和引詩內容，以看如何影響漢初初步形成的毛氏詩說。前人有關引詩的研究成果主要是整理典籍裏的引詩條目，並

---

❻ See Stefan Morawski, *The Basic Functions of Quotation, in the Sign, Language, Culture*, ed. Algirdas Julien Greimas, The Hauge Houton, 1970, p.690-696.

與傳本《詩經》互相比較說明文字訓詁上的意義。❼我們的研究目的則在前人研究基礎上進一步分析同樣的詩句在不同典籍的各種文章脈絡中有那些不同的引用方式，以探究這些引用方式和內容跟毛詩解釋的方式和內容有何影響關係。

　　行文時，如果我認為詩本意與毛詩的解釋不同的話，先分析詩本意，再分析毛詩解義，之後分析引詩內容，以此顯現出本意、引詩義、毛詩解義之間的來龍去脈。毛詩解義與詩本意有區別，原因是很大程度上受到先秦、漢初引詩的影響。這裏所說的影響不僅是由古至今，而且是同時代的互相影響；或者說經過大量引詩的經驗後形成的引詩的根本作用的影響。因此漢初典籍當中《淮南子》、《韓詩外傳》等的成書時期，雖然與大約文帝時的《毛傳》稍後，❽但我仍然在分析研究當中包括它們中的引詩資料。

　　〈鳲鳩〉篇的「其儀一兮，心如結兮」一句在先秦、漢初文獻裏被引用了五次。引詩者引用這詩句的時候，因為「其儀一兮」的「一」字有難以形容的不確定義，在先秦、兩漢時期其所指代的意義非常廣泛，不僅代表數之始的意義，並且代表各種基本哲學概念如「忠」、「恕」、❾「仁」、❿「無」、「道」⓫、「專」

---

❼　如清阮元《詩書古訓》；在嚴一萍選輯《百部叢書集成》裏，據清咸豐伍崇曜校刊本影印，臺北，藝文印書館印行；余培林《群經引詩考》（臺北：臺灣師範大學國文研究所碩士論文，1963 年）；楊向時《左傳賦詩引詩考》，中華叢書；夏鐵生《左傳國語引詩賦詩之比較研究》，《逢甲學報》第 13 期（1982 年），頁 1-226；曾勤良：《左傳引詩賦詩之詩教研究》（臺北：文津出版社，1993 年 1 月）等。

❽　《史記·儒林列傳》：「韓生者，燕人也。孝文帝時為博士，景帝時為常山王太傅。韓生推詩之意而為《內外傳》數萬言，……。」《漢書·淮南衡山濟北王傳》：「淮南王安為人好書，……招致賓客方術之士數千人，作為《內書》二十一篇，《外書》甚眾，又有《中篇》八卷，言神仙黃白之術，亦二十餘萬言。時武帝方好藝文，因安屬為諸父，……初，安入朝，獻所作《內篇》，新出，上愛祕之。」

❾　如《論語·里仁》：子曰：「參乎！吾道一以貫之。」曾子曰：「唯。」子出，門人問曰：「何謂也？」曾子曰：「夫子之道，忠恕而已矣。」

❿　如《孟子·告子下》　淳于髡曰：「先名實者，為人也；後名實者，自為也。夫子在三卿之中，名實未加於上下而去之，仁者固如此乎？」孟子曰：「居下位，不以賢事不肖者，伯夷也；五就湯，五就桀者，伊尹也；不惡污君，不辭小官者，柳下惠也。三子者不同道，其趨一也。一者何也？曰，仁也。君子亦仁而已矣，何必同？」

等，⓬所以藉此傳達引詩者想賦予的各種不同意義。在分析引詩的例子之前，先看
一下〈鳲鳩〉篇的本意和毛詩解釋：

　　鳲鳩在桑，其子七兮。淑人君子，其儀一兮；其儀一兮，心如結兮。
　　鳲鳩在桑，其子在梅。淑人君子，其帶伊絲；其帶伊絲，其弁伊騏。
　　鳲鳩在桑，其子在棘。淑人君子，其儀不忒；其儀不忒，正是四國。
　　鳲鳩在桑，其子在榛。淑人君子，正是國人；正是國人，胡不萬年！

這是典型的先寫景物後寫人事的詩，是讚美君子內心堅固，儀表完善，而能正國、
正人的詩。第一章「其儀一兮」的「儀」字主要指外表行為而不指內在美德。
「儀」的字源可能與古代典禮儀式行為有關。《小雅・楚茨》篇「獻醻交錯，禮儀
卒度」的「禮儀」就保留其原始意義，是指祭祀的禮節儀式而言。「儀」的字義逐
漸從這種古代典禮儀式行為的原始意義擴大到指一般人類行為。在《詩經》詩篇
裏，「儀」字當與內在美意義的「德」字同時出現，用於指人們外表行為，如：
「敬慎威儀，以近有德」（《大雅・民勞》）；「抑抑威儀，維德之隅」（《大
雅・抑》）；「穆穆魯侯，敬明其德，敬慎威儀，維民之則」（《魯頌・泮
水》）。從這三個例子，可見「儀」和「德」分別指向人格修養的兩個側面。由此
可知「其儀一兮」的「儀」字指外表行為，則「一」字如何解釋呢？為了正確的理
解「一」字在詩篇裏的意義，需與下一句「心如結兮」一起考慮。一般人的外表行
為是內心的表露，這位君子的內心修養堅固結實，其外表行為完善無瑕，所以方可
以正國、正人而被讚美祝壽萬年。則「其儀一兮」應理解為君子外表行為的完善無
瑕，「一」字在原詩裏是完善的意義。
　　《毛傳》的理解似乎與此不同。它先對景物意象做說明，把「鳲鳩」訓為
「秸鞠」，就是布穀，⓭並說鳲鳩鳥餵子的習性：「鳲鳩之養其子，朝從上下，莫

⓫　如《老子》四十二章：「道生一，一生二，二生三，三生萬物。」
⓬　參見阮元《經籍籑詁》（臺北：宏業書局，1986 年 9 月再版），頁 911-912。
⓭　參見陳奐《詩毛氏傳疏》（臺北：臺灣學生書局，1967 年 9 月），頁 356。

從下上，平均如一。」用餵養幼子時平分如一的鳲鳩習性起興君子「執義一，則用心固」的形象。❶因《傳》以「儀」訓為「義」；「結」訓為「固」。君子行為上執義始終如一，用心堅固不變，這裏《傳》著力強調君子執義不變的性格。《傳》有意地把景物和人事的意象作意義上的聯繫。《詩序》扣住「其儀一兮，心如結兮」之句說：「刺不壹也。在位無君子，用心之不壹也。」與《傳》注一起看，「用心之不壹」當理解為用心之不堅固，即執義之心不堅固。如果單看「用心之不壹」則似乎是用心之不專一的意思。《詩序》的這種詩旨的理解反映出「以美為刺」、「援古刺今」的審美態度。《傳》的注解內容並沒有刺意。在此，我們可以注意的是，《序》把廣泛意義的「一」理解為精專不二意義的「壹」，❶這與《傳》「執義一，則用心固」之義相應。

　　而先秦典籍引此詩時情形各不一樣，下面分析引詩的例子。最早引「其儀一兮，心如結兮」之句的例子見於《禮記·緇衣篇》和〈五行篇〉。依考古發掘報告，郭店楚簡本的〈緇衣篇〉和〈五行篇〉，在「一九九三年出土於湖北省荊門市郭店一號楚墓，……發掘者推斷該墓年代為戰國中期偏晚。郭店楚簡的年代下限應略早於墓葬年代。」❶所以我們把〈緇衣〉和〈五行〉放在《荀子·勸學篇》的例子前面來談。先分析一下〈緇衣〉的引詩，今本❶和楚簡本一並引用，其文如：

> 子曰：「下之事上也，身不正，言不信，則義不壹，行無類也。」子曰：「言有物而行有格也；是以生則不可奪志，死則不可奪名，故君子多聞，質而守之；多志，質而親之；精知，略而行之。〈君陳〉曰：『出入自爾師虞，庶吉同。』《詩》云：『淑人君子，其儀一也。』」
>
> 子曰：「君子言又（有）勿（物），行又（有）迬（格），此以生不可敓（奪）志，死不可敓（奪）名。古（故）君子多䎽（聞），齊而㱇（守）

---

❶ 陳奐說：「《傳》以鳲鳩之養子平均，興君子用心之壹。」見《詩毛氏傳疏》，頁 356。

❶ 參見阮元《經籍纂詁》，頁 912。

❶ 參見荊門市博物館編《郭店楚墓竹簡》（北京：文物出版社，1998 年 5 月），前言。

❶ 我根據《十三經注疏》本。

之；多志，齊而新（親）之；精智（知），逹（略）而行之。〈寺
（詩）〉員（云）：『雪（淑）人君子，其義（儀）弋（一）也。』〈君
迪（陳）〉員（云）：『出内（入）自爾帀（師），于（虞），庶言
同。』」（《郭店楚墓竹簡》）⓲

今本和楚簡本的內容有些出入，即今本有兩處「子曰」，楚簡本沒有前面「子曰」
的內容；今本〈君陳〉的引文在前、引詩在後，楚簡本則引詩在前。還有一些文字
上的差異，但兩者的內容大致相同，因此我主要根據今本進行分析。《禮記》的
〈表記〉和〈緇衣〉篇的大部分文章結構是先有「子曰」之文、後有引用文。這種
以「子曰」起言，來表達思想內容的寫作方式，意圖顯然是希望依托儒家聖人（傳
統說法主要以爲是孔子，但大部分可能是後人的依托），再加上引用《書》、
《詩》的內容，以證明作者的思想內容與《書》、《詩》的精神內涵相合。在儒家
傳統裏比較多的出現這種寫作方式，是對戰國以來逐漸形成儒家學說在漢初能夠確
立「獨尊」地位有一定的影響作用的。

　　在〈緇衣〉篇的這段文章裏，由「子曰」開啓的兩則言論都說臣下或君子在
言行舉止要「正」、「信」有「類」，君子「多問」、「多志」、「精知」的同
時，還要能質略而守行（鄭玄注「質猶少也」）。君子的這種謹愼行事的形象，是
在〈君陳〉篇的引文「政令經過眾人的度慮，眾人同意後才施行」的內容裏表現出
來的。在這樣的文章脈絡中，引用的詩句「淑人君子，其儀一也」代表著君子的行
爲謹愼的意思。「一」字雖然與謹愼的意思毫無關聯，但在這種文章脈絡中即得到
了這個意思。

　　同樣的詩句引用於郭店楚簡和馬王堆的〈五行篇〉。馬王堆的〈五行篇〉發
掘於一九七三年十二月，湖南長沙馬王堆第三號漢墓，是《老子》甲本卷後四種古
佚書中之一。郭店楚簡本的文字和馬王堆本的經部大體相同，⓳但馬王堆本還有經
文解說的內容。在此，一起舉出引用〈鳲鳩〉篇詩句的一段文章：

⓲　見荊門市博物館編：《郭店楚墓竹簡》，頁 130-131。
⓳　參見荊門市博物館編：《郭店楚墓竹簡》，頁 149。

「雯（淑）人君子，其義（儀）罷（一）也。」能爲罷（一），朕（然）句（後）能爲君子，慇（愼）其蜀（獨）也。（《郭店楚墓竹簡》）

【經】尸（鳲）（鳩）在桑，其子七氏（兮）。叔（淑）人君子，其宜一氏（兮）。能爲一然笱（後）能爲君子，君子愼其獨〔也〕。……【説】尸（鳲）鳩在桑，直之。其子七也，尸（鳲）（鳩）二子耳，曰七也，與〈興〉言也。□□□其□□□□□人者□□者義也。『〔淑人君子〕，其〔儀一兮〕，〔淑〕人者□，〔儀〕者義也。』言其所以行之義之一心也。能爲一然笱（後）能爲君子，能爲一者，言能以多〔爲一〕；以多爲一也者，言能以夫〔五〕爲一也。君子愼其蜀（獨），君子愼其蜀（獨）也者，言舍夫五而愼其心之胃（謂）□。□『〔也〕。〔獨〕』然笱（後）一，一也者，夫五夫爲□心也，然笱（後）德（得）之。一也，乃德已。德猶天也，天乃德已。（據《馬王堆漢墓帛書壹》，文物出版杜，1980 年 3 月第一版）*凡例：異體字、假借字加（）標誌，錯字用〈〉表示，缺字用□代替，補文以〔〕標出。

郭店楚簡本引詩兩句「淑人君子，其儀一兮，」馬王堆本則與前兩句一起引用。今本《詩經》和馬王堆本「其儀一兮」的「一」字，郭店楚簡本寫「罷」字，則此字當讀爲「一」字。經文部分的主要論題是「爲一」。君子之所以爲君子在於能爲一，能爲一須要「愼獨」。在解說之文裏說，能爲一是能以多爲一，即能以五爲一。君子愼獨是捨五而愼其心之謂。這裏「五」指「五行」，即仁、義、禮、智、聖。[20]又說「一」指「德」，這「德」是與天相應之德，所以「爲一」意味德的實現或天道的實現。這德的實現或天道的實現可由「愼獨」的工夫得到。「愼獨」的工夫則捨棄五行而謹愼於自己的內心。可見在這文章脈絡中引詩句「其宜（儀）一氏（兮）」中「一」字代表從「愼獨」的工夫中得到的一種德。

[20] 參見傅舉有、陳松長〈馬王堆漢墓文物綜述〉，在《馬王堆漢墓文物》（長沙：湖南出版社），頁 11；和龐樸《帛書五行篇研究》（濟南：齊魯書社，1980 年 7 月）注説「仁義禮智信」，頁 53。

　　《荀子・勸學》篇也引用了同樣的詩句。在儒家傳統裏「學」是非常重要的問題。孔子認爲學的目的不但是修養自己，**❷❶**而且是傳達文化遺產。**❷❷**孔子強調發憤學習的重要性，**❷❸**但勸戒不要刻意求祿。**❷❹**對孔子來說學習是人生愉悅的來源。**❷❺**《荀子・勸學》篇以「學不可已」句開始。不可間斷地學習需要學習者有堅定的目標和積累的努力。學的成敗賴於學習者是否具備這兩者。《勸學》篇說：

　　　積土成山，風雨興焉；積水成淵，蛟龍生焉；積善成德，而神明自得，聖
　　　心備焉。故不積蹞步，無以致千里；不積小流，無以成江海。騏驥一躍，
　　　不能十步；駑馬十駕，功在不捨。鍥而捨之，朽木不折；鍥而不捨，金石
　　　可鏤。螾無爪牙之利，筋骨之強，上食埃土，下飲黃泉，用心一也。蟹六
　　　跪而二螯，非虵蟺之穴，無可寄託者，用心躁也。是故無冥冥之志者無
　　　昭昭之明；無惛惛之事者無赫赫之功。行衢道者不至，事兩君者不容。目
　　　不能兩視而明，耳不能兩聽而聰。螣蛇無足而飛，梧鼠五技而窮。詩曰：
　　　「尸鳩在桑，其子七兮。淑人君子，其儀一兮。其儀一兮，心如結兮。」
　　　故君子結於一也。

在這段文章裏，前面部分「積土成山」、「積水成淵」、「積善成德」、「不積蹞步，無以致千里」、「不積小流，無以成江海」等的語言給人造成一個「不懈努力」的意象；中間部分的表現如「騏驥一躍……」、「鍥而捨之……」、「螾無爪牙之利，筋骨之強……」、「蟹六跪而二螯……」等的語言都含有在好壞任何條件下需要「堅定的目標」的比喻意象；後面部分的表現如「行衢道者不至，事兩君者不容」、「目不能兩視而明，耳不能兩聽而聰」、「螣蛇無足而飛，梧鼠五技而

---

❷❶　《論語・憲問》：子曰：「古之學者爲己，今之學者爲人。」

❷❷　《論語・八佾》：子曰：「周監于二代，鬱鬱乎文哉！吾從周！」

❷❸　《論語・述而》：子曰：「不憤不啓，不悱不發。舉一隅不以三隅反，則不復也。」

❷❹　《論語・爲政》：子張學干祿。子曰：「多聞闕疑，慎言其餘，則寡尤；多見闕殆，慎行其
　　　餘，則寡悔。言寡尤，行寡悔，祿在其中矣。」

❷❺　《論語・學而》：子曰：「學而時習之，不亦說乎！……」

窮」等語言給人需要「專心」的意象。荀子大抵把當時流行的格言式的相關意象的表現臚列出來，或許加點修飾，並在每段後面給出終結性質的結語如「聖心備焉」、「用心一也」、「用心躁也」、「君子結於一也。」從這些結語中可以看出這段文章的主旨是「心一」、「不懈努力」和「堅定的目標」如果沒有「心一」即「堅定的心」很難達到其成效的。

　　其後，荀況引用了〈鳲鳩〉第一章的全文：「尸鳩在桑，其子七兮。淑人君子，其儀一兮。其儀一兮，心如結兮。」依《毛傳》的注解，鳲鳩餵養幼子時「朝從上下，莫從下上」平分如一的習性以起興君子「執義一，則用心固」的形象，強調君子執義不變、用心堅固的性格。在《荀子》的引文裏強調的也是堅定的心，可見「一」字的堅定的用義與《毛傳》的「執義不變」之義相侔。但「結」字的用法與《毛傳》的名詞的用法不一樣，理解爲連結意義的動詞即「君子結於一也。」由此，我們可以看到詩句離開了原詩，而置於另一文章脈絡中，意義是會變的。因爲詩句引用於哲學文章裏，句中的字義和字的用法往往變而具有特殊含義。荀子雖然借詩句傳達與其詩句的原義不同的內容，但把詩句放在文章的末尾，借用其詩句本身具有的權威而提高自己論點的可信性，以達到自己傳達的哲學內容與《詩》的精神內涵互相融會的效果。引詩者的這種斷章取義的詩句解釋，一方而給詩篇廣開了多種理解的可能性；而更主要的是在儒家的傳統裏，既使先秦儒家的哲學內容與《詩》的傳統通過反復的引詩過程逐漸互相融合，《詩》的權威性日益提高，又逐漸形成儒家解詩的傳統。

　　《淮南子‧詮言》的一段文章也引用了〈鳲鳩〉的同樣詩句：

> 賈多端則貧，工多技則窮，心不一也。故木之大者害其條，水之大者害其深。有智而無術，雖鑽之不通；有百技而無一道，雖得之弗能守。故《詩》曰：「淑人君子，其儀一也；其儀一也，心如結也。」君子其結于一乎？

這段文章包含三種概念如「心一」、「術」、「道」。第一種概念「心一」就是做任何事情要專心於某一種，別分心於其他事情。第二種概念「術」強調，如果沒有

適當的術（方法），雖然有智慧也很難達到透徹的了解。第三種概念「道」說，雖然具有百種技術，如果沒有體認到貫通其中的道理，則很難長期維持這些技術。這三種概念與引用詩句中的「一」字相應，就是強調君子做事要具備「心一」、「術」、「道」等的能力。「術」和「道」是法家和道家的重要概念的術語，在這裏與引用詩句結合，造成儒、道、法融會在一起的現象，反映著漢初各家思想融合的趨勢。最後的結語「君子其結于一乎」與《荀子》引文的結語「故君子結於一也」相似，說明《淮南子》的引詩方式與《荀子》的引詩有一定的聯繫。

《韓詩外傳》也引用了〈鳲鳩〉的同樣詩句：

> 凡治氣養心之術，莫徑由禮，莫優得師，莫慎一好。好一則摶，摶則精，精則神，神則化。是以君子務結心乎一也。詩曰：「淑人君子，其儀一兮，其儀一兮，心如結兮。」（卷二）

《韓詩外傳》的這段文章是把《荀子‧修身》篇「凡治氣養心之術，莫徑由禮，莫要得師，莫神一好。夫是之謂治氣養心之術也」的內容稍加發揮而成的。《荀子》所謂治氣養心的方法有三種門徑，就是「禮」、「師」、「一好」。《韓詩外傳》把「一好」即「愛好專一」的具體工夫分幾個階段來說明，「好一而專」，[26]逐漸達到精、神、化的境界，但這一切工夫須要有「結心乎一」即「專心」的基本條件。在這文章脈絡中，由詩句「其儀一兮，心如結兮」引申出君子能專心專一的意義來。

從以上五則引詩例子的分析中，我們可以發現同樣的詩句在不同文章裏引申出的意義各不一樣。在引用詩句中「其儀一兮」是產生不同引申意義的關鍵之句，尤其句中「一」字本身具有不確定性，在先秦、兩漢時期其所指代的意義非常廣泛，不僅代表「數之始」的意義，並且代表各種基本哲學概念如「忠」、「恕」、「仁」、「無」、「道」、「專」等，所以藉此傳達引詩者想賦予的各種不同意

---

[26] 魏達純以爲「摶」通爲「專」，見《韓詩外傳譯注》（長春：東北師範大學出版社，1993 年 5 月），頁 69。

義。五處引詩分別發揮「一」字一個方面的意義，如：《禮記》的「行爲謹慎」；
〈五行篇〉的「從愼獨的工夫中得到的一種德」；《荀子》「君子結於一也」的
「堅定的心」；《淮南子》「君子結於一乎」的「一」字相應於「心一」、
「術」、「道」；《韓詩外傳》「君子務結心乎一」的「專心」。由此可見，由於
引詩者的目的不同從同樣的詩句中導出不同的引申意義。這些引申意義與詩的本意
「君子外表行爲的完善無瑕」已不同。其原因主要由於對一些字義如「一」、
「心」、「結」、「儀」的理解有所變化，而引申不同意義；還有由於因爲引用詩
句置於不同文章脈絡中，而產生不同引申意義。

　　〈鳲鳩〉篇的同樣詩句在不同典籍裏引用時產生了個別不同引申意義。那
麼，引詩者爲何引用這些詩句呢？這大抵是因爲《詩》在儒家傳統裏經歷了神聖化
的過程，由此一般人認爲《詩》具有了一定的權威。反過來說，同樣詩句的反覆引
用可能增加了《詩》本身的權威。這引用詩句在產生各種可能意義的同時，維持著
君子理想人格的形象，但這形象隨著不同文章內容產生了變化，也就是說隨著引詩
的目的和引詩者的理解不同而產生了變化。因此，我們可以說引詩者們反覆引用
〈鳲鳩〉篇的同樣詩句，鼓吹《詩》的權威性，但同時醞釀出各種新的意義。引詩
者的這種引申義不受到詩本意的制約，隨著引詩者的目的自由地產生出新的意義。
毛詩的解詩很大程度上受到這種引詩者解詩的方式，如《詩序》把「一」理解爲
「壹」，與《傳》「執義一，則用心固」之義相應，是取「一」字的一個意義，所
以其解詩往往與詩本意有一定的距離。

三、關於引釋《周南・卷耳》
「嗟我懷人，寘彼周行」

　　〈卷耳〉的「嗟我懷人，寘彼周行」之句在原詩裏的意義和《毛傳》的理解
有明顯的不同，對同一詩句產生不同理解的原因是由於對「周行」的解釋不同。先
看原詩裏的意義。〈卷耳〉篇的原文是：

　　　采采卷耳，不盈頃筐。嗟我懷人，寘彼周行。

陟彼崔嵬，我馬虺隤。我姑酌彼金罍，維以不永懷。

陟彼高岡，我馬玄黃。我姑酌彼兕觥，維以不永傷。

陟彼砠矣，我馬瘏矣，我僕痡矣，云何吁矣！

這是一首令人難以做整體性把握的詩。這是因為說話者是男還是女不易確定。如果是女性，似乎是說思念在外的丈夫的心情。但這種理解的弱點是在於難以說明周代社會有一定身份的婦女（看其有金罍、兕觥、騎馬、帶僕）飲酒的行為，所以余冠英先生以為第二章以下是婦女對想象中事情的描寫。❷如此理解的話，第一章的「我」和第二章以下的「我」為不同的人來看待，所以第一章的解釋，是婦人采卷耳，久而仍然不滿淺筐，嗟然因我懷念人，把淺筐放置於周國的道旁。這樣的理解會造成全詩意義的斷裂，因此這個角度不合適。如果是男性的話，第一是想象中的事情，第二章以下是「自述思家之情。」❷出於對詩歌連貫性的考慮，後者的理解方式較為合理。每章都有「我」字，應該以同一個人來看待，則第一章的理解是婦人采卷耳，久而仍然不滿淺筐，嗟然我懷念的人（婦人），（她因懷念我）把淺筐放置於周國的道旁。

　　毛詩是以女的在說話的方式理解這首詩。《詩序》以為這首詩是「后妃之志也。又當輔佐君子，求賢審官，知臣下之勤勞，內有進賢之志，而無險詖私謁之心，朝夕思念，至於憂勤也。」后妃之志在於輔佐君子，求賢審官似乎是針對第一章而言的，《毛傳》「思君子，官賢人，置周之列位」的注解正符合《序》的內容。《傳》把「周行」解為「周之列位。」在《詩經》詩篇裏，「周行」出現兩次，如「人之好我，示我周行」（〈鹿鳴〉）和「佻佻公子，行彼周行」（〈大

---

❷ 余冠英先生說：「她在采卷耳的時候想起了遠行的丈夫，幻想他在上山了，過岡了，馬病了，人疲了，又幻想他在飲酒自寬。」見《詩經選》（北京：人民文學出版社，1956 年 1 月），頁 8。

❷ 屈萬里先生說：「首章述家人思己之苦；二、三、四章，則行役者自述思家之情也。」見《詩經釋義》（臺北：中國文化大學出版部，1980 年 9 月），頁 28；高亨先生也有類似的看法，說：「作者似乎是個在外服役的小官吏，敍寫他坐著車子，走著艱阻的山路，懷念著家中的妻子。」見《詩經今注》（上海：上海古籍出版社，1980 年 10 月），頁 5。

東〉）。〈鹿鳴〉的「周行」是周之道，即「周朝的制度禮義」㉙的意思。〈大東〉篇的「周行」是周國的道路的意思。可見《詩經》時代「周行」除了有「周國的道路」的本意以外，還有周之道，即「周朝的制度禮義」的引申義。

　　《詩經》詩篇裏的「周道」也與「周行」的用法相似。「周道」的用例如：「顧瞻周道，中心怛兮」（〈匪風〉）；「四牡騑騑，周道倭遲」（〈四牡〉）；「踧踧周道，鞠爲茂草」（〈小弁〉）；「周道如砥，其直如矢」（〈大東〉）；「有棧之車，行彼周道」（〈何草不黃〉）。「周道」的這些例子無疑都有周國的道路的意思。但《毛傳》的解釋除了〈何草不黃〉篇的例子無注以外，都用引申義來理解：如「顧瞻周道，中心怛兮」《傳》注：「下國之亂，周道滅也」（《箋》注：「周道，周之政令也」）；「四牡騑騑，周道倭遲」《傳》注：「周道，岐周之道也。倭遲，歷遠之貌。文王率諸侯，撫叛國，而朝聘乎紂，故周公作樂，以歌文王之道，爲後世法」；「踧踧周道，鞠爲茂草」《傳》注：「周道，周室之通道」；「周道如砥，其百如矢」《傳》注：「如砥，貢賦平均也。如矢，賞罰不偏也。」可見「周道」的引申義有周之政令、周文王之道、周室之通道、周朝貢賦平均的政治之道等。《毛傳》把原以爲「周國道路」的「周道」引申爲抽象概念的周國的政治之道。《傳》的這種解釋傾向可以從三個方面去說明：一是「道」字在先秦時期無論儒家、道家都用做說明人生哲理或自然原理的基本概念，這種「道」概念的認識給注解者有一定的影響；二是漢初儒家通過儒家經典的注釋來實現政治理想，而周朝的政治之道就是他們所追求的理想政治，因此注詩者把「周道」引申爲周國政治之道；三是《毛傳》的注解者從先秦及漢初的引詩中受到啓發，或直接繼承與發揮了前人的思路。

　　「實彼周行」的「周行」既有周國之道路的意思，也與「周道」的引申義一樣有周國政治之道的意思，還有周國的列位之義。毛詩對「周行」採取的周國列位的意思，其解釋的淵源來自於《左傳》襄公十五年的引詩記載：

　　　楚公子午爲令尹，公子罷戎爲右尹，蒍子馮爲大司馬，公子橐師爲右司

㉙　見高亨《詩經今注》，頁218。

馬，公子成爲左司馬，屈到爲莫敖，公子追舒爲箴尹，屈蕩爲連尹，養由基爲宮厩尹，以靖國人。君子謂楚於是乎能官人。官人，國之急也。能官人，則民無覦心。《詩》云：「嗟我懷人，寘彼周行」，能官人也。王及公、侯、伯、子、男，甸、采、衛大夫，各居其列，所謂周行也。

這段文章強調「官人」的重要性。國家要事在於官人，能把適當的人置於適當的官位，則老百姓無生覦覦之心。並引詩「嗟我懷人，寘彼周行」以說明「能官人」的作用。這詩句在原詩裏是女人懷念家人而把淺筐放置於周國的道旁的意思，但在這裏因爲「行」字可訓爲「行列」的「行」，所以在引文裏正好用於周國的列位之義。《左傳》的這樣斷章取義的引詩，顯然把女人懷念心情的本意引申到國家大事上去了。《毛傳》「思君子，官賢人，置周之列位」的注解直接吸取了《左傳》的這段引詩義。

《荀子·解蔽》有關論述心的功能的一段文章也引了〈卷耳〉的第一章，其文如：

心者，形之君也，而神明之主也，出令而無所受令。自禁也，自使也，自奪也，自取也，自行也，自止也。故口可劫而使墨云，形可劫而使詘申，心不可劫而使易意，是之則受，非之則辭。故曰：心容其擇也，無禁必自見，其物也雜博，其情之至也不貳。《詩》云：「采采卷耳，不盈頃筐。嗟我懷人，寘彼周行。」頃筐易滿也，卷耳易得也，然而不可以貳周行。故曰：心枝則無知，傾則不精，貳則疑惑。以贊稽之，萬物可兼知也。

心能支配形和神明，人的一切行爲如令、禁、使、奪、取、行、止都由心而出，對是非的判定是心的認識功能，不會由外力奪取而改易其意，心有「無禁」的選擇認識功能，也有「自見」雜博的物象的認識功能，所以認識功能達到極點的時候，心集中而不分散（不貳）。從引詩「采采卷耳，不盈頃筐。嗟我懷人，寘彼周行」之句中，荀子選取采卷耳者不專心於采草，而分心於周國的列位（貳周行）的意思。荀子雖然對所引詩句的理解與《左傳》相同，但從詩句中提取了另一種意義：即采

卷耳者因爲分心於把適當人才安置在周國的列位，而不易采滿淺筐。荀子繼承了儒家（《左傳》）的解詩傳統，更強調了不易采滿淺筐的原因是采草者分心於置賢人在周國列位的事情（在原詩裏其原因是采草者懷念愛人）。荀子這樣引用詩義，雖然與詩的本意不盡吻合，但他在儒家傳統裏找到解釋的來源，並給詩句賦予了新的涵義，使之爲自己的文章脈絡服務。

　　《淮南子‧俶眞》也引用了〈卷耳〉的第一章。這段文章是關於說明聖人之性和命的關係的內容，其文如：

> 古之聖人，其和愉寧靜，性也。其志得道行，命也。是故性遭命而後能行，命得性而後能明。烏號之弓，谿子之弩，不能弦而射，越舲蜀艇，不能無水而浮。今繒繳機而在上，罔罟張而在下，雖欲翱翔，其勢焉得？故《詩》云：「采采卷耳，不盈傾筐。嗟我懷人，寘彼周行。」以言慕遠世也。

和、愉、寧、靜是聖人之性的特色。聖人之志與道在社會上實現與否是他的命。弓和艇各有性，弦和水是決定命運的因素。鳥的翱翔是天性，欲向天空飛騰是鳥的志和道的實現，繒繳和罔罟是捉弄命運的障礙。聖人之志和道像鳥飛翔天空時不受繒繳和罔罟的制約才能得成一樣，祇有遭天命才能實現。引詩「采采卷耳，不盈傾筐。嗟我懷人，寘彼周行」之句，說「以言慕遠世也，」意思是羨慕古代聖人統治、賢人能在周國列位的時候。這裏引詩義不符合詩的本義，但有受到《左傳》或《荀子》引詩的解釋內容的影響，並強調聖人統治之下賢人能在周國列位的和平安定環境的跡象。[30]可見《荀子》和《淮南子》都承襲《左傳》引詩解釋的內容，但又在各自不同的文章脈絡中強調不同的引申內容。在這意義上，引詩一面有維持傳

---

[30]　高誘注：「言采采易得之菜，不滿易盈之器，以言君子爲國，執心不精，不能以成其道。采易得之菜，不能盈易滿之器也。『嗟我懷人，寘彼周行，』言我思古君子官賢人，置之列位也。誠古之賢人，各得其行列，故曰慕遠也。」見高誘注《淮南子》，在《諸子集成》第十冊（石家莊：河北人民出版社，1992年4月），頁33。

統內涵的作用，一面有擴大傳統內容或產生新的傳統的作用。

　　以上我們分析了引用〈卷耳〉約三個例子。在《左傳》的引文裏，詩句「嗟我懷人，寘彼周行」被理解成官人於周國列位的意思，這是對「寘彼周行」之句的新的解釋。《荀子》的引文雖然對詩句的理解繼承了《左傳》的解釋方式，但在引文中強調的是采草者分心於置賢人在周國列位的意思。《淮南子》的引文對詩句的理解與《左傳》和《荀子》相似，但所採取的意思是聖人統治之下賢人能在周國列位。可見《左傳》開創的對引用詩句的理解方式對其後引時有直接的影響，但這些後來的引詩由於各自文章脈絡的原因，所採取的引詩義也並不相同。由於詩句本身具有一定的權威，所以後來學者不斷引用它，但這些詩句隨著學者的不同需要帶有變化詩義的可能性。

　　《毛傳》「思君子，官賢人，置周之列位」的注解是《左傳》引詩義的直接繼承。《詩序》的內容是「后妃之志也。又當輔佐君子，求賢審官，如臣下之勤勞，內有進賢之志，而無險詖私謁之心，朝夕思念，至於憂勤也。」在《周南》的解釋系統裏后妃是指文王之妃，《淮南子》中認爲聖人統治下的和平安定的跡象莫不下於文王治世的時期；「求賢審官」是《左傳》引詩義的內容；「無險詖私謁之心」又與《荀子》引詩義「分心」的內容有關。可見〈卷耳〉篇的《傳》和《序》的注解內容與先秦漢初引詩義有直接或間接的傳承關係。這可說是引詩義給毛詩解釋以直接影響的好例子。

四、關於引釋《小雅·北山》
「溥天之下，莫非王土。率土之濱，莫非王臣。」

　　《小雅·北山》篇的「溥天之下，莫非王土。率土之濱，莫非王臣」（以下引詩皆溥爲普）之句是像一則格言，[31]在王政統治的至高無上的權利觀念下這些詩句所表現的意義正代表此時代的意識形態。因爲這些詩句意味著絕對王權的形象，所以常被封建政治或專制政治之下的哲學家們引用，來維護統治者權利的不可侵犯

---

[31]　See Arthur Waley, *The Book of Songs*, London, George Allen and Unwin, 1937, Third impression, 1969, p.320.

性或絕對性。先看一下《左傳》昭公七年的引詩內容：

> 楚子之爲令尹也，爲王旌以田。芊尹無宇斷之，曰：「一國兩君，其誰堪
> 之？」及即位，爲章華之宮，納亡人以實之。無宇之闍入焉。無宇執之，
> 有司弗與，曰：「執人於王宮，其罪大矣。」執而謁諸王。王將飲酒，無
> 宇辭曰：「天子經略，諸侯正封，古之制也。封略之內，何非君土？食土
> 之毛，誰非君臣？故《詩》曰：『普天之下，莫非王土；率土之濱，莫非
> 王臣。』天有十日，人有十等。下所以事上，上所以共神也。故王臣公，
> 公臣大夫，大夫臣士，士臣皁，皁臣輿，輿臣隸，隸臣僚，僚臣僕，僕臣
> 臺。馬有圉，牛有牧，以待百事。今有司曰：『女胡執人於王宮？』將焉
> 執之？周文王之法曰：『有亡，荒閱』，所以得天下也。吾先君文王作僕
> 區之法，曰：『盜所隱器，與盜同罪』，所以封汝也。若從有司，是無所
> 執逃臣也。逃而舍之，是無陪臺也。王事無乃闕乎？昔武王數紂之罪以告
> 諸侯曰：『紂爲天下逋逃主，萃淵藪。』故夫致死焉。君王始求諸侯而則
> 紂，無乃不可乎？若以二文之法取之，盜有所在矣。」王曰：「取而臣以
> 往。盜有寵，未可得也。」遂赦之。

無宇之闍人有罪而逃入於章華之宮，無宇抓到他時，章華之宮的官員（有司）說
「執人於王宮，其罪大矣，」並逮捕無宇帶到楚王前，無宇向楚王辯論說，雖然楚
國封略之內的土、臣都可屬於君王，像《詩》曰：「普天之下，莫非王土；率土之
濱，莫非王臣」一樣，但人有十種等級，即王、公、大夫、士、皁、輿、隸、僚、
僕、臺，每個等級又都有屬於自己身份的事，所以待備百事。當今有逃亡之臣而不
能捉拿他，意味著缺少陪臺㉜身份的人，也是缺乏王事的。以此主張應該捉拿逃亡
于章華之宮的闍人。在無宇的論辯當中，引詩的作用無疑是用詩句中維護絕對王權

㉜　余正燮《癸巳類稿‧僕臣臺義》云：「……謂之臺者，罪人爲奴；又逃亡復獲之，則爲陪
　　臺。」見楊伯峻編著《春秋左傳注》（高雄：復文圖書出版社，1991 年 9 月再版），頁
　　1284。

的意義來奉勸楚王的。詩句內容切合主題和詩本身的權威都有益於達到引詩的目的。《詩經》詩句當中像「普天之下，莫非王土；率土之濱，莫非王臣」之類格言般的內容，屢屢被其他典籍引用，也使《詩》逐漸確立儒家經典的地位。

在《孟子·萬章上》裏，咸丘蒙跟孟子爭論「君是否臣盛德之士和其父」的命題時，引用了同樣的詩句：

> 咸丘蒙問曰：「語云：『盛德之士，君不得而臣，父不得而子。舜南面而立，堯帥諸侯北面而朝之，瞽瞍亦北面而朝之；舜見瞽瞍，其容有蹙。』孔子曰：『於斯時也，天下殆哉岌岌乎！』不識此語誠然乎哉？」孟子曰：「否。此非君子之言，齊東野人之語也。堯老而舜攝也。〈堯典〉曰：『二十有八載，放勳乃徂落；百姓如喪考妣，三年，四海遏密八音。』孔子曰：『天無二日，民無二王。』舜既為天子矣，又帥天下諸侯以為堯三年喪，是二天子矣！」咸丘蒙曰：「舜之不臣堯，則吾既得聞命矣。詩云：『普天之下，莫非王土；率土之濱，莫非王臣。』而舜既為天子矣，敢問瞽瞍之非臣如何？」曰：「是詩也，非是之謂也，勞於王事而不得養父母也。曰：『此莫非王事，我獨賢勞也。』故說詩者，不以文害辭，不以辭害志，以意逆志，是為得之。如以辭而已矣，〈雲漢〉之詩曰：『周餘黎民，靡有孑遺。』信斯言也，是周無遺民也。」

咸丘蒙引用俗語提出的命題「盛德之士，君不得而臣，父不得而子」是戰國、秦、漢時期爭論不休的內容，其本質是君王權利的制定或制約的問題。該命題在逐漸鞏固君權利並最終在秦漢統一後建立專制王權國家的過程當中是不可迴避的。堯讓位於舜之後，舜對堯和他的父親瞽瞍該不該以臣下之禮對待呢？為此咸丘蒙向孟子問難，依詩句所說「普天之下，莫非王土；率土之濱，莫非王臣」的內容，舜應將瞽瞍待為臣民，但卻不然，這不是違背引詩義的內容嗎？咸丘蒙是以引詩的斷章取義的方式來問的，孟子卻用全詩的本義來回答，以為咸丘蒙對詩句的理解是錯的，原詩是「陟彼北山，言采其杞。偕偕士子，朝夕從事。王事靡盬，憂我父母。溥天之下，莫非王土，率土之濱，莫非王臣。大夫不均，我從事獨賢。」詩義是「勞於

工事而不得養父母也。」國土內的臣民都對王事有平等的責任，而獨我勞累。孟子
認爲在原詩裏的詩句「率土之濱，莫非王臣」有國土內的臣民都對王事負有平等的
責任的意思，並不是咸丘蒙的理解那樣國土內的人們都作爲臣下的字面意思。㉝因
此提出有名的「不以文害辭，不以辭害志，以意逆志」的讀詩方法，意思是「不能
以個別文字影響對詞句的了解，也不能以個別詞句影響對原詩本意的認識」，應當
「用自己對詩意的準確理解，去推求作者的本意。」㉞孟子用詩的本意來反駁咸丘
蒙斷章取義的引詩解釋，大抵對當時引詩者對詩義的曲解提出的一種制約和批評。
但孟子在其他引詩例子中也常常作了斷章取義式的理解，是反映受到時代風氣影
響，或是過於重視「以意逆志」的「意」即讀者主觀意識的成分。㉟

　　咸丘蒙的問題「舜既爲天子矣，敢問瞽瞍之非臣如何？」是在問政治的
「權」和人倫的「孝」何者爲重要。咸丘蒙引用詩句的字面內容，明明是天下人人
皆爲王的臣民。儘管從這句詩的字面內容和當時《詩》本身代表的權威性來看，咸
丘蒙的引詩具有一定的說服力，但孟子採用以詩的本意否定引詩義的方式，則駁倒
了「斷章取義」的理解。在君王統治的古代政治社會裏，引詩者常引用「溥天之
下，莫非王土，率土之濱，莫非王臣」的詩句來維護統治之權，而這句詩逐成爲人
們共識的格言。

　　《荀子‧君子》一段有關描寫天子形象的文章裏引用了同樣的詩句：

　　　天子無妻，告人無匹也。四海之內無客禮，告無適也。足能行，待相者然
　　後進；口能言，待官人然後詔。不視而見，不聽而聰，不言而信，不慮而
　　知，不動而功，告至備也。天子也者，埶至重，形至佚，心至愈，志無所

㉝ 《北山》的《詩序》是「役使不均，已勞於從事，而不得養其父母焉。」《毛傳》的注：
「賢，勞也。」這都是吸取了《孟子》說詩的內容。

㉞ 見張少康、劉三富《中國文學理論批評發展史》（北京：北京大學出版社，1995 年 6 月），
頁 43。

㉟ 有關《孟子》詩論的探討，參閱張少康、劉三富《中國文學理論批評發展史》，頁 39-48，和
糜文開、裴普賢《詩經欣賞與研究㈡》（臺北：三民書局，1979 年 2 月修正再版），頁 389-
422。

訕，形無所勞，尊無上矣。《詩》曰：「普天之下，莫非王土。率土之
濱，莫非王臣。」此之謂也。

天子不娶人爲妻，因爲無人能作爲他的匹配；四海之內對任何人不做客禮，因爲沒
有人當得起天子的客禮。天子所執的權威至高重大，所居之位也無人高出其上。詩
句「普天之下，莫非王土。率土之濱，莫非王臣」正好說明天子這種至高無上的形
象。

　　《呂氏春秋‧愼人》一段有關舜之賢的文章引用了同樣的詩句：

　　舜之耕漁，其賢不肖與爲天子同。其未遇時也，以其徒屬，堀地財，取水
　　利，編蒲葦，結罘網，手足胼胝不居，然後免於凍餒之患。其遇時也，登
　　爲天子，賢士歸之，萬民譽之，丈夫女子，振振殷殷，無不戴說。舜自爲
　　詩曰，「普天之下，莫非王土。率土之濱，莫非王臣。」所以見盡有之
　　也。盡有之，賢非加也，盡無之，賢非損也，時使然也。

舜未遇時，雖在野耕漁，但他以自己的賢能影響於「不肖」之人，與他作天子的時
候是一樣的；其遇時，作爲天子，賢士萬民歸向而稱譽之。舜的賢能不愧於當天
子，舜自己作詩說：「普天之下，莫非王土。率土之濱，莫非王臣。」天下地上無
物不屬於天子。當天子是遇到適當時期所使然，與他的賢能無關。《呂氏春秋》的
作者呂不韋把詩句的作者歸於傳說中的理想聖君，是意味著當時人一般將這句詩的
內容視爲普遍眞理。荀子在《儒效篇》認爲《詩》之所言是聖人之志，呂不韋更具
體地把某些詩的作者歸於儒家聖人。這種把《詩》的內容當作普遍眞理的觀念，漢
初毛詩形成的過程中，在《毛傳》和《詩序》的內容裏或多或少地反映著。

　　與第二、三節所談到的引詩例子一樣，從上四則引自〈北山〉篇的詩句，在
文章脈絡中也都具有一定的權威性。但由於「普天之下，莫非王土。率土之濱，莫
非王臣」一句突出了統治者的絕對權利，在當時君王統治的社會裏就更容易作爲鼓
吹或維護統治之權的口號，而逐漸成爲人們共識的格言。所以對於〈北山〉，引詩
者所採取的大抵都是字面意義，這與前面所談〈鳲鳩〉和〈卷耳〉的每個例子在新

的文章脈絡中引用詩意有所變化的情況不同。《詩》句中像〈北山〉「普天之下，莫非王土。率土之濱，莫非王臣」有格言性的內容的一類，常被後人引用，這對提高《詩》的權威性和使《詩》經典化都有一定的作用。漢初《詩》注之一的《毛傳》應該得力於這種引詩過程中所建立的《詩》的權威和經典地位，而其注解內容的基本框架是儒家學說。

五、結語

從春秋戰國至漢初之間的引詩方式和引詩內容，無疑直接地或間接地影響了漢初初步形成的毛氏詩說。前人有關引詩的研究成果主要是整理典籍裏的引詩條目，並與傳本《詩經》互相比較說明文字訓詁上的意義。我們的研究則在前人研究基礎上進一步分析了同樣的詩句在不同典籍的各種文章脈絡中以何方式來引用，並探究這些引用方式和內容跟毛詩解釋的方式和內容有何影響關係。

西方學者所提出的引用的三種主要作用是訴諸權威、顯示博學、修飾。引用一面具有這三種作用，一面帶有維持文化連續性的功能。換句話說，任何引用文都帶有傳統的成分。《詩經》的句子被引用的時候，置於跟原詩不同的文章脈絡中而具有意義發生變化的可能性，引詩者當然按自己的引詩目的自由地使用這種可能性。因爲詩句是在儒家傳統中逐漸經典化的《詩經》的作品，所以詩句本身具有一定的權威性。因此，同樣的詩句反覆地被引用，而其詩句隨著文章脈絡、引詩者的目的、對詩句理解的變化產生不同引詩義。

〈鳲鳩〉「淑人君子，其儀一兮。其儀一兮，心如結兮」之句表現理想人格的形象。這詩句中「一」字是先秦典籍裏不僅代表「數之始」的意義，並且代表各種基本哲學概念如「忠」、「恕」、「仁」、「無」、「道」、「專」等，因此引詩者可以從「一」字中引申出各種不同意義。引詩者爲了自己的引詩目的，把詩句從原詩中斷開來放在自己文章脈絡中，給詩句賦予符合各自引詩目的的不同意義。這引用詩句在產生各種可能意義的同時，保持著君子理想人格的形象，以起著維持文化連續性的作用。

〈卷耳〉「采采卷耳，不盈傾筐。嗟我懷人，寘彼周行」之句，在《左傳》裏把「寘彼周行」理解成官人於周國列位的意思。之後，《荀子》和《淮南子》都

沿襲著《左傳》的理解內容，儘管詩的原意該是「把淺筐放在周國的路旁。」但在引文中所採取的引詩義，也由於引時目的的不同而各異。《左傳》開創的對引用詩句的理解方式對其後引詩有直接的影響，所以被引詩句貫穿著的不是詩的本意，而是羨慕周王朝理想時期的內容。但這些後來的引詩由於各自文章脈絡的原因，所採取的引詩義也並不相同。由於詩句本身具有一定的權威，所以後來學者不斷引用它，但這些詩句隨著學者的不同需要帶有變化詩義的可能性。

〈北山〉「普天之下，莫非王土。率土之濱，莫非王臣」之句，本身反映著統治者絕對權利的意義，而當時君王統治社會的人們普遍接受這種涵意，而逐漸成為人們共識的格言，所以引詩者直接採取其字面意義，這又與〈鳲鳩〉和〈卷耳〉的引詩例子的意義在新的文章脈絡中有變的情況不同。這被引詩句所顯現的是君王的絕對統治權利的字面意義，這意義在從先秦到漢初逐漸形成而強化的大一統思想歷程當中，必定起著相當重要的作用。

引詩帶有維持文化連續性的功能，但引詩者給引詩句賦予各種不同引詩義，而引詩往往創造新的解釋傳統，就如在引詩中看到的〈卷耳〉篇所維持的並不是詩的本意，而是《左傳》引詩義所留傳下來的。在這意義上，引用不僅有維持文化連續性的功能，還有創造新文化傳統的功能。西方學者所提出的引用的基本作用的定義，通過分析中國《詩》的引用情況，應該稍作修正。

《毛傳》吸取了引詩所新創的解釋傳統，〈卷耳〉的引詩是一則典型的例子。〈鳲鳩〉的引詩不受詩本意的制約，隨著引詩者的目的自由地產生出新的意義。毛詩的解詩很大程度上受到引詩者這種解詩方式的影響，所以其解詩往往與詩本意有一定的距離。含有格言性內容的〈北山〉的引詩提高了《詩》的權威性和使《詩》更為經典化，漢初形成的毛氏解詩內容在儒家文化傳統中逐漸占據重要地位，與《詩》多有格言性句子有直接關係。

經 學 研 究 論 叢
第 七 輯　　頁145～174
臺灣學生書局　　1999 年 9 月

朱熹《詩經》學析論

蔡方鹿*

一、引言

　　朱熹平生治《詩經》，用力甚勤，既以義理解《詩》，體現了理學家詩學之時代特色；又廢棄《詩序》，超越舊說，直求《詩》文之本義，從一個側面體現出朱熹經學自身的特點。雖然朱熹治《詩經》花費精力甚多，而得力不如《語》、《孟》等「四書」爲多，但朱熹的《詩經》學在他的經學體系裡仍佔有重要位置，其特點在一定程度上亦體現爲其整個經學思想的特點。

　　朱熹《詩經》學以《詩經》及後人對《詩》的解說爲研究對象。所謂《詩經》即《詩》，是中國古代最早的一部詩歌總集。先秦時稱《詩》，編成於春秋時代。《莊子‧天運》篇把《詩》稱爲儒家「六經」之一，故稱《詩經》。相傳經孔子整理過，亦有人對孔子刪《詩》表示懷疑。《詩經》不僅具有重要的文學價值，同時也反映了當時的社會風貌、民間習俗、倫理觀念，以及反映了政治經濟生活和時代思想的一些情況。後世不少人通過對《詩經》的注解來闡發其文學、倫理、政治、哲學思想，並與其所處的時代相結合，反映了各自時代的思想面貌以及注解者本人的學術思想觀點。

　　西漢傳授《詩經》的今文詩學有魯詩、齊詩、韓詩三家，盛行於西漢，皆立有博士，魏晉後逐漸衰亡。南宋後，三家詩僅存《韓詩外傳》。除三家今文詩學

* 　蔡方鹿，四川省社會科學院哲學文化研究所研究員。

外，還有古文經學《毛詩》。《毛詩》相傳爲西漢初毛亨和毛萇大小毛公所傳，據稱其學出於子夏。《毛詩》不顯於西漢，而盛行於東漢，經鄭玄作《毛詩傳箋》，簡稱《鄭箋》，其傳更廣，魏晉後通行的《詩》就是《毛詩》。《毛詩傳》裡列在各詩之前，簡短介紹該篇主題的文字，稱爲小序；在首篇〈關雎〉的小序之後，有大段總論全書的文字，稱爲大序。兩序合稱爲《詩序》。關於《詩序》的作者，鄭玄《詩譜》以大序爲子夏作，小序爲子夏、毛公作。《後漢書‧儒林傳》認爲是衛宏作《詩序》。朱熹則認爲，「亦不是衛宏一手作，多是兩三手合成一序，愈說愈疏。」❶自毛詩盛行後，《詩經》學的流傳演變基本上受到《詩序》、《鄭箋》的主導。至唐孔穎達作《毛詩正義》，「因《鄭箋》爲《正義》，乃論歸一定，無復歧塗，……融貫群言，包羅古義，終唐之世，人無異詞。」❷這種情況隨宋學的興起而發生了變化，宋學學者如歐陽修、蘇轍、鄭樵等批評《毛傳》、《鄭箋》之失，認爲小序不可盡信。朱熹作《詩集傳》、《詩序辨說》，雖在訓詁等方面有所借用《毛傳》、《鄭箋》，間有三家詩義，然而在其詩經學指導思想上，則提出廢棄《詩序》，以《詩》說《詩》的思想，反對以《序》說《詩》；主張超越舊說，雖求本義，不僅對《詩序》的美刺說、「止乎禮義」說等提出批評，指出《詩》有部份淫奔之詩的內容，而且對孔子「思無邪」的詩說亦持有異議，目的在直求《詩》文之本義；朱熹從文學立場出發，重視《詩》的諷誦之功，強調「吟詠情性」，理會《詩》的賦、比、興表現手法；朱熹又以義理解《詩》，重視「二南」，主張通過諷誦見義理，認爲用叶韻的目的是爲了便於諷誦，而諷誦熟則義理易見，從而把涵詠詩文求其本義與闡發義理相結合，也是把文學與理學一定程度地結合起來。朱熹的《詩經》學以廢棄《詩序》，以《詩》說《詩》，直求《詩》文之本義，以義理解《詩》爲特徵，集宋代義理《詩》學之大成，在中國《詩經》學史和宋代經學史上均佔有重要的地位。

---

❶ 黎靖德編，王星賢點校：《朱子語類》（北京：中華書局，1986 年），冊 6，卷 80，頁 2074。以下凡引《朱子語類》，均爲此版本。

❷ 《四庫全書總目‧毛詩正義提要》。

二、廢棄《詩序》，以《詩》說《詩》

朱熹詩經學思想的發展，經歷了若干變化演變的階段，直到後來逐漸成熟。❸大體上分爲前期的主《毛詩序》而作《詩集解》的階段和後期的廢棄《詩序》而作《詩集傳》的階段，中間有一個介於二者之間，既存《小序》，又間爲辨破的過渡階段。

關於朱熹《詩經》學的發展，朱熹自述曰：

> 某向作《詩解》文字，初用《小序》，至解不行處，亦曲爲之說。後來覺得不安，第二次解者，雖存《小存》，間爲辨破，然終是不見詩人本意。後來方知，只盡去《小序》，便自可通。於是盡滌舊說，《詩》意方活。❹

朱熹早期解《詩》，受《詩序》的影響，乃作《詩解》，即《詩集解》。此書今已亡佚，然當時呂祖謙作《讀詩記》，多取《詩集解》爲據。今人束景南先生從《呂氏家塾讀詩記》中輯出《詩集解》，可供人們了解朱熹早期主《毛序》時的《詩》學思想。當時朱熹用《小序》解《詩》，當與《詩》文本義不符時，則曲說爲解。對此，朱熹後來悟其前說之非，並提到了他與呂祖謙《詩》說觀點的分歧，指出：

> 此書（指《呂氏家塾讀詩記》）所謂朱氏者，實熹少時淺陋之說，而伯恭父誤有取焉。其後歷時既久，自知其說有所未安，如雅鄭邪正之云者，或不免有所更定，則伯恭父反不能不置疑於其間，熹竊惑之。❺

朱熹在《詩集解》裡，沿用《毛詩序》以解《詩》。全書之前引用《大序》，每詩

❸ 參見束景南：《朱熹作〈詩集解〉與〈詩集傳〉考》，《朱熹佚文輯考》（南京：江蘇古籍出版社，1991 年），頁 660-674。

❹ 《朱子語類》，冊 6，卷 80，頁 2074。

❺ [宋]朱熹撰，郭齊、尹波點校：《朱熹集》（成都：四川教育出版社，1996 年），冊 7，卷76，頁 3971，〈呂氏家塾讀詩記後序〉。以下凡引《朱熹集》，均爲此版本。

篇首引用《小序》，在雅鄭邪正之辨等問題上與後來黜《詩序》，以《詩》說《詩》的《詩》學思想不同，這是朱熹早期的《詩》學思想。後來，朱熹覺得其說未妥，加以修正，但呂祖謙卻主《毛序》，未改易其說，這成朱呂二人《詩》說的分歧點。

朱熹改變觀點之初，尚未完全擺脫《詩序》的影響，這在他署名於淳熙四年（公元 1177 年）所作的《詩集傳序》裡可以看出。收入《朱文公文集》卷七十六以及置於朱熹《詩集傳》正文前的《詩集傳序》（或稱《詩經集傳原序》），實乃其修改本《詩集解》的序言，因淳熙四年朱熹的《詩集傳》尚未動稿。朱熹之孫朱鑑稱：

> 《文集·詩傳舊序》，案此乃先生丁酉歲（淳熙四年，1177 年）用《小序》解《詩》時所作，後乃盡去《小序》。故附見於辨呂氏說之前。❻

這表明此序並不是為今本《詩集傳》而作，只是後來編《文集》的人把它作為《詩集傳》的序而已。從今本《詩集傳序》的內容上看，朱熹雖提出了其治《詩經》的大旨，不純用《小序》，但也未曾批評《小序》，這與其後來的廢棄《詩序》形成對比。

至淳熙四年朱熹序定《詩集解》後，開始寫作《詩集傳》，而廢棄《詩序》。朱熹《詩集傳》的寫作歷時多年，反覆修改，認識也不斷深化，直至淳熙十三年（公元 1186 年）定稿成書，表明其《詩》學思想已經成熟。其標誌在於朱熹提出了與漢唐《詩》學傳統迥然有異的廢棄《詩序》，以《詩》說《詩》，而不以《序》說《詩》的思想。對此，朱熹指出：

> 今人不以《詩》說《詩》，卻以《序》解《詩》，是以委曲牽合，必欲如

---

❻ [宋]朱鑑編：《詩傳遺說》（上海：上海古籍出版社，影印文淵閣《四庫全書》本，1987年，第 75 冊），卷 2，頁 518 下。

序者之意，寧失詩人之本意不恤也。此是序者大害處！ **❼**

王德修曰：「六經惟《詩》最分明。」曰：「《詩》本易明，只被前面《序》作梗。《序》出於漢儒，反亂《詩》本意。且只將四字成句底詩讀，卻自分曉。見作《詩集傳》，待取《詩》令編排放前面，驅逐過後面，自作一處。」 **❽**

那解底，要就《詩》，卻礙《序》；要就《序》，卻礙《詩》。 **❾**

《詩小序》全不可信。……又，其《序》與《詩》全不相合。《詩》詞理甚順，平易易看，不如《序》所云。……毛公全無序解，鄭間見之。《序》是衛宏作。 **❿**

認為《詩序》出於漢儒衛宏等，而與《詩》文本義不符，如果按《序》的意思去解《詩》，只能是委曲牽強，而失去詩人作《詩》之本意。朱熹強調《序》與《詩》相分，不以《序》礙《詩》，既然《序》與《詩》「全不相合」，《序》「不可信」，那麼，《序》就應在「驅逐」、廢棄之列。故而朱熹作《詩集傳》，便把《序》從各詩中除去，從形式上把《詩》、《序》分離開來，以便於以《詩》說《詩》，而不以《序》解《詩》。

與否定《毛序》，以《詩》說《詩》的思想相聯繫，朱熹提出《毛傳》「不與經連」的經傳相分的見解。他說：

《漢書》傳訓皆與經別行。《三傳》之文不與經連，故石經書《公羊傳》皆無經文。《藝文志》云：「《毛詩經》二十九卷，《毛詩詁訓傳》三十卷。」是毛為詁訓，亦不與經連也。馬融為《周禮注》，乃云，欲省學者兩讀，故具載本文。然則後漢以來始就經為注，未審此《詩》，引經附

---

❼ 《朱子語類》，冊6，卷80，頁2077。

❽ 同前注，頁2074。

❾ 同前注，頁2072。

❿ 同前注，頁2074。

傳，是誰爲之？其《毛詩》二十九卷，不知併何卷也。⓫

指出《漢書・藝文志》所載，《詩經》與《毛傳》各在一處，經傳未曾相連。但自後漢以來，便將《詩》之經傳併在一起，「引經附傳」，如此使得人們不審《詩》之經傳的原貌，也不知經併在傳的哪一卷內。爲了區分經傳，以經解經，朱熹提出了《詩》之經傳相分的原則，即經與傳區分的內在邏輯。《語類》載：

> 問：「分『《詩》之經、《詩》之傳』，何也？」曰：「此得之於呂伯
> 恭。〈風〉、〈雅〉之正則爲經，〈風〉、〈雅〉之變則爲傳。如屈平之
> 作《離騷》，即經也。如後人作《反騷》與《九辯》之類則爲傳耳。」⓬

受呂祖謙思想的影響，朱熹提出以〈風〉、〈雅〉之正爲經，以〈風〉、〈雅〉之變爲傳的區分《詩》之經傳的原則，即在現存的《毛詩》中，根據〈風〉、〈雅〉的正變來區別經傳。這一原則爲經傳相分，以經說經，又各論其經傳，以《詩》說《詩》，而不以《序》說《詩》，提供了依據，也爲在經文的基礎上闡發義理作了舖墊。

　　質言之，朱熹在吸取北宋以來歐陽修、蘇轍、鄭樵等指斥《詩序》，辨析其誤，直求詩人作《詩》之本義的基礎上，廢棄《詩序》，以《詩》說《詩》，批評以《序》說《詩》，以《序》礙《詩》，強調《序》、《詩》相分、經傳相分，打破了漢唐《詩》學以《毛傳》、《詩序》、《鄭箋》以至《毛詩正義》一脈相承的解《詩》舊傳統。這對於探求《經》文之本義，從而闡發義理，具有重要的意義。

三、超越舊說，唯求本義

　　朱熹解《詩》與其解《易》類似，重在追求經文之本義，凡與本義不符的一切舊說，包括《詩序》，甚至二程、孔子所說的在內，都在超越之列。這體現了朱

⓫　《朱子語類》，冊6，卷80，頁2089。

⓬　同前注，頁2093。

熹不盲從舊權威的思想解放精神。他說：

> 《詩》、《易》之類，則爲先儒穿鑿所壞，使人不見當來立言本意。此又
> 是一種功夫，直是要人虛心平氣本文之下，打疊交空蕩蕩地，不要留一字
> 先儒舊說，莫問他是何人所說、所尊、所親、所憎所惡，一切莫問，而唯
> 本文本意是求，則聖賢之指得矣。⓭

對待《詩》、《易》等經典，朱熹強調唯經文本義是求，而不問先儒對經文的解說
如何，無論何人之說，只要與經文本義不相符合，都不必理會，以避免對經文穿鑿
附會。以唯經文本義是求的思想爲指導，朱熹探討了《詩》文之本義，既認爲「感
物道情，吟詠情性」是詩人作《詩》的本意，又指出《詩》中有淫奔之詩的內容。
前者是朱熹闡發義理的基礎，後者則成爲朱熹理學批判的對象。朱熹在探求《詩》
文本義的前提下，對孔子「思無邪」的思想提出異議，對《詩序》的美刺說、「止
乎禮義」說提出批評，對《詩》之雅鄭邪正加以分辨，這些方面體現了朱熹《詩》
學對舊說的超越，亦體現了朱熹《詩》學不同於「先儒舊說」的特點。

㈠「感物道情」與淫奔之詩

探求《詩》文之本義是朱熹以《詩》說《詩》的表現，而與其對《詩》文作
者的認定相關。一般說，朱熹認爲〈國風〉是民庶在下之人所作，採自民間，其中
的「二南」體現了文王之世的風化；而變風則是上失其教，民欲動而情勝的產物，
故多淫亂之詩。〈雅〉、〈頌〉是朝廷之人所作，與〈風〉不同。他說：

> 《詩》，有是當時朝廷作者，〈雅〉、〈頌〉是也。若〈國風〉乃採詩有
> 採之民間，以見四方民情之美惡，「二南」亦是採民言而被樂章爾。程先
> 生必要說是周公作以教人，不知是如何？某不敢從。若變風，又多是淫亂
> 之詩，故班固言「男女相與歌詠以言其傷」，是也。聖人存此，亦以見上

⓭　《朱熹集》，冊4，卷48，〈答呂子約（八）〉，頁2317-2318。

失其教，則民欲動情勝。⓮

〈風〉多出於在下之人，〈雅〉乃士夫所作。〈雅〉雖有刺，而其辭莊
重，與〈風〉異。

大抵〈國風〉是民庶所作，〈雅〉是朝廷之詩，〈頌〉是宗廟之詩。

出於朝廷者爲〈雅〉，出於民俗者爲〈風〉。文武之時，周、召之作者謂
之周、召之〈風〉。東遷之後，王畿之民作者謂之〈王風〉。似乎大約是
如此，亦不敢爲斷然之說。⓯

　　朱熹把一部《詩》分爲不同時期、不同作者的作品，其中作於朝廷者，其辭較爲莊
重，而與〈風〉相異。就〈國風〉而言，有文武之時周公、召公之地域的作者所
作，亦有東遷之後如〈王風〉等各國的〈國風〉。由於組成《詩》的成份、內容不
同，所以其詩人作詩的本意亦有不同。從〈國風〉包括「二南」是採自民間的觀點
出發，朱熹不同意程頤關於「二南」是周公所作的見解，但這並不影響朱熹對「二
南」之詩的推崇。

　　以對《詩》的作者及產生時代的認定爲基礎，朱熹認爲，一般說來，詩人作
詩之由在於「感物道情」，即物而感，抒發感情，而不是爲了特意去譏刺他人，即
認爲詩人作詩的本意乃在於吟詠情性。他說：

大率古人作《詩》，與今人作詩一般，其間亦自有感物道情，吟詠情性，
幾時盡是譏刺他人？⓰

朱熹客觀地看到古人作《詩》是爲了「感物道情，吟詠情性」，突出一個「情」
字，認爲抒發感情和自然情感是詩人作《詩》的本意。同時，朱熹也注意把吟詠情
性與玩味義理結合起來，而不是互相脫節。這我們在下面將要論及。

⓮　《朱子語類》，冊6，卷80，頁2067。

⓯　同前注，頁2066-2067。

⓰　同前注，頁2076。

　　古人作《詩》，除「感物道情，吟詠情性」的本意外，朱熹認爲《詩》中有一部份內容是淫奔者所作，這部份淫奔之詩的本義自然是淫佚。朱熹在其《詩集傳》裡，具體例舉了淫奔之詩的篇目，其中包括〈邶風・靜女〉、〈鄘風・桑中〉、〈王風・采葛〉，以及〈鄭風〉之〈將仲子〉、〈遵大路〉、〈有女同車〉、〈蘀兮〉、〈山有扶蘇〉、〈狡童〉、〈子衿〉等二十多篇。他說：

> 鄭衛之樂，皆爲淫聲。然以《詩》考之，衛詩三十有九，而淫奔之詩纔四之一，鄭詩二十有一，而淫奔之詩已不翅七之五。衛猶爲男悅女之辭，而鄭皆爲女惑男之語。衛人猶多刺譏懲創之意，而鄭人幾於蕩然無復羞愧悔悟之萌。是則鄭聲之淫，有甚於衛矣。❶

指出衛詩三十九篇中，淫奔之詩佔四分之一。朱熹所謂衛詩包括邶、鄘、衛三國之詩，他說：「鄭則〈鄭風〉若干篇是也，衛則〈邶〉、〈鄘〉、〈衛風〉若干篇是也。」❶而鄭詩的淫亂之意比衛詩更甚，不僅其淫奔之詩的比例高達七分之五，即二十一篇鄭詩中有十五篇「淫詩」，而且皆爲女惑男之語。鄭衛兩詩的淫奔之詩相加，總計有二十四、五篇。雖然只佔《詩》之三百零五篇中的一小部份，但朱熹以理學思想爲衡量標準，在被視爲儒家經典的《詩經》中，斷然指出有男女淫佚之作，其《詩經》的作者裡面就有淫奔者，爲「淫奔者自敘之辭」❶，而非皆爲聖賢教人之作。這對於儒家經典的崇高權威無疑具有某種懷疑的因素。

　　需要指出，雖然朱熹對詩人作《詩》的「感物道情，吟詠情性」的本意持客觀的肯定態度，不同意過多地以理義言《詩》，批評「程先生《詩傳》取義太多。詩人平易，恐不如此」❶。但他對男女愛戀之情則持比較嚴謹的態度，把一些反映男女自然愛情的詩斥爲淫奔之詩。朱熹的思想固然有以道德理性對人的自然情愛加

---

❶　[宋]朱熹撰：《詩集傳》（上海：上海古籍出版社，影印文淵閣《四庫全書》本，1987年，第72冊），卷3，〈鄭風〉，頁784下-785上。以下凡引《詩集傳》，均爲此版本。

❶　《朱熹集》，冊6，卷70，〈讀呂氏詩記桑中篇〉，頁3651。

❶　《詩集傳》，卷3，〈鄭風・溱洧〉，頁784下。

❶　《朱子語類》，冊6，卷80，頁2089。

以規範的一面，並對貴族「相竊妻妾」的「淫亂」行爲加以約束和鞭撻，但由此也帶來了忽視人的情感情欲的流弊，這在一定程度上反映了理學家的偏見。

（二）對孔子的置疑及對《詩序》的批評

　　從詩人爲感物道情，吟詠情性而作《詩》以及部份詩爲淫奔而作的《詩》之本義出發，朱熹對孔子及《詩序》等有關詩說提出了批評。《論語・爲政》記孔子之言：「《詩》三百，一言以蔽之，曰『思無邪』。」朱熹對此說提出異議：「只是『思無邪』一句好，不是一部《詩》皆『思無邪』。」㉑指出「思無邪」一句固然好，但不能說一部《詩》整個三百篇皆是「思無邪」。其持論的依據在於《詩》三百篇中有部份淫奔之詩，其爲淫奔人所作，故不能稱爲「思無邪」。他說：

　　　　〈桑中〉、〈溱洧〉之篇，則雅人莊士有難言之者矣。孔子之稱「思無邪」也，以爲《詩》三百篇勸善懲惡，雖其要歸無不出於正，然未有若此言之約而盡者耳，非以作詩之人所思皆無邪也。今必曰彼以無邪之思鋪陳淫亂之事，而閔惜懲創之意自見於言外，則曷若曰彼雖以有邪之思作之，而我以無邪之思讀之，則彼之自狀其醜者，乃所以爲吾警懼懲創之資耶。㉒

朱熹以〈桑中〉、〈溱洧〉兩篇爲例，不同意「作詩之人所思皆無邪」的說法，他認爲《詩》三百篇中客觀地存在著淫詩，這是不容抹煞的。他也不贊成所謂「以無邪之思舖陳淫亂之事」的維護孔子「思無邪」之詩教的觀點。在朱熹看來，彼以有邪之思作淫奔之詩，這是一個毋庸諱言的事實，關鍵在於「我以無邪之思讀之」，這樣纔能糾其偏而歸於正。

　　朱熹不僅對孔子「思無邪」的思想提出置疑，而且批評了《詩序》的美刺說和「止乎禮義」說。《大序》解《詩》，提出美刺說：「上以風化下，下以風刺上，主文而譎諫」，「頌者，美盛德之形容」。並在《小序》中貫徹美刺說以解各詩。對此。朱熹提出批評：

㉑　《朱子語類》，冊6，卷80，頁2065。
㉒　《朱熹集》，冊6，卷70，頁3650。

《詩序》多是後人妄意推想詩人之美刺，非古人之所作也。古人之詩雖存，而意不可得。序詩者妄誕其說，但疑見其人如此，便以爲是詩之美刺者，必若人也。……此類甚多，皆是妄生美刺，初無其實。❷

只緣序者立例，篇篇要作美刺說，將詩人意思盡穿鑿壞了！且如今人見人纔做事，便作一詩歌美之，或譏刺之，是甚麼道理？❷

指出《詩序》的作者穿鑿附會，以己意妄加推論詩人之意，冠之以頌美或譏刺，既不符合詩人作詩之本意，又把豐富多彩、抒發詩人情感的詩意簡單化爲美刺二字，脫離了詩人作詩「感物道情，吟詠情性」的本旨。並具體指出了美刺失當之處，如「〈桑中〉之詩放蕩留連，止是淫者相戲之辭，豈有刺人之惡，而反自陷於流蕩之中！〈子衿〉詞意輕儇，亦豈刺學校之辭！」❷如此等等，認爲這些都不具譏刺之義，只是《詩序》作者的杜撰，而不能發明《詩》之大旨。朱熹對《詩序》美刺說的批評，使得千年來的《詩》學傳統遭到了有力的挑戰。雖然朱熹對美刺說提出了批評，但並不是全盤否定《詩》學中的美刺說，他只是反對以美刺說作爲解《詩》的固定模式，篇篇都以美刺套之，以致歪曲了與美刺無關的詩文之義。對於那些可以美刺表達其詩義的篇目，朱熹還是有所借用美刺說的。比如朱熹對〈邶風‧匏有苦葉〉篇的注解是：「此刺淫亂之詩，……以比男女之際，亦當量度禮義而行也。」❷這與《小序》所言「刺衛宣公也，公與夫人並爲淫亂」之意有相似之處。此外，朱熹對《詩序》的頌美之說也有所借用，比如他注解〈小雅‧車攻〉云：「宣王內修政事，外攘夷狄，……故詩人作此以美之。」❷即頌美周宣王內修外攘之事。由此可見，朱熹對美刺說並非完全否定，他否定的只是《詩序》僵化的美刺說解《詩》體系，而對於美刺的解《詩》功能和社會作用，朱熹是注意吸取的。

　　對於《詩序》的「發乎情，止乎禮義」之說，朱熹亦提出不同意見，認爲這

---

❷　《朱子語類》，冊6，卷80，頁2077。

❷　同前注，頁2067。

❷　同前注，頁2075。

❷　《詩集傳》，卷2，頁761下-762上。

❷　《詩集傳》，卷5，頁822下。

只是對正詩的概括，而不能以此來解說全《詩》。他說：

> 《大序》亦有未盡。如「發乎情，止乎禮義」，又只是說正詩，變風何嘗
> 止乎禮義！
> 問：「止乎禮義。」曰：「如變風〈柏舟〉等詩，謂之『止乎禮義』，可
> 也。〈桑中〉諸篇曰『止乎禮義』，則不可。」
> 「止乎禮義」，如〈泉水〉、〈載馳〉固「止乎禮義」；如〈桑中〉有甚
> 禮義？《大序》只是揀好底說，亦未盡。❷❽

指出「止乎禮義」說可用來概括正詩，以及變風中的某些篇，但〈桑中〉等變風中
的淫奔之詩則是未曾「止乎禮義」。仍是以《詩經》中的淫奔之詩作為批評「止乎
禮義」說的依據。朱熹對《大序》「發乎情，止乎禮義」說的批評與程頤的觀點有
異。程頤的《詩》說對《大序》的「止乎禮義」說加以肯定，指出：「夫子刪之，
得三百篇，皆止於禮義。」❷❾這與程頤認同於《詩序》，認為「《大序》則非聖人
不能作」❸❿的態度相關。由此可見程朱《詩》說的相異之處，並體現了朱熹對「先
儒舊說」的超越精神。

㈢雅鄭之辨

　　朱熹《詩》學以唯求《詩》文之本義為重要特徵，他指出《詩》中客觀存在
著淫奔之詩，其本義就是描寫男女淫奔而不合乎禮義，而這部份淫奔之詩主要存在
於〈鄭風〉裡，另在〈衛風〉裡也有。鄭衛淫奔之詩「大段邪淫」，與作為正詩的
大、小〈雅〉形成對比，故有雅鄭邪正之分辨。而朱熹的好友呂祖謙在這個問題上
則主《毛序》，以為「《詩》皆賢人所作」，不注重區分雅鄭，故與朱熹的觀點有
別。朱熹在同呂祖謙的論學中提出了雅鄭之辨，並在後來將此思想進一步發展成

---

❷❽ 《朱子語類》，冊6，卷80，頁2072。

❷❾ [宋]程顥、程頤撰，王孝魚點校：《二程集》（北京：中華書局，1981年），〈河南程氏經
　　說〉，冊3，卷3，〈詩解·關雎〉，頁1046。

❸❿ 《二程集》，〈河南程氏遺書〉，冊1，卷19，頁256。

熟，這成爲朱熹《詩》學的重要組成部份。

淳熙七年（公元 1180 年）張栻逝世後不久，朱熹致書呂祖謙，提出了雅鄭之辨的問題。他說：

> 向來所喻《詩序》之說，不知後來尊意看得如何？雅、鄭二字，雅恐便是
> 太、小〈雅〉，鄭恐便是〈鄭風〉，不應概以〈風〉爲〈雅〉，又於〈鄭
> 風〉之外別求鄭聲也。聖人刪錄，取其善者以爲法，存其惡者以爲戒，無
> 非教者，豈必滅其籍哉？❸❶

指出一部《詩經》自有雅鄭的分別，雅指大、小〈雅〉，鄭指〈鄭風〉，不應一概以〈風〉爲〈雅〉，混淆二者的區別。認爲《詩經》經聖人刪錄，善惡的內容都存有，並非只保留善的內容而無惡，因善惡皆可以爲教。朱熹強調〈鄭風〉即是聖人所言「鄭聲淫」的鄭聲，不應在〈鄭風〉之外另尋求所謂的鄭聲。這是指孔子在《論語・衛靈公》所說的「放鄭聲，遠佞人。鄭聲淫，佞人殆。」朱熹把〈鄭風〉與鄭聲聯繫起來，認爲〈鄭風〉之中就有邪淫的鄭聲，反對把鄭之邪與雅之正混爲一談。對此，《語類》有載：

> 問：「〈讀詩記序〉中『雅、鄭、邪、正』之說未明。」曰：「向來看
> 《詩》中鄭詩，邶、鄘、衛詩，便是鄭衛之音，其詩大段邪淫。伯恭直以
> 謂《詩》皆賢人所作，皆可歌之宗廟，用之賓客，此甚不然！如〈國風〉
> 中亦多有邪淫者。……如鄭衛之詩，豈不褻瀆！」❸❷

指出不僅鄭聲淫，而且鄭衛之音皆淫，直把鄭詩與邶、鄘、衛詩均視爲鄭衛之音，其中包含了「大段邪淫」的內容，這正是與雅、正之詩的區別所在。朱熹的這段答學者問，是對他於淳熙九年（公元 1182 年）所作〈呂氏家塾讀詩記後序〉關於雅

---

❸❶　《朱熹集》，冊 3，卷 34，〈答呂伯恭（三十三）〉，頁 1501-1502。

❸❷　《朱子語類》，冊 6，卷 80，頁 2090。

鄭邪正之說的解釋。他所提到的與鄭衛之詩相提並論的鄭衛之音，出自於《禮記‧
樂記》所言：「鄭衛之音，亂世之音也。」正因爲鄭衛之音爲亂世之音，故其詩也
淫邪。朱熹引《論語》「鄭聲淫」和《禮記》「鄭衛之音，亂世之音也」的言論，
將其與鄭衛之詩相提並論，這爲其淫奔之詩說的提出，以及雅鄭邪正之辨，提供了
經典的依據。

　　進而，朱熹於淳熙十一年（公元 1184 年）作〈讀呂氏詩記桑中篇〉，進一步
闡發了他關於雅鄭之辨的思想，並批評了與其相對的觀點。他說：

> 今必曰三百篇皆雅，而大、小〈雅〉不獨爲雅，〈鄭風〉不爲鄭，邶、
> 鄘、衛之〈風〉不爲衛，〈桑中〉不爲桑間亡國之音，則其篇帙混亂，邪
> 正錯糅，非復孔子之舊矣。……蓋古者天子巡守，命太師陳詩以觀民風，
> 固不問其美惡，而悉陳以觀也。既已陳之，固不問其美惡，而悉存以訓
> 也。然其與先王〈雅〉、〈頌〉之正篇帙不同，施用亦異，如前所陳，則
> 固不嫌於龐雜矣。今於雅、鄭之實，察之既不詳，於龐雜之名，畏之又太
> 甚，顧乃引夫浮放之鄙詞，而文以風刺之美說，必欲強而置諸先王
> 〈雅〉、〈頌〉之列，是乃反爲龐雜之甚而不自知也。㉝

朱熹較爲系統地論述了其雅鄭之辨的思想，他指出，儘管〈國風〉裡有美惡之不
同，如「二南」爲正風，但仍不能把〈風〉、〈雅〉、〈頌〉混同起來，尤其應把
雅鄭區分開來。他反對擴大雅的範圍，直把三百篇詩皆視爲雅的觀點，亦批評把
〈鄭風〉與鄭聲，衛詩與衛音，〈桑中〉與桑間亡國之音割裂開來視爲二物的觀
點。這正是一個問題的兩個方面，在朱熹看來，正因爲鄭衛之詩即是聖人所「放」
的鄭聲，亦即亂世亡國之音，所以與大、小〈雅〉之正詩有嚴格的區別，因此不能
把整個三百篇詩都視爲雅、正之詩；在主《毛序》者看來，鄭衛之詩不是聖人所
「放」的鄭聲，亦不是亂世亡國之音，所以與〈雅〉、〈頌〉一樣「皆賢人所
作」，故《詩》三百篇皆雅，不必去區分甚麼雅鄭邪正之類，由此與朱熹的觀點有

㉝ 《朱熹集》，冊 6，卷 70，頁 3651-3652。

異並遭到朱熹的批評，這也反映了朱熹雅鄭之辨的理論針對性。朱熹把雅鄭之辨與批評美刺說、批評「止乎禮義」說聯繫起來，表明他在唯求《詩經》本義的前提下，對《詩序》及傳統舊說的超越，這充分體現了朱熹《詩》學乃至整個經學思想的一個特徵。

四、諷誦吟詠，理會賦、比、興

朱熹《詩》學，唯《詩》之本義是求，即使義理的闡發，也建立在本義的基礎上。《詩》之本義，在朱熹看來，除有少數淫奔者自作淫佚之詩外（這部份淫奔之詩只佔《詩》三百篇中的一小部份），主要是指爲吟詠情性，感物道情而作。由此，朱熹強調以《詩》說《詩》，反對以《序》說《詩》，違背詩人作詩之本意。從以《詩》說《詩》出發，朱熹以文學家的眼光，重視對《詩》情的抒發，認爲《詩》全在諷誦之功，其吟詠情性，具有感發人的文學功能，能使人歡欣和悅，抒發人的情感；而《詩》的和悅抒情、吟詠情性的功能又通過賦、比、興的表現手法體現出來，從而使《詩》學從傳統《毛序》的諷喻美刺原則中擺脫出來，而得到自身固有的文學特性。這在一定程序上是對《詩經》自然主義文學觀的回歸，而與其對男女愛戀之情的約束形成對照。

㈠諷誦吟詠，以發乎情

朱熹重視《詩》的文學功能及對人的情感的抒發，這體現了作爲理學家的他具有文學修養的一面，而與那些單純以美刺說《詩》，言理而不言情的解《詩》者相異。關於《詩》的諷誦功能，朱熹指出：

> 《詩》又全在諷誦之功，所謂「清廟之瑟，一唱而三歎」，一人唱之，三人和之，方有意思。又如今詩曲，若只讀過，也無意思；須是歌起來，方見好處。㉞

認爲《詩》與其他文體的典籍相比，其特性在於它具有諷誦的功能。所謂諷誦，指

㉞ 《朱子語類》，冊 7，卷 104，頁 2612。

用委婉、活絡的手法來指意，並加以誦讀玩味，如此纔能把握詩人作《詩》之寓意。他說：

> 讀《詩》正在於吟詠諷誦，觀其委曲折旋之意。㉟

認爲詩意的表達方式是委曲折旋，須通過吟詠諷誦來把握，而吟諷誦所抒發的，正是人的感情，即吟詠情性。對待人的感情，朱熹並不抹煞，而是主張適當地表達和滿足。他認爲〈小雅〉便能夠使人「歡欣和說，以盡群下之情」㊱。並指出：「至於《詩》，則發乎情。」㊲對情的抒發和表達，持肯定態度。

不僅如此，朱熹甚至對男女之情也適當肯定，只要它出之於正。比如他在對〈召南・摽有梅〉篇的注解中便表達了這一思想。朱熹說：

> 南國被文王之化，女子知以貞信自守，懼其嫁不及時。㊳

對此，有人問：

> 〈摽有梅〉之詩固出於正，只是如此急迫，何耶？

朱熹答：

> 此亦是人之情。嘗見晉、宋間有怨父母之詩。讀《詩》者於此，亦欲達男女之情。㊴

㉟ 《朱子語類》，冊6，卷80，頁2086。
㊱ 《詩集傳》，卷4，〈小雅〉，頁810下。
㊲ 《朱子語類》，冊6，卷80，頁2090。
㊳ 《詩集傳》，卷1，〈召南・摽有梅〉，頁756上。
㊴ 同注㊲，頁2101。

首先，朱熹讚揚由於被文王之化，南國女子能夠貞信自守，而及時出嫁；其次，在回答爲甚麼急於出嫁時，朱熹指出這也是人之常情，由此而肯定男女之情。這表明朱熹《詩》學吟詠情性以發乎情的思想包括了男女之情。雖然朱熹對男女之情作了適當的肯定，但那是在出於正，即被文王之化的前提下加以肯定的，而對那些違背禮義，淫奔者自述的男女淫奔之情，朱熹站在理學家的立場上，是表示反對的。

　　由於《詩》的本義主要在於諷誦吟詠以發乎情，通過文學語言的描寫及文學手法的表達，來抒發情感，所以朱熹要求學者「看《詩》，義理外更好看他文章。」❹義理並不是不重要，但對於《詩》這種體裁的經典來講，應注重於其義理之外的文學色彩和情調。而文學的寓意往往靠形象思維來把握，不必像追求義理那樣逐字去探明。他說：

　　　聖人有法度之言，如《春秋》、《書》、《禮》是也，一字皆有理。如
　　　《詩》亦要逐字將理去讀，便都礙了。❹

這便是言理之書與言情之書的區別，亦是朱熹從文學的角度探求《詩經》本義的表現。

㈡理會賦、比、興

　　賦、比、興作爲詩歌創作的表現手法，朱熹在探求《詩》之本義，吟詠情情，抒發情感的過程中加以理會，以之來表達自己的解《詩》原則，即理會賦、比、興是爲了直探詩人作《詩》之本意。

　　賦、比、興係構成六詩中的三種，見之於《周禮・春官・宗伯・大師》：「教六詩：曰風，曰賦，曰比，曰興，曰雅，曰頌。」其中風、雅、頌爲組成《詩經》的三大類；賦、比、興則是表現詩歌內容的寫作方法。鄭玄對〈大師〉的賦、比、興注云：「賦之言鋪，直鋪陳今之政教善惡；比見今之失，不敢斥言，取比類

---

❹　《朱子語類》，冊6，卷80，頁2083。
❹　同前注，頁2082。

以言之；興見今之美，嫌於媚諛，取善事以喻勸之。」㊷不難看出，鄭玄的解說貫穿著善惡美刺的原則。《詩大序》以〈大師〉之「六詩」爲《詩》之六義，指出：「《詩》有六義焉。一曰風，二曰賦，三曰比，四曰興，五曰雅，六曰頌。」但《大序》於六義中只解釋風雅頌，而不及賦比興，可見其對《詩》的文學表現手法不甚重視，而偏重於以美刺說《詩》，這與鄭玄的詩解相似。

　　朱熹爲了探求《詩》文之本義，對傳統《詩》說加以革新，重新解釋了《詩》之六義說，尤其對賦、比、興賦予新解，以表達其《詩》說之文學主張。他說：「六義自鄭氏以來失之。」㊸其失在於以美刺說《詩》，陷於僵化的解《詩》模式，而不能感發人心，使得詩眼不活，即未能充分發揮《詩》的文學功能。對此朱熹提出於《周禮》之六詩或《大序》之六義中，著重理會賦、比、興三者，從文學的角度解《詩》。他說：

　　　《周禮》說「以六詩教國子」，其實只是這賦、比、興三個物事。風、
　　　雅、頌，《詩》之標名。理會得那興、比、賦時，裡面全不大段費解。㊹

指出以六詩教人，重點在以賦、比、興教人上，只要理會得此三者，一部《詩》便不難理解；而風、雅、頌只不過是《詩》的外在形式及組成部份而已。

　　在《詩集傳》裡，朱熹對賦、比、興作了具體的新解。他說：

　　　賦者，敷陳其事而直言之者也。㊺
　　　比者，以彼物比此物也。㊻
　　　興者，先言他物以引起所詠之辭也。㊼

㊷　《周禮注疏》，卷 23，〈春官宗伯·大師〉，《十三經注疏》（北京：中華書局影印清阮元校刻本，1980 年），上冊，頁 796 上。
㊸　《朱子語類》，冊 6，卷 80，頁 2070。
㊹　同前注，頁 2069。
㊺　《詩集傳》，卷 1，〈周南·葛覃〉，頁 751 上。
㊻　《詩集傳》，卷 1，〈周南·螽斯〉，頁 752 上。

顯然與鄭玄以美刺解之有所不同。《語類》對賦、比、興三者也作了解釋：

> 直指其名，直敘其事者，賦也；本要言其事，而虛用兩句鉤起，因而接續
> 去者，興也；引物為況者，比也。立此六義，⋯⋯知作《詩》之法度也。㊽

朱熹以六義作為《詩》的法度，其中以風、雅、頌作為《詩經》作品的類別，亦是
各類樂章的腔調，「風、雅、頌乃是樂章之腔調」㊾；賦、比、興則是《詩經》的
表現手法，它通過文學描寫以言《詩》，是構成詩之要件，通過賦、比、興的形
象、藝術的描寫，來表達詩人對事物的感情抒發，即感物道情以託諸辭。

　　進而，朱熹把賦、比、興視為《詩》之三經，離此三經則不能作詩。

> 或問《詩》六義，注「三經、三緯」之說。曰：「三經是賦、比、興，是
> 做詩底骨子，無詩不有，纔無，則不成詩。蓋不是賦，便是比；不是比，
> 便是興。」㊿

認為凡作詩，就離不開賦、比、興的表現手法，賦、比、興是詩歌創作的基本要
素，捨此不僅不能作詩，而且也無法解詩。朱熹把他所理解的賦者直陳其事，比者
以彼狀此，興者託物興辭的賦、比、興原則具體運用於解《詩》，每篇詩分章注
解，各章注解文字之前，先標明是賦、比、興的哪一種表現手法，便於讀者了解和
領會詩人作詩之本意。朱熹以賦、比、興的文學表現手法解《詩》，這與《小序》
以美刺說解《詩》，形成鮮明的對照。前者是了探求《詩》文之本義，後者則在於
引申發揮其微言大義，這正是朱熹《詩》說與傳統舊說的區別。

　　比較鄭玄和朱熹各自對賦、比、興的注解，可以看出兩人在這個問題上認識

㊼　《詩集傳》，卷1，〈周南・關雎〉，頁750上。
㊽　《朱子語類》，冊6，卷80，頁2067。
㊾　同前注。
㊿　同前注，頁2070。

的差異。鄭玄以美刺釋比興，文學爲政教服務；朱熹以譬喻、託物興辭釋比興，體現了文學的自性。雖然朱熹對義理十分重視，反對舊儒解《詩》「不越注疏」的傾向，並以義理解《詩》。但朱熹以義理解《詩》，是建立在《詩》文本義的基礎上，由此他以《詩》，反對以《序》解《詩》和《毛序》僵化的美刺說。《語類》記載了他與舊說的不同：

> 問：「《詩傳》說六義，以『託物興辭』爲興，與舊說不同。」曰：「覺舊說費力，失本指。如興體不一，或借眼前物事說將起，或別自將一物說起，……皆是別借此物，興起其辭，非必有感有見於此物也。有將物之無，興起自家之所有；將物之有，興起自家之所無。前載都理會這個不分明，如何說得《詩》本指！只伊川也自未見得。」(51)

鄭玄等舊說以美刺原則釋比興，而不以「託物興辭」爲興，這遭到了朱熹的批評，認爲其未得《詩》之本旨。朱熹甚至認爲在比興問題上伊川程頤也見得不分明，何論鄭玄等對六義包括比興的解釋有失《詩》文之本義呢？由此可見，朱熹諷誦吟詠，理會賦、比、興的思想重視《詩經》的文學本義，既與《毛序》、鄭玄等以美刺說《詩》的傳統舊說區別開來，又與程頤等以義理解《詩》，但不重《詩》文本義的詩說相互有異。

五、以義理解《詩》，重視「二南」

朱熹《詩》學的特點是在唯求《詩》文之本義的基礎上以義理解《詩》。這不僅體現了朱熹整個經學思想的特點及其義理《詩》學的時代特徵，而且與《毛傳》、《詩序》的漢學系統以及程頤重義理輕本義的《詩》說形成對比。

㈠以義理解《詩》，不著意訓解

由於《詩經》屬文學作品，又具詩歌的特性，與其他說理的、敘事的、占卜的經典在內容和形式上存在著不同，所以朱熹依據《詩》自身的特性，著重以賦、

(51) 《朱子語類》，冊6，卷80，頁2070-2071。

比、興的文學表現手法去解《詩》，而不著意於對《詩》文作一字一句的訓解，並批評舊儒「不越注疏」的解《詩》傾向。但作爲理學家的朱熹，重視義理是他思想的基本傾向，由此其對《詩》的解說亦不離義理。朱熹在探明《詩》文本義的前提下以義理解《詩》，從而建立起別具特色的義理《詩》學思想體系。

　　以義理《詩》學爲衡量的標準，朱熹批評了前代《詩》學祖述毛、鄭，偏於疏義，而不及義理的傾向。他說：

> 《詩》自齊、魯、韓氏之說不得傳，而天下之學者盡宗毛氏。毛氏之學，傳者亦眾，而王述之類，今皆不存，則推衍毛說者又獨鄭氏之箋而已。唐初諸儒爲作疏義，因訛踵陋，百千萬言而不能有以出乎二氏之區域。⓹

朱熹認爲，這種情況到了宋代開始發生變化，突破了漢唐《詩》學以毛、鄭說《詩》的舊格局。其時，劉敞、歐陽修、王安石、蘇轍、程頤、張載等「始用己意有所發明，雖其淺深得失有不能同，然自是之後，三百五篇之微詞奧義乃可得而尋繹，蓋不待講於齊、魯、韓氏之傳而學者已知《詩》之不專於毛、鄭矣。」⓹宋學學者以己意說《詩》，闡發義理，不受舊說束縛，這與「《小序》大無義理，……更不能發明《詩》之大旨」⓹相比，其學風已開始轉向。在談到歐陽修的《詩本義》時，朱熹指出：

> 理義大本復明於世，固自周程，然先此諸儒亦多有助。舊來儒者不越注疏而已，至永叔、原父、孫明復諸公，始自出議論，如李泰伯文字亦自好。此是運數將開，理義漸欲復明於世故也。……《詩本義》中辨毛鄭處，文辭舒緩，而其說直到底，不可移易。⓹

⓹　《朱熹集》，卷76，頁3970。
⓹　同前註。
⓹　《朱子語類》，冊6，卷80，頁2075。
⓹　同前註，頁2089。

在這種辨毛鄭之失，以義理說《詩》的影響下，朱熹批評舊儒囿於注疏訓詁，而不及義理的傾向，主張涵泳詩文而道理自見。他說：「大凡讀書，先曉得文義了，只是常常熟讀。如看《詩》，不須得著意去裡面訓解，但只平平地涵泳自好。」⑤所謂不須著意訓解，是指從詩歌自身的特點出發，不必逐家去訓解其意，而「只是看大意」，只要熟讀涵泳，道理便會自見。「此是讀《詩》之要法，看來書只是要讀，讀得熟時，道理自見。」⑤需要指出，朱熹不著意訓解的思想，主要是就解《詩》而言，並非是對訓詁注疏棄之不同。在朱熹的經學思想裡，訓詁與經文是不相脫離的，訓詁是為了通曉經文以闡發義理，朱熹雖不以訓詁為治經目的，但他認為訓詁對於直求經文之本義以及在求本義的基礎上發明義理是不可或缺的。然而對於《詩經》這種文學性的詩歌體裁的經典，朱熹從它固有的特性出發，主張不必特意去訓解它的每一個字，而是通過熟讀涵泳，觀其大意，其經文之中的道理便自然得到。所以說，朱熹從《詩經》的特殊性出發而提出的不須著意訓解的思想，與他總的經學思想裡對訓詁的重視是有所區別而需要注意把握的。

朱熹在探明《詩》文本義的前提下以義理解《詩》表現在他以義理批判淫奔之詩，以天理論闡發《詩》之〈雅〉、〈頌〉，以及重視《詩》之「二南」上。

關於以義理批判淫奔之詩。朱熹以理學之義理為價值標準，對男女之情持嚴謹態度，既適當地肯定合乎禮義的男女之情，更對不合禮義的男女情愛以及貴族的淫亂行為提出批評。他於變風的鄭衛之詩中，找出二十多篇淫奔之詩，批判其不合於義理的男女之情。如注〈風雨〉篇云：「淫奔之女言當此之時，見其所期之人而心悅也。」⑤認為〈靜女〉篇為「此淫奔期會之詩也」⑤，〈遵大路〉篇是講「淫婦為人所棄」⑥。而在〈桑中〉篇裡，朱熹批判了「衛俗淫亂，世族在位，相竊妻妾」⑥的詩文描寫。這些方面是朱熹以義理解《詩》的表現。

---

⑤ 《朱子語類》，冊6，卷80，頁2087。

⑤ 同前注，頁2086。

⑤ 《詩集傳》，卷3，〈鄭風·風雨〉，頁783下。

⑤ 《詩集傳》，卷2，〈邶風·靜女〉，頁765下。

⑥ 《詩集傳》，卷3，〈鄭風·遵大路〉，頁781下。

⑥ 《詩集傳》，卷2，〈鄘風·桑中〉，頁767下。

關於以天理論解《詩》。朱熹在對〈大雅・文王〉的注解中指出：

> 命，天理也。……言欲念爾祖，在於自修其德，而又常自省察，使其所
> 行，無不合於天理，則盛大之福，自我致之，有不外求而得矣。⑫

指天命解爲天理，強調得眾則得國，失眾則失國，爲此要求統治者修德自省，使自
己的行爲不違背天理，這樣纔能保其天命之不易，而國長存。朱熹又在解釋〈周
頌・維天之命〉時指出：

> 天命即天道也。不已，言無窮也。純，不雜也。此亦祭文王之詩，言天道
> 無窮，而文王之德，純一不雜，與天無間。……程子曰：天道不已，文王
> 純於天道亦不已。⑬

在朱熹的哲學體系裡，天道亦即天理，二者互用。朱熹把天命解爲天道，也就是解
爲天理。他認爲，文王之德治仁政與天道無二，亦是天理的體現，從而把聖人與天
合爲一體，以讚美文王之德。朱熹把天理論貫徹到解《詩》中去，這體現了他
《詩》學的時代特徵。

㈡重視「二南」

重視《詩》之國風的〈周南〉、〈召南〉是朱熹以義理解《詩》的集中體
現。朱熹以「二南」爲其《詩》學之本，他在述其《詩》學的大旨時說：

> 本之「二南」以求其端，參之列國以盡其變，正之於〈雅〉以大其規，和
> 之於〈頌〉以要其止。此學《詩》之大旨也。⑭

---

⑫　《詩集傳》，卷6，〈大雅・文王〉，頁859下。
⑬　《詩集傳》，卷8，〈周頌・維天之命〉，頁891下。
⑭　《朱熹集》，卷76，〈詩集傳序〉，冊7，頁3966。

朱熹以「二南」爲本，他認爲，《詩》三百篇中，「惟〈周南〉、〈召南〉親被文王之化以成德，而人皆有以得其性情之正，故其發於言者，樂而不過於淫，哀而不及於傷，是以二篇獨爲〈風〉詩之正經。」❻在以「二南」二十五篇詩爲《詩》學之本的基礎上，朱熹建構起其義理《詩》學的思想體系。

　　朱熹之所以重視「二南」，將其作爲《詩》學的根本，是因爲在他看來，「二南」雖是周公採之於民間風俗之詩，但卻體現了文王之世的風化，其理義貫穿在詩篇中，足以爲後世所效法。他說：

> 周公相之（成王），制作禮樂，乃採文王之世風化所及民俗之詩，被之管弦，以爲房中之樂，而又推之以及於鄉黨邦國，所以著明先王風俗之盛，而使天下後世之修身齊家治國平天下者，皆得以取法焉。❻❻

孔子儒家仁禮思想的產生和提出，受周公制禮作樂的影響很大，而周公周禮又是在文王之治的基礎上損益夏殷兩代之禮而成。對此，朱熹甚爲推崇，他認爲惟有在「二南」之中最能反映文王之治美好的風俗，而風俗之盛則是理義的體現。他從二程「天下之治，正家爲先」的義理思想出發，認爲「二南，正家之道也」❻❼。在「二南」之詩中，包含著正家的道理，只有家正，國纔能正，天下也纔能得到治理。並通過家正、男女正，便可看到文王之治的德政。他說：

> 文王之化，自家而國，男女以正，婚姻以時，故詩人因所見以起興，而嘆其女子之賢，知其必有以宜其室家也。❻❽

朱熹的這一見解反映了宋代理學重視倫理道德包括家庭男女道德的培養，由修身到

---

❻　《朱熹集》，卷76，〈詩集傳序〉，冊7，頁3966。
❻❻　《詩集傳》，卷1，〈周南〉，頁749下。
❻❼　《詩集傳》，卷1，〈召南〉，頁758上。
❻❽　《詩集傳》，卷1，〈周南・桃夭〉，頁752上。

齊家，由家治到天下國家治的思想。

　　朱熹以義理解說「二南」，主要是從「二南」之詩的實際描寫出發，加以義理化的歸納和解說，使之成爲一個完整的系統，強調得性情之正，以爲其《詩》學之本。雖然包括「二南」在內的整個《詩經》充滿了自然的情愛描寫，朱熹也客觀地承認《詩》「發乎情」，但朱熹對一部「發乎情」的《詩經》，從「二南」入手，建立起以義理解《詩》的體系，來作爲解《詩》的典範和指導思想。凡符合義理的，則加以肯定和讚美，以爲後世之法；凡不合義理的，則加以貶斥，直視爲淫奔之詩，以爲後世之戒。在「二南」之中雖有關於性情的自然描寫，但由於「二南」被文王之化，其后妃、夫人、女子等雖發乎情，卻能夠守之以禮義，故能得性情之正，而與放縱情感不同。朱熹引《論語・八佾》孔子之言「〈關雎〉，樂而不淫，哀而不傷」加以解釋：

> 淫者，樂之過而失其正者也；傷者，哀之過而害於和者也。〈關雎〉之詩，言后妃之德，宜配君子。……蓋其憂雖深而不害於和，其樂雖盛而不失其正，故夫子稱之如此。欲學者玩其辭，審其音，而有以識其性情之正也。⑥

以孔子的詩教爲指導思想，主張樂而不淫，哀而不傷，雖追求享樂，但不得過而失其正，失其正則爲淫，即被朱熹指斥爲淫奔之詩。他還要求「學者姑即其辭，而玩其理，以養心焉，則亦可以得學《詩》之本矣。」⑦強調以理義解《詩》，頤養性情，以之爲《詩》學之本。故朱熹把「二南」視爲一個整體，在被文王之化的形式下，理貫於其中，而深入人心，澤及於物。他說：

> 文王之化，始於〈關雎〉，而至於〈麟趾〉，則其化之入人者深矣；形於

---

⑥　[宋]朱熹撰：《四書章句集注》（北京：中華書局，1983 年），〈論語集注〉，卷 2，頁66。

⑦　《詩集傳》，卷 1，〈周南・關雎〉，頁 750 下。

〈鵲巢〉，而及於〈騶虞〉，則其澤之及物者廣矣。蓋意誠心正之功，不息而久，則其薰蒸透徹，融液周徧，自有不能已者。❼

認爲「二南」作一個整體系統，二十五篇詩均體現了文王之風化。其中〈周南〉始於〈關雎〉，終於〈麟趾〉，十一篇詩中前五首皆言后妃之德，而〈關雎〉是從全體上言其綱要，其他詩則是就具體一事而言，雖其詩文是講后妃，但實際上是文王身修家齊的表現；後六首詩既有體現家齊而國治的，又有反映天下漸平的，總之是以《大學》誠意、正心、修身、齊家、治國、平天下的理論來解釋〈周南〉。而〈召南〉始於〈鵲巢〉，終於〈騶虞〉，十四篇詩既講南國諸侯被文王之化，而能正心修身以齊其家，又講其女子亦被后妃之化，而能守德以正其家，體現了文王之化的影響。

朱熹把「二南」視爲一個整體，在被文王之化的形式下，以義理解說之，表明其對「二南」的重視。並以對「二南」的解說爲指導，作爲其《詩》學之本，把「發乎情」納入「樂而不淫」的詩教的規範之下，以得性情之正，反對過而失其正爲淫，從而建立起義理《詩》學的思想體系，這對中國《詩經》學的發展產生了重要影響。

(三)「諷誦中見義理」

朱熹以義理解《詩》，重視「二南」，這體現了他義理《詩》學的時代特色。然而朱熹以義理解《詩》，並不排斥《詩》的「感物道情，吟詠情性」之本義，而是在本義的基礎上，於諷誦之中見義理。也就是說，《詩》作爲一部詩歌體裁的文學性經典，一般來講，義理並不是如《四書》那樣，直接用文字說出來，而是通過賦、比、興的文學表現手法，委婉曲折地表達詩人之寓意，所以須在反覆諷誦之中，把握詩中蘊含的義理。他說：

　　讀《詩》者須當諷味，看他詩人之意是在甚處。❼

---

❼　《詩集傳》，卷1，〈周南‧騶虞〉，頁757下-758上。

❼　《朱子語類》，冊6，卷80，頁2090。

大凡讀書，多在諷誦中見義理，況《詩》又全在諷誦之功。❼

《詩》，如今恁地注解了，自是分曉，易理會。但須是沉潛諷誦，玩味義
理，咀嚼滋味，方有所益。❼

朱熹強調反覆誦讀體會，玩味義理，甚至主張「涵泳讀取百來遍，方見得那好
處」❼。朱熹歷來主張多讀書以見義理，這是他與忽視知識，不立文字，但求本心
的陸氏心學的區別之一。尤其對《詩經》這種文學性經典，朱熹更是主張沉潛諷
誦，道理得之於後，而不得先自立說，有違詩文之本義。他說：「當時解《詩》
時，且詩本文四五十遍，已得六七分。卻看諸人說與我意如何，大綱都得之，又讀
三四十遍，則道理流通自得矣。」❼朱熹讀《詩》，大致分兩步驟，一是熟讀，了
解文義和大綱，並看他人之注解；二是在了解文義的基礎上再反復涵泳，「百遍自
是強五十遍時，二百遍自是強一百遍時」❼，如此道理便自然見得。應該說，朱熹
提倡的這種「在諷誦中見義理」的讀書法，正是文學與理學相結合的方法。其文學
的功能在於抒情，詩人言《詩》，則「發乎情」；其理學的要旨則在於闡發義理，
理學家說《詩》，不離理與性善。朱熹既重《詩》文之言情的本義，又重義理的闡
發，因此可以說，朱熹文學與理學相結合的方法，在一定意義上體現了其情與理、
情與性的結合。雖然朱熹思想的主要傾向是重視義理，但他以《詩》說《詩》，唯
求《詩》文之本義，諷誦吟詠，以「發乎情」，以及「感物道情」的思想表明，朱
熹並不是所謂完全忽視個體情感的作用，抹煞感性尤其是男女愛戀之情的表現的存
在價值。他對於個體情感的抒發乃至於合乎禮義的男女之情，仍是予以肯定的。這
點我們在前面諷誦吟詠，以發乎情一節中已經論及。

　由於朱熹認為，義理須在反覆諷誦中見得，所以他對誦讀《詩》文很重視。
但在諷詠誦讀中存在著因古今音讀的不同而韻不和諧的問題。為了方便諷詠，朱熹

---

❼　《朱子語類》，冊7，卷104，頁2612。

❼　《朱子語類》，冊6，卷80，頁2086。

❼　同前注，頁2087。

❼　同前注，頁2091。

❼　同前注，頁2087。

也注意吸取兩宋之際吳棫的叶韻說以讀《詩》。吳棫的叶韻說認爲古人用韻較寬，有古韻通轉之說。朱熹加以吸取，並作增減，以便押韻上口，自然和諧。他說：

> 叶韻乃吳才老（棫）所作，某又續添減之。蓋古人作詩皆押韻，與今人歌曲一般。今人信口讀之，全失古人詠歌之意。⑱

可見他用叶韻的目的爲了得古人詠歌之意，避免以當時宋代的讀音去讀古人之《詩》文，而造成韻不和諧，失去古人之意。朱熹雖以叶韻讀《詩》，但他認爲音韻之設，是爲了便於諷詠，而不必特意去追求字韻上的嚴整。他說：

> 古人情意溫厚寬和，道得言語自恁地好。當時叶韻，只是要便於諷詠而已。到得後來，一向於字韻上嚴切，卻無意思。⑲

正因爲用叶韻是爲了便於諷誦，而諷誦熟則義理易見，所以朱熹主張在誦讀中把主要精力放在理會義理上，而把理會叶韻放在次要位置。他說：

> 只要音韻相叶，好吟哦諷誦，易見道理，亦無甚要緊。今且要將七分工夫理會義理，三二分工夫理會這般去處。若只管留心此處，而於《詩》之義卻見不得，亦何益也！⑳

指出如果只留心叶韻，卻不能從中見得《詩》義，那麼叶韻是沒有甚麼益處的。表達了他以叶韻服務於《詩》義的思想。由此可見，朱熹的叶韻說是爲了便於諷誦，通過諷誦掌握《詩》義，闡發義理，最終是把叶韻說納入其「諷誦中見義理」的解《詩》說中。

---

⑱　《朱子語類》，冊6，卷80，頁2081。
⑲　同前注。
⑳　同前注，頁2079。

　　質言之，朱熹在宋學學者批《毛傳》、《鄭箋》、《詩序》之失的基礎上，以《詩》說《詩》，反對以《序》說《詩》，提出了自己以把涵泳詩文求其本義與闡發義理相結合爲特色的《詩》學思想。其以義理思想爲指導，把文學與理學相結合，既認爲《詩》爲「感物道情」而作，又指出其中有淫奔之詩的內容，批評《詩序》的美刺說、「止乎禮義」說，以及孔子的「思無邪」說等，注重雅鄭邪正之辨；以文學家的眼光，重視《詩》對於情的抒發，其吟詠情性，用賦、比、興的表現手法來解《詩》；又站在理學家的立場，以義理解《詩》，重視「二南」，不著意訓解，理會《詩》之大意，主張於諷誦中見義理，以叶韻讀《詩》，爲諷誦《詩》文，以見義理服務。這些方面都是朱熹本義與義理相結合《詩》學特色的表現。其本義與義理、文學與理學相結合的《詩》學思想的提出，不僅是對前代《詩》學的創新和發展，從而集宋代義理《詩》學之大成，而且朱熹在追求《詩》文本義與闡發義理關係問題上，把義理的闡發建立在經文本義的基礎上的思想，充分體現了他整個經學思想的特點，因而成爲朱熹整個經學思想的重要組成部份，由此朱熹的《詩》學思想在中國《詩經》學史和宋代經學史上均佔有重要的地位。

經 學 研 究 論 叢
第 七 輯　　頁175～186
臺灣學生書局　　1999 年 9 月

論詩文評點及詩話發展對明代
《詩》學轉向的影響

劉毓慶*

　　晚明大量《詩經》文學研究著作的出現，標誌著《詩經》文學研究高潮的到來，也標誌著中國《詩》學由經學研究向文學研究的根本性轉變❶。促使這個轉變發生的內在原因，乃在於經學研究的內部，即八股舉業對於經學研究意義的消解。這一點，筆者已在《八股取士與明代〈詩〉學的轉向》一文中作了詳細論述。而促使這個轉變發生的外在原因，則是來自於文學領域的力量。

　　科舉考試，使經學研究從骨子裡發生了變化，而文學研究對於經學的滲透，則加劇著這種變化的發生。與經學家無限延伸《詩經》的倫理道德意義不同，文學家則是用心靈把握《詩經》的藝術精神。在明代，明顯地有兩股來自文學領域的力量穿透著《詩經》的經學外殼，促使其研究發生變化：一是詩文評點思潮，一是詩話的發展。

　　詩文評點，據羅根澤先生研究，早在唐代就開始了。韓愈《秋懷詩》說：「不如覷文字，丹鉛事點勘。」所謂「點勘」蓋指於文章緊要處加點畫，以己意批評❷。評點本源自於科考。《全唐詩話》卷一云：

---

*　　劉毓慶，山西大學中文系教授。

❶　據筆者考證，明亡國前的七十年間，產生《詩經》專著約四百餘種，其中約半數是與文學研究相關的。筆者在《從詩學到文學》一文中有詳細論述。

❷　見羅根澤《中國文學批評史》（北京：中華書局，1961 年），第三冊《詩文評點》。

中宗正月晦日幸昆明池賦詩，群臣應制百餘百。悵殿前結彩樓，命昭容選一篇爲新翻御制曲。從臣悉集其下，須史，紙落如飛，各認其名而懷之。既退，惟沈宋二人不下。移時，一紙飛墜，竟取而觀，乃沈詩也。及聞其評：「二詩工力悉敵。沈詩落句云：『微臣雕朽質，羞睹豫章才。』蓋詞氣已竭。宋詩云：『不愁明月盡，自有夜珠來。』猶陡筆豪舉。」沈乃伏，不敢復爭。

這是在一場宮庭文學考試中，對沈佺期、宋之問二詩優劣的批評，可代表唐代考官的詩文品騭情況。到宋代評點風氣逐漸盛濃起來。《四庫全書總目》云：

宋人讀書，予切要處率以筆抹，故《朱子語類・讀書法》云：「先以某筆抹出，再以某筆抹出。」呂祖謙《古文關鍵》、樓昉《迂齋評注古文》，亦皆用抹，其明例也。謝枋得《文章規範》、方回《瀛奎律髓》、羅椅《放翁詩選》，始稍稍用圈點，是盛于南宋矣❸。

葉德輝《書林清話》亦云：

刻本書之有圈點，始於宋中葉以後。岳珂《九經三傳沿革例》，有「圈點必校」之語，此其明證也。《孫記》：宋版《西山先生眞文忠公文章正宗》二十四卷，旁有句讀圈點。《瞿目》明刊本謝枋得《文章規範》七卷，目錄後有門人王淵濟跋，謂此集惟〈送孟東野序〉、〈前赤壁賦〉係先生親筆批點。其他篇僅有圈點而無批注。若〈歸去來辭〉、〈出師表〉，並圈點亦無之……大抵此風濫觴於南宋，流極於元明。《丁志》有明嘉靖丙辰（三十五年）刻《檀弓叢訓》二卷，則托名於謝疊山批點矣。《繆續記》有明刻蘇批《孟子》二卷，則托名於蘇老泉朱墨矣。至於《史漢評林》，竟成善本，歸評《史記》，遂爲古文正宗。習俗移人，賢者不

---

❸　中華書局 1965 年版，頁 307。

免。因是愈推愈密，愈刻愈精，有朱墨套印焉，有三色套印焉，有四色套印焉，有五色套印焉。至此而槧刻之能事畢矣。❹

葉氏在這裡等於描繪了一部詩文評點史。所謂三色、四色套印等，都是在明季才出現的。❺

　　無名氏〈古文關鍵跋〉云：「《古文關鍵》一冊，乃前賢所集古今文字之可為人法者，東萊先生批注詳明。」羅根澤先生說：「此等批評有兩種方式，一是循行摘墨，一是眉批總評。如《古文關鍵》卷一〈獲麟解〉首云：『麟之為靈昭昭也。』旁批云：『起得好。』是循行摘墨。如《文章規範》卷一〈上張僕射〉云：『若此者非愈所能也。』眉批云：『一句說破。』又篇後云：『先敘情之不堪，中間發一大段道理，後出所宜處者，一正一反，須看他運旋得排蕩噴薄演洋處。』是眉批總評。」這種評點開始本也是為科考服務的。《古文關鍵》前有〈總論〉，大講作文之法，其用意至明。王守仁〈文章軌範序〉則明確地指出：「宋謝枋得氏取古文之有資於場屋者，自漢迄宋凡六十有九篇，為標揭其篇章句字之法，名之曰《文章軌範》。蓋古文之奧不止於是，是獨為舉業者設耳。」❻直到宋元之際的劉辰翁，才以全副精神專事評點，以文學論文章之工拙，擺脫了科舉的困擾。劉辰翁曾先後評點過《老子》、《莊子》、《列子》、《史記》、《漢書》、《世說新語》，以及王維、孟浩然、杜甫、李賀、王安石、蘇軾、陸游等人之詩。他的評點能從文本入手，定其優劣，示以褒貶。雖見解不見其高，但為中國文學批評中評點一派的發展，產生了積極的影響。如在《班馬異同評》卷二中，其評《高祖本紀》云：「后之為史者，但曰還沛，置酒，召故人，極歡云云足矣。看他發沛中兒，教歌，至酒酣擊筑，歌呼起舞，展轉泣下，縷縷不絕，俯仰俱見。直至空懸出獻，已去復留。其中與諸母故人道舊又佳，對父老說豐恨事又佳。古今文字，淋漓盡興，言笑有情，少可及此。」卷五評〈留侯世家〉云：「將極言有鬼神，卻從無鬼神

❹　《葉德輝書話》（杭州：浙江人民出版社，1998 年），頁 50。按標點略有糾正。
❺　參見《書林清話・顏色套印書始於明季，盛於清道咸以後》條。
❻　文淵閣四庫全書本，冊 1359，頁 542。

說，滿紙奇怪，亦不得不爾，引而歸之天，正鄭重。及論其形貌，亦爽然自失，言笑有情，卻不鄭重，極閑散。」顯然他注目的是人物精神風貌，是文學的靈性與鮮活性，而不是像《古文關鍵》、《崇古文訣》之類動輒言筆法、句法、做文法。明人曾將其評各書，匯刻爲《劉須溪批評九種》，可見出他的影響。

　　文學評點從宋末開始，經過三百多年的發展，到明代中期以後，出現了前所未有的繁榮景況。從形式上看，這個時代的評點有三個特點，一是無書不可評，無書不可以文學讀之：於詩則有《詩歸》（鍾惺）、《明詩歸》（鍾惺）、《合評選詩》（凌濛初）、《唐詩選脈會通評林》（周珽）、《古詩鏡》（陸時雍）以及大量唐詩選評本；於文則有《文編》（唐順之）、《今文選》（孫鑛）、《鉅文》（屠隆）、《匯古菁華》（張國璽、劉一相）、《文致》（閔無頗）、《古文奇賞》（陳仁錫）等；於經典則有《易經頌》（陳仁錫）、《讀易鏡》（沈爾嘉）、《書繹》（楊文彩）、《古周禮釋評》（孫攀）、《批點考工記》（郭正域）、《檀弓評》（牛斗星）、《孫月峰評經》、《中庸點綴》（方時化）等；於子書則有《批點道德經》（凌稚隆）、《南華經評注》（歸有光）、《管子》批點（凌汝亨）、《晏子春秋》集評（凌澄初）、《韓非子》集評（孫月峰等），以及無名氏《合刻諸名家批點諸子全書》、《楊升庵先生評注先秦五子全書》等；於詞則有署名楊愼批點的《草堂詩餘》以及沈際飛、天羽居士批點的《草堂詩餘》正集、續集、別集；於史則有凌稚隆的《史記評林》、《漢書評林》；於小說則有《新鐫全像評釋古今清談萬選》、署名湯顯祖等批點的《虞初志》，以及署名李卓吾所評點的《水滸傳》、《三國演義》、《西遊記》和無名氏的《新刻綉像批評金瓶梅》；於戲劇則有陳繼儒評點的《幽閨記》、《琵琶記》、《玉簪記》、《綉襦記》、《紅拂記》，以及李卓吾的北《西廂》評點、王思任的《批點玉茗堂牡丹亭》等。像鍾惺、馮夢龍這樣的大家，幾乎評遍了經史子集。

　　第二個特點是經典與選文同科，幾無尊卑之分。如屠隆所撰的《鉅文》十二卷，「以《考工記》、《檀弓》諸聖賢經典之文與稗官小說如《柳毅》、《飛燕外傳》等雜然並選。」❼張國璽、劉一相匯選的《匯古菁華》二十四卷，始以五經之

---

❼　《四庫全書總目》（北京：中華書局，1987 年 7 月），頁 1755。

文，繼以《國語》、《國策》、周秦至宋文，殿以道家的《道德》、《南華》諸經。在他們看來這些所謂的經，其實與秦漢以下之文性質上沒有什麼區別。王世貞《藝苑卮言》卷三，將經典中的《考工記》、《檀弓》與《戰國策》、《史記》並提，謂其皆「聖於文者」。晚明公安派的代表人物袁宏道，也曾把「鄭衛之風」與當時的流行小曲《銀柳絲》、《掛枝兒》認作是同類之物；視「六經」之文與秦漢唐宋之文無別。並且認爲爲文不必學「六經」，要與時變化。孫鑛在〈與余君房論文書〉中說得更乾脆：「《詩》、《書》二經，即吾夫子一部文選也。」他把《易》、《書》、《詩》認作是「三墳」，把《周禮》、《禮記》、《春秋》三傳認作是「五典」，把《儀禮》、《老》、《列》、《管》、《莊》、《國語》、《國策》、《離騷》認作是「八索」，把《荀》、《韓》、《呂覽》、《淮南》、《太玄》、《史記》、《漢書》、《文選》、《詩記》認作是「九丘」。認爲學文者當讀此。❽顯然他是把經史子集同科而論的。這代表了明代相當多的一部分學者的思想，反映了儒家經典此時已從神聖的皇座上跌落了下來。因此《鉅文》之類文章選本，將經典與小說同科，也是很自然的事情。

　　第三個特點是，明後期評點隊伍聲勢非常浩大，不僅有孫鑛、李贄、鍾惺、馮夢龍等著名的批評家，而且有相當多的無名之輩也加入了當時評點隊伍。如《文選尤》的評點者鄒思明，《四庫全書總目》即云：「字見吾，歸安人，始末未詳。」《純師集》十二卷，題曰「姑蔑後學余鈺式如甫評輯」，姑蔑即漸江龍游，可是地方志中卻不爲立傳，其身世也不可詳。今見到的明版圖書中，不少都有些不知名的人物的評點，而且往往一書可匯集十數人乃至上百人的評語。如明刊本《秦漢文鈔》批點者署爲楊融博，而參評者則多達三十多人。明閔氏朱墨本《文致》，內集有閔無頗、閔昭明、沈聖岐、閔元衢、袁中郎、陳眉公、王永啓等。明天啓間刻《古今奇文品勝》五卷，卷內題標作「鼎鋟百名公評林訓釋古今文品勝」。凌稚隆所輯評《史記》、《漢書》，也有「百家評」之目。《唐詩絕句類選總評》凌氏三色印本，其識語云：「凡係二公所評，不標姓氏，此外諸名家評之精確者，不下數十人，亦俱綴入。」像這種匯評各種作品的作法，在當時非常盛行。如《唐詩

---

❽　《姚江孫月峰先生全集》（嘉慶靜遠軒刊本），卷九，〈與呂甥玉繩論詩文書〉。

選》明凌氏朱墨印本，凌瑞森、凌南榮識語云：「余輩既謀刻子與先生所評《唐詩選》矣，已而思寥寥數語，恐未足以盡詩之變，因廣採唐宋以及國朝諸家議論衮益之，亦爛焉成帙。」凌氏四色印本《南華經》，內題：「輯諸名家評釋」。明閔氏三色套印本《楚辭》，朱色爲馮夢禎《讀騷》，黛色則閔齊伋所輯諸家評語。這說明當時有多家各種評點本，像凌氏、閔氏這樣具有較高文化素養的從事出版業的世家，才得以匯集刊刻。有些書賈爲了贏利，則往往托名於名家。最著名的《蘇批孟子》，便是一部托名之作。《四庫全書總目》即云：「其評語全以時文之法行之，詞意庸淺，不但非洵之語，亦斷非宋人語也。」❾這都反映了當時評點風氣之盛。

　　從內容上看，當時的批點有批注者，有議論者，但有相當多的卻是用文學的眼光認識古代典籍的。如《孫子兵法》本是一部兵書，而祁承爍評〈謀攻〉則云：「此文首尾呼應較他篇更，句句秘密，乃孫子生平所學、盡力摹畫之文。」❿《論語》本是儒家的一部聖典，而王鏊卻從文學角度認識說：「《論語》記夫子在鄉、在朝、使擯等容，宛然畫出一個聖人。」⓫《鉅文》將經與其他文章同分爲宏放、悲壯、奇古、閑適、莊嚴、綺麗六門。顯然其目光也是放在了文學上的。他們似乎把所有的典籍都看作了文學。如《尚書》本是上古的一部政治檔案資料的匯編，其自然是質木少文的，而孫月峰卻從文學的角度給於評點。其評〈舜典〉「歲二月東巡守，至於岱宗」一節云：「細玩只是嚴密無剩字。未嘗有意雕琢，然錯落鏗鏘，實富有姿態，妙有節奏。蓋煉之至而入於自然。」評〈金縢〉云：「文古淡，而結構典密，敘事最細。」《禮記‧月令》是記載古代月令活動的文章，自然去文學甚遠，而孫氏仍然要從文學的角度批評，說：「文儘精核，第體稍方拙，遂不甚踴躍動人。」⓬《周禮》記載周代官職，猶如後世職官表，最無文學色彩，而陸深《周禮訓雋》竟然也從文學角度批評它。如《天官》開頭「惟王建國」一段文字，重複出現於《地官》、《春官》等篇之首。而陸深評曰：「此書記體，六官之首皆冠以

---

❾　中華書局本，頁 307。

❿　《批選子籍‧孫武抄》（明末刻本）。

⓫　《震澤長語》。

⓬　上引文見孫月峰《評經》，《四庫全書存目叢書》，經部，冊 150。

四十字，規模齊肅，文體整壯。」⑬《周禮‧考工記》是一部科技著作，主要是記古代手工業技術的，而郭正域評云：「文字瑰奇變化，乃天地間一種不可磨滅文字。」⑭其所批點的《考工記》，隨處可見「文氣矯矯，前無古人」、「只倒一字，遂覺意緒含蓄」、「遠近有情，曲盡其妙」、「句巧而圓，文中有畫」之類的眉批。在這樣的一種文學氣氛極爲盛濃、評點之風愈演愈烈的時代，作爲上古唯一的文學總集《詩經》，自然更爲批評家們所注目了。明代評點《詩經》的著作，少說也有幾十部之多。遺憾的是四庫館臣及正統的儒家學者⑮，把評點視作不關經旨的異端邪說而於以貶斥，因此在《四庫全書》中所有經、史、子書評點，一概不收，只於存目選錄其名而已。致使大量評點《詩經》及其他典籍的佳品散佚。

　　來自文學領域的第二種力量，是專以詩歌爲論談對象的詩話的發展，以及詩歌理論的發展。詩話是一種理論性與資料性兼備的文學筆記。自宋歐陽修撰寫出第一部以《詩話》命名的著作後，接著出現了《溫公續詩話》、《中山詩話》、《彥周詩話》、《滄浪詩話》等一大批詩話著作。據羅根澤先生〈兩宋詩話年代存佚殘輯表〉所列，宋詩話約近百種（包括後人輯本）。到明代，詩話則發展到了一個新的高峰，據吳文治先生《明詩話全編》統計，明代的詩話著作有一百二十多種，而《全編》所輯錄的詩話（包括原本無書，新輯成帙者）竟達七百多種。而且此時還出現了《詩法》（楊成編）、《名家詩法》（黃省曾）、《古今詩話》（署名陳繼儒編）、《名家詩法匯編》（朱紱編）、《詩法大成》（謝天瑞）等一批詩話叢書。這標志著明詩話的繁榮與詩歌理論的發展，標誌著詩歌評論已成爲全知識階層的參與。在宋朝，詩話大多是隨意爲「以資閒談」的「記事」之筆。如歐陽修《六

---

⑬　《四庫全書存目叢書》，經部，冊82，頁697。

⑭　郭正域評《考工記》，《四庫全書存目叢書》，經部，冊82，頁697。

⑮　《四庫全書總目》不僅把大量的評點佳作棄而不收，即使收入總目者也給以貶斥。如謂戴君恩《讀風臆評》云：「纖巧佻薄，已漸開竟陵之門徑，其與經義，固了不相關。」謂魏浣初《詩經脈》云：「惟大致拘文牽義，鈎剔字句，摹仿語氣，不脫時文之習。上格爲閔氏補義，則摹純乎鄉塾之說矣。」謂萬時華《詩經偶箋》云：「鍾惺、譚元春詩派於明末，流弊所極，乃至以其法解經，《詩歸》之貽害於學者，可謂酷矣。」謂朱泰貞《禮記意評》云：「如場屋之講試題，非說經之道也。」

一詩話》序說：「居士退居汝陰而集以資閒談也。」司馬光〈溫公詩話序〉說：
「《詩話》尚有遺者，歐陽公文章名聲雖不可及，然記事一也，故敢續之。」到明
代，則發生了顯著的變化，由隨筆記述向專門著作發展。吳文治先生總結爲三點，
一、明詩話的寫作基本上跳出了「以資閒談」的藩籬，較爲自覺的進入了詩學理論
批評的領域；二、明詩話的內容，大多不再以詩本事和考釋詞句爲重心，也不像元
詩話那樣偏重於詩法詩格，而是加強了詩歌理論的探索，使詩話具有了一定的理論
色彩；三、一些詩話專書，在編撰體例的系統性和詩論探索的拓寬性方面，也都有
了明顯的發展。如關於詩歌藝術本質與審美特徵的探索、關於詩歌歷史發展軌跡的
詩學流派興衰演變規律的探索、關於詩歌藝術美的探索等等，都有發前人所未發❶。
這是非常正確的。特別是陽明心學興起之後，詩話著作不僅陡然增多，而且詩歌藝
術本質與審美特徵的探索也大大加強，主張詩歌要表現性靈、抒寫眞情的作家越來
越多。如唐順之認爲：「直攄胸臆，信手寫出」，「便是宇宙間一樣絕好文字。」
屠隆認爲：「詩由性情生」，「不能作胸中所無語」。湯顯祖認爲，「世總爲情，
情生詩歌，而行於神。」公安派主張「獨抒性靈，不拘格套」等。張少康先生精闢
地指出，「從明代中葉起文藝上出現了一股前所未有的新思潮，它的基本特徵是：
強調文藝是未受封建『聞見道理』污染的純潔心靈之體現，是具有個性解放色彩的
自由情性之抒發，提倡眞情而反對假理，主張師心而反對復古，它與傳統的言志載
道、美刺諷諫文藝思想形成爲鮮明的對立，而具有很明顯的叛逆性。」❶

　　也正是這種新思潮，以一種強大無比的力量衝入了《詩經》研究領域，使傳
統知識分子心態發生了變化。他們已不再執著於用先前的認識心態，探求聖人的微
言奧義了，而開始用藝術心態領悟其中的妙趣。他們開始感到，在自己面前的，已
不是神聖的經典，而是一部古老的歌，是一部先民用心靈抒寫的詩集。因而他們對
《詩經》的評論已不再是以美刺諷論爲主導的詩教了，而是從詩本身的藝術出發，
評價其得失。最典型的是王世貞《藝苑卮言》中的一段評論：

---

❶　《明詩話全編・前言》（南京：江蘇古籍出版社，1997 年），頁 2。
❶　《中國文學理論批評發展史》（下）（北京：北京大學出版社，1995 年），頁 161。

詩不能無疵，雖《三百篇》亦有之，人自不敢摘耳。其句法有太拙者：
「載獫歇驕」（三名皆田犬也）；有太直者：「昔也每食四簋，今也每食
不飽」；有太促者：「抑磬控忌」、「既亟只且」；有太累者：「不稼不
穡，胡取禾三百廛」；有太庸者：「乃如之人也，懷昏姻也，大無信也，
不知命也」；其用意有太鄙者，如前「每食無簋」之類也；有太迫者：
「宛其死矣，他人入室」；有太粗者：「人而無儀，不死何為」之類也。
《三百篇》經聖刪，然而吾斷不敢以為法而擬之者，所摘前句是也⓲。

像這樣挑剔《詩經》句法的毛病，並表示「斷不敢為法而擬之」，在此前似乎十分
少見。這表示在這種藝術思潮的衝擊下，《詩經》已失去了其先前的神聖地位，他
變成了一部純文學的性情之作，因而更多的學者則從其審美價值與情感宣洩的功能
上來認識他，肯定他。我們且摘引數家詩論，以觀其概：

> 《詩》之為經，本於性情而用於禮樂者也。天賦人以五常之性，人感物則
> 有哀樂喜怒之情，情動則感嘆謳吟之聲發，而詩作焉。（黃佐《黃泰泉集》卷
> 三十五《詩經通解序》）
> 唐人詩主情，去三百篇近；宋人詩主理，去三百篇卻遠矣。（楊慎《升庵詩
> 話》卷八）
> 《三百篇》直寫性情，靡不高古，雖其逸詩，漢人尚不可及。（謝榛《四溟
> 詩話》卷一）
> 《詩》，活物也。游、夏以後，自漢至宋，無不說《詩》。不必皆有當於
> 詩，而皆可以說《詩》。其皆可以說《詩》者，即在不必皆有當於《詩》
> 之中。非說《詩》者之能如是，而詩之為物，不能不如是也……予家世受
> 《詩》，暇日，取三百篇正文流覽之，間拈數語，大抵依考亭所注，稍為
> 之導其滯，醒其癡，補其疏，省其累，奧其膚，徑其迂。業已刻之吳興，
> 再取披一過，而趣以境生，情由目徙，已覺有異於前。友人沈雨若，今之

⓲　丁福保編：《歷代詩話續編》（北京：中華書局，1983 年 8 月），中冊，頁 964。

敦詩者也。難予曰：「過此一往，予能更取而新之乎？」予曰：「能。以
予一人心目，而前後已不可強同矣。後之視今，猶今之視前何不能新之
有？」蓋詩之爲物，能使人至此，而予亦不自知，乃欲使宋之不異於漢，
漢之不異於游、夏，游、夏之說《詩》，不異於作《詩》者，不幾於刻舟
而守株乎？（鍾惺《隱秀軒文・詩論》）

《詩》雖埒諸五經，而旨與他經異。或近之而遠，或淺之而深，或隱之而
顯，或笑而嘆，或正而反。今之君子，知詩之爲經，而不知詩之爲詩，一
弊也。謝太傅嘗問從者《毛詩》何句最佳，遏以「楊柳依依」對。公所賞
乃在「漠定命，遠猷辰告」之語。譚友夏亦言，讀詩不能使〈國風〉與
〈雅〉、〈頌〉同趣，且覺〈雅〉、〈頌〉更於〈國風〉有味。易入處便
入，終是讀書者之病。今之君子少此玄致，二弊也。至於因經有傳，而逐
傳者遺經，因傳而生訓詁，而襲訓詁者迷傳，塾師講堂，轉轉訛謬。夫古
人之唱嘆淫泆，神境超忽，而必欲硬提其字句以爲綱，強疏其支派以爲
斷，千年〈風〉〈雅〉，幾爲迂綴庸陋之書。磋乎，弊又甚矣。（萬時華
《詩經偶箋序》）

詩貴眞，詩之眞趣，又在意似之間。認眞則又死矣。柳子厚過於眞，所以
直而寡委也。《三百篇》賦物陳情，皆其然而不必然之詞，所以意廣象
圓，機靈而感捷也。（陸時雍《詩鏡總論》）

他們或倡《詩》之主於性情，或主《詩》之異於他經，或伸《詩》自身之審美特
性，總之都透過了其「經」的外殼而看到了其文學的本質。

　　簡言之，明代後期無論是詩文評點還是詩話，都走上了藝術欣賞與審美特徵
探索的道路。因而出現了《欣賞詩法》、《古文奇賞》之類先前根本不可能出現的
著作。這作爲一種時代思潮，席捲了整個文壇與學術研究領域，加速《詩經》研究
徹底改變了原初的經學方向。可以說，明代後期的《詩經》研究，完全是在八股功
令的內在衝動與文學欣賞思潮的外在衝擊之下進行的。這兩種合力以千軍萬馬之
勢，一時間將《詩經》的經學研究逼進死胡同中，而苟延殘喘。像一些嚴肅的經學
研究著作，也不得不將文學之趣融入其中。如姚舜牧《詩經疑問》，既名之曰「疑

問」，自然是有關經義的，可其於〈關雎〉卻說：「此淑字下得極佳。文王之德，盡於一個敬字；后妃之德，盡於一個淑字。」於〈卷耳〉而云：「『懷人』懷字極妙。懷者懷諸心而不能舍也，故下章曰永懷，曰永傷，又曰云何吁。傷深於懷，而吁又深於傷也，總本一懷字。」⑲胡紹曾《詩經胡傳》本也是廣徵博引的講經之作，而其與詩之妙處也不免要欣賞一番，如云：「（〈草蟲〉）篇中沿情切字，不特章有淺深，亦且有呼應。草蟲鳴，而阜螽躍，以起忡忡，故云降；蕨本拳攣，以起惙惙，故云說；薇本芒苦，以起傷悲，故云夷。然自忡而惙也，惙而側然之傷也，無聲之悲也，降而乃說，說故漸夷也，亦良工心獨苦哉⑳。」連板著面孔解經的郝敬，其於〈燕燕〉也云：「關山寥落，只影孤飛，淒然有流離之感。至曲終奏雅，未亡人之志，有如皦日，千古離情，此爲絕唱。」而更多的學者，則拋棄了漢宋以來美刺諷諭的倫理說教，與字解句詁的經生作風，走上了藝術審美與文學探索的道路。

---

⑲　《文淵閣四庫全書》，冊 80，頁 583-584。
⑳　明刻本卷一。

經 學 研 究 論 叢
第 七 輯　　頁187～198
臺灣學生書局　　1999 年 9 月

《儀禮疏》探原試例

陳秀琳*

一、賈疏〈鄉射〉誤例

　　歷代治《十七篇》者，莫不以〈喪服〉為最詳，至其最疏簡者，大抵可以數〈鄉射〉。原因容有多端，而我推測主為〈鄉射〉一半與〈鄉飲酒〉重複，而以〈鄉飲酒〉為飲酒正禮；一半與〈大射〉大同，而〈大射〉詳於尊卑之義，學者又以〈大射〉為正。賈氏疏《儀禮》亦以〈鄉射〉為最陋。觀賈氏序言「以諸家為本，擇善而從」，則此又因隋以前治《儀禮》諸家釋此篇猶多罅漏之故也。下列賈疏誤例凡六條，皆其顯且易察者，未涉學者持說之異，或亦可略見賈氏撰疏之特點云。

　　⑴戒賓節「賓出迎再拜」，注「出迎，出門也」，疏云：「謂出序之學門，亦如鄉飲酒出庠門。」（中華版《十三經注疏》頁 993 上。下言頁碼皆據其本。）

　　案：戒賓賓出門，自是出賓家之門，此疏失誤不待《清義疏》、盛世佐、吳廷華、張惠言、黃以周等紛紛指摘而始明。其實〈鄉飲酒義〉「主人拜迎賓於庠門之外」自據賓至主人迎賓而言，賈氏誤以迎賓之事釋此經而已，斷非果以此經義儀節當在學門也。然則諸寅亮之評此疏謂「偶失檢耳」，比較諸家為最妥。

　　⑵第一番射，司馬命去侯，「司馬適堂西，不決遂，袒執弓」，疏云：「若然，〈大射〉司馬正不射而袒，又復決遂者，彼大射志於射，故司馬正雖不射，袒

*　　陳秀琳，北京大學中文系博士候選人。

復決遂。」（頁 1000 中）

　　案：「大射志於射」，可以言其與燕禮之不同，而不可以言與鄉射之不同。
鄉射何嘗不志於射也。若〈鄉飲〉疏云：「案：大射主於射，略於樂。鄉射亦應主
於射，略於樂；所以面鼓，亦是變於君也。」（頁 985 中）是言之合理者。今此疏
拈手引「大射志於射」之成說，姑妄言鄉射與大射之異，是爲誤。

　　(3)飲不勝者節注「右手執觶，左手執弓」，《疏》云：「此無正文。以祭禮
皆左手執爵，用右手以祭，故知此亦用左手執弓，右手執觶可知也。」（頁 1003
下）

　　案：此言「祭禮皆左手執爵，用右手以祭」，固是禮之逸例，淩氏《釋例》
亦云：「凡執爵皆左手，祭薦皆右手。」但此注云「右手執觶」，與祭薦時左手執
爵正相反，豈得引以相證也？

　　(4)「獻獲者于侯」，注「鄉人獲者賤，明其主以侯爲功得獻也」，《疏》
云：「案〈大射〉云：『司馬正洗散，遂實爵，獻服不。服不侯西北三步北面拜受
爵。』注：『近其所爲獻。』彼國君禮，使服不——士官——唱獲，故就其所爲唱
獲獻之。此鄉人獲者賤，故獻於侯，明以侯爲功得獻也。」（頁 1003 下）

　　案：下疏又云：「若〈大射〉則獻與薦具在乏，乃適侯祭之。君禮與此異
也。」（頁 1004 上）則此云「就其所爲唱獲獻之」，固謂就乏受獻無疑。然〈大
射〉既言「設乏各去其侯西十北十」，則「侯西北三步」之位近侯而不近乏，正如
〈大射〉疏所言，（頁 1040 下）是知此疏顯誤也。賈氏何爲此顯誤之說者？則注
云「鄉人獲者賤」，當對〈大射〉服不氏爲士官稍貴而言。鄉人獲者賤，故於侯受
獻，然則〈大射〉服不氏稍貴，不當如此。賈氏以不就侯受獻，即應就乏受獻，斯
誤也。其實，鄭玄意〈大射〉服不氏近侯所受獻，近而不就，是與鄉人獲者有差
耳。賈氏望文爲說，拘此注而妄爲推論，不顧其不止與事理乖，且與〈大射〉疏說
自相矛盾。

　　(5)旅酬節「主人以觶適西階上酬大夫」，《疏》云：「旅酬恒執此觶以相
酬，故言『以』。知義然者，上文『命獲者以旌退』，鄭注云：『旌言以者，旌恒
執也。』是也。」（頁 1005 下）

　　案：上退射器節言：「司馬命獲者以旌退，命弟子退楅，司射命釋獲者退中

與算而俟。」（頁 1005 中）弟子言「退楅」，釋獲者言「退中與算」，獨獲者言「以旌退」，辭例不同，故鄭特為釋云：「旌言以者，旌恒執也。」至若此經言「主人以觶適西階上」者，全經言「以爵」、「以觶」者比比皆是，為言之最平實者，絕不有含義也。賈氏見上注有「恒執」之說，遂引以為此經之釋，不知彼注不可以為泛說也。

(6)息司正節「無介」，注「勞禮略，貶於飲酒也。」疏云：「謂貶於鄉飲酒。鄉飲酒禮有介，此上正飲酒及此勞禮皆無介，是貶於鄉飲酒也。」（頁 1009 上）

案：此云「鄉飲酒禮有介，此上正飲酒及此勞禮皆無介」，其言非誤。是以上經戒賓節言「無介」，注云：「雖先飲酒，主於射也，其序賓之禮略。」（頁 993 中）然此息司正之儀，〈鄉飲酒〉亦言「無介」，與此經無異，則不得以鄉射貶於鄉飲酒也。鄭意蓋謂勞禮略，故〈鄉飲酒〉正禮有介而息司正則無介；至此〈鄉射禮〉，飲酒正禮本無介，息司正貶於正禮，固不得有介也。賈說混亂，可謂以戒賓節之「無介」釋此息司正之「無介」者也。

通觀諸例，知賈氏撰疏可謂草率，後人謂《儀禮疏》不如《周禮疏》，實不誣也。蓋《周禮》舊疏較《儀禮》遠備，正如賈氏序言「《周禮》為末，《儀禮》為本；本則難明，末便易曉」。而在《儀禮》一書之中，〈喪服〉舊疏極詳審，至〈鄉射〉等篇則轉不周備也。於是亦應知賈氏撰二疏，雖稱私家撰著，說之完整者大抵皆有所本，自不可視為賈氏創義。然則賈氏之功主在編排舊說，且在其過程中猶不免望文傅會之病也。雖然，當時學術以記憶為主，講經亦為宣讀經注一節，隨即為說而已，則或亦不可以牽強傅會為大病與？要不必以今日注釋研究古書之法責之，可也。

二、賈疏據《周禮》舊說考

賈氏所據前代著作如今無一存著，欲知賈氏說之所自出，需詳玩文義，求其有因革之跡可考者，如劉氏《舊疏考正》之所為。今以賈氏所據，除《儀禮》舊說外，以《周禮》舊說為其要者。考之《周禮疏》，舉例為說如下：

(1)〈士冠禮·鄭目錄〉「古者四民世事，士之子恒為士」，疏云：「是〈齊

語〉文。彼云：『……（文繁不錄）……』是四民世事，士之子恒爲士也。」（頁
945 上）

　　案〈喪服・小功章〉疏云：「〈士冠禮・鄭目錄〉云『士之子任士職居士
位，二十而冠』，則亦是有德未二十爲士，至二十乃冠，故鄭引《管子書》『四民
之業，士亦世焉』是也。」（頁 1116 下）其云「故鄭引《管子書》」承上文言，
則當謂此〈士冠禮・鄭目錄〉，而其文與此不同，且此疏稱〈齊語〉彼言《管子
書》不同者，賈氏據《周禮》舊疏爲說耳。《周禮・諸子》注云「四民之業而士者
亦世焉」（頁 850 上），是〈喪服〉疏所引之文。然則賈氏言〈士冠禮・目錄〉而
參用《諸子》注也。《諸子》疏云：「此〈齊語〉。桓公謂管仲曰：……（今略不
備錄）……是四民之業爲世也。」是此疏所本。〈大司徒〉疏、（頁 703 中）〈載
師〉疏（頁 726 上）亦引此〈齊語〉，而皆摘引原文而已，惟《諸子》疏於〈齊
語〉文稍作刪節。今此疏所引與《諸子》疏節引之文吻合，則賈氏疏此《目錄》亦
必有資於《諸子》舊說可知也。

　　(2)醮辭「孝友時格」，注「善父母爲孝，善兄弟爲友」，疏云：「《爾雅》
文。不言善事父母、善事兄弟者，欲見非直善事兄弟，亦爲兄弟之所善者諸行周備
之意也。」（頁 957 下）

　　案：注文既出《爾雅》正文，而此疏特以不言「善事」爲疑者，蓋亦賈氏襲
用《周禮》舊疏之成說也。考《周禮・大司徒》「二曰六行：孝、友、睦、婣、
任、恤」，注「善於父母爲孝，善於兄弟爲友」，疏云：「案《爾雅》云：『善於
父母』、『善於兄弟』言『於』者，凡言孝友，非直甘肴先奉、昏定晨省而已。謂
若《禮記・祭義》云：『孝者先意承志，喻父母於道，國人稱之曰：幸哉有子若
是！』如此美行，乃所爲父母兄弟所善，故鄭云『善於父母爲孝，善於兄弟爲友』
也。」（頁 707 下）是彼注作「善於」，與《爾雅》作「善」不同，故以有「於」
者爲被動式解之，謂「父母兄弟所善」也。就語助之微，大言孝友之深義，其說甚
巧，而非通論也。豈謂必言「善於」始得孝友之眞諦？若如〈大司樂〉注云「善父
母曰孝，善兄弟曰友」，則其孝友與〈大司徒〉所言有差乎？是知〈大司徒〉疏之
說，不過望文發揮之言，不足以論他經注也。今此〈冠禮〉疏仍用〈大司徒〉疏
說，而移「善於」與「善」之差爲「善」與「善事」之不同，非謂謬誤，顧終不免

牽強之嫌也。

(3)〈士昏禮〉親迎，「乘墨車」，注「士乘墨車，攝盛也」，《疏》云：「士乘墨車，爲攝盛，則大夫當乘卿之夏縵，卿當乘孤之夏篆。已上有木路，質而無飾，不可使孤乘之。禮窮則同也，孤還乘夏篆。又，於臣之外特置，亦是尊，尊則尊矣，不欲攝盛。」（頁 963 下）又「婦車亦如之」，注「亦如之者，車同等」，疏云：「凡婦車之法，自士已上至孤卿皆與夫同，有袥爲異。三夫人與三公夫人當用翟車，九嬪與孤妻同用夏篆，世婦與卿大夫妻同用夏縵，女御與士妻同用墨車也。」（頁 964 上）

案《周禮‧巾車》疏云：「若五等諸侯親迎，皆乘所賜路。以其士親迎攝盛乘大夫車，則大夫已上尊則尊矣，不可更攝盛轉乘在上之車，當乘所賜車，與祭祀同。則王乘玉路可也。」（頁 823 下）又云：「王之三夫人與三公夫人同乘翟車，九嬪與孤妻同乘夏篆，二十七世婦與卿妻同乘夏縵，女御與大夫妻同乘墨車。士之妻攝盛亦乘墨車，非嫁攝盛則乘棧車也。」又云：「若親迎則士有攝盛，故〈士昏禮〉主人乘墨車，『婦車亦如之』，有爲異耳。但大夫以上尊則尊矣，親迎不假攝盛轉乘上車也。」其說蓋即〈昏禮〉疏所本。〈巾車〉疏序次男女用車之差既詳且析，而於親迎則謂惟士有攝盛，大夫以上皆不攝盛。賈氏疏〈昏禮〉，見注有言「大夫以上親迎冕服」，以其玄冕爲卿大夫助祭之服，遂以親迎卿大夫亦攝盛。執此以改造〈巾車〉疏舊說，於夫之車則云「士乘大夫墨車，大夫當乘卿之夏縵，卿當乘孤之夏篆」，卿大夫皆以攝盛爲說。若孤，則一言以木路質，於是攝盛之理窮，故孤仍乘夏篆，與卿同。又言孤之地位決非平常臣下之比，故不攝盛。論證歧出兩途，似可視爲改造之跡。於婦車則云：「孤妻用夏篆，卿大夫妻同用夏縵，士妻用墨車。」〈巾車〉疏云大夫妻用墨車，此改爲夏縵，與卿妻同，是則大夫士妻有攝盛，而孤卿妻不攝盛也。其實此疏并〈巾車〉疏皆言婦車與夫同，惟有袥爲異，則此疏於夫車以孤不攝盛，卿大夫士攝盛，於婦車以孤卿妻不攝盛，大夫士妻攝盛，自相矛盾。又，〈詩‧何彼襛矣〉疏述崔靈恩說，謂「初嫁之時，侯伯以下夫人所乘車皆上攝一等」，又引崔又一解云「諸侯夫人初嫁，不得上攝，卿大夫之妻得上攝一等」，皆與此說不合。愈知賈氏本以〈巾車〉舊說爲據，至其釋〈昏禮〉乃拘注「大夫以上親迎冕服」之說，率意改造，以自致混亂，終不得其正也。

(4)三月廟見節「婦拜扱也」，《疏》云：「稽首，拜中之重，是臣拜君之拜也；頓首，平敵相與之拜。故《左氏傳》：『齊侯拜魯侯爲稽首，魯君答以頓首。齊於魯責稽首，答曰：天子在，無所稽首。』是臣於君以稽首。」（頁 970 中）

　　案：此疏引《左傳》有訛誤。殿本改「天子在」爲「非天子」，《詳校》云：「此引哀十七年傳而作『天子在』，乃涉襄三年傳而誤。」今案：此疏及上下文大段論九拜，其說皆與《周禮・大祝》疏（頁 810 中下）符合。而彼疏稱引哀十七年傳文，下即連引襄三年傳文，中間無所識別，乍見猶似一傳之文。此疏引襄十七年文而混見襄三年「天子在」三字，不知可謂偶合乎？

(5)〈鄉射〉首節注引《周禮・鄉大夫》「五物詢眾庶」，《疏》云：「案彼云『一曰和，二曰容，三曰主皮，四曰和容，五曰興舞』，鄭注云：『容包六行也。主皮、和容、興舞，則射與禮、樂與。』容爲孝首，人有孝行則性行含容，故以孝爲容。孝是六行中之大，故舉上以包下，故云『容包六行』也。以和容爲禮者，禮之用和爲貴。又行禮有容儀，是以漢時謂禮爲容，故以禮爲和容也。」（頁 993 上中）

　　案：此說與〈鄉大夫〉疏異。彼疏云：「在上謂之包，容則孝也。孝在六行之上，故云『容包六行』。必知容得爲孝者，案《漢書》『高堂生善爲容』，容則禮也。善爲孝者必合於禮之容儀，故以孝爲容者也。」（頁 717 上）彼疏不釋「和容」。鄭注以「容」當孝，「和容」當禮，則「容」字應兼有二義。而〈鄉大夫〉疏乃引〈儒林傳〉，以「容則禮也」之說釋「容」當孝之義，且不釋「和容」當禮之義。賈氏見其混而不析，故更爲「人有孝行則性行含容」之說，以釋當孝之「容」，至其釋「和容」乃用「高堂生善爲容」，固據《漢書》云云之說，明也。然〈儒林傳〉本作「魯高堂生傳士禮十七篇，而魯徐生善爲頌，孝文時徐生以頌爲禮官大夫」，則〈樂記〉疏（頁 1543 中）云「《漢書・儒林傳》云孝文時徐生善爲容，是善禮樂者謂之容也」，是其文之正者。

(6)〈鄉射禮〉將射，「司正爲司馬」，疏云：「案〈射義〉云：『孔子射於矍相之圃。射至於司馬，使子路執弓矢出延射。又使公罔之裘、序點揚觶而語。』但此篇是州長春秋習射法，兼有鄉大夫三年貢士之後以五物詢眾庶射於庠。鄉大夫五物詢眾庶而引孔子射於矍相之事，則孔子魯之鄉大夫也。……（下略不錄）」

（頁 997 中）

　案：此疏及下文所論凡有三事：一言孔子爲魯鄉大夫，一釋公罔之裘、序點二人揚觶在未射前之義，三言子路執弓矢是爲司射。三事皆就〈射義〉而發，而其說皆見〈鄉大夫〉疏。此言「而引孔子射於矍相之事」，固據〈鄉大夫〉注言。是疑此疏據〈鄉大夫〉舊疏也。彼注實本〈射義〉，故此疏先舉〈射義〉原文，以便行文。蓋編纂之法當如此也。

三、賈疏據《禮記》舊說考

　今考《禮記正義》亦有可以考知賈疏所本者，舉例爲說如下：

　⑴〈士冠禮〉設器服節「皮弁服」，注「皮弁者，以白鹿皮爲冠，象上古也」，《疏》云：「謂三皇時冒覆頭句領繞項，至黃帝則有冕。故《世本》云：『黃帝作旒冕。』」（頁 950 中）

　案《禮記・冠義》疏云：「案《略說》稱『周公對成王云：古人冒而句領』，注云：『古人，謂三皇時。以冒覆頭，句領繞頸。至黃帝時則有冕也。』故《世本》云『黃帝造火食、旒冕』，是冕起於黃帝也。」（頁 1679 下）據以知此疏「頷」字當作「領」，「項」字當作「頸」。彼引《書傳》注，陳壽祺以至「有冕也」止，若依其說則《世本》爲疏家所引。今此疏引《書傳》注而乾沒其名，且句首去「古人」二字，徑以「謂三皇時」以下爲此注「象上古」之釋，下又連引《世本》，則其所據必與《禮記》疏一也。

　⑵〈士冠禮・記〉「始冠緇布之冠也。委貌，周道也。周弁。三王共皮弁素積。」《疏》云：「記人以經有緇布冠、皮弁、爵弁、玄冠，故還記緇布冠以下四種之冠以解經之四者。」又云：「再加當在三加之上，退之在下者，欲見此是三代之冠，百王同之，無別代之稱也。」（頁 958 下）

　案：《禮記・郊特牲》經文與此記正同。彼疏云：「委貌一條論三加始加之冠，周弁一條論第三所加之冠，皮弁一條論第二所加之冠。在後言皮弁者，以其三王共同，故在後言之。」（頁 1456 中）此可見賈《疏》所據舊說。惟舊說以委貌當始加之緇布冠，則記文次序即以再加之皮弁居三加爵弁之後爲異，故以三王共同釋之。今賈氏改以委貌當禮成易服之玄冠，此說亦見賈氏自序，疑或出賈氏創義。

則記文先言始加之緇布冠，次言三加成禮後之玄冠，次言三加爵弁，次言二加皮弁，與經文加冠次序全不相干，本不可以皮弁居末爲疑也。是賈氏破改舊說委貌之義，而仍襲「皮弁三王共同故在後」之說，故爲偏頗如此。

(3)〈士昏禮〉親迎節注「姆，婦人年五十無子出而不復嫁，能以婦道教人者」，《疏》云：「又案：《易・同人・六二》鄭注云『天子諸侯后夫人無子不出』，則猶有六出。其天子之后，雖失禮，鄭云：『嫁於天子，雖失禮無出道，遠之而已。』若其無子，不廢遠之，后尊如故；其犯六出則廢之。」（頁 965 下）

案〈內則〉「父母不說，出」，《疏》曰：「按《易・同人・六二》鄭注云：『天子諸侯后夫人無子不出』，則猶有六出也。其天子之后，雖失禮，亦不出，故〈鼎卦・初六〉鄭注云：『嫁於天子，雖失禮無出道，廢遠而已。』若其無子，不廢遠之，后尊如；其犯六出則廢之。」（頁 1463 中）兩疏相較，知此疏「其天子之后雖失禮」下有脫文，可據〈內則〉疏補作「亦不出故〈鼎卦・初六〉鄭注云」，所引〈鼎〉注「遠之」上或亦當補「廢」字；〈內則〉疏「后尊如」下當據此疏補「故」字。兩疏全然同文，所本必一也。惟其上文兩疏同述七出、三不出、五不取之義，義不異而賈引《家語》、孔引《大戴》不同者，蓋所傳不同耳。至若〈詩・河廣〉疏並舉《大戴》、《家語》者，則蓋出二劉廣參文獻之爲也。

(4)〈鄉飲酒〉設尊節注「斯禁，禁切地無足者」，《疏》云：「〈禮器〉云『大夫士棜禁』，注云：『棜，斯禁也。謂之棜者，無足有似於棜，或因名云耳。大夫用斯禁，士用棜禁。』然則禁是定名，言棜者是其義稱，故〈禮器〉大夫士總名爲棜禁。案〈特牲禮〉云『實獸於棜』，注云『棜制如今大木輿矣』，則棜是輿，非承尊之物。以禁與斯禁無足似輿，故世人名爲棜。若然，周公制《禮》，〈少牢〉名爲棜，則以周公爲世人？或有本無『世人』字者。」（頁 981 上）

案：此疏及下文至「是以〈禮器〉同名棜禁也」，大段皆專論〈禮器〉者。此先言「故世人名爲棜」，「若然」以下還自駁其說，文例殊奇。義疏之體，疏釋一通訖，稱「若然」後自發一難自爲釋說者有之，更端言他理者有之，初無前說後說徑相矛盾者也。考〈禮器〉疏言熊氏所據注有「世人」二字，「今定本」無，并以熊氏爲非。（頁 1433 下）據孔疏序云「據皇氏以爲本，其有不備，以熊氏補焉」，則攻熊說者唐人，所謂「今定本」亦唐初定本也。刪定《正義》，賈公彥亦

與焉，自當知有此議。蓋賈氏爲此疏，初據舊疏，仍言「世人」，後據新議，補爲「若然」以下之說也。

(5)〈鄉射記〉「長尺有握，握素」，注：「握，本所持處也。素，謂刊之也。刊本一膚。」疏云：「云『刊本一膚』者，《公羊傳》僖三十一年云『觸石而出，膚寸而合，不崇朝而徧雨乎天下者，唯泰山爾』，何休云：『側手爲膚。』又〈投壺〉云『室中五扶』，注云：「鋪四指曰扶。一指案寸。』皆謂布四指，一指一寸，四指則四寸。引之者，證握膚爲一，謂刊四寸也。」（頁 1012 上中）

案：此稱「引之者」，不知孰引何書也。考〈投壺〉注云：「鋪四指曰扶，一指案寸。《春秋傳》曰：『膚寸而合。』」《疏》云：「此僖三十一年《公羊傳》文。彼云：『觸石而出，膚寸而合，不崇朝而徧雨天下，唯泰山爾。』引之者，證彼膚與此扶同也。」（頁 1666 下）其言與此仿佛，則比賈氏依〈投壺〉注爲說，蓋據其舊說也。

四、舊義略說

上第一節言賈氏率意傅會，說義乖謬之例，第二、第三兩節見賈氏據《周禮》、《禮記》舊說而改造舊義，以致文理轉滯之例，此皆可知出賈氏己意者也。至其餘內容，考之《九經疏》亦每見同義者，蓋皆當時經師常義，賈氏傳述之而已。此皆學義疏所不可不知者。茲舉例言之：

〈士冠禮〉「櫛實于簞」，注「簞，笥也」，胡氏《正義》云：「鄭注〈曲禮〉及《論語》俱云『圓曰簞，方曰笥』，此乃訓簞爲笥者，亦對文異，散則通也。」案：鄭注《論語》未聞有「圓曰簞；方曰笥」之訓，此實出胡氏誤讀賈《疏》。賈《疏》云：「鄭注〈曲禮〉：『圓曰簞，方曰笥。』笥與簞方圓有異，而云『簞，笥』，共爲一物者，鄭舉其類。注《論語》亦然。」（頁 951 上）其言「注《論語》亦然」，謂鄭注《論語》亦云「簞，笥」，非謂亦云「圓曰簞，方曰笥」。何以知之？義疏家言傳注「舉其類」之義者，每舉簞圓笥方而注家以笥解簞、枲爲雄麻而傳注解枲爲枲實二事爲說。〈喪服〉（1097 中）、《士喪》（1131 下）、《有司》（1207 下）、《周禮·罶人》（671 下）、《弓人》（937 中）、《左傳》宣二年（1867 中）等疏莫不皆是。是爲當時經師常談，不知此不

足以語義疏也。又如：

〈士冠禮〉禮賓節注「凡醴事，質者用糟，文者用清」，《疏》云：「質者謂若〈冠禮〉禮子之類是也。故以房戶之間顯處設尊也。」（頁953中）案：吳紱云：「『是也』下當補『故設尊在房中文者此禮賓是也』十三字，文義方完備。」倉石云：「所謂文者，或當謂醮子下云『醮用酒，尊於房戶之間』是也。」今案：禮子之尊在房中，則此疏有訛誤可知，故有吳紱補字之議。然禮賓之尊，雖無明文，亦當因用禮子之尊，初無疑義，則吳紱補作「文者此禮賓是也，故以房戶之間顯處設尊」，亦不可從，故有倉石糾正之議。但若依倉石作「質者謂若〈冠禮〉禮子之類是也，故設尊在房中；文者若〈冠禮〉醮用酒是也，故以房戶之間顯處設尊也」，則其言雖不誤，乃全不及禮賓事，豈可以釋此禮賓經注之義？是所以有吳紱之誤說也。其實此疏所述之義詳見於〈鄉飲酒〉疏，曰：「凡設尊之法：但醴尊見其質，皆在房中，故〈士冠禮〉禮子、〈昏禮〉禮婦，醴皆在房隱處。〔若然，《聘禮》禮賓尊於東廂，不在房者，見尊欲與卑者為禮，相變之法。〕設酒之尊，皆於顯處，見其文，是以此及醮子與〈鄉射〉、〈特牲〉、〈少牢〉、〈有司徹〉皆在房戶之間是也。〔〈燕禮〉、〈大射〉尊在東楹之西者，君尊，專大惠也。〕」（頁980下）其言設尊之凡例惟詳惟辨，是為禮之通例，當時禮學之最精要者也。今賈氏釋禮賓節，見注有醴、文、質等字，遂引設尊之通例為說，不顧此注實就醴中分文質，以清醴為文，糟醴為質，與彼設尊之例以醴為質對以酒為文者全不相干也。惟因如此，始有疏〈冠禮〉而特言「〈冠禮〉禮子」，釋禮賓而不及禮賓等齟齬。後之學者不知賈疏傅會率意引通義之例，故為之迷惑，或刪或補，終不得其宜也。

今更就賈《疏》所據舊義言其大略，別說訓詁而其說實當時成說者最為常見。說一字之訓全然同旨者散見《九經疏》，固不限何經也。又，賈《疏》因襲舊說，微至遣辭之末，都有所承者，如：

〈士昏禮〉納采，「用鴈」，注「用鴈為摯者，取其順陰陽往來」，《疏》云：「鴈，木落南翔，冰泮北徂。夫為陽，婦為陰。今用鴈者，亦取婦人從夫之義。」（頁961中）案：「木落南翔，冰泮北徂」二句亦見〈士相見〉疏，（頁976下）而《周禮·大宗伯》「大夫執鴈」疏已見其語。（頁762中）又檢《禹

貢》正義則云：「鴻鴈之屬，九月而南，正月而北。左思《蜀都賦》所云『木落南翔，冰泮北徂』是也。」（頁 148 中）是知此兩句爲疏家常用之典，非賈氏創爲典引者也。

又有說有所承，且流傳有統者，如：

〈鄉飲酒〉遵者之儀，「公三重，大夫再重」，《疏》云：「言三重、再重者，席有地可依，若衣裳在身；一領則爲一重，再重、三重猶二領、三領也。」（頁 989 下）案：《郊特牲》疏云：「皇氏云：三重者，有四席爲三重。熊氏以爲席之重數異於棺也，三重止三席也。」（頁 1446 上）又，〈禮器〉疏大段引載熊氏說筵席之通義，亦有「凡《儀禮》之例，一種席皆稱重」，「凡席有兩則稱二重，有一則稱一重，與棺重別也」等語。（頁 1432 中下）然則此疏所述同熊異皇，且以衣裳爲喻，較熊氏語更易明也。又如：

〈鄉飲酒〉使二人舉觶節注「賓言取，介言受，尊卑異文」，《疏》云：「尊者得卑者物言取，是以《家語》云：『定公假馬於季氏，孔子曰：君於臣，有取無假。』」（頁 988 下）案：孔子事，《家語·正論解》外，亦見《韓詩外傳》、《新序》。《公羊》定八年注云：「定公從季孫假馬，孔子曰：君之於臣，有取無假。而君臣之義立。」（頁 2340 下）與此疏所述亦彷彿，而其疏即以爲《家語》文。然《韓詩外傳》、《新序》皆有「而君臣之義定矣」之語，而今本《家語》不見之，故說者或疑焉。其實則《周禮·玉府》疏論「獻」字之義，言王肅取《家語》取、賜、假、獻之辨以難鄭注，馬昭反駁王肅義之事。（頁 678 下）然則此疏引《家語》爲正名之說，實魏晉以來相傳如此，賈氏必有所本。至若皇侃《論語·子路》疏，則引載《韓詩外傳》文，已不據《家語》，是亦南北學風異趣所致也。

經 學 研 究 論 叢
第 七 輯　　頁199～204
臺灣學生書局　　1999 年 9 月

也評江蘇古籍版《儀禮正義》

彭　林*

　　近讀陳秀琳君〈評江蘇古籍版〈儀禮正義〉〉❶，作者所論，要點有二：

　　其一，關於《儀禮正義》一書之點校者，陳君因全書僅版權頁印有「段熙仲點校」字樣，卷首及書後附錄中皆用「點校者」一詞，而書中頗有訛誤之處，因疑此書爲「段先生點校工作最終沒有完成，他只做到了初步的點校，後由別人據以整理編定」。

　　其二，對江蘇古籍版《儀禮正義》之評價，作者稱「（江蘇古籍）出版社的校對工作做得相當精細」，「可靠程度與清刻本相埒，而裝幀精緻，閱讀方便則遠過之，此本完全可以做爲清刻本的代用品。」

　　江蘇古籍版《儀禮正義》，筆者曾通讀一過，對此書出版情況亦略有所聞，而所見與陳君似正相反，以下略申管見。

　　江蘇古籍版《儀禮正義》之點校者爲原南京師範大學中文系教授段熙仲先生，此事從未有人提出疑問。八十年代初，中華書局決定整理出版「十三經清人注疏」，所列擬目有胡培翬《儀禮正義》一種。據筆者所知，中華書局曾約請段熙仲先生點校胡培翬《儀禮正義》一書。點校克竣，段先生將稿本寄至中華書局。當時中華書局積稿甚多，出版經費短缺，出書周期較長，時段先生年逾八旬，耋耄之年，勢難久候，遂又索回稿本，轉交江蘇古籍出版社。此稿本爲段先生生前手定，

────────────────
＊　彭林，清華大學思想文化研究所教授。

❶　林慶彰主編：《經學研究論叢》第 5 輯（臺北：臺灣學生書局，1998 年 8 月），頁 155。

斷無可疑。至於書中屢屢自稱「點校者」，僅版權頁有段熙仲先生之名，此不足為怪，以「點校者」、「著者」、「譯者」自稱，乃著述慣例，屢見不鮮，非有隱情而然。陳君以為段先生未及定稿而歿，而由他人代為完成之說，係無根之譚。

　　江蘇古籍出版社對段先生之書稿頗為重視，旋即組織精幹力量編輯加工。書稿係於影印本上點校而成，無法直接送印刷廠排版，故重新謄鈔後方發排。清樣打出後，責任編輯先以新鈔本初校，復以段先生之稿本詳校。其間，段先生不幸辭世，此書後期工作遂全部由責任編輯承擔，其艱辛之程度，自不難想見。然此書文字訛誤在在多有，今就一時所檢，舉例如下：

㈠文字訛脫：

　1.〈士昏禮〉（第223頁，第2段、第1行）：

　　經文：「未教，不足與禮也。」

　　案：唐石經及諸本「與」下皆有「為」字，《四部備要》本《儀禮正義》亦不脫「為」字。此脫。

　2.〈士喪禮〉（第1761頁，第2段、第1行）：

　　經文，「祝徹，盥于門外，八，升自阼階，丈夫踊。」

　　案：唐石經及諸本「八」皆作「入」，《四部備要》本同。此誤。

　3.〈士喪禮〉（第1664頁，第2段、第3行）：

　　鄭《注》：「今文銘皆為名，未為旆也。」

　　案：鄭氏此語，乃注經「書銘于末」句，故「未」當為「末」字之誤。末指銘旌之末。旆為旌末之垂者，兩者相類，故今文借旆為末。

　4.〈士喪禮〉（第1673頁，倒5行）：

　　經文：「布衣，環幅，不鑿。」

　　案：「衣」，唐石經作「巾」，諸本多从之。《備要》作「衣」，顯誤。《正義》云：「布巾為飯而設，以覆尸面，用巾為之。」亦以為布巾，若作布衣覆面，則義不可解矣。

　5.〈士喪禮〉（第1686頁，第2段、第1行）：

　　鄭《注》：「貝，水物，古者以為貨，江水出焉。」

　　案：「貨」，諸本多作「貨」。《備要》亦作「貨」。《說文》「古者貨貝

而寶龜。」此誤。

6. 〈士喪禮〉（第1735頁，第1段、倒2行）：

《正義》：「而西堂下之盥，仍設加初。」

案：《備要》本「加」作「如」，是。此作「加」，不類。

7. 〈士喪禮〉（第1730頁，第4行）：

《正義》：「斂衣半在尸上，是有藉者，有覈者。」

案：《備要》本「覈」作「覆」，是。藉與覆相應，謂斂衣於尸身，上下各一半也。此誤。

8. 〈士喪禮〉（第1752頁，第1行）：

鄭《注》：「褶，袷也。」

案：袷乃於太廟合祭先祖之名，與「褶」無涉。褶為夾衣，《玉藻》：「襌為絅，帛為褶。」鄭《注》：「有表裏而無著。」是「袷」當為「袷」字之訛。袷通「袂」，夾衣也，故鄭注以之訓褶。此誤。

9. 〈士喪禮〉（第1755頁，倒4行）：

《正義》：「柲，《詩》本作悶。」

案：此「《詩》」，指《秦風·小戎》原句作「竹閉」，《備要》本作「閟」，本或作閉、閟，皆通，唯此本作悶為誤。

10. 〈士冠禮〉（第7頁，第8行）：

《正義》：「上經巫止于廟門外。」

案：「巫」，《備要》本同，揆諸文意，此字當作「筮」。

11. 〈士冠禮〉（第8頁，第10行）：

《正義》：「冠禮三加，皆行于廟堂堂。」

案：《備要》本「堂」字不重，是。此誤重。

12. 〈士冠禮〉（第23頁，第7行）：

鄭《注》：「進東北面告主主人也。」

案：《備要》本「主」字不重，此誤重。

13. 〈士冠禮〉（第37頁，倒7行）：

《正義》：「據《說文》，弁本作小皃，象形，或作弁。」

　　案：《說文》弁作![弁字]，即覍，此誤分爲小、兒二字。《備要》本作覍，不
　　　　誤。

14.〈士冠禮〉（第90頁，倒6行）：

　　《正義》：「束之以茅，縮去滓也。」

　　案：《備要》本「束」作「涷」，即「沛」，是。

15.〈士喪禮〉（第1757頁，第8行）：

　　《正義》：「欑不題，湊象槨，其他亦如之。」

　　案：「不」，《備要》本同，誤。「不」當爲「木」字之誤。《正義》此處
　　　　言天子之殯與諸侯之殯之同異。上文言「天子之殯，居棺以龍輴，欑木
　　　　題湊，象槨。上四注如屋以覆之，盡塗之。」下言諸侯之殯亦有輴，而
　　　　「不畫龍」，「欑木」以下皆如天子之殯，故當云「欑木題湊，象槨，
　　　　其他亦如之。」欑或作攢，訓積聚或四圍迭堆。〈喪服大記〉：「君殯
　　　　用輴，欑至于上。」鄭《注》：「欑猶菆也。」題湊爲古天子諸侯葬
　　　　制，積木四圍，木題內湊，故名。「欑木題湊，象槨」，謂四圍積木成
　　　　題湊之式，如同棺外之槨也。

㈡句逗錯誤：

1.〈士昏禮〉（第48頁，第4行）：

　　《正義》：「緇、纁爲二物。」

　　案：緇爲黑色，乃纁之色。緇纁是一物。此云「二物」者，乃指同盛于一篋
　　　　中之六物。緇纁之序在二也。故緇與纁不應點斷。

2.〈士喪禮〉（第1738頁，第5行）：

　　鄭《注》：「堂謂楹間。牀，第上也。」

　　案：此處句逗全誤。經云「男女奉尸侇于堂。」鄭玄此注之意，在說明尸侇
　　　　于堂之確切位置，故當云「堂謂楹間牀第上也。」今此鄭注之斷句殊爲
　　　　不類，且經文無「牀」字，不得出注，牀也不得訓「第上」也。

3.〈士喪禮〉（第1743頁，第2段、第2行）：

　　《正義》：「天子諸侯之喪，斬衰者奠，大夫；齊衰者奠，士則朋友奠，不
　　　　足則取于大功以下者，不足則反之。」

案：前三句標點顯誤，當作「天子諸侯之喪，斬衰者奠；大夫，齊衰者奠；
　　士則朋友奠。」

4.〈士喪禮〉（第 1749 頁，倒 7 行），

鄭《注》：「凡喪賓，皆于既奠乃出。」

案：當斷作「凡喪，賓皆于既奠乃出。」以經云：「賓出，主人拜送于門
　　外。」此爲小斂而來之賓，故引敖氏云：「凡喪，賓皆于既奠乃出。」
　　意在由小斂推及其餘也。

5.〈士喪禮〉（第 1753 頁，第 2 段、第 1 行）：

經文：「厥明，滅燎，陳衣于房，南領，西上。綪、絞、紟、衾二。」

案：依此句逗，則綪與絞、紟、衾，皆爲物品，且其數皆爲二。大繆。綪，
　　屈也。此字當屬上讀，作「陳衣于房，南領，西上，綪。」鯖字下爲
　　句。此言于房中陳衣之法，領在南，以西爲上，嚮東陳設，放不下時，
　　再屈而嚮西也。下句當逗作「絞、紟，衾二，」絞、紟之數皆一，唯衾
　　有二也。

　　由以上二十條，僅涉〈士冠〉、〈士昏〉、〈士喪〉等三篇，且半爲經注之
誤，若推而廣之，全書訛誤幾多，自可想見。可知此書斷難當「校對工作做得相當
精細書」之贊語。胡培翬作《儀禮正義》，尤重文字校勘，經注之下，首列各本同
異，再決其正訛。文字未正，遑論經義？此書校點之誤，責在段先生，抑或在責任
編輯，未經與段先生稿本核驗之前，切不可妄下斷語，更不可感情用事，以爲某人
必是，某人必非。據筆者所聞，段先生於《儀禮》雖頗有研究，其專長則在《公羊
學》。而此《儀禮正義》之責任編輯薛正興、周方二先生，文獻學功底均不薄，薛
氏乃洪誠先生弟子，長於訓詁之學；周氏亦多年從事古漢語研究。造成此書訛誤之
原因，恐非一語二語所能回答。筆者以爲，《儀禮》古稱繁難，其文字訛脫衍倒之
多，至清代猶居「十三經」之首，故此書之整理，殊難一蹴而就，且此書爲近人對
胡培翬《儀禮正義》之首次點校，錯誤之處，在所不免。江蘇古籍出版社若能對此
書作進一步校訂，則有成爲新善本之可能。是望。

經 學 研 究 論 叢
第 七 輯　　頁205～240
臺灣學生書局　1999 年 9 月

論三傳不書之例

趙生群*

　　《孟子・離婁下》云：「孟子曰：『王者之迹熄而《詩》亡，《詩》亡然後《春秋》作。晉之《乘》，楚之《檮杌》，魯之《春秋》，一也：其事則齊桓、晉文，其文則史。』孔子曰：『其義則丘竊取之矣。』」《滕文公下》云：「世衰道微，邪說暴行有作，臣弒其君者有之，子弒其父者有之。孔子懼，作《春秋》。《春秋》，天子之事也。是故孔子曰：『知我者其惟《春秋》乎！罪我者其惟《春秋》乎！』」《春秋繁露・俞序》云：「孔子曰：吾因其行事而加乎王心焉。」《史記・孔子世家》云：「（孔子）爲《春秋》，筆則筆，削則削，子夏之徒不能贊一辭。」《春秋》以史爲載體，「竊取」舊史之「義」而「加乎王心」，寄托王道理想，是非二百四十二年之中，以爲天下儀表，貶天子，退諸侯，討大夫，上明三王之道，下辨人事之紀，別嫌疑，明是非，定猶豫，善善惡惡，賢賢賤不肖，以期撥亂反正。《春秋》對於舊史，事有筆削，辭有因革，《春秋》之義，即蘊含其中。依據舊史，筆削見意，是《春秋》的根本特徵。正因爲孔子的思想和見解，寓於筆削之中，所以後世可以通過《春秋》了解和評判孔子。從理論上說，筆削之於《春秋》，是一個問題的兩個方面，具有同等重要的意義。但是，由於《春秋》所筆者易見而所削者難知，故後世對三傳涉及經文所「不書」的內容（也即所謂無經之傳）多有誤解甚或加以指責。❶有鑒於此，本文擬就三傳解釋《春秋》不書之例

---

*　趙生群，南京師範大學中文系教授。

❶　《晉書・王接傳》：「《左傳》辭義贍富，自是一家書，不主爲經發。《公羊》附經立傳，

的內容作出較爲詳盡的列舉，在此基礎上論證這類無經之傳存在的合理性。

一、三傳所發不書之例

在以往的研究中，普遍存在這樣一種現象：一些學者對《左傳》涉及《春秋》不書的內容頗爲注意，批評集中而且尖銳，而對《公羊》、《穀梁》兩傳中類似的內容，則往往視而不見，或存而不論。筆者以爲，採取簡單化的態度隨意指責、否定，或者有意迴避，都無助於問題的解決。三傳所載與經文無直接關係的條目，究竟是附贅懸疣，還是解經所應有的內容？三傳提供的相關資料，應該是我們作出判斷的根本依據。

㈠魯君即位

春秋時期，魯國共有十二位國君。《春秋》書其即位者八：桓、文、宣、成、襄、昭、定、哀。不書即位者四：隱、莊、閔、僖。三傳對於《春秋》不書四君即位，都有具體解釋。

例一：

隱公元年《經》：元年春，王正月。

《公羊傳》：公何以不言即位？成公意也。何成乎公之意？公將平國而反之桓。……

《穀梁傳》：公何以不言即位？成公志也。焉成之？言君之不取爲公也。君之不取爲公何也？將以讓桓也。……

經所不書，傳不妄起，於文爲儉，通經爲長。」唐權德輿《明經策問七道》：「《左氏》有無經之傳，杜氏有錯傳分經，誠多艷富，慮失根本。」宋劉安世云：「《公》、《穀》皆解正《春秋》，《春秋》所無者，《公》、《穀》未嘗言之。……若《左氏》則《春秋》所有者或不解，《春秋》所無者或自爲傳。故先儒以謂《左氏》或先經以起事，或後經以終義，或依經以辯理，或錯經以合異，然其說亦有時牽合。要之，讀《左氏》者，當經自爲經，傳自爲傳，不可合而爲一也，然後通矣。」（見馬永卿：《元城語錄》，卷中）崔適云：「（《左傳》有）釋不書於《經》之傳。如元年四月：『費伯帥師城郎。不書，非公命也。』夫不釋《經》而不書於《經》，則傳《書》者不當釋黃帝何以無《典》，傳《詩》者不當釋吳、楚何以無風乎？彼傳不然，則此非傳也。」（《史記探源》，卷一）

《左傳》：元年春，王周正月。不書即位，攝也。

例二：

莊公元年《經》：元年春，王正月。

《公羊傳》：公何以不言即位？《春秋》君弒子不言即位。君弒則子何以不言即位？隱之也。孰隱？隱子也。

《穀梁傳》：繼弒君不言即位，正也。繼弒君不言即位之爲正何也？曰：先君不以其道終，則子不忍即位也。

《左傳》：元年春，不稱即位，文姜出故也。

例三：

閔公元年《經》：元年春，王正月。

《公羊傳》：公何以不言即位？繼弒君不言即位。孰繼？繼子般也。……

《穀梁傳》：繼弒君不言即位，正也。……

《左傳》：元年春，不書即位，亂故也。

例四：

僖公元年《經》：元年春，王正月。

《公羊傳》：公何以不言即位？繼弒君，子不言即位。此非子也，其稱子何？臣子一例也。

《穀梁傳》：繼弒君不言即位，正也。

《左傳》：元年春，不稱即位，公出故也。

如上所示，《公羊》、《穀梁》兩傳於四君之「不言即位」，《左傳》對四人「不書即位」、「不稱即位」，都有具體說明。儘管三傳對以上諸君不書即位的解說不盡一致，但試圖作出解釋卻是不約而同。《左傳》莊公二十三年云：「二十三年夏，公如齊觀社，非禮也。曹劌諫曰：『不可。夫禮所以整民也，故會以訓上下之則，制財用之節，朝以正班爵之義，帥長幼之序，征伐以討其不然。諸侯有王，王

有巡守，以大習之。非是，君不舉矣。君舉必書，書而不法，後嗣何觀？』」《穀梁傳》定公元年云：「即位，君之大事也。」「君舉必書」是史官記事的一條重要原則。雖觀社小事，史書也必加載錄，何況是國君即位這樣的大事？《春秋》不書四君即位，說明它不同於一般的史法。三傳解釋《春秋》不書四君即位的原因，無疑是十分必要的。❷

㈡天子諸侯等人喪葬

　　天子、諸侯、魯君及夫人、公子喪葬，《春秋》或書或不書，三傳對經文所不書者，也多有解說。

　　1.天子

　　　隱公三年《經》：三月庚戌，天王崩。

　　　《公羊傳》：何以不書葬？天子記崩不記葬，必其時也。諸侯記卒記葬，
　　　有天子存，不得必其時也。

　　春秋諸王，經文書其崩者九人：平、桓、惠、襄、匡、定、簡、靈、景。九人之中，《春秋》書其葬者五人：桓、襄、匡、簡、景。不書其葬者，有平、惠、定、靈四王。同是天王崩，為什麼時而記崩記葬，時而記崩不記葬？《公羊傳》認為天子記崩不記葬，是因為其喪葬有固定的日期，也就是《左傳》隱公元年所說的「天子七月而葬」。桓公十五年三月桓王崩，莊公三年五月始葬，歷時七年，故《左傳》云：「葬桓王，緩也。」宣公二年十月匡王崩，三年正月葬；襄公元年九月簡王崩，二年正月葬；昭公二十二年四月景王崩，同年六月葬。此三王之葬，均未及七月，為過速。文公八年八月襄王崩，九年二月葬，正合天子七月而葬之禮，經載叔孫得臣如京師葬襄王。《公羊傳》云：「王者不書葬，此何以書？不及時書，過時書，我有往者則書。」《春秋》書法，正是在「書」與「不書」的對比中

---

❷　定公元年《經》云：「元年春，王。」《穀梁傳》云：「不言即位，喪在外也。」按《公羊傳》云：「定何以無正月？……定無正月者，即位後也。」《春秋》定公元年不書即位，是因定公即位不在正月而在六月之故。兩傳相較，當以《公羊》為優。《穀梁傳》所釋，不如《公羊》明晰。

得以顯現。

2. 魯公及未逾年之君

例一：

《左傳》隱公元年：冬十月庚申，改葬惠公。公弗臨，故不書。惠公之薨也有宋師，大子少，葬故有闕，是以改葬。

例二：

隱公十一年《經》：冬十有一月壬辰，公薨。

《公羊傳》：何以不書葬？隱之也。何隱爾？弒也。弒則何以不書葬？《春秋》君弒賊不討不書葬，以爲無臣子也。

《穀梁傳》：公薨不地，故也。隱之不忍地也。其不言葬何也？君弒，賊不討不言葬，以罪下也。

《左傳》：壬辰，羽父使賊弒公於寪氏，立桓公而討寪氏，有死者。不書葬，不成喪也。

例三：

閔公二年《經》：秋八月辛丑，公薨。

《穀梁傳》：不地，故也。其不書葬，不以討母葬子也。

例四：

莊公三十二年《經》：冬十月乙未，子般卒。

《公羊傳》：子般卒何以不書葬？未逾年之君也。有子則廟，廟則書葬；無子不廟，不廟則不書葬。

春秋十二公之中，桓、莊、僖、文、宣、成、襄、昭、定公九人，經文皆書其薨、葬。隱、閔二君遇弒，《春秋》也都書「公薨」，而不書薨地，不書其葬，以區別於正常死亡之君。事實上，兩君並非不葬。桓公雖主謀弒隱，但卻害怕擔當

篡弑的罪名。《左傳》云「立桓公而討寫氏，有死者」，說明桓公竭力試圖掩飾弑君的罪行。既然如此，焉有不禮葬隱公之理？閔公之弑，謀出共仲、哀姜。事後共仲奔莒，旋即自殺，哀姜孫於邾，齊人取而殺之於夷。僖公嗣立，元凶得除，閔公之葬，亦當在情理之中。《春秋》不書二君之葬，明顯不同於一般的史筆。《公羊》、《穀梁》以「賊不討」或「不以討母葬子」來解釋經文含義，《左傳》以為「不成葬」，理解不盡相同，但都在探求隱、閔二君之葬不書於經的原因。這種努力，對於理解《春秋》，顯然並非多餘。子般即位而遇弑，《春秋》書「子般卒」而不書其葬，《公羊傳》認為子般是未逾年之君，因「無子不廟」而不書葬，意在解釋《春秋》書法。惠公之薨、葬均在春秋之前，而改葬在隱公元年。國君無論初葬抑或改葬，史書都應載錄。隱公以桓公為太子，故讓而不敢為喪主，與元年不稱即位，母不稱夫人都表示隱公攝政而有讓桓之意。《左傳》載其改葬之事，說明《春秋》所以不書改葬之故，用意正在於此。

3. 其他諸侯

　例一：

　　僖公九年《經》：九年春，王三月丁丑，宋公御說卒。
　　《公羊傳》：何以不書葬？為襄公諱也。

　例二：

　　僖公二十三年《經》：夏五月庚寅，宋公茲父卒。
　　《公羊傳》：何以不書葬？盈乎諱也。
　　《穀梁傳》：茲父之不葬何也？失民也。……

　例三：

　　宣公十八年《經》：甲戌，楚子旅卒。
　　《公羊傳》：何以不書葬？吳、楚之君之書葬，辟其號也。

　例四：

《左傳》成公十年：冬，葬晉景公。公送葬，諸侯莫在。魯人辱之，故不書，諱之也。

《春秋》書諸侯之卒，共有一百二十二例，經文書其葬者八十一，而不書葬者四十一。❸胡安國云：「卒而或葬或不葬者何？有怠于禮而不葬者，有弱其君而不葬者，有討其賊而不葬者，有諱其辱而不葬者，有治其罪而不葬者，有避其號而不葬者。宋殤、齊昭，告亂書弒矣，而《經》不書葬，是討其賊而不葬者也；晉主夏盟，在景公時告喪書日矣，而《經》不書葬，是諱其辱而不葬者也；魯、宋盟會未嘗不同，而三世不葬，是治其罪而不葬者也；吳、楚之君書卒者十，亦有親送于西門之外者矣，而《經》不書葬，是避其號而不葬者也；怠于禮而不往、弱其君而不會，無其事，闕其文，魯史之舊也。討其賊而不葬，諱其辱而不葬，治其罪而不葬，避其號而不葬，聖人所削《春秋》之法也。故曰『知我者其惟《春秋》乎，罪我者其惟《春秋》乎』。」❹這些所謂「不葬」的條例，都關乎《春秋》書法和微言大義。關於「不葬」的具體情況，前人也多有論析。如汪克寬云：「滕、邾屢朝魯，而滕七君書卒，三世不書葬；邾亦七君書卒，五世不葬。莒、宿書卒皆不葬，是皆怠於弔送，欺其微弱，非惟不使卿往，亦不使微者往會。」❺石光霽對這些事實的理解略同於汪氏，並云：「弱其君者，所以怠於禮。」❻「怠於禮」與「弱其君」兩者常常是聯繫在一起的。國君遇弒而賊不討，《春秋》不書葬，以罪臣下，以為不討賊不足以為臣子。吳、楚之君，《春秋》書其卒者凡十人：宣公十八年，楚子旅卒；襄公十二年，吳子乘卒；十三年，楚子審卒；二十五年，吳子門於巢，卒；二十八年，楚子昭卒；昭公元年，楚子麇卒；十五年，吳子夷末卒；二十六年，楚子居卒；定公十四年，吳子光卒；哀公六年，楚子軫卒。而十人之葬，無一見於《春秋》。襄公二十九年，葬楚康王，魯公親往送葬至西門之外，《春秋》亦略而不書。《公羊傳》所謂「辟其號」，實際上體現了孔子「正名」的思想。《左

---

❸　《春秋》書弒、殺者不計在內。

❹　胡安國：《春秋傳》卷一。

❺　汪克寬：《春秋胡傳附錄纂疏》卷一。

❻　石光霽：《春秋書法鈎元》卷四：「凶禮。」

傳》成公二年載孔子之言云：「唯器與名，不可以假人，君之所司也。」《禮記·坊記》：「子云：天無二日，土無二王，家無二主，尊無二上。示民有君臣之別也。《春秋》不稱楚、越之王王喪，《禮》君不稱天，大夫不稱君，恐民之惑也。」啖助云：「吳、楚之君不書葬者，不可言葬（吳）楚某王也。」❼《春秋》不稱吳、楚、越王之喪，是「恐民之惑」，故「辟其號」，其中含義極深。《穀梁傳》昭公十三年云：「變之不葬有三：失德不葬，弒君不葬，滅國不葬。」失德之君不書其葬，當含有「治其罪」的意思。

4.魯夫人

例一：

隱公二年《經》：十有二月乙卯，夫人子氏薨。

《公羊傳》：夫人子氏者何？隱公之母也。何以不書葬？成公意也。何成乎公之意？子將不終爲君，故母亦不終爲夫人也。

《穀梁傳》：夫人者隱之妻也。卒而不書葬，夫人之義，從君者也。

例二：

隱公三年《經》：夏四月辛卯，君氏薨。

《左傳》：夏，君氏卒，聲子也。……不稱夫人，故不言葬。

例三：

哀公十二年《經》：夏五月甲辰，孟子卒。

《左傳》：夏五月，昭夫人孟子卒。昭公娶于吳，故不書姓。死不赴，故不稱夫人。不反哭，故不言葬小君。

《春秋》書魯夫人薨、卒，同時書其葬者，共有十人：莊公二十一年，夫人姜氏（文姜）薨；僖公元年，夫人姜氏（哀姜）薨于夷；文公四年，夫人風氏（成風）薨；十六年，夫人姜氏（聲姜）薨；宣公八年，夫人嬴氏（敬嬴）薨；襄公二

---

❼ 陸淳：《春秋集傳纂例》卷三：「諸侯葬。」

年，夫人姜氏（齊姜）薨；四年，夫人姒氏（定姒）薨；九年，夫人姜氏（穆姜）薨；昭公十一年，夫人歸氏（齊歸）薨；定公十五年，夫人姒氏（定姒）卒。《春秋》書魯夫人薨、卒而不書其葬者，也有三人。隱公攝位，有讓桓之心，故經文書聲子之卒而不稱夫人，不書其葬。桓公之母，薨在隱公之時，桓公尙未爲君，《春秋》特書「夫人子氏薨」而又不書其葬。陳傳良云：「聲子則曷爲稱君氏？隱不以夫人之禮喪其母也。於是隱將讓桓，不以聲子伉仲子也。隱不以夫人之禮喪其母，其曰君氏者，亦修《春秋》之辭也。是故不曰子氏，且不言葬。曰子氏卒，且言葬，則疑於定姒。」❽《春秋》不書兩夫人之葬，以顯示隱公讓桓之志，表現對隱、桓關係的看法，可謂用心良苦。孟子爲昭公夫人，吳女。《春秋》記「孟子卒」而不書其葬，亦有隱衷。《禮記・坊記》：「子云：『娶妻不娶同姓，以厚別也。故買妾不知其姓，則卜之。』以此坊民，《魯春秋》猶去夫人之姓曰『吳』，其死曰：『孟子卒。』」《左傳》哀公十二年孔穎達疏：「《魯春秋》去夫人之姓曰吳，《春秋》無此文，〈坊記〉云然者，禮夫人初至，必書於策，若娶齊女，則云夫人姜氏至自齊，此孟子初至之時，亦當書曰夫人姬氏至自吳。同姓不得稱姬，舊史所書，蓋直云夫人至自吳，是去夫人之姓直書曰吳而已。仲尼修《春秋》，以犯禮明著，全去其文，故今經無其事。」孟子初至，《春秋》不書其姓，且不云至自吳，是出於隱諱之目的。經文不書孟子之葬，也同出一。因爲如果要記載孟子之葬的話，按成例應書「葬我小君某姬」。這樣一來，《魯春秋》去夫人之姓，《春秋》不著夫人出自吳的苦心經營，都將徒勞無功。《公羊》、《穀梁傳》認爲《春秋》書「孟子卒」是「諱取同姓」。經文不書孟子之葬，則是爲了「諱」得更加徹底。

㈢征伐

春秋時期，禮崩樂壞，諸侯以武力相征伐。此類事件，《春秋》有書有不書。三傳對經文所不書者，也時有闡釋。

例一：

---

❽ 陳傳良：《春秋後傳》卷一：「隱公三年夏四月辛卯君氏卒。」

　　《左傳》隱公元年：八月，紀人伐夷。夷不告，故不書。

例二：

　　《左傳》隱公十一年：冬十月，鄭伯以虢師伐宋。壬戌，大敗宋師，以報
　　其入鄭也。宋不告命，故不書。凡諸侯有命，告則書，不然則否。師出臧
　　否，亦如之。雖及滅國，滅不告敗，勝不告克，不書于策。

例三：

　　莊公十八年《經》：夏，公追戎于濟西。
　　《公羊傳》：此未有言伐者，其言追何？大其為中國追也。此未有伐中國
　　者，則其言為中國追何？大其未至而豫御之也。
　　《穀梁傳》：其不言戎之伐我何？以公之追之，不使戎邇于我也。
　　《左傳》：夏：公追戎于濟西。不言其來，諱之也。

例四：

　　《左傳》僖公九年：齊侯以諸侯之師伐晉，及高梁而還，討晉亂也。令不
　　及魯，故不書。

例五：

　　《左傳》哀公元年：吳王夫差敗越于夫椒，報檇李也。遂入越。……三
　　月，越及吳平。吳入越，不書，吳不告慶，越不告敗也。

以上五例，一事與魯有關，四事為其他國家互相征伐。祀與戎為國之大事。根據史
官書法原則，有關本國的軍事行動，魯史自應載錄。他國征戰。魯史是否也應記載
呢？隱公元年杜預注云：「隱十一年傳例曰：『凡諸侯有命，告則書，不然則
否。』史不書於策，故夫子亦不書於《經》，《傳》見其事，以明《春秋》例
也。」隱公十一年注云：「命者，國之大事政令也。承其告辭，史乃書之於策。若
所傳聞行言，非將君命，則記在簡牘而已，不得記於典策。」這些事件，不管是記

於「典策」，還是書於「簡牘」，都見於史官記載，這一點應該沒有疑問。《左傳》作者在二百年之後尚能詳知有關史實，即是明證。《國語‧魯語下》云：「吳伐越，墮會稽，獲骨焉，節專車。吳子使來好聘，且問之仲尼。……」可見吳入越也見於魯史載錄並爲孔子所知。《春秋》記諸侯征伐之事頗多。如隱公二年云「夏五月，莒人入向」；「（十二月）鄭人伐衛」；四年云「四年春，王二月，莒人伐杞，取牟婁」；「（夏）宋公、陳侯、蔡人、衛人伐鄭」。同是諸侯征伐之事，同見於史冊記載，《春秋》爲什麼有書與不書之別？有些事件不書於經，又是什麼原因？《左傳》通過歸納《春秋》凡例，以「告」與「不告」來理解書與不書，說明書與不書，兩者相輔相成，不可割裂，以所不書知所書，以所書知所不書，是理解《春秋》的重要方法。從《春秋》記載的本身來看，對某些經文所不書的內容作出相應的補充、說明，也是必不可少的。莊公十八年稱「公追戎于濟西」，僅僅記載了事件的部份內容，顯得突兀，難以理解，故三傳分別結合經文，探討不言戎人來伐之義。

㈣會盟往來

　　《春秋》不書諸侯會盟及往來之事，傳文有所闡釋者，各有兩例。先看會盟之事。

　　　　例一：

　　　　《左傳》隱公元年：鄭共叔之亂，公孫滑出奔衛。衛人爲之伐鄭，取廩延。鄭人以王師、虢師伐衛南鄙。請師于邾。邾人使私于公子豫，豫請往，公弗許，遂行。及邾人、鄭人盟于翼。不書，非公命也。

　　　　例二：

　　　　宣公七年《經》：冬，公會晉侯、宋公、衛侯、鄭伯、曹伯于黑壤。
　　　　《左傳》：晉侯之立也，公不朝焉，又不使大夫聘，晉人止公于會，盟于黃父。公不與盟，以賂免。故黑壤之盟不書，諱之也。

　　會盟是春秋時期的大事，對各國政治、軍事、外交影響極大，故爲各國所重視。會盟二字，後世常常連用，是爲混言，析言之則會與盟實爲二事。諸侯之盟必

有會，而會未必有盟。《左傳》僖公七年載管仲之言稱：「夫諸侯之會，其德刑禮義，無國不記。」《春秋》記載諸侯會盟之事，數以百計。隱公元年《經》云：「九月，及宋人盟于宿。」杜注：「客、主無名，皆微者也。」魯、宋之微者盟，《春秋》載之。同年公子豫與邾人、鄭人盟，經文爲何擯而不錄？《左傳》解釋說，因爲「非公命」，故「不書」，是將《春秋》書法與一般的史筆區分開來，說明其中包含著對權臣的貶抑。《左傳》文公十五年云：「凡諸侯會，公不與，不書，諱君惡也。」僖公元年云：「諱國惡，禮也。」黑壤之盟，魯公爲晉人止於會而不得與盟，是魯君本人和魯國的巨大恥辱，《春秋》書諸侯之會而不書其盟，正是諱「君惡」、「國惡」的具體例證。昭公十三年《經》云：「秋，公會劉子、晉侯、齊侯、宋公、衛侯、鄭伯、曹伯、莒子、邾子、滕子、薛伯、杞伯、小邾子于平丘。八月甲戌，同盟于平丘。公不與盟。」杜注：「魯不堪晉求，讒慝弘多，公不與盟，非國惡，故不諱。」觀此知《春秋》筆削確實不是無所用心。書與不書，相得益彰。

再來看諸侯往來之事。

例一：

> 《左傳》隱公元年：冬十月庚申，改葬惠公。公弗臨，故不書。……衛侯來會葬，不見公，亦不書。

例二：

> 文公二年《經》：三月乙巳，及晉處父盟。
>
> 《穀梁傳》：不言公，處父伉也。爲公諱也。何以知其與公盟？以其日也。何以不言公之如晉？所恥也。出不書，反不致也。
>
> 《左傳》：晉人以公不朝來討。公如晉。夏四月己巳，晉人使陽處父盟公以恥之。書曰：「及晉處父盟。」以厭之也。適晉不書，諱之也。

隱公攝位，而桓公爲太子。改葬惠公，隱公不臨其喪，表示謙讓不敢爲喪主，以明讓桓之志，故《春秋》不載其事。衛侯來會葬，屬於改葬惠公的一部分，故經文一併予以刪削。文公二年與晉陽處父盟者，實魯公。《春秋》諱而不書，實

爲別出心裁。經文以不書見義，而傳經者卻不能不將史實說清楚，故三傳都首先確認魯公與盟這一事實。❾這樣一來，自然而然就提出了另外一個問題：既然魯公與盟，會盟之地又在晉國，經文爲何不記載文公如晉？所以《穀梁傳》、《左傳》又都不約而同地解釋《春秋》不書文公如晉的原因。由此看來，作爲《春秋》筆削的表現形式，「書」與「不書」有時直接聯繫在一起。在此種情況下，要理解《春秋》所書的內容及其含義，就必須對經文所不書的事實有所了解。而且，《春秋》刪削不書的一些史實，直接反映了作者對歷史的認識，是體現其「微言大義」的重要組成部分。

㈤出入

三傳有解釋《春秋》不書諸侯等人出入的例子。

例一：

> 《左傳》僖公元年：元年春，不書即位，公出故也。公出復入，不書，諱之也。諱國惡，禮也。

例二：

> 僖公十年《經》：晉殺其大夫里克。
>
> 《公羊傳》：里克弑奚齊、卓子，逆惠公而入。里克立惠公，則惠公曷爲殺之？惠公曰：「爾既殺夫二孺子矣，又將圖寡人。爲爾君者，不亦病乎！」於是殺之。然則曷爲不言惠公之入？晉之不言出入者，踊爲文公諱也。齊小白入于齊，則曷爲不爲桓公諱？桓公之享國也長，美見乎天下，故不爲之諱本惡也。文公之享國也短，美未見乎天下，故爲之諱本惡也。

例三：

> 《左傳》僖公二十四年：二十四年春，王正月，秦伯納之（晉公子重耳），不書，不告入也。

---

❾ 《公羊傳》云：「此晉陽處父也，何以不氏？諱與大夫盟也。」亦以與盟者爲魯公。

例四：

> 《左傳》襄公十年：王叔陳生與伯輿爭政。王右伯輿，王叔陳生怒而出
> 奔。及河，王復之，殺史狡以說焉。不入，遂處之。……王叔奔晉。不
> 書，不告也。

例五：

> 桓公十五年《經》：秋九月，鄭伯突入于櫟。
> 《公羊傳》：櫟者何？鄭之邑。曷爲不言入于鄭？末言爾。曷爲末言爾？
> 祭仲亡矣。然則曷爲不言忽之出奔？言忽爲君之微也。祭仲存則存矣，祭
> 仲亡則亡矣。

以上所舉，例一與魯公出入有關。閔公二年，共仲弒魯君，成季以僖公適邾。後共
仲奔莒，僖公復入得立。僖公元年《春秋》不書新君即位，杜注云：「國亂，身出
復入，故即位之禮有闕。」劉知幾云：「案汲冢竹書《晉春秋》及《紀年》之載事
也，如重耳出奔，惠公見獲，書其本國，皆無所隱。唯《魯春秋》之記其國也則不
然。何者？國家事無大小，苟涉嫌疑，動稱恥諱，厚誣來世，奚獨多乎！其所未喻
八也。」❿僖公出奔、復入，不管是否與其即位有關，按照史書通例，理應載錄。
經文隱其事而不書，實爲特筆。《左傳》認爲《春秋》不書僖公出而復入是「諱國
惡」，可謂的解。例二、例三分別爲晉惠公、文公出奔而後入國即位之事。驪姬之
亂，晉公子夷吾、重耳出奔，後來先後回國即位。這些事件，《春秋》都沒有記
載。齊無知之亂，公子小白奔莒，後入主齊國，是爲桓公。公子糾奔魯，後爭國失
敗，爲小白所殺。《春秋》莊公九年云：「夏，公伐齊，納子糾。齊小白入于
齊。」重耳、小白遭遇經歷略同，齊桓、晉文爲各國史書關注之重點，《春秋》爲
何只書小白入齊而不書重耳復歸？《左傳》以「告」與「不告」來加以區別，《公
羊傳》從解釋「不言惠公之入」開端，連類而及，說明「晉之不言出入」，重點在

---

❿ 劉知幾：《史通·惑經》。

於闡發《春秋》何以不言文公之入，認爲這是「爲文公諱」。⓫兩傳都認定《春秋》不書文公入晉不同於一般史法，並且具有特殊的含義，這一點完全一致，可以互爲印證。例四爲王叔出奔。王叔陳生爲周卿士，其出奔爲周室重大變故，《左傳》詳載其事，認爲這是《春秋》不告不書的一個具體例證。例五爲鄭伯突入櫟。傅隸樸云：「《公羊》以爲《經》書入櫟，實即入鄭，此時忽已出奔。《經》不言入鄭，是就其輕者言（末言爾），不書忽出奔，是因爲忽之爲君太弱（微也），全賴祭仲而生存，祭仲一亡，他也便不能自保而奔亡了。據此，突之入櫟，實逐忽而復位了。與史實大相違反。」⓬據《史記·鄭世家》，鄭伯突入櫟，鄭昭公（忽）並未出奔，後高渠彌與昭公出獵，射殺昭公於野。鄭厲公（突）居於櫟凡十餘年，中經鄭昭公、子亹、鄭子三君。鄭子十四年，鄭大夫甫假殺鄭子及其二子而迎厲公突，突自櫟復入即位。《左傳》所載史實，與《史記》大致相符。《公羊傳》將「入櫟」與「入鄭」混爲一談，所以解釋「不言（鄭伯突）入于鄭」及「不言忽之出奔」均穿鑿無謂，毫無必要。這是三傳解釋《春秋》之所「不書」的條目中少見的例外。

(六)**其它**

《春秋》不書的其它事件，三傳也有予以解說者。

1.**執止**

> 《左傳》昭公十六年：十六年春，王正月，公在晉，晉人止公。不書，諱之也。

> 杜注：公爲晉人所執止，故諱不書。

《春秋》書諸侯執止，凡十二事。如僖公十九年，宋人執滕子嬰齊；二十八年，晉人執衛侯，歸之於京師；成公十五年，晉侯執曹伯，歸於京師；昭公四年，楚人執徐子。《春秋》書他國之事，有「告」與「不告」之別：告則書，不告則不書。因此，《春秋》所書，肯定不是此類事件的全部。而魯國君主爲他國所執，則

⓫ 《公羊傳》僖公十年。

⓬ 傅隸樸：《春秋三傳比義》，桓公十五年。

無一見於經文。魯公執止，除昭公十六年所載之外，尚有數例。僖公十七年《經》：「夏，滅項。」又云：「秋，夫人姜氏會齊侯于卞。」又載：「九月，公至自會。」《左傳》云：「淮之會，公有諸侯之事未歸而取項。齊人以爲討而止公。秋，聲姜以公故會齊侯于卞。書曰：『至自會。』猶有諸侯之事焉，且諱之也。」滅項、公至，與夫人會齊侯，看起來風馬牛不相及，而齊人止公是聯繫這三件事的紐帶。宣公五年《經》：「五年春，公如齊。」又云：「秋九月，齊高固來逆叔姬。」《左傳》：「五年春，公如齊，高固使齊侯止公，請叔姬焉。」觀此知宣公如齊與高固來逆女之間也有因果關係，且叔姬適齊出於無奈。宣公七年《經》：「冬，公會晉侯、宋公、衛侯、鄭伯、曹伯于黑壤。」《左傳》：「晉侯之立也，公不朝焉，又不使大夫聘，晉人止于會，盟于黃父。公不與盟，以賂免。故黑壤之盟不書，諱之也。」杜注：「慢盟主以取執止之辱，故諱之。」楊伯峻云：「成十六年沙隨之會，晉侯不見成公，仍書於《經》；昭十三年平丘之盟，昭公不與盟，亦書於《經》。其所以不諱者，雖被擯，未被止也。被止則諱，故昭公十六年《傳》亦云：『王正月，公在晉。晉人止公。不書，諱之也。』」⓭諸侯會盟，無國不記。《春秋》因諱魯君被止而不書黑壤之盟，眞可謂牽一髮而動全身。成公十年《經》：「秋七月，公如晉。」《左傳》：「秋，公如晉。晉人止公，使送葬。于是籧篨未反。冬，葬晉景公。公送葬，諸侯莫在。魯人辱之，故不書，諱之也。」因諱晉人止公而不書晉景公之葬，與上例有異曲同工之妙。成公十一年《經》：「十有一年春王三月，公至自晉。」又云：「晉侯使郤犨來聘。己丑，及郤犨盟。」又載：「夏，季孫行父如晉。」《左傳》：「十一年春，王三月，公至自晉。晉人以公爲貳于楚，故止公。公請受盟，而後使歸。郤犨來聘，且蒞盟。」又云：「夏，季文子如晉報聘，且蒞盟也。」杜預注此年經文云：「正月公在晉，不書，諱見止。」魯、晉兩國使者互聘、蒞盟，都與晉人止公有關。這些事件，關係國君安危，史書理應載錄。就是從理解經文的角度看，這些事實也是至關重要的。《左傳》行文，有時點出不書其事是《春秋》有所「諱」，有時僅記載事實而不云諱與不諱，解釋《春秋》「不書」之目的卻同樣十分清楚。

⓭　楊伯峻：《春秋左傳注》，宣公七年。

2.逆女

例一：

　　隱公七年《經》：七年春王三月，叔姬歸于紀。

　　《穀梁傳》：其不言逆何也？逆之道微，無足道焉爾。

例二：

　　莊公二十五年《經》：伯姬歸于杞。

　　《穀梁傳》：其不言逆何也？逆之道微，無足道焉爾。

　　《春秋》隱公二年云：「九月，紀裂繻來逆女。」又云：「冬十月，伯姬歸于紀。」同是魯女出嫁，經文有時既書其歸於某國，又書來逆，有時則僅記其歸而不書來逆。古有親迎之禮，有嫁必有逆，故《穀梁傳》分別解釋叔姬、伯姬出嫁《春秋》不書來逆之原因。范寧對《穀梁傳》作出進一步的說明，認爲「逆者非卿」。

3.城作

例一：

　　《左傳》隱公元年：夏四月，費伯帥師城郎。不書，非公命也。

例二：

　　《左傳》隱公元年：（冬十月）新作南門，不書，亦非公命也。

　　《春秋》書城二十有三。如，隱公七年云：「夏，城中丘。」九年云：「夏，城郎。」《春秋》書作二。僖公二十年云：「二十年春，新作南門。」定公二年云：「冬十月，新作雉門及兩觀。」城作爲興作大事，如果就事論事，各事之間也沒有本質的區別，《春秋》爲什麼有筆有削？隱公元年杜預注云：「非公命不書，三見者皆興作大事❶，各舉以備文。」杜預申述了《左傳》解釋《春秋》不書

---

❶　指隱公元年夏四月費伯帥師城郎、冬十月公子豫及邾人鄭人盟於翼、新作南門。

之例的合理性，同時也說明：《左傳》的解釋只是示例，它對經文不書的史實並非每事必舉。《左傳》隱公時期（尤其是隱公元年）發明《春秋》不書之例特別集中，原因正在於此。

4.災害

《左傳》隱公元年：有蜚，不為災，亦不書。

莊公二十九年《經》云：「秋，有蜚。」《左傳》云：「秋，有蜚，為災也。凡物不為災不書。」《春秋》書與不書，對比之下，更為彰明較著。

通過上文的舉證分析，可以得出以下幾點重要結論：第一，揭示《春秋》不書的內容，闡發其中的微言大義，並非《左傳》所獨有，而是三傳共同的解經方法。第二，三傳都一致認定：孔子作《春秋》，確實對史實進行了裁擇刪削，而且，經文所「不書」、「不言」的一些事實，與孔子對歷史的理解有割不斷的聯繫，絕非無關宏旨。第三，三傳解釋經文不書的事實，總體上是必要的和合理的，因此，所謂「無經之傳」，不能簡單否定。

二、《公》《穀》書與不書對舉之例

《公羊》、《穀梁》兩傳闡發《春秋》之義，常常是「書」與「不書」、「言」與「不言」、「志」與「不志」、「道」與「不道」對舉。在這裡，筆與削、書與不書，被看成是互相依存，和諧統一的整體。茲分門別類，列舉如次。

㈠魯君即位

例一：

桓公元年《經》：正月，公即位。

《公羊傳》：繼弒君不言即位。此其言即位何？如其意也。

《穀梁傳》：繼故不言即位，正也。繼故不言即位之為正何也？曰：先君不以其道終，則弟子不忍即位也。繼故而言即位，則是與聞乎弒也。繼故而言即位是為與聞乎弒何也？曰：先君不以其道終，已正即位之道而即位，是無恩于先君也。

例二：

宣公元年《經》：元年春，王正月，公即位。

《公羊傳》：繼弒君不言即位。此其言即位何？其意也。

《穀梁傳》：繼故而言即位，與聞乎故也。

(二)卒

1.外大夫

例一：

隱公三年《經》：夏四月辛卯，尹氏卒。

《公羊傳》：尹氏者何？天子之大夫也。……外大夫不卒。此何以卒？天王崩，諸侯主之也。

《穀梁傳》：尹氏者何也？天子之大夫也。外大夫不卒。此何以卒之也？於天子之崩爲魯主，故隱而卒之。

例二：

文公三年《經》：夏五月，王子虎卒。

《公羊傳》：王子虎者何？天子之大夫也。外大夫不卒。此何以卒？新使乎我也。

《穀梁傳》：叔服也。此不迕者也，何以卒之？以其來會葬我卒之也。或曰：以其嘗執重以守也。

例三：

定公四年《經》：劉卷卒。

《公羊傳》：劉卷者何？天子之大夫也。外大夫不卒。此何以卒？我主之也。

《穀梁傳》：此不卒而卒者，賢之也。寰內諸侯也。非列土諸侯，此何以卒也？天王崩，爲諸侯主也。

2.外夫人、魯女未嫁者

例一：

　莊公二年《經》：秋七月，齊王姬卒。

　《公羊傳》：外夫人不卒。此何以卒？錄焉爾。曷爲錄焉爾？我主之也。

例二：

　莊公四年《經》：三月，紀伯姬卒。

　《穀梁傳》：外夫人不卒。此其言卒何也？吾女也。適諸侯則尊同。以吾
爲之變卒之也。

例三：

　僖公九年《經》：秋七月乙酉，伯姬卒。

　《公羊傳》：此未適人，何以卒？許嫁矣。婦人許嫁，字而笄之，死則以
成人之喪治之。❺

　《穀梁傳》：內女也。未適人不卒。此何以卒也？許嫁，笄而字之，死則
以成人之喪治之。

(三)葬

1.天王

例一：

　莊公三年《經》：五月，葬桓王。

　《穀梁傳》：天子志崩不志葬，必其時也。何必焉？舉天下而葬一人，其
義不疑也。志葬，故也。危不得葬也。

例二：

---

❺　此條省略了「未適人不卒」這一前提。文公十二年《經》云：「二月庚子，子叔姬卒。」
《公羊傳》解說與此略同。

文公九年《經》：辛丑，葬襄王。

《公羊傳》：王者不書葬。此何以書？不及時書，過時書，我有往者則書。

《穀梁傳》：天子志崩不志葬。舉天下而葬一人，其道不疑也。志葬，危不得葬也。日之，甚矣，其不葬之辭也。

2. 諸侯

例一：

桓公十八年《經》：冬十有二月己丑，葬我君桓公。

《公羊傳》：賊未討，可以書葬？讎在外也。讎在外則何以書葬？君子辭也。❿

《穀梁傳》：君弒賊不討，不書葬。此其言葬何也？不責逾國而討于是也。

例二：

宣公十二年《經》：十有二年春，葬陳靈公。

《公羊傳》：討此賊者非臣子也，何以書葬？君子辭也。楚已討之矣，臣子雖欲討之而無所討也。

例三：

襄公八年《經》：夏，葬鄭僖公。

《公羊傳》：賊未討，何以書葬？爲中國諱也。

例四：

襄公三十年《經》：冬十月，葬蔡景公。

《公羊傳》：賊未討，何以書葬？君子辭也。

---

❿ 此條省略了「君弒賊不討不書葬」這一前提。後文前提省略者不一一注明。

例五：

昭公十三年《經》：冬十月，葬蔡靈公。

《穀梁傳》：變之不葬有三：失德不葬，弒君不葬，滅國不葬。然且葬之，不與楚滅，且成諸侯之事也。

例六：

昭公十九年《經》：冬，葬許悼公。

《公羊傳》：賊未討，何以書葬？不成于弒也。曷為不成于弒？止進藥而藥殺也。……葬許悼公，是君子之赦止也。赦止者，免止之罪辭也。

3.外夫人

例一：

莊公四年《經》：六月乙丑，齊侯葬紀伯姬。

《公羊傳》：外夫人不書葬。此何以書？隱之也。何隱爾？其國亡矣，徒葬于齊爾。

《穀梁傳》：外夫人不書葬。此其書葬何也？吾女也。失國，故隱而葬之。

例二：

莊公三十年《經》：八月癸亥葬紀叔姬。

《公羊傳》：外夫人不書葬。此何以書？隱之也。何隱爾？其國亡矣，徒葬乎叔爾。

例三：

襄公三十年《經》：秋七月，叔弓如宋，葬宋共姬。

《公羊傳》：外夫人卒不書葬。此何以書？隱之也。何隱爾？宋災，伯姬卒焉。……

《穀梁傳》：外夫人不書葬。此其言葬何也？吾女也。卒災，故隱而葬之也。

4.大夫

例一：

莊公二十七年《經》：秋，公子友如陳，葬原仲。

《公羊傳》：大夫不書葬。此何以書？通乎季子之私行也。何通乎季子之私行？辟內難也。……

例二：

定公四年《經》：葬劉文公。

《公羊傳》：外大夫不書葬。此何以書？錄我主也。

㈣祭祀

例一：

桓公八年《經》：八年春正月己卯，烝。

《公羊傳》：烝者何？冬祭也。……常事不書。此何以書？譏。何譏爾？譏亟也。亟則黷。黷則不敬。

例二：

桓公十四年《經》：秋八月壬申，御廩災。乙亥，嘗。

《公羊傳》：常事不書。此何以書？譏。何譏爾？譏嘗也。曰：猶嘗乎？御廩災，不如勿嘗而已矣。

《穀梁傳》：御廩之災不志。此其志何也？以爲唯未易災之餘而嘗可也，志不敬也。

㈤納幣

例一：

　　莊公二十二年《經》：冬，公如齊納幣。

　　《公羊傳》：納幣不書。此何以書？譏。何譏爾？親納幣，非禮也。

例二：

　　文公二年《經》：公子遂如齊納幣。

　　《公羊傳》：納幣不書。此何以書？譏。何譏爾？譏喪娶也。……

例三：

　　成公八年《經》：夏，宋公使公孫壽來納幣。

　　《公羊傳》：納幣不書。此何以書？錄伯姬也。

(六)婚嫁

1.逆女

　例一：

　　隱公二年《經》：九月，紀履緰來逆女。

　　《公羊傳》：外逆女不書。此何以書？譏。何譏爾？譏始不親迎也。

例二：

　　莊公二十四年《經》：夏，公如齊逆女。

　　《穀梁傳》：親迎，恒事也。不志。此其志何也？不正其親迎於齊也。

例三：

　　襄公十五年《經》：劉夏逆王后于齊。

　　《公羊傳》：外逆女不書。此何以書？過我也。

2.媵

　例一：

　　莊公十九年《經》：秋，公子結媵陳人之婦于鄄，遂及齊侯、宋公盟。

《公羊傳》：媵不書。此何以書？爲其有送事書。……

《穀梁傳》：媵，淺事也。不志。此其志何也？辟要盟也。

例二：

成公八年《經》：衛人來媵。

《公羊傳》：媵不書。此何以書？錄伯姬也。⓱

《穀梁傳》：媵，淺事也，不志。此其志何也？以伯姬之不得其所，故盡其事也。⓲

(七)災害

例一：

莊公十一年《經》：秋，宋大水。

《公羊傳》：何以書？記災也。外災不書。此何以書？及我也。⓳

《穀梁傳》：外災不書。此何以書？王者之後也。

例二：

宣公十五年《經》：冬，蝝生。

《公羊傳》：未有言蝝生者。此其言蝝生何？蝝生不書。此何以書？幸之也。

例三：

文公三年《經》：雨螽於宋。

《公羊傳》：外異不書。此何以書？爲王者之後記異也。

⓱ 成公九年《經》云：「晉人來媵。」十年《經》云：「齊人來媵。」《公羊傳》解説略同。十年《傳》云：「媵不書。此何以書？錄伯姬也。三國來媵，非禮也。曷爲皆以錄伯姬之辭言之？婦人以眾多爲侈也。」

⓲ 成公九年《經》云：「晉人來媵。」《穀梁傳》解説同。

⓳ 莊公二十年《經》云：「夏，齊大災。」《公羊傳》解説與此略同。

《穀梁傳》：外災不志。此其志何也？曰：災甚也。

例四：

宣公十六年《經》：夏，成周宣榭災。

《公羊傳》：外災不書。此何以書？新周也。

《穀梁傳》：周災不志也。其曰宣榭何也？以樂器之所藏目之也。

例五：

襄公九年《經》：九年春，宋災。

《公羊傳》：外災不書。此何以書？爲王者之後記災也。

《穀梁傳》：外災不志。此其志何也？故宋也。

例六：

昭公九年《經》：夏四月，陳火。

《穀梁傳》：火不志。此何以志？閔陳而存之也。

(八)異常

例一：

僖公十四年《經》：秋八月辛卯，沙鹿崩。

《公羊傳》：外異不書。此何以書？爲天下記異也。

例二：

僖公十六年《經》：十有六年春王正月戊申朔，實石于宋五。是月，六鶂退飛，過宋都。

《公羊傳》：外異不書。此何以書？爲王者之後記異也。[20]

---

[20] 文公三年《經》云：「雨螽于宋。」《公羊傳》解說與此同。

例三：

成公五年《經》：梁山崩。

《公羊傳》：外異不書。此何以書？爲天下記異也。

例四：

昭公十八年《經》：夏五月壬午，宋、衛、陳、鄭災。

《公羊傳》：何以書？記異也。何異爾？異其同日而俱災也。外異不書，
此何以書？爲天下記異也。

㈨外相如

例一：

桓公五年《經》：夏，齊侯、鄭伯如紀。

《公羊傳》：外相如不書。此何以書？離不言會也。

例二：

桓公五年《經》：冬，州公如曹。

《公羊傳》：外相如不書。此何以書？過我也。

《穀梁傳》：外相如不書。此其書何也？過我也。

例三：

襄公五年《經》：叔孫豹、鄫世子巫如晉。

《公羊傳》：外相如不書。此何以書？爲叔孫豹率而與之俱也。

《穀梁傳》：外不言如。而言如，爲我事往也。

㈩取邑

例一：

隱公四年《經》：四年，春王二月，莒人伐杞，取牟婁。

《公羊傳》：外取邑不書。此何以書？疾始取邑也。

例二：

　　隱公六年《經》：冬，宋人取長葛。

　　《公羊傳》：外取邑不書。此何以書？久也。

　　《穀梁傳》：外取邑不志。此其志何也？久之也。

例三：

　　莊公元年《經》：齊師遷紀郱、鄑、郚。

　　《公羊傳》：外取邑不書。此何以書？大之也。何大爾？自是始滅也。

例四：

　　莊公三十年《經》：秋七月，齊人降鄣。

　　《公羊傳》：鄣者何？紀之遺邑也。降之者何？取之也。取之則曷爲不言取之？爲桓公諱也。外取邑不書。此何以書？盡也。

例五：宣公元年《經》：六月，齊人取濟西田。

　　《公羊傳》：外取邑不書。此何以書？所以賂齊也。㉑……

　　《穀梁傳》：內不言取。言取，授之也。以是爲賂齊也。

例六：

　　昭公二十五年《經》：十有二月，齊侯取鄆。

　　《公羊傳》：外取邑不書。此何以書？爲公取之也。

　　《穀梁傳》：取，易辭也。內不言取。以其爲公取之，故易言之也。

㈩其它

　　1.外平

㉑　文公三年《經》云：「夏，齊人取讙及闡。」《公羊傳》解說與此同。

宣公十五年《經》：夏五月，宋人及楚人平。

《公羊傳》：外平不書。此何以書？大其平乎己也。……

《穀梁傳》：外平不道。以吾人之存焉道之也。

2.入郭

文公十五年《經》：齊侯侵我西鄙，遂伐曹，入其郭。

《公羊傳》：郭者何？恢廓也。入郭書乎？曰：不書。入郭不書，此何以書？勤我也。……

3.外釋

僖公二十一年《經》：釋宋公。

《公羊傳》：執未有言釋之者，此其言釋之何？公與為爾也。公與為爾奈何？公與議爾也。

《穀梁傳》：外釋不志。此其志何也？以公之與之盟目之也。不言楚，不與楚專釋也。

4.修舊

例一：

莊公二十九年《經》：二十有九年春，新延廄。

《公羊傳》：新延廄者何？修舊也。修舊不書。此何以書？譏。何譏爾？凶年不修。

例二：

定公二年《經》：冬十月，新作雉門及兩觀。

《公羊傳》：其言新作之何？修大也。修舊不書。此何以書？譏。何譏爾？不務乎公室也。

5.疾

昭公二十三年《經》：冬，公如晉。至河，公有疾，乃復。

《穀梁傳》：疾不志。此其志何也？釋不得入乎晉也。

6.狩

桓公四年《經》：四年春正月，公狩于郎。

《公羊傳》：狩者何？田狩也。……常事不書。此何以書？譏。何譏爾？遠也。

　　上文所舉之例，內容涉及到魯君即位、天王諸侯夫人大夫崩薨卒葬、祭祀、婚嫁、災異、興作、田獵、疾病、他國諸侯往來、結盟、征伐等。在這些條目中，《公羊》、《穀梁》兩傳都將「不書」與「書」、「不言」與「言」、「不志」與「志」、「不道」與「道」並舉。在作者看來，《春秋》之所書，因其不書而顯，《春秋》所不書，因其書而明，書與不書，錯互成文，各盡其用，它們相輔相成，相得益彰。某類事不書，而其中某事書，必有深意；反之，某類事書，而其中某事不書，也不能視同尋常。《春秋》的「微言大義」，正是在筆與削、書與不書之中得以顯現。因此，兩傳非常注意從書與不書對比的角度來理解和思考問題：《春秋》繼弒君不言即位，桓、宣二公何以書即位？與此相類似的情況有：大夫、外夫人、魯女未嫁者不書卒，而尹氏、王子虎、劉卷、齊王姬、紀伯姬、子叔姬、伯姬書卒；天子志崩不志葬，君弒賊不討不書葬，滅國不葬，外夫人、大夫不書葬，而桓、襄二王書葬，魯桓公、陳靈公、鄭僖公、蔡景公、靈公、許悼公、紀伯姬、叔姬、宋共姬、陳原仲、劉文公書葬；常事不書，而桓公八年、十四年書烝，桓公四年書狩，納幣不書，而公及公子遂如齊、宋公孫壽來納幣書；外逆女、媵不書，而紀履綸、魯莊公、劉夏逆女書，公子結媵陳人之婦及衛、晉、齊三國來媵書；外災異不書，而宋大水及火、齊大災、螽生、雨螽於宋、成周宣榭災、陳火、沙鹿崩、梁山崩、霣石于宋五、六鷁退飛過宋都、宋衛陳鄭火書；外相如不書，而齊侯、鄭伯如紀、州公如曹、鄟世子如晉書；外取邑不書，而莒人、宋人、齊人取邑書；外平、入郛、外釋、修舊、疾不書，而宋人及楚人平書，齊人入郛書，釋宋公、新延廄、新作雉門及兩觀、公有疾書。這些看似矛盾的現象，正是兩傳關注之重點。兩

傳不僅確認了爲數甚夥的《春秋》所不書的事件類型，而且以此爲前提（也有少數
條目省略了前提），認定《春秋》某處某事係孔子特筆，具有特殊的含義，從而展
開闡發。趙汸云：「孔子作《春秋》，以寓其撥亂之志，而國史有恒體，無辭可以
寄文。於是有書，有不書，以互顯其義。其所書者則筆之，不書者則削之。《史記
世家》論孔子爲《春秋》，筆則筆，削則削，子夏之徒不能贊一辭，正謂此
也。……而夫子於《春秋》獨有『知我』、『罪我』之言者，亦以其假筆削以寓撥
亂之權，事與刪《詩》定《書》異也。自左氏不明此義，爲其徒者遂不知聖人有不
書之法。《公羊》、《穀梁》每設不書之問，蓋其所承猶得學《春秋》之要，而無
所考據，不能推見全經。」㉒《公羊》、《穀梁》闡明「不書之法」，是否得「學
《春秋》之要」，姑置不論，但它們以《春秋》之所書明其所不書，以其所不書明
其所書，認定《春秋》所「不書」的內容與經義有關，卻無可置疑。在這點上，
《公》、《穀》與《左傳》如出一轍。雖然它們對每個具體事件的解說未必都準確
可信，甚至難免有謬誤之處，但從總體上說卻是必要的和合理的。

三、不書之例與無經之傳

　　三傳歸納《春秋》書法的內容，概括同類事物，舉個別以明一般，其意義並
不限於具體事件的解說，而具有發凡起例的功用。它們解釋《春秋》所不書的條目
也是如此。利用三傳所發凡例，聯繫相關事件，舉一隅以反三隅，也爲後人正確理
解《左傳》中的一些無經之傳提供了可靠的依據。

㈠征伐

　　《左傳》隱公十一年云：「冬十月，鄭伯以虢師伐宋。壬戌，大敗宋師，以
報其入鄭也。宋不告命，故不書。凡諸侯有命，告則書，不然則否。師出臧否，亦
如之。雖及滅國，滅不告敗，勝不告克，不書于策。」杜注將史之所記分爲承告與
傳聞兩種不同的類型，謂分別載於典策與簡牘。其實無論是典策抑或是簡牘，既已
記錄，就都成了史書的組成部分。孔子筆削舊史以成《春秋》，斟酌益損，自有主
見，史書於策者，不必盡取，書於簡牘者，不必盡棄，取捨裁奪，或書或不書，體

㉒　趙汸：《春秋屬辭》卷八，〈假筆削以行權〉第二。

現出獨特的書法。《左傳》云「宋不告命，故不書」，是在解釋《春秋》不書此事之原因（舊史記事之法有時與《春秋》書法有某種聯繫，但不能彼此等同，即使是孔子襲用舊史書法或某些具體記載，也都包含了孔子的見解，而《左傳》所注意者在《春秋》而非舊史）。鄭伐宋敗宋師在左氏著書前二百餘年，《傳》能述其因果，並詳月日，當本於舊史記載。《春秋》不書此事，正反映了它與舊史的殊異。

　　《春秋》所書征伐之事甚多，不書者也不一而足。告與不告，是《春秋》決定某事書或不書的一個重要因素。《左傳》文公十四年云有關禍福之事，不告不書，是爲了「懲不敬」。諸侯相征，告則書，不告則不書，也應當含有「懲不敬」的意思在內。《左傳》僖公九年云：「齊侯以諸侯之師伐晉，及高梁而還，討晉亂也。令不及魯，故不書。」杜注：「前已發不書例，今復重發，嫌霸者異於凡諸侯。」《左傳》哀公元年云：「吳王夫差敗越于夫椒，報檇李也。遂入越。越子以甲楯五千保于會稽。使大夫種因吳太宰嚭以行成，……三月，越及吳平。吳入越，不書，吳不告慶，越不告敗也。」杜注：「嫌夷狄不與華同，故復發傳。」這兩條注文表明，《左傳》隱公十一年所發《春秋》不告不書之例，也適用於傳文所載其它征伐之事，故傳文對此類事不一一作出解說。齊討晉亂、吳入越兩事，《左傳》另作說明，反倒是比較特殊的情況。這一點，杜預在隱公元年注文中說得更爲明晰。《左傳》隱公元年云：「八月，紀人伐夷。夷不告，故不書。」注云：「隱十一年傳例曰：『凡諸侯有命，告則書，不然則否。』史不書於策，故夫子亦不書於經，傳見其事，以明《春秋》例也。他皆放此。」《左傳》書見《經》所不書之事，爲了「明《春秋》例」。「他皆放此」，意思是說《左傳》所載同類事件，也應作同樣的理解。《左傳》隱公五年云：「曲沃莊伯以鄭人、邢人伐翼，王使尹氏、武氏助之。翼侯奔隨。」杜注：「晉內相攻伐，不告亂，故不書。」《左傳》記曲沃伐翼之事，而無解釋書法之文，杜注以爲不書其事是因爲「不告亂」，可以看作是據《左傳》凡例舉一反三的具體例證。

　　《左傳》襄公四年云：「冬十月，邾人、莒人伐鄫。臧紇救鄫，侵邾，敗于狐駘。國人逆喪者皆髽。魯于是乎始髽。國人誦之曰：『臧之狐裘，敗我于狐駘。我君小子，朱儒是使。朱儒！朱儒！使我敗于邾。』」杜注：「敗不書，魯人諱之。」與小國戰而大敗，魯人以爲恥，孔子亦從而諱之。《左傳》載其事，以見

《春秋》隱諱之義。《公羊傳》莊公九年概括《春秋》書法云：「內不言敗。」《穀梁傳》桓公十二年、十七年、僖公二十二年均稱「內諱敗」。襄公四年魯敗而《春秋》不書，亦其一例。《公》、《穀》兩傳所發內諱敗之例，可補《左傳》之不足。《左傳》襄公十年云：「秋七月，楚子囊、鄭子耳伐我西鄙。」杜注：「於魯無所恥，諱而不書，其義未聞。」杜氏此注，據《左傳》所載史實，對《春秋》不書楚、鄭伐魯表示不解，也是將《左傳》所敘經文不載之事，看作是《春秋》刪削不書的事實。

　　如前所舉，《春秋》對於征伐之事，有不告而不書者，有為本國諱而不書者，也有因其它原因而不書者，《左傳》載列其事，是為了說明《春秋》筆削之義。《左傳》所載其它同類事件，也應作同樣的理解。此類事件有：隱公五年，鄭人侵衛牧，衛人以燕師伐鄭，鄭二公子以制人敗燕師；王命虢公伐曲沃而立哀侯於翼；六年，鄭伯侵陳；九年，北戎侵鄭，鄭人大敗戎師；桓公六年，楚武王侵隨；八年，曲沃伯滅翼；楚子伐隨；九年，楚敗鄖師；虢仲、芮伯、梁伯、荀侯、賈伯伐曲沃；十二年，楚伐絞，大敗之；十三年，楚屈瑕伐羅，羅與盧戎大敗之；莊公十八年，巴人伐楚；十九年，楚大敗巴人，伐黃敗黃師；二十六年，虢人侵晉；閔公元年，晉滅耿、霍、魏；僖公二十五年，晉侯降原；文公九年，楚侵陳，陳人敗之；宣公六年，楚人伐鄭；襄公二十六年，楚侵鄭；昭公二十二年，晉滅鼓；三十一年，吳人侵楚，伐夷，侵潛、六。❷❸

(二)弒殺出入等

　　《左傳》文公十四年云：「十四年春，頃王崩。周公閱與王孫蘇爭政，故不赴。凡崩薨，不赴則不書，禍福，不告亦不書。懲不敬也。」杜注：「奔亡，禍也。歸復，福也。」孔疏云：「因崩薨而言禍福，則禍亦崩薨之類，福是反禍者也。福莫大於享國有家，禍莫甚於亡家喪國，禍亦崩薨之類相次之物。且奔亡歸復，其事多矣，雖有出入之例，未見不告之義，此傳於崩薨之末言之，故知奔亡是禍，歸復是福也。」杜注、孔疏均認為禍福應包括「奔亡」與「歸復」，應無問題。實際上一切有關國家治亂安危的重大事件，也都屬於禍福的範圍。《左傳》不

❷❸　與主要事件有明顯因果關係者此不列出。下文弒殺出入等准此。

告不書的凡例，對這些事件也都適用。

　　《左傳》書弒二十五，書殺其大夫三十六，而同類事件也有不書者。《左傳》釋《春秋》書法，有不告不書之例，杜注有時也根據《左傳》凡例隨文作出說明。

　　僖公五年《經》云：「五年春，晉侯殺其世子申生。」《左傳》云：「晉侯使以殺大子申生之故來告。」杜注：「釋《經》必須告乃書。」晉太子申生自殺在四年，而《經》書以五年春。《左傳》的解釋兼有《春秋》從告與不告不書這兩層意思。《左傳》僖公二十四年云：「（二月）戊申，（重耳）使殺懷公于高梁。不書，亦不告也。」與此類似的事件，《春秋》不書者還有：桓公七年，曲沃伯誘晉小子侯，殺之；十七年，鄭高渠彌弒昭公；十八年，辛伯與王殺周公黑肩，莊公三十年，申公斗班殺楚公子子元；宣公四年，楚滅若敖氏；成公五年，宋公殺公子圍；昭公七年，襄、頃之族殺單獻公而立成公；十二年，成、景之族殺甘悼公；十四年，楚子殺斗成然，而滅養氏之族；二十八年，晉滅祁氏、羊舌氏。同為弒殺之事，《春秋》或書或不書，區別即在於告與不告。《左傳》將《春秋》不書之事列出，可以考見孔子筆削之跡。

　　《春秋》對諸侯、大夫「奔亡」、「歸復」之事，多有記載。《左傳》成公十八年云：「凡去其國，國逆而立之曰入。復其位曰復歸。諸侯納之曰歸。以惡曰復入。」這是對諸侯復歸的總體概括。《左傳》僖公二十四年云：「二十四年春，王正月，秦伯納之（重耳），不書，不告入也。」莊公九年《經》云：「齊小白入于齊。」《孟子·離婁下》云：「晉之《乘》、楚之《檮杌》、魯之《春秋》，一也：其事則齊桓、晉文，其文則史。」可見齊桓、晉文為各國史書關注之重點。他們兩人同為春秋時霸主，都有出奔復入的經歷，為什麼《春秋》書小白之入而不書重耳？《左傳》認為重耳之人因不告而不書，《公羊傳》則云「為文公諱」。㉔兩傳對《春秋》不書文公之入的解釋雖然各異，但試圖作出解釋則同。這是諸侯出奔

㉔　《公羊傳》僖公十年云：「晉之不言出入者，踊為文公諱也。齊小白入于齊，則曷為不為桓公諱？桓公之享國也長，美見乎天下，故不為之諱本惡也。文公之享國也短，美未見乎天下，故為之諱本惡也。」

復入得立而《春秋》不書的具體例證。

宣公十年《經》云：「齊崔氏出奔衛。」《左傳》云：「夏，齊惠公卒。崔杼有寵于惠公，高國畏其逼也，公卒而逐之，奔衛。書曰『崔氏』，非其罪也，且以族告，不以名。凡諸侯之大夫違，告于諸侯曰：『某氏之守臣某，失守宗廟，敢告。』所有玉帛之使者則告，不然則否。」杜注：「典策之法，告者皆當書以名，今齊特告以族，夫子因而存之，以示無罪。又言『且告以族不以名』者，明《春秋》有因而用之，不皆改舊史。」《春秋》書崔氏出奔之事，是因告而書且書辭從告之例。《傳》云「所有玉帛之使者則告，不然則否」。用以說明此類事件有告與不告之分，以明《春秋》書與不書之別。成公十二年《經》云：「十有二年春，周公出奔晉。」《左傳》成公十一年云：「周公楚惡惠、襄之逼也，且與伯與爭政，不勝，怒而出。及陽樊，王使劉子復之，盟于鄇而入。三日，復出奔晉。」十二年又云：「十二年春，王使以周公之難來告。書曰：『周公出奔晉。』凡自周無出，周公自出故也。」杜注：「天子無外，故奔者不言出。周公爲王所復，而自絕於周，故書出以非之。」《春秋》載周公奔晉，也是因告而書，周公之奔實在十一年夏，而《經》書十二年春，且書「出」爲孔子特筆，故《左傳》特作說明。

有關諸侯、大夫「奔亡」、「歸復」之事，《春秋》「不書」之例既明，其所不書之具體內容，《左傳》往往只書其事而不一一作出說明。如隱公六年，嘉父逆晉侯於隨，納諸鄂；桓公十年，虢公出奔虞；虞公出奔共池；莊公十四年，傅瑕殺鄭子而維厲公；僖公九年，齊、秦納晉惠公；成公十年，鄭伯奔而復歸；㉕昭公十二年，原人逐周原伯絞，絞奔郊等。

諸侯之女歸於京師，《春秋》也有書有不書。桓公九年《經》云：「九年春，紀季姜歸于京師。」《左傳》云：「九年春，紀季姜歸于京師。凡諸侯之女行，唯王后書。」杜注：「爲書婦人行例也。適諸侯，雖告魯，猶不書。」《左傳》莊公十八年云：「虢公、晉侯、鄭伯使原莊公逆王后于陳。陳嬀歸于京師，實惠后。」杜注：「不書，不告。」諸侯之女出嫁爲王后，《春秋》或書或不書，區別也在於告與不告，與其它「禍福」之事同出一例。

㉕　杜注：「鄭伯歸不書，鄭不告入。」

經 學 研 究 論 叢
第 七 輯　　頁241～260
臺灣學生書局　1999 年 9 月

董仲舒災異說的構造解析

岩本憲司著、林慶彰譯*

前　言

關於董仲舒的災異說，可以提出以下三個問題。

①應徵和前徵（預言）的問題。

②君主權的抑制和強化（神秘化）的問題。

③機械論（因果的）和目的論（應報的）的問題。

這三個問題當然相互間有關連，特別的①和②相爲表裏。又③作爲純哲學的問題，是相當重要的。本來涵蓋三個問題的長篇論考是有必要的，因篇幅所限，不，還有筆者現在的力量，本文不得不限於第一個問題。因此，本文討論的董仲舒災異說，把焦點集中在應徵和前徵的問題，即縮小到災異和人事的前後關係，試著作基礎性的構造解析（當然，②和③的問題也不可能完全沒接觸到）。

作解析時，事先要說明的有幾點。第一是關於用語的使用法。本文把人事在前，災異在後，稱爲「應徵」，災異在前，人事在後的情況，稱爲「前徵」。第二是關於「災」和「異」的一般定義。「災」、「異」的定義，董仲舒和何休是不同的兩種。本稿把前者定義爲(A)，把後者定義爲(B)。舉兩者的原文的話，是如下的樣子。

---

*　林慶彰，中央研究院中國文哲研究所研究員。

(A)臣謹案春秋之中，視前世已行之事，以觀天人相與之際，甚可畏也。國家將有失道之敗，而天乃先出災以譴告之。不知自省，又出怪異以警懼之。尚不知變，而傷敗乃至，以此見天心之仁愛人君而欲止其亂也。
　　（《漢書·本傳》）

(B)災者，有害於人物，隨事而至者。（隱公五年注）
　　異者，非常可怪，先事而至者。（隱公三年注）

第三點是關於解析的對象。本文從《漢書·五行志》所見董仲舒的災異解釋，抄錄時加上①至⑧的號碼，僅以這八十三例作為解析的對象。

〔災〕

㈠標準型　二十例

①春秋桓公十四年「八月壬申，御廩災。」董仲舒以為先是四國共伐魯，大破之於龍門，百姓傷者未瘳，怨咎未復，而君臣俱惰，內怠政事，外侮四鄰，非能保守宗廟終其天年者也，故天災御廩以戒之。

②嚴公二十年「夏，齊大災。」（中略）公羊傳曰：大災，疫也。董仲舒以為魯夫人淫於齊，齊桓姊妹不嫁者七人。國君民之父母；夫婦，生化之本。本傷則末夭，故天災所予也。

③釐公二十年「五月乙巳，西宮災。」（中略）董仲舒以為釐娶於楚而齊媵之，脅公使立以為夫人。西宮者，小寢，夫人之居也。若曰，妾何為此宮！誅去之意也。以天災之，故火之曰西宮也。

④宣公十六年「夏，成周宣榭火。」（中略）董仲舒、劉向以為十五年王札子殺召伯、毛伯，天子不能誅。天戒若曰，不能行政令，何以禮樂為而臧之？

⑤成公三年「三月甲子，新宮災」。董仲舒以為成居喪亡哀戚心，數興兵戰伐，故天災其父廟，示失子道，不能奉宗廟也。

⑥（襄公）三十年「五月甲午，宋災」。董仲舒以為伯姬如宋五年，宋恭公卒，伯姬幽居守節三十餘年，又憂傷國家之患禍，積陰生陽，故火生災也。

⑦（昭公）九年「夏四月，陳火」。董仲舒以為陳夏徵舒殺君，楚嚴王託欲為

陳討賊，陳國關門而待之，至因滅陳。陳臣子尤毒恨甚，極陰生陽，故致火災。

⑪（哀公）四年「六月辛丑，亳社災」。董仲舒、劉向以爲亡國之社，所以爲戒也。天戒若曰，國將危亡，不用戒矣。春秋火災，屢於定、哀之間，不用聖人而縱驕臣，將以亡國，不明甚也。

⑬嚴公二十八年「多，大亡麥禾」。董仲舒以爲夫人哀姜淫亂，逆陰氣，故大水也。

⑮嚴公七年「秋，大水，亡麥苗」。董仲舒、劉向以爲嚴母文姜與兄齊襄公淫，共殺桓公，嚴釋父讎，復取齊女，未入，先與之淫，一年再出，會於道逆亂，臣下賤之之應也。

⑯（嚴公）十一年「秋，宋大水」。董仲舒以爲時魯、宋比年爲乘丘、鄑之戰，百姓愁怨，陰氣盛，故二國俱水。

⑰（嚴公）二十四年「大水」。董仲舒以爲夫人哀姜淫亂不婦，陰氣盛也。

⑱宣公十年「秋，大水，飢。」董仲舒以爲時比伐邾取邑，亦見報復，兵讐連結，百姓愁怨。

⑲成公五年「秋，大水」。董仲舒、劉向以爲時成幼弱，政在大夫，前此一年再用師，明年復城鄆以疆私家，仲孫蔑、叔孫僑如顓會宋、晉，陰勝陽。

⑳襄公二十四年「秋，大水」。董仲舒以爲先是一年齊伐晉，襄使大夫帥師救晉，後又侵齊，國小兵弱，數敵疆大，百姓愁怨，陰氣盛。

㉒釐公二十一年「夏，大旱」。董仲舒、劉向以爲齊桓既死，諸侯從楚，釐尤得楚心。楚來獻捷，釋宋之執。外倚彊楚，炕陽失眾，又作南門，勞民興役。諸雩旱不雨，略皆同說。

㉞桓公五年「秋，螽。」（中略）劉向以爲介蟲之孽屬言不從。是歲，公獲二國之聘，取鼎易邑，興役起城，諸螽略皆從董仲舒說云。

㊴隱公五年「秋，螟」。董仲舒、劉向以爲時公觀漁于棠，貪利之應也。

㊵嚴公六年「秋，螟」。董仲舒、劉向以爲先是衛侯朔出奔齊，齊侯會諸侯納朔，許諸侯賂。齊人歸衛寶，魯受之，貪利應也。

㊶宣公三年，「郊牛之口傷，改卜牛，牛死」。劉向以爲近牛禍也。是時宣公

　　與公子遂謀共殺子赤而立，又以喪娶，區霧昏亂。亂成於口，幸有季文子得

　　免於禍，天猶惡之，生則不饗其祀，死則災燔其廟。董仲舒指略同。

以上二十例，在言辭上，不具備時間前後關係的指標「先是」、「時」等的也有，

但是全部以「災」作爲人事應徵的解釋，和上舉的定義(B)相合，可說是標準型。

　　定義(B)不是董仲舒所有，而是何休所有。就資料來說，最多也祇能追溯到緯

書而已。

　　(B)災之言，傷也，隨事而誅。異之言，怪也，先發感動之也。（《白虎通‧

　　災變篇》引《春秋‧潛潭巴》）

但是，在董仲舒這邊確認這二十例的標準型的話，實質上，董仲舒已有接近定義

(B)，這是不得不考慮的。順便說的，二十例中至少九例和劉向的解釋相同，董仲舒

－劉向－緯書－何休排列來看，這中間災異說本質的變化如何，是極應思考的問題

（這一點後面將會涉及）。

　　還有，③的「若曰」，④及⑪的「天戒若曰」，可見到天的言辭，但它的內

容全部在指出過去的惡事（一部分是改善命令）。

㈡其他　六例

　　這是標準型，現在舉出有必要解說的例子。

　　⑨定公二年「五月，雉門及兩觀災」。董仲舒、劉向以爲此皆爲奢僭過度者

　　也。先是，季氏逐昭公，昭公死于外。定公即位，既不能誅季氏，又用其邪

　　說，淫於女樂，而退孔子。天戒若曰，去高顯而奢僭者。

　　⑩哀公三年「五月辛卯，桓、釐宮災」。董仲舒、劉向以爲此二宮不當立，違

　　禮者也。哀公又以季氏之故不用孔子。孔子在陳聞魯災，曰：「其桓、釐之

　　宮乎！」以爲桓，季氏之所出，釐，使季氏世卿者也。

關於這個例子，立這條本身就是人事。這樣做的話，人事和災異的對象是同一個，

兩者的關係，像其他很多例子那樣，並不是象徵性的，而且直接的。（當然，和季

氏的關係是象徵性的。）又人事的「立」，災異相反的是「壞」，解釋災異時常常

說的，同類相動的機械論是不通的（筆者自己也不認同同類相動的機械論）。這即

是純粹目的論的世界。順便要説的是，⑨的「天戒若曰」，並非指出惡事，而是改善命令。

⑫武帝建元六年六月丁酉，遼東高廟災。四月壬子，高園便殿火。董仲舒對曰：「春秋之道舉往以明來，是故天下有物，視春秋所舉與同比者，精微眇以存其意，通倫類以貫其理，天地之變，國家之事，粲然皆見，亡所疑矣。按春秋魯定公、哀公時，季氏之惡已孰，而孔子之聖方盛。夫以盛聖而易孰惡，季孫雖重，魯君雖輕，其勢可成也。故定公二年五月兩觀災。兩觀，僭禮之物，天災之者，若曰，僭禮之臣可以去。已見罪徵，而後告可去，此天意也。定公不知省。至哀公三年五月，桓宮、釐宮災。二者同事，所爲一也，若曰燔貴而去不義云爾。哀公未能見，故四年六月亳社災。兩觀、桓、釐廟、亳社，四者皆不當立，天皆燔其不當立者以示魯，欲其去亂臣而用聖人也。季氏無道久矣，前是天不見災者，魯未有賢聖臣，雖欲去季孫，其力不能，昭公是也。至定、哀乃見之，其時可也。不時不見，天之道也。今高廟不當居遼東，高園殿不當居陵旁，於禮亦不當立，與魯所災同。其不當立久矣，至於陛下時天乃災之者，殆亦其時可也。昔秦受亡周之敝，而亡以化之；漢受亡秦之敝，又亡以化之。夫繼二敝之後，承其下流，兼受其猥，難治甚矣。又多兄弟親戚骨肉之連，驕揚奢侈恣睢者眾，所謂重難之時者也。陛下正當大敝之後，又遭重難之時，甚可憂也。故天災若語陛下之『當今之世，雖敝而重難，非以太平至公，不能活也。視親戚貴屬在諸侯遠正最甚者，忍而誅之，如吾燔遼東高廟乃可；視近臣在國中處旁仄及貴而不正者，忍而誅之，如吾燔遼東高廟乃可；視近臣在國中處旁仄及貴而不正者，忍而誅之，如吾燔高園殿乃可』云爾。在外而不正者，雖貴如高廟，猶災燔之，況諸侯乎！在內不正者，雖貴如高園殿，猶燔災之，況大臣乎！此天意也。罪在外者天災外，罪在內者天災內，燔甚罪當重，燔簡罪當輕，承天意之道也。」

這是董仲舒對漢代具體災異作解釋的唯一例子。現在，想討論的問題，並不是這件事情，而是文中所引⑨⑩和⑪的地方，和上舉定義(A)的關係。即定義(B)是人事獨立的，或者是獨立之物的單純集合，相對地，定義(A)人事有一連的發展，這點和各個

引文看起來相似。但是，仔細看的話，定義(A)一連串的人事流轉中，所配置的災異，首先是「災」，接著是「異」，有嚴密的差別順序，但在各個引文，僅「災」是反覆的被配置，結果，各個引文和定義(A)相合，這使我了解為什麼不舉漢代例子的道理。

　　還有，不可以立亳社這件事，對⑪的本文來說，是一種異說。

　⑭桓公元年「秋，大水」。董仲舒、劉向以為桓弒兄隱公，民臣痛隱而賤桓。

　　　後宋督弒其君，諸侯會，將討之，桓受宋賂而歸，又背宋。諸侯由是伐魯，

　　　仍交兵結讐，伏尸流血，百姓愈怨，故十三年夏復大水。

這裏和⑫相同，和定義(A)乍看似乎相合，實際上並不相合。

　　就全部八十三例來看的話，和定義(A)相合的幾乎沒有，因此，對董仲舒來說，定義(A)僅是純理論性的存在，這點不得不說出來。這點的理由並不清楚，但解釋的對象是《春秋》的災異，從對象的性格（人事也由《春秋》經文來顯示，經文是各自獨立的）來看，要適用定義(A)，有方法上的困難。

　　還有，在《五行志》中，如查看董仲舒解釋之外的事例，找出在某種程度上和定義(A)相合，可找到以下劉向的例子。

　　（元光元年）七月癸未，先晦一日，日有食之，在翼八度。劉向以為前圍便

　　　殿災，與《春秋》御廩災後日食於翼軫同。其占，內有女變，外為諸侯。

　　　其後，陳皇后廢，江都淮南衡王謀反，誅。日中時從東北，過半，晡時

　　　復。

這裡人事的流動，並不太清楚，但大體來說，「災」和「異」是有條理地排列著。

　㉑成公七年「正月，鼷鼠食郊牛角；改卜牛，又食其角。」（中略）董仲舒以

　　　為鼷鼠食郊牛，皆養牲不謹也。

這裏所說的「皆」，這之外，像在定公十五年和哀公元年的經文所指出的，不論如何，三者找不到「記災」的傳文。因此，三者在《公羊傳》的階段，不能說是「災」的事例。又到董仲舒，大抵當作「災」，為了解釋這個，所提出的人事是「養牲不謹」，和災異本身作緊密的結合。所謂「災」，實際上幾乎接近人災。

㉟宣公十五年「冬，蝝生」（中略）董仲舒、劉向以爲蝝，螟始生也。

這例子《公羊傳》文作「上變古易常，應是而有天災」。因已把人事的應徵，作災異的解釋，所以沒有重新的解釋。

又以上二十六例，是董仲舒「災」的全部解釋。總之，董仲舒「災」的解釋，可說是全部是合於定義(B)的標準型。

〔異〕

㈠標準型　二十八例

㉓嚴公十七年「冬，多麋」。劉向以爲麋色青，近青祥也。麋之爲言迷也，蓋牝獸之淫者也。是時，嚴公將取齊之淫女，其象先見，天戒若曰，勿取齊女，淫而迷國。嚴不寤，遂取之。夫人既入，淫於二叔，終皆誅死，幾亡社稷。董仲舒指略同。

㉔昭公二十五年「夏，有鸜鵒來巢」。（中略）劉向以爲有蜚有蜮不言來者，氣所生，所謂眚也；鸜鵒言來者，氣所致，所謂祥也。鸜鵒，夷狄穴藏之禽，來至中國，不穴而巢，陰居陽位，象季氏將逐昭公，去宮室而居外野也。鸜鵒白羽，旱之祥也；穴居而好水，黑色，爲主急之應也。天戒若曰，既失眾，不可急暴；急暴，陰將持節陽以逐爾，去宮室而居外野矣。昭不寤，而舉兵圍季氏，爲季氏所敗，出犇于齊，遂死于外野。董仲舒指略同。

㊸釐公十四年「秋八月辛卯，沙麓崩」。《穀梁傳》曰：「林屬於山曰麓，沙其名也。」劉向以爲臣下背叛，散落不事上之象也。先是，齊桓行伯道，會諸侯，事周室。管仲既死，桓德日衰，天戒若曰，伯道將廢，諸侯散落，政逮大夫，陪臣執命，臣下不事上矣。桓公不寤，天子蔽晦。及齊桓死，天下散而從楚。王札子殺二大夫，晉敗天子之師，莫能征討，從是陵遲。《公羊》以爲沙麓，河上邑也。董仲舒說略同。

㊹成公五年「夏，梁山崩」。《穀梁傳》曰，壅河三日不流，晉君帥群臣而哭之，乃流。劉向以爲山陽，君也，水陰，民也，天戒若曰，君道崩壞，下亂，百姓將失其所矣。哭然後流，喪亡象也。梁山在晉地，自晉始而及天下也。後晉暴殺三卿，屬公以弑。溴梁之會，天下大夫皆執國政，其後孫、甯

出衛獻，三家逐魯昭，單、尹亂王室。董仲舒說略同。

㊺隱公三年「二月己巳，日有食之」。（中略）董仲舒、劉向以爲其後戎執天子之使，鄭獲魯隱，滅戴，衛、魯、宋咸殺君。

㊼（桓公）十七年「十月朔，日有食之」。（中略）董仲舒以爲言朔不言日，惡魯桓且有夫人之禍，將不終日也。

㊽嚴公十八年「三月，日有食之」。董仲舒以爲宿在東壁，魯象也。後公子慶父、叔牙果通於夫人以劫公。

㊾（嚴公）二十五年「六月辛未朔，日有食之」。董仲舒以爲宿在畢，主邊兵夷狄象也。後狄滅邢、衛。

(51)（嚴公）三十年「九月庚午朔，日有食之」。董仲舒、劉向以爲後魯二君弒，夫人誅，兩弟死，狄滅邢，徐取舒，晉殺世子，楚滅弦。

(54)（僖公）十五年「五月，日有食之」（中略）董仲舒以爲後秦獲晉侯，齊滅項，楚敗徐于婁林。

(56)（文公）十五年「六月辛丑朔，日有食之」。董仲舒、劉向以爲後宋、齊、莒、晉、鄭八年之間五君殺死，楚滅舒蓼。

(58)（宣公）十年「四月丙辰，日有食之」。董仲舒、劉向以爲後陳夏徵舒弒其君，楚滅蕭，晉滅二國，王札子殺召伯、毛伯。

(59)（宣公）十七年「六月癸卯，日有食之」。董仲舒、劉向以爲後邾支解鄫子，晉敗王師于貿戎，敗齊于鞌。

(60)成公十六年「六月丙寅朔，日有食之」。董仲舒、劉向以爲後晉敗楚、鄭于鄢陵，執魯侯。

(61)（成公）十七年「十二月丁巳朔，日有食之」。董仲舒、劉向以爲後楚滅舒庸，晉弒其君，宋魚石因楚奪君邑，莒滅鄫，齊滅萊，鄭伯弒死。

(62)襄公十四年「二月乙未朔，日有食之」。董仲舒、劉向以爲後衛大夫孫、甯共逐獻公、立孫剽。

(65)（襄公）二十一年「九月庚戌朔，日有食之」。董仲舒以爲晉欒盈將犯君，後入于曲沃。

(66)（襄公二十一年）「十月庚辰朔，日有食之」。董仲舒以爲宿在軫、角，楚

大國象也。後楚屈氏譖殺公子追舒，齊慶封脅君亂國。

⑥（襄公）二十三年「二月癸酉朔，日有食之」。董仲舒以爲後衛侯入陳儀，甯喜弒其君剽。

⑦（昭公）二十二年「十二月癸酉朔，日有食之」。董仲舒以爲宿在心，天子之象也。後尹氏立王子朝，天王居于狄泉。

⑭（昭公）二十四年「五月乙未朔，日有食之」。董仲舒以爲宿在胃，魯象也。後昭公爲季氏所逐。

⑯定公五年「三月辛亥朔，日有食之」。董仲舒、劉向以爲後鄭滅許，魯陽虎作亂，竊寶玉大弓，季桓子退仲尼，宋三臣以邑叛。

⑰（定公）十二年「十一月丙寅朔，日有食之」。董仲舒、劉向以爲後晉三大夫以邑叛，薛弒其君，楚滅頓、胡，越敗吳，衛逐世子。

⑱（定公）十五年「八月庚辰朔，日有食之」。董仲舒以爲宿在柳，周室大壞，夷狄主諸夏之象也。明年，中國諸侯果累累從楚而圍蔡，蔡恐，遷于州來。晉人執戎蠻子歸于楚，京師楚也。

⑲嚴公七年「四月辛卯夜，恒星不見，夜中星隕如雨」。董仲舒、劉向以爲常星二十八宿者，人君之象也；眾星，萬民之類也。列宿不見，象諸侯微也；眾星隕墜，民失其所也。夜中者，爲中國也。不及地而復，象齊桓起而救存之也。鄉亡桓公，星遂至地，中國其良絕矣。

⑳文公十四年「七月，有星孛入于北斗。」董仲舒以爲孛者惡氣之所生也。謂之孛者，言其孛孛有所妨蔽，闇亂不明之貌也。北斗，大國象。後齊、宋、魯、莒、晉皆弒君。

㉑昭公十七年「冬，有星孛于大辰」。董仲舒以爲大辰心也，心爲明堂，天子之象。後王室大亂，三王分爭，此其效也。

㉓釐公十六年「正月戊申朔，隕石于宋，五，是月六鶂退飛過宋都。」董仲舒、劉向以爲象宋襄公欲行伯道將自敗之戒也。石陰類，五陽數，自上而隕，此陰而陽行，欲高反下也。石與金同類，色以白爲主，近白祥也。鶂水鳥，六陰數，退飛，欲進反退也。其色青，青祥也，屬於貌之不恭。天戒若曰，德薄國小，勿持炕陽，欲長諸侯，與彊大爭，必受其害。襄公不寤，明

年齊威死，伐齊喪，執滕子，圍曹，為盂之會，與楚爭盟，卒為所執。後得

反國，不悔過自責，復會諸侯伐鄭，與楚戰于泓，軍敗身傷，為諸侯矣。

以上二十八例（其中，「日食」有二十例），全部把「異」作為人事的前徵來解釋

（在言辭上，幾乎是具有時間前後關係指標的「將」、「後」），和上面所舉的定

義(B)相合，可說是標準型。又這二十八例可說是標準型的存在，可說和已說過

「災」的情況，是完全相同的。即二十八例中，至少有十六例和劉向的解釋相同。

　　又說到「天戒若曰」這種天的話的有五個例子。他們的內容，㊸和㊹是可能

發生這樣的惡事，指出將來的惡事（即前徵，乃至一種豫言。關於豫言，後面再

說）。㉓㉔和㉘是說不可以這樣，是用禁止形態所作的命令（即當為），指出不聽

從命令時，將來會有惡事。加上，不從命令時，指出將來的惡事。但是，後者最後

並沒有順從命令的例子，當為並沒有意義。

㈡其他　五例

　　這裏雖是標準型，但我想有個別舉出加以解說的必要。

　　㉝定公元年「十月，隕霜殺菽」。（中略）董仲舒以為菽，草之彊者，天戒若

　　曰，加誅於彊臣。言菽，以徵見季氏之罰也。

這例至少不像過去，先納入標準型之中，但從「天戒若曰」的內容來看，僅是「當

為」，並沒有指出將來的惡事。

　　㊿（嚴公）二十六年「十二月癸亥朔，日有食之」。董仲舒以為宿在心，心為

　　明堂，文武之道廢，中國不絕若綖之象也。

這例子，時間前後關係相當不明確，文中的「中國不絕若綖」，見於僖公四年《公

羊傳》文，因可能說到那個時候的狀況，從日食的時點來看，很可能是將來的事。

　　又依以下所舉《春秋繁露》之文，「日食」終究是人事的前徵。

　　　　日為之食，星霣如雨，雨螽，沙鹿崩，夏大雨水，冬大雨雪，霣石于宋

　　　　五，六鷁退飛，霣霜不殺草，李梅實，正月不雨。至於秋七月，地震，梁

　　　　山崩，壅河，三日不流，晝晦，彗星見于東方，孛于大辰，鸛鵒來巢，春

　　　　秋異之，以此見悖亂之徵。（《春秋繁露·王道篇》）

關於這段文章，後面將有好幾次會再提到。

⑤（僖公）十二年「三月庚午，日有食之」。董仲舒、劉向以爲是時楚滅黃，
　　狄侵衛、鄭，莒滅杞。

上舉⑪也是有「是時」，那條是指過去的時間，但這裏的「是時」，從下文四個人
事來看，指的是將來。

⑱（襄公）二十四年「七月甲子朔，日有食之，既」。（中略）「八月癸巳
　　朔，日有食之」。董仲舒以爲比食又既，象陽將絕，夷狄主上國之象也。後
　　六君弒，楚子果從諸侯伐鄭，滅舒鳩，魯往朝之，卒主中國，伐吳討慶封。

到目前所舉的各個例子，是人事與災異一對一的對應關係，但這裏是複數災異的對
應。即二個「異」（日食）作爲同一人事的前徵。

⑱哀公十三年「冬十一月，有星孛于東方」。董仲舒、劉向以爲不言宿名者，
　　不加宿也，以辰乘日而出，亂氣蔽君明也。

這裏時間前後關係並不清楚，但根據上舉《春秋繁露・王道篇》之文，這是前徵。

〔不符合定義(B)者〕

㈠以「災」作爲人事之前徵者　沒有

㈡以「異」作爲人事之應徵者　五例

㉖襄公二十八年「春，無冰」。劉向以爲先是公作三軍，有侵陵用武之意，於
　　是鄰國不和，伐其三鄙，被兵十有餘年，因之以饑饉，百姓怨望，臣下心
　　離，公懼而施緩，不敢行誅罰，楚有夷狄行，公有從楚心，不明善惡之應。
　　董仲舒指略同。

㉘僖公三十三年「十二月，李梅實」。（中略）董仲舒以爲李梅實，臣下彊
　　也。

㉛釐公十年「冬，大雨雪」。《公羊經》曰「大雨雹」。董仲舒以爲公脅於齊
　　桓公，立妾爲夫人，不敢進群妾，故專壹之象見諸雹，皆爲有所漸脅也，行
　　專壹之政云。

㊱文公三年「秋，雨螽于宋」。（中略）董仲舒以爲宋三世內取，大夫專恣，
　　殺生不中，故螽先死而至。

㊳釐公十五年「九月己卯晦，震夷伯之廟」。（中略）董仲舒以爲夷伯、季氏
　　之孚也，陪臣不當有廟。震者雷也，晦暝，雷擊其廟，明當絕去僭差之類
　　也。

以上五例，全部是以「異」作爲人事應徵的解釋，是不符合上舉定義(B)的例子。但
其中，㉘和㊱在上引《春秋繁露·王道篇》中，是被當作前徵的例子。（㉛因經文
有異同，並不清楚。）

　　又㊳是目的論的世界，可說是和前述的⑨和⑩相同。

〔應徵或前徵不清楚者〕

㈠災　沒有

㈡異　四例

　　㉔桓公十五年「春，亡冰」。（中略）董仲舒以爲象夫人不正，陰失節也。

　　㉕成公元年「二月，無冰」。董仲舒以爲方有宣公之喪，君臣無悲哀之心，而
　　　炕陽，作丘甲。

　　㉚桓公八年「十月，雨雪」。（中略）董仲舒以爲象夫人專恣，陰氣盛也。

　　㉜昭公四年「正月，大雨雪」。（中略）董仲舒以爲季孫宿任政，陰氣盛也。

以上四例，因全部缺乏人事的具體性（當然，相當的經文也不確定），和災異時間
的前後關係並不清楚。即是應徵或前徵，並不清楚。

　　又這裏說「不清楚」，是對筆者來說的，如果硬要說那一邊，全部可作爲應
徵來讀。這樣，就可取消這一項，全部納入前項「不符合定義(B)者」。

〔既有應徵也有前徵者〕

㈠災　沒有

㈡異　十五例

　　⑧昭十八年「五月壬午，宋、衛、陳、鄭災」。董仲舒以爲象王室將亂，天下
　　　莫救，故災四國，言亡四方也。又宋、衛、陳、鄭之君皆荒淫於樂，不恤國
　　　政，與周室同行。陽失節則火災出，是以同日災也。

㉗僖公三十三年「十二月，隕霜不殺草」。（中略）劉向以爲今十月，周十二月。於《易》，五爲天位，君位，九月陰氣至，五通於天位，其卦爲〈剝〉，剝落萬物，始大殺矣，明陰從陽命。臣受君令而後殺也。今十月隕霜而不能殺草，此君誅不行，舒緩之應也。是時公子遂顓權，三桓始世官，天戒若曰，自此之後，將皆爲亂矣。文公不寤，其後遂殺子赤，三家逐昭公。董仲舒指略同。

㉟嚴公二十九年「有蜚」。（中略）劉向以爲蜚色青，近青眚也，非中國所有。南越盛暑，男女同川澤，淫風所生，爲蟲臭惡。是時嚴公取齊淫女爲夫人，既入，淫於兩叔，故蜚至。天戒若曰，今誅絶之尚及，不將生臭惡，聞於四方。嚴不寤，其後其人與兩叔作亂，二嗣以殺，卒皆被辜。董仲舒指略同。

㊷文公九年「九月癸酉，地震」。劉向以爲先是時，齊桓、晉文、魯釐二伯賢君新沒，周襄王失道，楚穆王殺父，諸侯皆不肖，權傾於下，天戒若曰，臣下彊盛者將動爲害。後宋、魯、晉、莒、鄭、陳、齊皆殺君。諸震，略皆從董仲舒說也。

㊻桓公三年「七月壬辰朔，日有食之，既」。董仲舒、劉向以爲前事已大，後事將至者又大，則既。先是魯、宋弑君，魯又成宋亂，易許田，亡事天子之心；楚僭稱王。後鄭岠王師，射桓王，又二君相篡。

㊾僖公五年「九月戊申朔，日有食之」。董仲舒、劉向以爲先是齊桓行伯，江、黃自至，南服彊楚。其後不內自正，而外執陳大夫，則陳、楚不附，鄭伯逃盟，諸侯將不從桓政，故天見戒。其後晉滅虢，楚圍許，諸侯伐鄭，晉弑二君，狄滅溫，楚伐黃，桓不能救。

㊿文公元年「二月癸亥，日有食之」。董仲舒、劉向以爲先是大夫始執國政，公子遂如京師，後楚世子商臣殺父，齊公子商人弑君，皆自立，宋子哀出奔，晉滅江，楚滅六，大夫公孫敖、叔彭生並專會盟。

57宣公八年「七月甲子，日有食之，既」。董仲舒、劉向以爲先是楚商臣弑父而立，至于嚴王遂彊。諸夏大國唯有齊、晉，齊、晉新有篡弑之禍，內皆未安，故楚乘弱橫行，八年之間六侵伐而一滅國；伐陸渾戎，觀兵周室；後又

入鄭，鄭伯肉袒謝罪；北敗晉師于邲，流血色水；圍宋九月，折骸而炊之。

⑥（襄公）十五年「八月丁巳，日有食之」。董仲舒、劉向以爲先是晉爲雞澤之會，諸侯盟，又大夫盟，後爲溴梁之會，諸侯在而大夫獨相與盟，君若綴斿，不得舉手。

⑥（襄公）二十年十月「丙辰，日有食之」。董仲舒以爲陳慶虎、慶寅蔽君之明，邾庶其有叛心，後庶其以漆、閭丘來奔，陳殺二慶。

⑥（襄公）二十七年「十二月乙亥朔，日有食之」。董仲舒以爲禮義將大滅絕之象也。時吳子好勇，使刑人守門；蔡侯通於世子之妻；莒不早立嗣。後閽戕吳子，蔡世子般弑其父，莒人亦弑君而庶子爭。

⑦昭公七年「四月甲辰朔，日有食之」。董仲舒、劉向以爲先是楚靈王弑君而立，會諸侯，執徐子，滅賴，後陳公子招殺世子，楚因而滅之，又滅蔡，後靈王亦弑死。

⑦（昭公）十七年「六月甲戌朔，日有食之。」董仲舒以爲時宿在畢，晉國象也。晉厲公誅四大夫，失眾心，以弑死。後莫敢復責大夫，六卿遂相與比周，專晉國，君還事之。

⑦（昭公）二十一年「七月壬午朔，日有食之」。董仲舒以爲周景王老，劉子、單子專權，蔡侯朱驕，君臣不說之象也。後蔡侯朱果朱奔，劉子、單子立王猛。

⑦（昭公）三十一年「十二月辛亥朔，日有食之」。董仲舒以爲宿在心，天子象也。時京師微弱，後諸侯果相率而城周，宋中幾亡尊天子之心，而不衰城。

以上十五例（其中「日食」十一例），全部把「異」作爲人事的應徵，也是前徵的解釋（在言辭上，有很多以「先是」作爲過去的指標，以「後」作爲將來的指標，兩者兼備）。特別是「前事已大，後事將至者又大」是其中之典型。

還有，這十五例中至少有九例，和劉向的解釋相同。又有「天戒若曰」的例子有三個。它們的內容在⑦和⑫是指出將來的惡事，㉟是命令，並指出不從命令時將來會有的惡事。

結　語

　　以上八十三例，爲了讓它更客觀，全部舉出來。又爲了避免煩雜，各舉一次作基礎性的解析。現在，回想前文，把特別重要的解析結果整理出來，有以下兩點：

⑴和定義(B)相合的標準型多到五十九例。

⑵儘管如此，和定義(B)相反者，及兼應徵與前徵者，仍相當多，前者有九例，後者有十五例。

〔附論〕

　　從歸納的兩點⑴和⑵，究竟可說什麼呢？像下文所舉的，這裡將對漢代災異說的代表性說法，略作討論。

　　眭弘如前所述，由大木大石之異，豫見將來微者應得位。這是一種豫言。董仲舒的災異完全是對君主的警告，一定是把和過去行爲的關係來作解釋。對將來應發生的事態絲毫沒有暗示的意味。把這兩者作對比時，從董仲舒至眭弘間，我認爲災異說是從想防止君主權的過份膨脹的憲法性格，過渡到帶有豫知未來的迷信色彩。這裡，和漢末哀、平之際盛行的讖緯說的關係，是新的問題，但董仲舒災異說的轉向豫言，已如下所說。（中略）以上闡明災異說的根本精神而防止其俗化。（重澤俊郎《周漢思想研究》，頁98-99）

　　又首先⑴可說僅限於「異」，把「異」作爲人事前徵來解釋的例子有很多。因此，可確定董仲舒存有前徵的解釋。那麼，豫言是什麼？兩者大體可區別。本來，「前徵」是把從當時來看過去的災異，解釋成從當時來看過去的人事的前徵，「豫言」是依據當時的災異來豫言未來。這樣的意思，的確，董仲舒豫言的記錄並沒有留下來。但從以下所舉三個理由來看，至少可以說在論理上，作爲前徵來解釋

的事和作爲豫言的事，是否可以說相同的。

　(a)一般來說：「說明是潛在性的豫測」，說明和預測具備構造的同一性。

　(b)《漢書・五行志上》，董仲舒對曰：「《春秋》之道舉往以明來，是故天下
　　有物，視《春秋》所舉與同比者，精微眇以存其意，通倫類以貫其理，天地
　　之變，國家之事，粲然皆見，亡所疑矣。」（⑫已引述）董仲舒是把《春
　　秋》（過去）和漢代當時採取相融合的立場。

　(c)在具體的解釋中，常見到「天戒若曰」（指出將來的惡事），是採取天說話
　　的形式，超越單純說明的領域，非常接近預言（可說是溯及過去的預言）。

又《漢書》本傳有：「仲舒治國，以春秋災異之變推陰陽所以錯行，故求雨，閉諸
陽，縱諸陰，其止雨反是，行之一國，未嘗不得所欲」的文字，如果考慮到董仲舒
是呪術的話（當然，要確定的話，對當時呪術師的地位和任務，另外有詳加考察的
必要）。

　　在上面所引重澤氏的話裡，在（中略）中包含「因惡夫推災異之象於前，然
後圖安危禍亂於後者，非春秋之所甚貴也。」一節，是引用《春秋繁露・二端篇》
之文。很可能是重澤所說的「董仲舒戒豫言」的唯一的根據，以下全文引用，再檢
討看看。

　　　　春秋至意有二端，不本二端之所從起，亦未可與論災異也。小大微著之分
　　　也。夫覽求微細於無端之處，誠知小之將爲大也，微之將爲著也。吉凶未
　　　形，聖人所獨立也。雖欲從之，末由也已，此之謂也。故王者受命，改正
　　　朔，不順數而往，必迎來而受之者，授受之義也。故聖人能繫心於微而致
　　　之者也。是故春秋之道，以元之深正天之端，以天之端正王之政。以王之
　　　政正諸侯之即位，以諸侯之即位正竟內之治，五者俱正而化大行（以下，是
　　　重澤氏所引）。故書日蝕，星隕，有蜮，山崩，地震，夏大雨水，冬大雨
　　　雹，隕霜不殺草，自正月不雨至於秋七月，有鸜鵒來巢，春秋異之，以此
　　　見悖亂之微，是小者不得大，微者不得著，雖甚末，亦一端，孔子以此效
　　　之，吾所以貴微重始是也。因惡夫推災異之象於前，然後圖安危禍亂於後
　　　者，非春秋之甚貴也。（以上，是重澤氏所引）然而春秋舉之以爲一端者，亦

欲其省天譴而畏天威，內動於心志，外見於事情，修身審己，明善心以反
道者也。豈非貴微重始，慎終推效者哉。（《春秋繁露·二端篇》）

首先，有點的一節，重澤氏因僅加讀音順序符號，並不清楚，恐怕是這樣
讀：「因夫推災異之象於前，然後惡圖安危禍亂於後者，非春秋之所甚貴也。」但
是，「推災異之象於前，然後圖安危禍亂於後者」，就是所謂的預言。即重澤氏把
這一節作成「憎恨預言。（預言）並不被春秋重視」這種意思的解釋。筆者很坦率
的說，這一節實看不太懂。勉強去讀的話，可能也有其他的解釋。一種是照原來的
句讀作這樣的解釋：「憎惡預言（預測），春秋並不重視」。另一種是變換句讀，
作成這樣的解釋：「不喜歡豫言（預測），事情發生後才慌慌張張，春秋並不重
視。」而作這樣解釋的話，很明顯地，加點的這一節的意思，和重澤氏的說法可說
完全相反。（不過，這個解釋是和下文開頭的「然而」相順接。）

又筆者自己不能讀得很好，如百般謙讓，即使照著重澤氏的解釋，檢視加點
這一節的上下文內容的話，全部相反地，是強調預測的重要性。加點的這一節，說
它是被插入的也不爲過。（這種情形，和下文開頭的「然而」作逆接。）

總之，《春秋繁露·二端篇》這段文字，並不像重澤氏所說的，是在戒預言
的，相反地，寧可說是強調前徵和豫測的重要性。又《春秋繁露·仁義法篇》也有
「然則觀物之動，而先覺其萌，絕亂塞害，於將然而未形之時，春秋之志也」，
〈必仁且智篇〉也有：「凡災異之本，盡生於國家之失，國家之失乃始萌芽」，可
參考。如果認爲《春秋繁露》不可靠的話（筆者認爲《春秋繁露》這本書，包含從
董仲舒到漢末的思想），看《漢書》本傳言段話：「臣謹案春秋之中，視前世已行
之事，以觀天人相與之際，甚可畏也，國家將有失道之敗」（在定義(A)已引過），
就可以了。

上面所舉重澤氏的話中，現在作論駁，除「董仲舒戒依災異來預言將來」的
見解之外，又一個見解是：「董仲舒的災異說是爲了要抑制君主之權。」因這兩者
互爲表裏，前者被否定，後者也應該被否定。這樣說的話，非作這樣的評價不可，
即：「董仲舒的災異說是爲了要強化（神祕化）君主權而設」，要全面考察這個問
題，得待將來有機會，這裡僅略作評論。一是天是寵愛君主的，如從《漢書》本傳

「以此見天心之仁愛人君而欲止其亂也」（在定義(A)已引過），〈五行志上〉「賢君見變，能修道以除凶，亂君亡象，天不譴告，故不可必也」。《春秋繁露‧必仁且智篇》「以此見天意之仁而不欲陷人也」，又「楚莊王以天不見災，地不見孽，則禱之於山川曰，天其將亡予邪，不說吾過極吾罪也」（同樣的話，《說苑‧君道篇》和《論衡‧譴告篇》也可見到）來看，災異就是天寵，由這種天寵，君主權也被強化、被神祕化。二是所謂「天譴」。抑制的想法可能來自這些話（上面〈二端篇〉之文可見到），但應該說是太武斷，本來所謂譴告和所謂抑制並不一樣。三是所謂董仲舒的呪術師的一面。當然，像前面所說的，這個問題有從更廣泛的視野來加以考察的必要，現在不敢說得太清楚，但一般在君側，諂媚、粉飾他的權威，大概是呪術師的任務吧！（君主喜歡的呪術師，有時君主反反覆覆，某天突然被廢，危險性很大，董仲舒之受難，是因那樣的事例也說不定。）

　　又關於董仲舒的災異說，上述抑制論和強化論之外，有第三種說法，「天」不僅支配「天子」一方而已，寧可肯定「天」有對「天子」作用的主體性、能動性，可以說「天子」有主體性論。的確，在董仲舒的災異說中，這樣肯定某種「能動性」是可能的。但是，人對超人的權威所發動的，實際上是呪術所能見到的「能動性」，和我們一般所說的能動性不同。（說是呪術，是說用自力能支配自然，不是信賴自己的能力而發，相反地，是表示沒有信心。）

　　此外，是在開頭所舉機械論（因果的）和目的論（應報的）的問題。關於這一問題，真正的考察是將來非進行不可的課題，現在在這裡想舉一點來說明。那是因果律（自然法則）是淵源於應報律（社會規範），因果律後面因殘存著應報律的要素，不，是為了要讓它殘存下來，我們不能把兩者作嚴密的區分，把有些理論動不動就簡單地判定是「因果性」、「機械論」。如果詳加斟酌，連近代物理學的理論中，也可能找到應報律的殘滓（當然，「從目的論到機械論」所謂直線的圖式，太過於素樸，說是批判也有，但那樣的話，把所謂「殘存」或「殘滓」的感覺捨去，就理論本身斟酌即可）。順便一說，筆者的判斷，董仲舒的災異說不僅含有應報的要素，且全部應報的（全是目的論）。因為，基本上，所謂「衹是同類之物的相互反應」這種同類相動的理論，和因果性大方向的判定相反，實際上，從「罪和罰、善行和賞之間，有某種相等性」，「惡生惡，善生善」的應報律，所導引出來

的。（當然，其中「同樣的方法，人是對人行動的反應，自然是反應人」這樣的觀念，即其中有自然的社會解釋在內。）

這可說已離題太遠了，從結論(2)來看，可說些什麼呢？事實上，這結果是和在別處已作過解析的〈何休の場合〉（《中國研究集刊》張號）一文，幾乎完全相同。因此，(2)可說和〈何休の場合〉相同，即「董仲舒對災和異的區別，或者說應徵和前徵的區別，並沒有那麼敏感，換句話說，要求並不太嚴密」。

從這麼平常的結論，我們所得到的教訓有二：一是從董仲舒到何休，災異説的本質可說並沒有太多的變化。（在解析時，並沒有一個個的指出，在具體性的解釋時，董仲舒和何休相似的地方相當的多。又在董仲舒和何休之間，推行預言的劉向，也可合併思考。前面解析的八十三例中，幾乎有半數和劉向的解釋相同）二是災異説的重點，畢竟是在災異和人事的相感性本身，論説災異時，一面把應徵和前徵作嚴密的區分，一面又拘泥於預言之有無，可說並不太有意義。因此，以重澤氏為代表的說法，是在沒有意義的地方強求意義，應該說是一個故事。

——譯自《東洋の思想と宗教》，第 13 號（1996 年 3 月），頁 40-58。

經 學 研 究 論 叢
第 七 輯　　頁261～294
臺灣學生書局　　1999年9月

四庫未收書目提要續編・經部稿

胡玉縉撰、吳格整理*

易 類

一、易圖纂要一卷

宋俞琰撰。琰有《周易集說》，《四庫》已著錄。是書首「伏羲始畫八卦圖」，次「八卦重爲六十四卦圓圖」，次「五行之數十五圖」，次「天地之數五十五圖」，次「兩儀定位于上下圖」，次「四象分布于四方圖」，次「八卦分布于四方四隅圖」，次「大衍之目十五圖」，次「水火不相射圖」，次「男女構精圖」，次「乾道成男坤道成女圖」。前有至正二十一年自序，稱「象與數皆寫於畫，因而爲之圖說，既有圖，則不過一覽，而聖人之意，當在我目中，雖無注釋可也」云云，其言頗近狂妄，與其《集說》序稱「《纂要》諸書乃舊所編，將毀之，而兒輩以爲可惜，又略加改竄而存於後者」異，豈一加改竄，便合聖人，便可喻於無言，然則《集說》之作，不轉多事耶。惟琰于《易》用功最久，冥心邁往，時有獨契，是圖不必盡合本旨，而見仁見智，未嘗不資啓發。所引子華子、北齊褚澄、燕山溫次霄、江右丘三谷、宜春李王谿、雲間儲花谷、臨江黎時中，新安王太古、邵康節、朱紫陽、宋咸、洪景盧、李挺之、程修、陳希夷、鄭少梅、程沙隨諸家說《易》之書，間有不傳者，亦藉是以存梗概也。此歸安陸氏所藏元刊本。乾隆時從《永樂大典》采輯其《讀易舉要》，見所載各圖悉與《舉要》混亂，惟「八分爲十

---

*　　吳格，復旦大學圖書館古籍部主任。

六」、「十六分爲三十二」兩圖猶標《纂圖》之目，因遂編成《舉要》，不復能成
《纂圖》。使覩此本，亦必收錄之矣。惟核之此本，「八分爲十六」、「十六分爲
三十二」兩圖，當在「六十四卦圖」或「易圖合璧連珠」中，《大典》誤也，特附
正之。

二、勿軒易學啟蒙圖傳通義七卷

宋熊禾撰。禾有《勿軒集》，《四庫》已著錄。是書蓋發明朱熹書而作，昔
朱熹撰《易學啓蒙》，原與《易本義》並行，以示理數當兼參，非脫略《易》理，
專著此書以言數。至禾之時未及百年，而當時學者置《本義》不道，惟假借此書以
轉相推衍，支離附會，浸失其本眞。禾乃作《通義》四篇，以發揮《啓蒙》之旨，
末又附以古人占法，以見隨時變易之義，遂成斯編。至正癸巳，其曾孫玩始刊于鼇
峰書院，前有玩序，故成書在胡一桂《易學啓蒙翼傳》之先，而出書則在其後也。
錢大昕《元史藝文志》載禾《易說》，而無卷數，與此名不合。《勿軒集》有《易
學圖傳》二卷，亦非完帙。此江南圖書館所藏舊鈔本，錄而存之，俾與胡方平《通
釋》並傳焉。

三、周易本義附錄集註十一卷

元張清子撰。清子字希獻，號中溪，建安人。其書以朱熹《本易》爲主，以
晦庵《師友問答》、《易學啓蒙》及黃榦、李方子、廖德明以下凡六十二家之說爲
《附錄》；卜子夏、王弼、韓康伯、孔穎達以下凡六十四家之說，而參以己說爲
《集註》。其中引徐幾、丘富國之說爲尤多，徐、丘皆建安人也。又有引周敦頤、
閭丘昕、蔡元定諸說，而各家姓氏未列者凡八家（陸心源《儀顧堂題跋》分鄭東
卿、鄭少梅爲二，非）。薈粹群言，可稱宏富。諸家書大牛已佚，亦藉是以存梗
概。胡一桂《易本義附錄纂疏》，與此書宗旨頗相似，體例亦近，惟胡書不取楊萬
里《易傳》，此則引之。其書各家書目罕見著錄，朱彝尊《經義考》亦云未見。今
本爲歸安陸氏所藏影寫元刊本，海內殆無二冊。惟考董眞卿《周易會通》，稱有大
德癸未自序，此本不載，大德亦無癸未，疑董氏誤也。

四、周易經義三卷

元涂溍生撰。溍生有《周易經疑》，阮元《揅經室外集》已著錄。是編名
《經義》，與《經疑》爲別一書，雖亦爲科舉而設，而頗能博綜群說，有所折衷，

非專事鈔撮者比。考《元史選舉志》科目，仁宗皇慶二年定科場考試程式，漢人、南人第一場，明經、經疑二問，經義一道，各治一經。是當時以經疑、經義並試。大致「經疑」者別辨似，或闡義理，或用考證，非參互比較不可，此元代定制，故元人往往有「互義」之作。「經義」則沿宋人之體式而小變之，其格律有破題、接題、小講，謂之「冒子」。冒子後入官題，官題下有原題，有大講，有餘意，亦曰從講，又有原經，亦曰孝經，有結尾。後以繁複，稍稍變通，而大要有冒題、原題、講題、結題，則一定不可易。是書雖無當于著述，而一代之程式，可藉以考見，當與王充耘《書義矜式》並傳，故張氏《愛日精廬藏書志》、瞿氏《鐵琴銅劍樓書目》並載之。此元刊本，爲瞿氏所藏，有吳翌鳳手跋，即張本也。《經疑》、《經義》外，又有《易主見》，見楊士奇《東里集》；《易經擬題》，見葉盛《菉竹堂書目》；《易義矜式》，見《江西通志》；《四書斷疑》，見倪燦《宋史藝文志補》及《補遼金元藝文志》（案倪《志》有《周易擬題》，當即葉《目》所載。全祖望嘗從《永樂大典》中鈔得《擬題》及《矜式》，謂《擬題》皆其問目，貫穿古人之說而質疑之，極爲博雅，非如近日科舉之所謂擬題，《矜式》則應舉程式文字。見《鮚埼亭集外編》）。阮元疑《經疑》或即《主意》，或即《矜式》。吳翌鳳又疑此書即《主意》，或別有其書。皆未見各書而爲之說者也。潛生字自昭，號易菴，宜黃人。盧文弨《群書拾補》載《宋史藝文志補》，作徐潛生，字行可，建安人。錢大昕《元史藝文志》又作摺生。今此書明題「進士臨川涂潛生易菴擬」，則作「徐」、作「摺」皆誤。

五、易學啟蒙通釋述解二卷

明朱謐撰。謐字口口，永嘉人。昔朱熹因程頤《易傳》專主明理，因兼取邵雍數學，作《啓蒙》一書，以示理數併存，不得偏于一說。胡方平采黃榦諸家緒論，發明其義，謂之《通釋》。此則又發明《通釋》之義，故書中《通釋》雙行低二格，《述解》雙行低三格，皆宋人之《易》，非漢人之《易》也。考熊禾《易學啓蒙圖傳通義》、韓邦奇《易學啓蒙意見》，皆與《通釋》別自爲書，即方平子一桂《易學啓蒙翼傳》，雖推闡《通釋》，而以辨別異字爲主，體例仍自不同。是書則譬之《通釋》爲注，《述解》爲疏，亦可云篤信謹守者矣。朱彝尊《經義考》云未見。此本爲江南圖書館所藏明刊本。前有淳熙丙午雲臺眞逸手記，即朱熹原序，

而彝尊誤以爲方平自序者。又有至元己丑熊禾及劉涇跋，皆爲刊刻《通釋》作也。

六、學易記五卷

　　明金賁亨撰。賁亨有《臺學源流》，《四庫》已列《存目》。是編不載經文，不錄注語，以朱熹《本義》爲主，間采程《傳》，而皆略有匡正。其餘宋元人說之以爲是者，則約舉於每卦每章之後。中如解〈坤〉「先迷」句；「後得主利」句；解〈離〉「明兩作」句；解「不當位」之「當」宜作平聲；解〈旅〉「得位」與「當位」不同，謂「得所宜居之位」；解〈雜卦〉「親寡旅」，當作「旅寡親」之類，頗可采。而謂〈小畜〉以「畜止」爲義，象以「畜聚」爲義，《噬嗑》四爻，周公取其剛直，故言吉，孔子以「不中」少之，而曰「未光」，各自爲義。不知「畜止」衹是聚，「未光」並非不吉，義本一貫。又謂〈歸妹〉卦本不好，孔子卻發文王言外之意，於此見《易》之爲「易」，不可執一。更泥卦辭而未得其通。以「觀盥而不薦」二句爲是恭己無爲，而至誠顯然外著。是未明其爲賓禮，凡禮賓，重在獻酒而不薦俎，盥與裸、灌通，故四爻言「利」用賓於王」。以「萃妄」《史記》作「萃望」，爲有所期望則非誠。是未明「望」爲假解字，即讀「妄」爲「望」，亦正貫有所望，觀《後漢書·李通傳》李賢注引鄭玄云「人所望，宜正行，必有所望」云云可見。以〈離〉「日月麗乎天」三句爲當在「是以畜牝牛吉也」之下；以〈井〉「萃喪萃得」二句爲當在「改邑不改井」二句下，「井養而不窮也」，又在此二句下。任意竄改，不可爲訓。其論《河圖》《洛書》及「先、後天圖」，而獨致疑於「卦變圖」。殊弗思先、後天，《易》中實無此義，乃宋人妄說。「卦變」則〈泰〉、〈否〉象「小往大來」、「大往小來」，經文明示其例，但朱熹說未盡諦當，近江永《群經補義》已正之。以《河圖》「左旋相生」爲揖遜之象，《洛書》「右旋相克」爲征誅之象，尤穿鑿可笑。然全書義在以人事明天道，亦未嘗不可備考也。此道光庚子李氏惜陰軒重刊本，有嘉靖庚申洪朝選序。爲附存其目焉。

七、周易通略一卷

　　明黃俊撰。俊字熙彥，豐城人。是書俊助教國學諸生時所作，凡三十三條，設爲答問，辨其異同，大致爲科舉而設，初無裨於經學。前有天順丁丑自序，爲江南圖書館所藏明鈔本。據自序，尚有《書》、《詩》、《春秋》、《禮記》，今已

佚去，亦無足惜也。

八、學易枝言四卷

明郝京撰。京有《周易正解》及《易領》，《四庫》已附入《存目》。是編卷一爲易理、易數、陰陽、動靜、五行，卷二爲人身、易畫、易卦、易象、易學，卷三、四則附吳興鮑觀白博士《易說》。前有自序，稱「中心疑則其辭枝，余學未忘疑」，道其實而已。爲江南圖書館所藏明刊本，實則疑所不當疑，祇成其爲枝言也。卷前標「山草堂集第四」，則知《易領》標「山草堂集第二」，《提要》以爲集中之第二種者，其說雖是，猶有未盡，蓋《易》學尚不止此矣。

九、易學講義九卷

明諸大倫撰。大倫字白川，餘姚人，隆慶辛未進士。其書按節逐句解義，爲科舉而設，於《易》義了無發明。原題：「新刊浙江餘姚進士白川諸先生秘傳易學講義　弟文元巽齋諸大本、解元紫橋諸大圭校」，蓋坊刻射利之本。爲江南圖書館所藏。前有萬曆甲戌余有丁序，稱「姚江諸氏理齋君以明《易》奪魁，士皆宗之。理齋之後，有南明君大魁天下，白川、紫橋兩君魁吾浙省，由是天下之稱諸氏者，益彬彬然盛矣。然其說徒秘一家也，錦溪饒氏求得之，出示於余，序而梓之」云云。其盛稱諸氏科名，意在歆動士子之心，惟其文尚不俗耳。

十、周易兼兩九卷

錢塘倪璠撰。璠有《庾子山集注》，《四庫》已著錄。是書首論三古《易》，次《易》含三義，附錄《周易正義》八論，次總論二十九卦，次論《易》律度，次論《易》曆數，次正《易》正法辨誤，次反《兌》成《艮》說，次筮儀，次廣師春，次廣說卦。大抵發揚占筮之義，爲漢儒之《易》，非宋儒之《易》。雖雜引緯書，如「易」止有「變易」一義，「簡易」、「不易」，皆非其義，不能有所辨正，而推闡詳明，悉根據舊義，迥非臆說者可比，頗足以資參考。其名「兼兩」者，以《易》雖占人事，兼仰觀俯察爲義，蓋取諸《繫辭》語也。此江南圖書館所藏鈔本，據序尚有《天象賦》一篇，此本已佚，未知藏書家有無別本可以校補也。

書類

一、書集傳十二卷

宋陳大猷撰。大猷有《尚書集傳或問》，《四庫》已著錄。是書前有綱領，及書始末、書序、傳注傳授、集傳條例、進書上表錄本，及看詳申狀錄本。〈條例〉云依經文爲次敘，先訓詁而後及意義，或先用甲說，次用乙說，而後復用甲說者，則再出甲姓氏。大概使意義貫穿，如出一家。其全書體例，蓋仿呂祖謙《讀詩記》。《宋史藝文志》失載，惟見葉盛《菉竹堂》及朱睦㮮《萬卷樓書目》，傳本絕少，故《提要》以爲已佚。此本「匡」、「筐」、「恆」、「貞」等字皆闕筆，尚是宋槧。其進表及看詳申狀結銜稱「從事郎六部架閣差遣」，足證其爲東陽陳大猷，而非都昌陳大猷也。

二、尚書注十二卷

宋金履祥撰。履祥有《尚書表注》，《四庫》已著錄。是書《提要》稱未之見，張金吾《愛日精廬藏書志》有殘鈔本卷七至末六卷。此本乃陸心源得秦蕙田所藏鈔本刊入《十萬卷樓叢書》者。案柳貫撰履祥行狀，稱「早歲所注《尚書》，章釋句解，迨後掇其要，成《表注》」，此即其早歲所注也。許謙作《讀書叢說》，多采其說，而趙孟頫《書古今文集註》自序謂金氏「懲《蔡傳》之繁而失於簡，不若他經傳注，審之熟而言之確」。不知《表注》刪繁就簡，其詳實見於此書。如《梓材》爲周公營洛命侯甸男邦伯之書，移《康誥》首「惟三月哉生魄」四十八字冠之，此系履祥刱解，反覆辯論，以證其說，核之《表注》，嫌其略矣。又如說「血流漂杵」云，杵，史本作「鹵」，「鹵」是地發濕，當是血流而地鹵濕耳。說「率循大卞，云‧「卞」，字書無正訓，孔氏訓「法」，案「卞」本從「廾」，與「弁」同，是「恭拱」之義，則當訓爲「禮」。其說殊爲穿鑿，而皆《表注》所不載，殆亦自知其說之未安耳。所引王柏說，俱稱「子王子曰」以尊之，則以履祥受業於柏云。

三、尚書義粹八卷

金王若虛撰。若虛有《滹南遺老集》，《四庫》已著錄。是編范氏《天一閣》、項氏《萬卷堂書目》皆作三卷，朱彝尊《經義考》已云未見，蓋傳本久佚。

倪燦《補遼金元藝文志》仍載其書，蓋即據范、項兩家書目。此本乃張金吾從明黃
諫《書傳集解》中錄出，以篇帙稍繁，釐爲八卷，載入《愛日精廬藏書志》，而因
之迻寫者，紙墨頗舊，字體亦雅，惟無識語圖章，不知何人手筆也。若虞在金源
時，學有根柢，雅以辨博自負，觀集中《五經辨惑》，往往詰難鄭學。此書亦好申
其己說，筆頗清暢可喜，而於帝王之德業事功，以及人心道心、建中建極諸義，反
覆推闡，要皆深切著明，以義理談經者，當有取乎此，亦黃度《書說》之亞也。借
《書傳集解》缺《說命》下至《微子》，又《召誥》至《君奭》，故所輯亦未能完
備。然今江南圖書館所藏黃諫書，視金吾所見更缺，是書之單辭賸義，藉以幸存者
尚夥，亟爲錄之，以見其大概焉。

四、尚書蔡傳音釋辨誤六卷

原題「元鄱陽鄒近仁季友著」。案《江西志》云，鄒近仁，字季友，父，疑
是書爲祖孫同撰，理或然也。蔡沈《集傳》，自其子杭表上後，張葆舒有《蔡傳訂
誤》，黃景昌有《蔡氏傳正誤》，程直芳有《蔡傳辨疑》，余苞舒有《讀蔡傳
疑》，遞相詰難。及元延祐二年議復貢舉，《書》用蔡氏，與古注疏並行。陳櫟初
作《書傳折衷》，頗論蔡氏之失，逮法令既定，乃改作《纂疏》以發明之。鄒氏是
書，雖以《蔡傳》爲主，而疏舛處仍一一糾正，不少假借，故題曰《辨誤》。如
〈舜典傳〉「十篇爲合」，辨云：合篇爲合，乃《漢律曆志》文，合者並也，取並
合兩篇之義，《傳》經朱子訂定，不應有誤，必傳寫之訛。〈益稷傳〉「民尚艱
食」，辨云：經文上句言「鮮食」，則曰「播奏」，蓋謂播種艱難，故以百穀爲艱
食，蔡言「民尚艱食」，則與上文語法不一，且一句之間，文義亦不通。〈禹貢
傳〉「青州之域東北至海」，辨云：《孔傳》「東北據海」疏，「據」謂「跨
之」，今蔡云「至海」，則疆域至海而止，又「冀州」傳中引程氏云「冀之北境」
云云，蓋與孔說異，而〈舜典傳〉中仍《孔傳》分青州爲營州之說，自相背戾。又
「梁州亦篚織皮」，辨云：此經文無「篚」字，梁州亦無「篚」字，「織皮」但在
「厥貢」之下，別無「厥篚」之文。〈泰誓傳〉「祝，斷也，言天弗順而斷然降是
喪亡也」，辨云：《孔傳》「祝，斷也，天惡紂逆道，斷絕其命。」又《公羊傳》
哀十四年何注、《穀梁傳》哀十三年范注，「祝，斷也」，「祝」之訓「斷」，乃
「斷絕」之斷，非「斷決」之斷。〈康誥傳〉「要囚，獄辭之要者也」，辨云：

「要」字讀爲平聲，有「約勒」之義，謂繫束拘攣之。此類或紬繹經文，或根據舊義，所辨至爲明確。又云：朱子云「殷盤周誥不可解」，今蔡於盤、誥諸篇，闕疑處甚少，恐非朱子本意，讀者於其強通處，略之可也。持論亦頗明通。其他以〈高宗肜日〉爲祖己諫祖庚，此本《史記》；以〈旅獒〉爲召公訓成王，此本《皇王大紀》，又能不爲蔡氏所囿；以二〈典〉爲夏啓以後史臣所作，亦近於理。雖未知《孔傳》爲僞，〈泰誓〉、〈旅獒〉等爲僞古文，在元人中要自爲有功經學之作，而其書當時不甚顯者，爲功令所限也。然明洪武二十七年劉三吾等撰《書傳會選》，改定《蔡傳》至六十六條；馬明衡《尚書疑義》亦屢攻其謬，袁仁有《尚書砭蔡編》，且勒爲專書；近世《書經傳說彙纂》，亦復多所釐訂。今張、黃、程、余之書俱失傳，鄒書不絕如線，安得不錄而存之哉。此江南圖書館所藏影寫元刊本，乃從至正間單行本傳錄者。別有重刊明州本《尚書集傳》，將《音釋》附於各段之末，未爲完帙。咸豐乙卯祝鳳喈本、高均儒爲吳氏校刊本，標題無「辨誤」字，當據是本以正之矣。

五、書傳集解十二卷

明黃諫撰。諫字廷臣，蘭州人，正統一甲第三名進士，官至翰林學士。是編以《蔡傳》爲主，而以唐宋金元諸儒之說分注於下，間附己意。中如「天左旋」之類，頗回護《蔡傳》；而以「五玉」爲即「五瑞」之類，亦往往糾正蔡失，在明人撰述中，實爲賅洽之書。《明史藝文志》不著於錄，惟見項氏《萬卷堂書目》及張氏《愛日精廬藏書志》、丁氏《善本書室藏書志》，惜遞有殘缺。今爲江南圖書館所藏，計〈堯典〉起，至〈大禹謨〉「若帝之初」止；又〈益稷〉「庶頑讒說」起，至篇末；又〈伊訓〉末節二葉；又〈說命〉「中慮善以動」起，至〈武成〉；又〈洪範〉「五皇極」起，至末；又〈召誥〉至〈君奭〉；又〈周官〉「曰唐虞稽古」起，至〈秦誓〉末，皆已佚脫，殆逾全書之半。然就所存論之，尚有二十六冊，所采如宋胡旦、張景、顧臨、孫覺、王安石、王雱、蘇洵、芸閣呂氏、龜山楊氏、蔡元度、張綱、吳才老、李舜臣、劉安世、王十朋、王炎、張敬夫、陳傅良、東陽馬氏、朱子、勉齋黃氏、董銖、鄒補之、王日休、張沂、復齋董氏、陳振孫、西山眞氏、陳大猷、介軒董氏、張震、史仲午、史漸、劉燉、成四百家（案謂成申之《四百家尚書集解》）、李梅叟、碧梧馬氏、陳普，金潯南王氏，元息齋余氏、

葵初王氏、梁寅，原書多佚，賴此以略見梗概，幾可與宋林栗《周易經傳集解》比並，正不得以殘缺而廢之。諫之爲是書，殆因永樂中胡廣等修《書傳大全》，僅取陳櫟《集傳纂疏》、陳師凱《蔡傳旁通》兩家，失之偏隘，而隱以廣之。安得海內有完本，取其序跋而一一證之歟（張金吾編輯《詒經堂續經解》，收入是書。今《續經解》原本，聞爲上海商務印書館所藏，未知缺佚若何，他日當一訪之）。

六、書傳敷言十卷

明馬森撰。森字孔養，懷安人，嘉靖乙未進士，官至戶部尙書，贈太子少保，諡恭敏，事蹟具《明史》本傳。是編乃森爲諸生時所著，意在用於科舉，以《蔡傳》爲主，隨文詮釋，於經恉無甚發明。爲江南圖書館所藏明刊本，前有崇禎戊寅沈履祥序，後有男炊識語，稱「三山故無習是經者，嘉靖乙酉，督學邵公銳，拔所進生內二十有八人改習之，延莆田林公道學授業。先公師承其說，鑽研敷衍，浹期成帙」云云，亦足見明代閩人經術之陋，而森作是書，幾爲開山祖矣。後嘉靖壬寅莆田馬明衡成《尙書疑義》，雖體例不純，而視此爲勝。明衡受業於王守仁，正德甲戌已登進士第，固不在二十八人之內也。

詩類

一、詩集傳二十卷

宋朱熹撰。案是書《四庫》著錄八卷本，爲坊刻合併，不特失朱熹之舊第，且多改竄，其訛謬不一而足。此則歸安陸氏所藏宋刊本，「筐」、「匡」、「樹」、「殷」、「鞝」、「愼」、「覯」、「恆」、「畜」等字皆缺筆，蓋寧宗時所刻也。雖〈十月之交〉篇「冢伯維宰」之「維」作「爲」，〈長發〉篇「降予卿士」之「予」作「于」，已視馮嗣京所見本有誤，而今本〈關雎〉篇「雎音疽」、「窈音杳」，此作「雎，七餘反」、「窈，烏了反」之類，凡今本直音而此不寫反切者千餘條；〈葛覃〉篇「父母」、〈螽斯〉篇「蟄蟄」，今本無反切，此作「母，莫復反」、「蟄，直立反」之類，凡今本妄刪而此本有反切者數百條；〈漢廣〉篇「休息」、〈泉水〉篇「于衛」，今本無注，此則一引吳氏曰「《韓詩》作思」，一云「此字本與邁、害叶，今讀誤」之類，凡今本妄刪而此本有注者數十條；〈燕燕〉篇「頡之頏之」、〈終風〉篇「且曀」，今本「頡與絜同」、

「頡與杭同」、「暳與綌同」，此作「頡，戶結反」、「頡，戶郎反」、「暳，於計反」之類，凡今本改「與某同」此本爲反切者數百條，均足見廬山之眞面。其他〈園有桃〉篇「不知我者」，俱作「不我知者」，〈東山〉篇「亦可畏也」，作「不可畏也」，〈桓〉篇「屢豐年」，作「婁豐年」之類，經文與今本不同者，非止如馮嗣京諸人所校正各條已也。是本舊爲陳鱣所藏，其所著《綴文》有是書跋，盛稱「家伯維宰」不作「冢宰」，「降予卿士」不作「降于」，今核之，其言不符。陸心源《儀顧堂續跋》云，恐當時即據《提要》所舉作跋，未嘗逐一覆檢，理或然歟。

二、毛詩要義二十卷

　　宋魏了翁撰。案了翁著《九經要義》，《四庫》已錄其《周易》、《尚書》、《儀禮》、《春秋》四經，阮元《揅經室外集》，又錄其《禮記》及《提要》本《尚書》之闕卷。是編大致錄《疏》居多，《傳》、《箋》則間取之，析其辭爲各條，每條自撰「綱領」，亦有一條中不能截分者，則以「綱領」書於眉間。意取故實，不主說經，故不求詳備，第錄之以備遺忘，猶有漢唐實事求是之義。其所據《孔疏》，乃當時善本，有異於十行本而實勝者。如卷一「鄭氏箋」、「疏」、「詁訓傳」，「毛」自題之，不脫「傳」字。〈關雎傳〉「若雎鳩之有別焉」，「雎鳩」不作「關雎」；《箋》「雄雌情義」，「雄雌」不作「雌雄」，並同岳本。〈葛覃〉末章〈疏〉，「〈南山箋〉文姜與娣姪」，「南」上不衍圈，「文」不譌「云」，據此知十行本「云」即「文」之譌，浦鏜謂脫「文」字，非也。〈卷耳疏〉「衛侯饗苦成叔」，不重「成」字。〈螽斯疏〉「股鳴者也」，「股」不誤「肱」。〈鵲巢疏〉「婦車亦如之有裧」，「裧」不誤「供」。〈采蘩疏〉「于俎南西上」，「俎」不誤「菹」；「案〈少牢〉作『被錫』」、「注云被錫」，兩「錫」字皆不誤「褐」。〈采蘩箋〉「此祭祭女所出祖也」，不脫下「祭」字；「祭禮主婦設羹」，「禮」不誤「事」。〈行露箋〉「紂帛不過五兩」，「紂」不誤「純」。《小星疏》「知三爲心」者，「心」不誤「星」。〈野有死麕箋〉「皆可以白茅裹束以爲禮」，「裹」上不衍「包」字。〈何彼襛矣疏〉「謂以如王龍勒之韋」，「王」不誤「玉」；「其始嫁之衣」，「嫁」下不衍「其嫁」二字。全書中藉資糾訂者甚繁，均足爲讀經之助。此江蘇書局合刻本，爲別而

出之焉。

三、毛詩舉要圖一卷

不著編輯名氏。圖凡二十五，蓋冠於《纂圖重言重意互注點校毛詩》本首者。昭文張氏有是書宋刊本，見《愛日精廬藏書志》。聊城楊氏有殘宋本卷十八至末三卷、監本卷首至十一，見楊紹和《楹書隅錄》。昔《四庫》附存《五子纂圖互注》，余於是編不錄麻沙本經子「纂圖重言重意」諸書，此宋刊圖一卷，爲歸安陸氏所藏，姑存其目而已。

四、詩集傳附錄纂疏二十卷

元胡一桂撰。一桂有《易本義附錄纂疏》，《四庫》已著錄。是編一名《朱子詩傳纂集大成》，以朱子《集傳》爲宗，采《文集》、《語錄》之及於《詩》者，謂之《附錄》。又采諸儒之說輔翼《集傳》者，次於《附錄》，謂之「纂疏」。有與《集傳》異者，間一取之，注云「姑纂一二」，或云「姑備參考」等語。至自下己意，則加「愚案」、「愚謂」以別之。其體例與所著《易本義附錄纂疏》悉同。然如《鄭風》諸詩，亦兼存《序》說，其他引毛、鄭、歐陽、蘇、李、呂、嚴諸家說者尤夥，蓋雖宗《集傳》，而旁參眾說，求合於經，實與墨守者異也。其論《魯頌》四篇皆史克所作，在魯文公時，「閟宮」、「新廟」即僖公廟，作泮宮，克淮夷，是僖公實事，非頌禱之辭，《魯頌》正可補《春秋》之闕，尤爲卓識。至經文「爰其適歸」，「爰」下注「《家語》作奚」；「假以溢我」，「假」下注「《春秋傳》作何」、「溢」下注「《春秋傳》作恤」，諸如此類，一遵朱子之舊，錢大昕《十駕齋養新錄》已言之。此瞿氏所藏泰定丁卯翠巖精舍刊本，分卷二十，亦與朱子《集傳》原本合。黃虞稷《千頃堂書目》、朱彝尊《經義考》、錢大昕《補元史藝文志》俱作八卷（《養新錄》、《日記鈔》云作二十卷），殆據後人所併之本，朱氏又倒其名爲「纂疏附錄」，皆當以是本正之。張氏《藏書志》、丁氏《寶書閣著錄》作二十卷，與是本同也。

五、詩集傳音釋二十卷

舊題「羅復撰」。復字中行，江西廬陵人，始末無考。其書全載《集傳》，俱雙行夾注，《音釋》即次《集傳》末，墨圈「音釋」二字以別之。凡反切不改直音，亦不改「與某同」，注無刪削，皆與宋刊《詩集傳》二十卷本同，與今通行八

卷本異。惟「何彼襛矣」作「穠矣」，「羊牛下括」作「牛羊」，「終然允臧」作「終焉」，「不能辰夜」作「晨夜」之類，其誤已與今本同。前有朱子《序》、《詩圖》、《詩傳綱領》、《詩序辯說》。其圖與宋刊《纂圖互注毛詩》不同，圖下多引朱子說。而前後無序跋，惟有凡例，中稱「廬陵羅君中行，博學善記，慮學者稽考之難，以金華許益之先生《名物鈔》，會眾經及諸傳籍，參互考訂，以為《音釋》，錄於經傳之左」云云，疑出自坊賈之手。蓋以《名物鈔》為主，更附益以他說，然亦祇錄其音釋，而許之考訂名物初不具載。朱彝尊《經義考》云，「合白雲許氏《名物鈔》而音釋之」，似但據凡例，未細閱本書也。中如〈周南傳〉「亶」字，許無音，此補「多旱反」；「采倉代」，此「宰二反」，補引顏師古曰：「采官也，因官食地，故曰采地」；「沱」，補「音徒河反」；〈關雎〉首章下補釋「匡衡字仲圭，漢宣帝朝射策甲科，元帝朝遷博士給事中，建中三年拜相」；〈關雎〉三章下引輔氏說，補釋「太上」之義。雖無關宏恉，而與凡例所云「參互考訂」尚合。惟許書〈國風傳〉「肄，羊至反」，〈關雎〉三章傳「亨，普庚反」，此並不錄，未喻其故。又許書本王柏《二南相配圖》，謂〈甘棠〉後人思召伯，〈何彼襛矣〉王風也，〈野有死麕〉淫詩也，皆不足以與此。沿襲謬說，本不足信。此惟〈野有死麕〉載許氏曰：此淫奔之詩，疑錯簡在此。似失許氏之意。如謂有所去取，則又進退失據矣。此瞿氏所藏元至正刊本，今據而附存之焉。

六、直音傍訓毛詩句解二十卷

元李公凱撰。公凱字仲容，江西宜春人，始末無考。案「直音」始見於明本排字《九經》，不用反切，故曰「直音」。此書則仍有反切，惟不用叶音，但用本音，為例小殊。「傍訓」者，如「雎鳩」傍注「水鳥」，「荇菜」傍注「水草」，「流」傍注「求」，僅一兩字，亦不別立細行。近世塾中所行「傍訓」本，蓋濫觴於此。「句解」者，注於每句之下，而上下文語氣，隔句仍復相屬也。《詩》音自朱子用吳棫《詩補音》，其孫鑑又意為增損，率多舛迕。近時坊本，或依叶音，或用方音，非今非古，繆盭較諸經音尤甚。此本「雎」與「砠」並音「趄」，《集傳》「雎」音「七余反」，「砠」音「七餘反，音趄」，正與朱子合。嚴粲《詩緝》曰：雎，七胥反。以溫公《切韻圖》正之，「七」字在第十八圖，屬清字母，「胥」字在第三圖平聲第四等，橫尋清字得「疽」字，其上聲為「取」，去聲為

「覷」，則平聲正音「趨」也。雎、疽、砠、苴，皆同音，俗讀爲「沮」平聲，非。則與嚴氏亦合。此類頗爲不苟。朱子去《序》言《詩》，今則每篇悉冠以《小序》，櫽括呂祖謙《讀詩紀》以爲說，與嚴粲之以呂詩爲主者略同。雖爲鄉塾啓迪幼學之書，而不逐時風，尊尚《小序》，其亦異乎依草附木者矣。朱彝尊《曝書亭集》有是書跋，倪燦《補遼金元藝文志》、錢大昕《元史藝文志》亦並列其書。此瞿氏所藏元刊本，陸心源《皕宋樓藏書志》題爲宋人，《儀顧堂題跋》以爲世間無第二本，誤矣。

七、類編歷舉三場文選詩義八卷

元劉貞編。貞字仁初，安福人，舊題「安成」者，安福爲漢安成縣境也。貞有《三場文選易義》、《禮義》各八卷，見錢大昕《日記鈔》，今未之見。是編選江浙、江西、湖廣鄉試及中書堂會試《詩》義，自延祐甲寅鄉試，至元統乙亥鄉試，每鄉、會試一科，合爲一卷，凡八科。蓋仁宗皇慶二年定科場考試程式，至次年改元延祐，始舉行鄉試，故稱是科爲第一科。其首卷第一篇及末篇，爲黃溍延祐甲寅鄉試第三名及乙卯會試第十六名之作，本集皆未載。題後多有載考官批者，會試皆稱「考官批」，鄉試則稱「初考」、「覆考考官批」，其官多教授、照磨、錄事、推官、縣丞、縣尹、州判之類，而無一定，《元史‧選舉志》所謂「並於見任并在閑有德望文學常選官內選差者」也。惟《志》稱會試考試官四員，鄉試每處差考試官、同考試官各一員，此則會試亦四員，而鄉試則有三員，與《志》不合，當是後有更定，而史失之。《志》又載皇慶詔書，《詩》以朱氏爲主，《尚書》以蔡氏爲主，《周易》以程氏爲主，已上三經，兼用古注疏。此載湖廣鄉試考官彭縣丞士奇批聶炳文云：「習《詩》、《書》者之於《朱傳》、《蔡傳》，宜必在所熟講，然求其合者甚少。此卷雖不盡合，蓋鐵中之錚錚者。」其去取如此，宜乎《注疏》束之高閣也。又載縣丞擬作半篇，稱爲「詩經冒子」，尤近鄙陋。今據瞿氏所藏元刊本著之於錄，以見一代之程式風尚。張氏《藏書志》有鈔本，則從陳揆藏元刊本傳錄耳。

八、治齋讀詩蒙說二卷

原題「中鄉老農顧成志心勿撰」。實則錄沈起元之說也。前有閼逢敦牂壯月成志序，稱「光祿沈敬亭先生詮《易》畢，欲從事於《詩》，謂余曰：吾釋《詩》

不惟其義，且以法。詩法備於《三百篇》，而尠有詳說其妙者。童而習之，皓首莫能言，亦學者之恥也，得一筏以津逮焉甚善。無何，先生病，未就，而三十年前，先生嘗書《詩》簡端三百餘條。今課兒是經，乃輯二卷，名曰《蒙說》」云云。考敬亭爲起元之號，官光祿寺卿，嘗著《周易孔義集說》，《四庫》著於錄，皆與顧序合，是其書爲起元所作甚明。閼逢敦牂當爲乾隆甲午，而在三十年前，則當草於康熙成進士後也。瞿氏《清吟閣書目》著於錄，卷數與此合，而題顧成志，殊失其實。丁氏《藏書志》疑之，而未能定其爲起元作，亦屬失考。此江南圖書館所藏鈔本，而其《善本書目》仍題成志名，茲特正之焉。

周禮類

一、杜注考工記二卷

舊題「唐杜牧注」。牧有《樊川文集》，《四庫》已著錄。是書注文頗簡括，其說制度處，往往襲用鄭玄《注》義，而刪削不完，多失其恉，間或參以己意，亦未精確，文筆亦不類唐人，其爲依託無疑。卷首無序，僅載宋人程迥論《考工記》語，尤與是書不相謀也。此仁和胡樹聲所藏舊鈔本，其子斑刊入《琳瑯秘室叢書》者。目錄下識語，固已疑及之矣。

二、考工記輯注二卷

明陳與郊撰。與郊有《檀弓輯注》，《四庫》已入《存目》。是書全錄鄭《注》，節存賈《疏》，並附他說，斷以己意，體例與《檀弓輯注》同，而於經義無甚心得，惟不致專論文法。爲江南圖書館所藏明刊本，丁氏《藏書志》以爲不出林兆珂《考工記述注》、郭正域《批點考工記》、徐昭慶《考工記通》、程明哲《考工記纂注》四種之間，亦舉其大概耳。今姑存其目焉。

三、周禮疑義十八卷

仁和吳廷華撰。廷華有《儀禮章句》，《四庫》已著錄。是書分「訂義」、「疑義」兩門，「訂義」者，取《注疏》及唐宋諸家之說以訂正經義也；「疑義」者，取《注疏》之義有可疑者，爲之反復辯論，以正鄭、賈之誤也。其意重在「疑義」，故以《疑義》名其書。張氏《愛日精廬藏書志》曾以鈔本著於錄，即杭世駿《榕城詩話》所稱「東壁（案即廷華之號）去職，著《三禮疑義》數十卷」，而

《儀禮章句提要》以爲今未之見者也。原書四十四卷，今僅存卷三至卷六、二十三至三十、三十三至三十六、四十一至四十二，凡十八卷，爲江南圖書館所藏書鈔本。張《志》引自序云：「經有可據，則信之以經；經無可據，則信之以理；至經與理俱無可據，則別之爲疑義。」是可見全書之大旨。丁氏《藏書志》云：「亂後得殘本，留心三十年，無可搜補。」然則海內恐無完帙，亟宜錄而存之矣。

儀禮類

一、鄉射禮集要一卷

明傅鼎撰。鼎福州人，其始末未詳。弘治辛酉、壬戌間，鼎署華亭縣教事，時郡守劉琬葺射圃，制射器，俾鼎董其事，爰作是書。大致本《儀禮・鄉射》而略其戒賓、獻酬之節，增入《周禮》延射、揚觶二事。又考訂聲律，以《大成》樂音諧之，被之詩歌管弦。督學陳琳按臨，命試行之，頗加賞激，並馬鼎擴其事，俾與四方同志共之。首有自序，敘述甚明，亦可見古鄉射之禮，明代尙未盡廢也。嘉靖間，林烈嘗於其鄉之嵩陽社創射圃，命子弟習射，成《鄉射禮儀節》一書，而於經文刊削過甚，遂致古義不明。是書尙無此弊，所損益及所附樂節，亦頗便於行事。爲江南圖書館所藏原刊本，亦雜禮書之可取者也。

二、儀禮戴記附記四卷外記一卷

不著編輯名氏。其書取《儀禮》析爲四卷，而以《禮記》比類附之，不類者附諸卷首末，亦頗有意義。又以五禮獨缺軍禮，因取《周官》大田禮補之，而以《禮記》諸篇載田事附焉，別爲一卷曰《外紀》，體例特爲清晰，較之貢汝成《三禮纂注》點竄字句，塗改名目，鄧元錫《三禮編繹》屬入他書，變亂古籍者，一則不知妄作，一則猶是引經證經之遺意。所爲注釋，亦尙分明。昔朱熹撰《儀禮經傳通解》未竟，黃榦、楊復遞有增補，至近世江永《禮書綱目》，釐正發明，益臻完備。是編在今日未免簡陋，而在明代則尙有體要者也。此天一閣舊鈔本，丁氏《藏書志》據《明史藝文志》，定爲黃潤玉撰。今歸江南圖書館。考《明志》載黃潤玉《儀禮戴記附注》五卷，卷數與此合，惟本傳不言著此書，且范氏鈔在《明史》成書前，不載撰人，故今從之，以示闕疑之義。潤玉字孟清，鄞人，永樂庚子順天舉人，官至廣西僉事，謫含山知縣，以年老歸，學者稱南山先生云。

禮記類

一、禮記疑義十八卷

仁和吳廷華撰。廷華有《周禮疑義》，已著錄。是編體例與《周禮》同，原書七十二卷，今存卷三至卷五，卷二十、二十一，卷二十六至三十二，卷六十一至六十六，凡十八卷，爲江南圖書館所藏舊鈔本。考張金吾《愛日精廬藏書志》，《周禮》、《儀禮》，皆錄有廷華自序，《禮記》無之。今卷首在殘闕本，未知其爲本無，抑張氏未載。雖僅得四分之一，亟宜錄而存之矣。至《儀禮》且無一葉之留，丁氏《藏書志》所爲致慨於東南兵燹，斯文墜地也。

二、續禮記集說一百卷

仁和杭世駿撰。世駿有《續方言》，《四庫》已著錄。是書乃乾隆間世駿與修《三禮》時所輯。凡《永樂大典》中有關於《三禮》者，悉爲錄出，汰其已見於衛湜《集說》者，依次成編，體例與衛書同，故名《續禮記集說》。前有自序，稱「在衛氏後者，宋儒莫如黃東發，元儒莫如吳草廬，乃經學之駢枝，非鄭、孔之正嫡。得一岸然自露頭角者，如空谷足音，趯然喜矣」云云，蓋言卓然可與鄭、孔抗衡者之難也。然所采凡一百八十家，其中雖純駁不一，異同互見，而使後人參觀眾說，得以研究其是非，不可謂非禮家之淵海，足與衛書並傳矣。此光緒間浙江書局刊本，與丁氏《藏書志》所載舊鈔本合，蓋即所從出也。

三、婚禮備用月老新書二十四卷

不著撰人名氏。其書首載婚姻禮法，次姓氏源流，次故事備要。其言禮，僅載家禮，竟不一及士昏；其述聖人訓戒，雜引經史，亦多漏略；其編次姓氏，以五音分類，亦非吹律定姓之古法。音姓相屬，唐呂才早闢其謬（見《唐書》本傳）。王洙《地理新書》有「五姓所屬」一門，此蓋誤襲之。後編則專爲啓狀而作，首載啓狀之式，其於請媒、聘定、請期、送鸞、親迎、致謝、往來之詞，告廟致神之語，既爲分門別類，又以宦儒農工之流，姑舅姻亞交婚續娶之屬，詳爲細目，綴以舊文，頗資應用。書中稱宋「本朝」，及諸帝皆空格，當出南宋坊賈所纂。黃彭年《陶樓文鈔》有書後一篇，以姓氏引宋人如張、程、朱、蘇、梅、王、曾、文、彭諸姓，皆名臣、道學、文苑中人，不盡華閥，以爲尚似有學之人所爲。又以啓狀有

「娶媵」一門，以爲汙穢不經，所宜刪削。實則前者蓋由一時風尚，未必根於有學，後者疑亦當時陋俗，未敢創此不經，要其所議自正。又云，此書雖出俗工，不免疵謬，於古人備禮通情養廉恥之意，猶未甚遠。則持平之論也。黃所見槧本，有季滄葦小印。此影鈔本，或即從之過錄耳。

春秋類

一、古文春秋左傳十二卷

宋王應麟撰。應麟有《周易鄭玄注》，《四庫》已著錄。是編搜輯賈逵、服虔舊注，並鄭玄、馬融、王肅之說，雖殘章斷句，而杜預《集解》之沿襲竄改，可藉是以窺崖略。諸家書目未見著錄。元和惠棟藏鈔本，其輯《左傳補注》，即本之以重加增訂。如「丘賦卒兩」之說，不從杜；「遂扶以下」作「遂跣以下」，以爲燕飲解襪之證，皆本於是書，雖蒐采較完，而大輅椎輪，應麟之功未容泯沒。此瞿氏所藏鈔本，即由惠本傳錄者。吳氏《拜經樓藏書題跋記》有是書，但稱從歸安丁杰借錄，蓋已昧所由來矣。

二、春秋會義二十六卷

宋杜諤撰。諤字獻可，眉山人（原署江陽，蓋用漢晉舊縣名），皇祐間鄉貢進士。是編《宋史藝文志》、晁公武《讀書志》、陳振孫《書錄解題》。楊士奇《文淵閣書目》均著於錄，明以後罕見傳本，此則乾隆時四庫館從《永樂大典》輯出，而《總目》失收。前有嘉祐壬申任貫序，諤刊版自序，元祐丁卯改修刊正自序，爲鄒道沂家所藏傳鈔本，光緒壬辰榮成孫葆田借錄序刊，並加編訂，附以略例者也。陸氏《儀顧堂續跋》，據高宗〈御製書洪咨夔春秋說論隱公作僞事〉注，有云「盧仝《摘微》久佚，惟杜諤《春秋會義》采其說，今於《永樂大典》散篇內裒得之」，以爲是書曾經御覽，今爲遺漏而非不錄。其說良是。《四庫》輯本如錢乙《小兒藥證眞訣》，亦從《大典》輯出，《提要》亦未載，而聚珍本尙刊之，此則傳鈔本僅存，宜孫氏之汲汲付梓也。其書前引成說，後斷以己意，無甚精要，似備科試應猝之用。孫序謂《春秋》部中，猶《禮記》之有衛正叔《集說》，實爲過譽。惟所引如何休《膏肓》、劉炫《規過》、陳岳《折衷論》、盧仝《摘微》、陸希聲《通例》、劉軻《旨要》、李瑾《指掌》、甯遵品《引帖新義》，李堯俞《集

議》、孫復《總論》、朱定序《索隱》、孫覺《經社》、胡瑗《口義》、楊繪《辨要》諸書，今皆失傳，頗賴是以存崖略，亦爲好古者所不廢。其他《春秋本旨》，與洪興祖書同名，當爲何涉撰；《先儒異同》雖爲李氏《指掌》篇名，而李鉉亦有是書；惟《碎玉》亦《指掌》之一篇，鄭樵與《指掌》並列，或以其有單行本，晁氏乃亦別出而儕之三十餘家之列，則涉筆未免太疏矣。方氏《碧琳瑯館叢書》亦有是書，不如孫刻之善云。

三、春秋左傳句讀直解七十卷

宋林堯叟撰。堯叟字唐翁，據自題里居，知爲閩人，事實無考。《四庫》著錄杜林合注本，乃明人王道焜、趙如源同緝，或刪杜以就林，或移林以冒杜，奪落舛謬，不一而足。此瞿氏所藏元翻宋本，猶未失林氏之舊。其解經傳，自云依杜氏古注，並采止齋陳氏議論附益之，有別出新意，以「愚案」別之。全書箋釋字句，淺顯易明，故曰「句讀直解」。前有「四凶圖」、「十二戰國圖」，又有綱目。書中於十二公之始，必注明周王紀年、列國紀年，及列國之君，易世嗣位，以至齊、晉、秦、楚之大夫執政，使讀者即知時變，尤便初學。其經傳字之異於今本者，皆與《唐石經》合。日本山井鼎《考文》，引以證足利本，所謂「林直解」者是也。自合注本盛行，而是書之面目盡矣，亟錄之以存其眞。其書每葉廿四行，每行廿四字，小字廿四、廿五不等。陸氏《藏書志》作每行二十二字，小字二十四字；其《儀顧堂集》又作大字廿三，皆非也。

四、左傳類編不分卷

宋呂祖謙撰。祖謙有《古周易》，《四庫》已著錄。是書取《左傳》中事，類而析之，分十有九門，曰周、曰齊、曰晉、曰楚、曰吳越、曰夷狄、曰附庸、曰諸侯制度、曰風俗、曰禮、曰氏族、曰官制、曰財用、曰刑、曰兵制、曰地理、曰春秋前事、曰春秋始末、曰論議。「論議」者，取《左傳》中論議之言也。其中「官制」又分子目九：曰周、曰魯、曰晉、曰楚、曰齊、曰宋、曰鄭、曰衛，附諸小國，曰家臣。「論議」又分子目七：曰祀典、曰論兵、曰土功、曰荒政、曰火政、曰諸侯政事、曰名臣議論。每門俱前列《左傳》，而以《國語》附其後。首有年表三十，綱領二十二則。年表者，以魯紀年，而諸國征伐、會盟諸大事列其下。綱領者，雜采《尚書》、《周禮》、《禮記》、《論語》、《孟子》、《國策》、

《漢書》及晉杜預、宋呂希哲、謝良佐之說，以爲一書之綱領也。是書《宋史藝文志》、陳振孫《直齋書錄解題》、張萱編《內閣書目》均著錄六卷，朱彝尊《經義考》注佚。《四庫提要》於祖謙《春秋左氏傳說》下，亦云久無傳本，散見《永樂大典》中，頗無可采。故館臣未經輯錄。此瞿氏所藏舊鈔本，首尾完整，當爲原書，惟不分卷數，當出傳寫者合併。至張萱云「春秋前事」一則，取左氏所引唐虞以來典故，此編「前事類」，自惠公之季年，至宋武公之世，凡七條。瞿氏疑其有脫失，實則前事當止此，不應泛及惠公以前，張說恐誤，無足致疑。其書乃祖謙隨手編類，以備檢閱，猶《觀史類編》之比（詳《歐公本末》嘉定三年詹乂民跋）。程端學《春秋本義》，以爲門人所編。考《宋志》於是書外，別出《左氏國語類編》二卷，注云祖謙門人所編，程氏殆因此致誤。陸心源《儀顧堂續跋》未能辨正，反以爲未必無因，可謂失之眉睫矣。

五、春秋魯十二公年譜不分卷

不著撰人名氏。其書以杜預《釋例》、程公說《分紀》所用《大衍曆法》，推定甲子爲主，兩家之說不同，特彙爲一編，以備後人之參考。並引吳澄《纂言》，疑出元人之手。楊士奇《文淵閣書目》、黃虞稷《千頃堂書目》、錢大昕《補元史藝文志》皆不著錄，乃全祖望從《永樂大典》鈔出以贈馬曰璐者，後爲歸安陸氏所藏。全氏有跋，不載《鮚埼亭集》，陸氏跋則在《儀顧堂續跋》中，皆未知何人所撰也。杜預《釋例》，《四庫》已有《大典》本，程、吳二書又完善，近世如陳厚耀、姚文田諸人推算春秋甲子亦遞密，此本無大裨用，姑存其目焉。

六、春秋讞議十二卷

元王元杰撰。按是書《四庫》著錄止九卷，此則江南圖書館所藏鈔本，後三卷不缺，乃全帙也。其書采掇程頤、胡安國、朱熹之說，而以朱子爲宗，凡《易本義》、《詩集傳》、《四書集注》、《集義》、《語錄》之涉及《春秋》者，皆分隸於經文之下。元人如胡一桂《易本義附錄纂疏》、朱公遷《詩經疏義》諸書，皆是此類，不過朱子於《春秋》無專書爲異。《提要》引御題《詩》注，目爲程朱之重儓。實則不盡從程，且何解於一桂諸人之書。又斥其以「試」爲名，襲葉夢得之謬。實則試者論斷之意，雖似過當，未爲大失。至正庚寅于文傳序，稱其「旁搜取證，竭慮窮思，甫及成書，幾二十載」，可見其用力勤至。又稱「若夫天人相與之

原，古今事物之變，微辭奧義，何敢仰窺聖域之淵微，其於尊君父之大倫，正人心之大義，典章法度之正，是非善惡之公，舉而措之，未必無涓埃之助」云云。評論致為允協。《提要》不附《存目》，而特著於錄，頗見斟酌，惜所據本有佚脫，茲補載之焉。

七、左概六卷

明李事道撰。事道字行可，仁和人。是編選錄《左傳》文，大致本之真德秀《文章正宗》，而略加詮釋。又本汪道昆《左傳節文》，分標章法、句法、字法諸字，蓋為科舉而作。前有王世貞序，稱「左氏一書，總數萬言，茲以八十五章，盡概左氏之篇，不已約乎」，是已有微詞。又有萬曆丁亥自序，稱「《左氏》未易讀，讀者未易解，自乙酉寓宗陽，與友人解釋筌次，拔其尤者若干首，以視鄭生」。是書本以課初學，故簡陋特甚。此江南圖書館所藏明刊本，姑存其目，方可見明季教法之儉，而學術所由衰矣。

孝經類

一、御注孝經一卷

唐玄宗明皇帝御注。案《唐會要》，開元十年六月，上注《孝經》，頒天下及國子學。天寶二年五月，上重注，亦頒天下。《唐書·元行仲傳》，玄宗自注《孝經》，詔行仲為疏，立於學官。《唐會要》又載天寶五載詔：「《孝經》書疏，雖麤發明，未能該備，今更敷暢，以廣闕文。令集賢院寫頒中外。」是《注》凡再行，《疏》亦再修。今邢昺《疏》本用天寶五載重注本，即所謂「石臺孝經」。此則日本刊開元十年注本也，有文明十八年桑門祥空跋，又有亨祿辛卯芝芻堯空跋，稱從龍朔院右府本鈔，則知此本為逍遙院內府實隆公真蹟，寬政中屋代宏賢據以付刊，並為之跋。中如〈感應章〉「長幼順故上下治」，注云：「君能順於長幼，則下皆效上，無不理也。」與今邢本注「君能尊諸父，先諸兄，則長幼之道順，君人之化理」云，不如後來修改之善。其他則往往與邢《疏》以為「舊注」者合，亦不如後來之意足而語圓。是此本在今日實為筌蹄，然石臺釐定之處，可藉以考見，當亦稽古者所不廢也。此江南圖書館所藏本，首題：御注孝經序。次行署：左散騎常侍兼麗正殿修國史上柱國武強縣開國公臣元行仲奉敕撰。據此，如《注》

亦行仲撰，與御製序所稱「今存於疏，用廣發揮」者，語意一貫。蓋此爲行仲所注所疏一人之書而作，否則《疏》自行仲，《注》自玄宗，不應漫無區別。其後刊勒石臺，乃竟作「御注」，此序不復追改，猶房喬等《晉書》，太宗爲製《宣帝紀》及陸機、王羲之兩傳論，而稱「御撰」，亦猶近世《周易折中》等七經，皆臣下所編，而稱「御纂」也。人但知行仲曾作《孝經疏》，不知玄宗《注》亦出於行仲，古本之可貴如是。屋代宏賢跋稱邢《疏》全用行仲《注》，其說良是。又稱「邢序謂天寶二年注成，頒行天下，似未知先有舊注」，則御製序並注下明云「開元十年製序並注」，未嘗不知有舊注也。

二、孝經總函十二卷

明朱鴻編。鴻有《經書孝語》，《四庫》已附儒家類《存目》。是書前有萬曆乙酉張瀚、陶承學，丙戌溫純、吳自新、蘇濬、袁福徵、沈淮諸人序。又有自識，稱「嘗慨宋執政金陵王公奏定科制，黜《孝經》不用湮沒至今五百餘年，是以集古今諸說，併鴻家塾《孝經古直解附質疑臆說大旨》，共十卷，又集《經書孝語》、虞氏《孝經集靈》其三卷，付梓以發端倪」云云。其中除《石臺孝經》爲唐玄宗本，至今通行外，其文公《刊誤》、草廬《校定》之類，《提要》頗議其改經，虞氏《集靈》，且退列於小說，即鴻所爲《經書孝語》，亦以爲無可取。至《質疑集解》，《明史藝文志》著錄，而《提要》未收。今核其書，亦譾陋一無可觀，惟視熊兆《集講》差勝耳。此江南圖書館所藏明寫本，姑存其目，以見無學問之欲附古人以傳，而終未能見許於後人也。

四書類

一、四書集成二十卷

不著編輯名氏。次行陰文題諸儒集成之書曰：朱子《集註》，朱子《集義》，朱子《或問》，朱子《語錄》，南軒張氏注，黃氏《通釋》，蔡氏《集疏》，趙氏《纂疏》。又標列《語錄》、《集疏》、《纂疏》中所載凡一百十一人，皆注明氏號里居。案《集義》即《精義》，「張氏注」即《癸巳論語解》、《癸巳孟子說》，《纂疏》爲趙順孫撰，《四庫》均著錄；《通釋》爲黃榦撰，今已佚；《集疏》爲蔡模撰，《四庫》僅著錄其《孟子》，而《論語》亦佚。考宋吳

眞子有《四庫集成》一書，元陳櫟本之爲《四書發明》，胡炳文本之爲《四書通》，倪士毅又本二書爲《四書輯釋》。永樂時纂《四書大全》，則全用倪書，實皆出自《集成》。此瞿氏所藏宋刊本，其《藏書目錄》疑即吳氏原書，而僅存《論語》一種。今以其書頗病泛濫，而黃說及蔡氏說，藉是以存大概，爲錄而存之焉。

二、四書標題十九卷

宋熊禾撰。禾有《勿軒易學啓蒙圖傳通解》，是編已著錄。此書全用朱注，《學》、《庸》後有《或問》。凡《大學》一卷；《中庸》缺，存《或問》一卷；《論語》十卷；《孟子》七卷。其中字句與今通行本異者，悉與宋本合。標題皆列上方，《學》、《庸》則分節以釋之，《論》、《孟》則每章標出「學」與「身」、「心」、「家」、「國」、「天下」諸目，諸目中更分細目，又分「事」與「義」以釋之。「事」則略舉典故，「義」則發摅己意，或引舊說，如《論語》「山梁」節，引穆生以不設醴而去，諸葛待先主而後起；《孟子》「視君如寇讎」句，引《書》「虐我則讎」爲證，尚屬簡明。傳本絕少，胡炳文《四書通》曾及其說。此瞿氏所藏元刊本。《四庫》所錄《勿軒集》中有《四書標題》一卷，非全書也。

三、四書管窺三十六卷

元史伯璿撰。案是書《四庫》已著錄，惟所據本《論語》闕《先進》篇以下，因析爲八卷。此江南圖書館所藏鈔本，乃全帙也。前有「管窺大意」十一則，又至正丙戌自志，稱「幼而廢學，辛酉春秋二十有三，始以書籍自課」云云。《提要》稱其書引諸說與《集注》異同者，各加論辨於下，矛盾者亦爲條列釐訂，於朱子之學，頗有所闡發。此說已得其大概。今案自辛酉上溯，伯璿當生於大德三年己亥，自辛酉下推至丙戌，凡歷二十四年，時年四十八歲。《提要》「三十年後成」之說，蓋舉其大數。丁氏《藏書志》以爲後至元丙子所成，則當爲三十八歲，然與丙戌自志不合。《提要》又據所作《管窺外篇》成於至正丁未，即元亡之年，計其人當已入明，則時年當六十有九，入明之說，當自不誣，但未知終於何歲耳。楊士奇《東里集》稱是書刻版在永嘉郡學，永嘉葉琮知黃州府，又刊於府學。此本無序跋，亦未知從何本傳錄云。

四、論語詳解二十卷

　　明郝敬撰。敬有《周易正解》，《四庫》已入《存目》。是書亦《九經解》之一，前有《讀論語》一卷，大旨以聖言精約，而舊注苟簡，少所發明，因作此編，凡有異同，務爲辯晰，故稱「詳解」。然自恃聰明，往往不顧義理之安而失之逞。《提要》於其《周易》，曰「臆爲創論，橫生穿鑿」，其所著《經解》，大抵均坐此弊。於其《孟子》，曰「好議論而不究其實，敬之說經，通坐此弊」，洵爲切中其失。此江南圖書館所藏明刊《九經解》本，其他八種，《四庫》均已附存，惟是經獨遺，茲別而出之焉。

五、大學通考一卷大學質言一卷大學重定一卷

　　明顧憲成撰。憲成有《小心齋箚記》，《四庫》已入《存目》。是編首列《戴記》本，次爲《石經》本，次程灝、程頤、朱熹改定本，及熹《大學序》、《大學或問》，並引宋、明人之說《大學》者，自黃震以下凡二十餘家，俾閱者灼然於其異同得失，故名《通考》。《質言》則自抒己見，《大學重定》，又以己意爲之移掇者也。有萬曆戊子自題，並其弟允成題辭。爲江南圖書館所藏明鈔本。其後萬曆戊申劉斯源《大學古今通考》，即推衍是書。不知《戴記》所錄，乃七十子之本，文從理得，初無錯簡，觀鄭玄注自見，奚容紛更。且漢人注經，遇有誤字，但曰「某當作某」，未敢輒改其字，何況竄易其文？自劉敞考定《武成》，列之《七經小傳》，於是朱熹《孝經刊誤》、王柏《書疑》、《詩疑》，吳澄《禮記纂言》諸書，紛然並作，如飲狂藥，而於《大學》尤甚。其病總坐於誤以爲曾子所作，殊弗思十目所視，十手所指，明稱「曾子曰」，其非曾子作傳甚明，片言揭破，當爽然若失，是書亦沿其惡風耳。雖然，胡渭《大學翼眞》，且復有所移易；劉醇驥《古本大學解》，《提要》且譏爲陰助良知，一若《大學》一書，非任諸人割裂不可者，又何暇爲憲成責歟？其書在《初刻十種》內，今未見刊本，曾孫貞觀編《遺書》三十七卷，未列入，姑據鈔本以存其目焉。

六、四書正事括略七卷附錄一卷

　　蕭山毛奇齡撰。奇齡有《仲氏易》，《四庫》已著錄。是書所論《四書》諸說，其門人子姪輩編次。奇齡嘗欲作《論孟傳》，一刊事理之誤，以老不復能著書。其姪文輝、子遠宗，偕門人張大來及同邑張文彬、文楚、文蘦兄弟，裒輯其

《大學證文》、《中庸說》、《論語稽求篇》、《四書賸言》、《四書索解》等二十種，摘其正事物之誤者，合爲五卷，一曰正名，二曰正文，三曰正制禮，四曰正故實，五曰雜正，凡一百六十七條；後續補二卷，凡五十四條，共二百二十一條。其中間附三張氏之說，附錄則遠宗即當日答難之詞錄之，爲一十五條，而門人王崇炳爲之敘目。前有康熙丙戌自序，稱時已八十五歲。疑奇齡欲爲《四書改錯》之先導，授意於諸人，以成斯帙也。朱熹《四書章句集注》，推求義理，原不以考據爲長，奇齡一一詰難，雖有時失之太過，惡謔毒譏，尤乖雅道，而訂訛正謬，深爲有功，故《提要》於《中庸說》雖議其舍考證而談義理，違才易誤，非其所長；於《稽求篇》則稱其勝於陳天祥《四書辨疑》；於《賸言》亦謂其考核事實，徵引訓詁，精核者不少。是編所錄，大率已散見各書中，今復重出，頗蹈禪家機鋒之習，然間有異同，或各書所未言，且足與後之《改錯》相發明，爲讀朱《注》者所不可廢。黃家岱《嫌藝軒雜箸・論語孟子集注考證書後》，稱其於《集注》桓公子糾，有兄弟之誤；孟施舍曹交，有發聲曹君之失；「五十學《易》」之誤；改「《書》云孝乎」之誤讀；又以「東首」爲恆居禮，非受生氣；「割正」爲體解，非全肉方正；又以寧武子不仕衛文之世、請討陳桓、宜審強弱諸條，所言精當，詎無裨於經典。李慈銘《受禮廬日記》亦云，此書成於晚年，頗於其前說有所訂補，其醇粹者十而七八，平心而論，固遠勝於朱子之說。良不誣也。其書原刊在《西河全集》外，此道光間蕭山沈豫重刻本，惜多誤字云。

七、四書改錯二十二卷

　　蕭山毛奇齡撰。是編以《正事括略》陸續補綴無經紀，重爲整理，而文輝、遠宗赴京師，三張兄弟以傭書散去，老病臥牀日，口授其兄孫詩紀之，分人錯、天類錯、地類錯、物類錯、官師錯、朝廟錯、邑里錯、宮室錯、器用錯、衣服錯、飲食錯、井田錯、學校錯、郊社錯、禘嘗錯、禮樂錯、喪祭錯、故事錯、典制錯、刑政錯、記述錯、章節錯、句讀錯、引書錯、據書錯、改經錯、改註錯、自造典禮錯、抄變詞例錯、添補經文錯、小詁大詁錯、貶抑聖門錯三十二門，凡四百五十一條，中亦間附文輝諸人說。前有康熙戊子自識語，二十一卷末有詩識語。不曰《四書章句集注改錯》，徑稱《四書改錯》者，以所有謂《四書》、《五經》爲《六經》，謂《四書》爲《四書經》，謂《四書》爲《四子書》者，無一不錯也。中如

「至於犬馬」，引〈坊記〉以駁「犬馬」喻「父母」；「《書》云孝乎」，引《白虎通》、《後漢紀》諸書，謂當「孝乎惟孝」爲句；折枝，引趙注「摩折手枝」，謂「枝」通於「肢」；曾西，據《釋文》謂曾子之子，非孫；「餘夫二十五畝」，謂五口八口爲率，古無此例；「千歲日至」，謂冬至非在朔；以及寧武子不仕文公，畏匡爲鄭地，「政逮大夫」爲文武平桓，公山弗擾以費畔在定十二年，《大學》非曾子作，此類皆考證明確，遠勝朱《注》。惟「以雍徹」條，以〈明堂位〉爲馬融增入，〈祭統〉、〈禮運〉所言皆謬誤，則〈明堂位〉一篇，劉向《別錄》屬《明堂陰陽》，本西周古書，《隋志》謂馬融所足，本不足據。其云「命魯公世世祀周公以天子禮樂」，乃賜廟禘，非賜郊禘，下文當緊接「是以季夏六月以禘禮祀周公於大廟」，一氣相承，「魯君孟春」云云，係後人竄入。僭郊始於春秋時，非成王賜、伯禽受，郊祀上帝，祀后稷，於尊周公意何與，細讀之自明。〈祭統〉云「賜魯重祭」，即指廟禘，〈禮運〉云「郊禘非禮」即指僭郊，分別觀之亦自明。「亂臣十人」，據陶潛《群輔錄》所載，言有毛公，無榮公，則此係僞書，奚足據信。「有婦人焉」，引舊說以爲「殷人」，則「婦」、「殷」形不相近，無由致訛。張文虎《螺江日記》載邵國麟衛氏古文之說，並無他證。又有謂漢石經作「殷人」者，更屬臆造。「端章甫」，謂非禮冠，公西謙言或假前代冠，以爲不必然之事，則端爲冕服、朝服、玄端之通稱，《論語》之「端」謂朝服，「章甫」即委貌，特殷、周異名，其服曰「端委」，亦曰「委端」，端章甫即端委，端委即朝服，當觀其通，若謂假設禮文，殆非情理。「朱張」，據王弼說字子弓，荀卿以比孔子，則無論楊倞注以子弓即仲弓，言子者著其爲師，即謂其行與孔子同，故不論，而孔子明云「我則異於是」，安得朱張乃同。太師摯八人，謂紂時樂官，則齊楚秦蔡，即古有其地，孔子何以語摯以樂，學琴於襄？「不日成之」，引唐太宗謂不計日，非一日成，則《東京賦》「成之不日」，薛綜注曰「成之不日，言不用一日即成之」，是朱《注》「不終日」三字，未始無本。「五畝之宅」，謂「入保」之說，斷斷無之，則「四鄙入保」，明見《月令》，所云「二畝半在邑」，自是井邑，有何不明？「宿於晝」，朱引或說當作「晝」，音「獲」，此乃兼存古誼，而必以「夜邑」對「晝邑」，殊弗思《史記·田單傳》「晝邑」，《集解》引劉熙云「齊南近邑，晝音獲」，爲劉熙《孟子》注，即朱所本，何容偏廢。他如「北辰北

極」，本《爾雅》；「舉於海濱」，本趙注之類，而必一一改之，未免無理取鬧。
尤謬者，「公叔文子」注「公孫拔」，「紂去武丁未久」注「凡九世」，淳祐本並
未誤，詳見陳鱣《經籍跋文》，毛據誤本，「拔」作「枝」，「九」作「七」，而
一則曰「錯認其人」，一則曰「舉筆即錯」，誣朱實甚。毛即未見宋本，並《困學
紀聞》所稱《集注》「公孫枝」蓋傳寫之誤而亦未之見，朱熹有知，恐將竊笑。至
於「南面」爲卿大夫之位，不必人君；「夷逸」爲「夷詭諸」之後，見《尸子》
（《廣博物志》引），非不見經傳，乃反無所考訂，則尚多遺漏。然全書精核處，
不特爲朱熹之諍友，實足爲聖門之功臣，學者取其大而棄其小，擇其是而違其非，
斯可箴膏肓而起廢疾矣（「故至誠無息」，謂可分作兩截，其說良是。又謂天下無
章首而可以「故」字作發語者，則《禮運》中比例甚多，似未可概論）。李慈銘
《受禮廬日記》云，西河之學，千載自有定論。其諸經說，阮儀徵極稱之，謂學者
不可不亟讀。凌次仲則謂如藥中之有大黃，以之攻去積穢，固不可少，而誤用之亦
中其毒，顧獨稱其《四書改錯》一書爲有功經學。予謂西河經說，以示死守講章之
學究，專力帖括之進士，震聵發矇，良爲快事。若以示聰俊子弟，或性情稍浮薄，
則未得其穿穴貫串之勤，而先入其矜躁傲很之氣，動輒詬詈侮蔑前賢，其患匪細。
此雖泛論奇齡經說，讀此書者尤不可不知，特備錄之。其書亦在《全集》外，字大
悅目，惟旁有圈點，蓋染明人習氣耳（朱珔《小萬卷齋文藁·四書集注繹義雪疑
序》稱，近日婺源戴氏大昌，仿《非非國語》例，有《改四書改錯》之作，今未之
見）。

小學類

一、逸語八卷

　　明賀隆撰。隆字逸庵，永嘉人。其書以諸書言十二律不同，就其同者反覆詳
究，得見其概，爲之疏說，先之以十二律之諧數，而以十二卦逐月分配，又繼之以
天體日月每日所行之度數。大致拘泥「黃鍾爲萬事根本」一語，故以爲天行皆不出
於黃鍾。前有正統壬戌自序，稱「黃鍾既爲十二律之始，十二律又所以調陰陽，制
聲樂，他如度量權衡之作，無不從此出，以至於天體日月之行度，亦不離於數學，
而數學本於黃鍾長短之諸數，所講萬事根本」云云。爲江南圖書館所藏鈔本。不知

《史記・律書》云，王者制事立法，物度軌則，壹稟於六律，六律爲萬事根本。蔡元定《律呂新書》云，古者黃鍾爲萬事根本，故尺度權衡，皆起於黃鍾。所謂「根本」者，如是而已。若日月之度數，則《漢書・律曆志》所謂「推曆生律」者。是黃鍾起於十二月之子月，非十二月起於黃鍾也。《律曆志》又曰，本起於黃鍾之數。所謂度量權衡之數由之而起，非謂日月之度數。又曰，至治之世，天地之氣，合以生風，天地之風氣正，十二律定。此謂太平時，十二月之氣各應其律，非謂黃鍾爲律始，而十二月之氣依律而行也。此其根本錯誤，由於讀書不細。至十二月卦，本漢儒附會，隆以爲見陰陽消息之理，猶屬枝葉耳。

二、爾雅音圖三卷

　　不著撰人名氏。其書經文內用直音，中、下卷有圖，下卷又分前後二卷，實爲四卷。爲曹文埴所藏元人影寫宋本，以贈曾燠，而孫星衍、張敦仁屬燠廣其傳，遂於嘉慶辛酉付刻者。其音較陸德明《釋文》所載郭音、或音，或用反語，多不合。曾序據郭璞序有「別爲音圖」一語，《唐志》有江灌《圖贊》一卷、《音》六卷，晁、陳二《志》有毋昭裔《音略》三卷，以爲其《音》附經爲三卷，正是《音略》卷數，當爲毋昭裔《圖》。其圖所繪甚精致，必有所本，即非郭氏之舊，或亦江灌所爲，而周春《十三經音略》，有《爾雅直音正誤》一卷，並附嘉慶癸亥自記，稱「坊間新刻《爾雅音圖》，假託影宋本，其直音多誤。書有《直音》一書，其誤較少，因並辨之」云云。今考春辨「椒」音「叔」等，八百餘條，皆與此本合。惟「癉」音「譚」，此作音「談」；「嗃」音「學」，此本「嗃」作「譐」，二字相同，無關出入。「茭」，音「爯」，此作音「剡」，恐係涉筆之誤。「峘」音「極」，「駊」音「袞」，此本作音「桓」、音「兗」，蓋所見爲翻刻本。不知是書之刻，非始於坊間，其原本曹氏藏之，孫氏、張氏見而譽之，豈有假託之理。假使作僞，何弗根據《釋文》，且其所輯，大率執後世字母以相繩，於古音多所閡隔，未足相難也。《釋言》：「逮，遝也。」「遝」字下音「沓」，又載郭注「今荊楚人皆云遝，音沓」，殊嫌重複。然考宋雪牕本，郭注有「音沓」二字（見阮元《校勘記》），則益足證明其爲宋本，而非假託矣。

三、玉篇零本三卷又半卷

　　梁顧野王撰，按《玉篇》自唐孫強增加，宋陳彭年等重修，其原本遂不可

見，《四庫》亦著錄重修本。此「言部」以下三卷，又「糸部」卷首至「縓」字半卷，爲《古逸叢書》影舊鈔卷子本，黎氏以爲顧黃門原帙，稱其注文之詳，溢出《大廣益會》本十倍，雖僅十分之一，足可視爲瓊寶。以余論之，殆不其然，當屬後人僞造。昔許慎撰《五經異義》，臚列眾說，下以己意，故必加「許慎謹案」四字，以折於衷。今顧野王撰字書，而亦加「野王案」等字，已不免效顰之誚。然苟剖析精微，案語亦不可少。乃觀書中，則大率冗贅。如「言部」：「軰，丁迴反。《蒼頡篇》軰也。《詩》云『王事軰我』是也。野王案，《毛詩箋》云，軰、擿，猶投也。今並爲敦字，在文部。訓擿亦與碓字同，在石部。或爲搥字，在手部。」敦、碓、搥之在文、石、手各部，讀其書者自能知之，何待泛及，乃猶一再不已。「石部」：「碓，丁迴反。《埤蒼》：碓，碻也。或爲搥守字，在手部。或爲軰字，在言部，《毛詩》爲敦字，在文部。」好爲糾纏，不悟詞費，古人著書，從無是例，凡若斯類，不一而足。又如「阮」下引：「《淮南》『若阮之見風』，許叔重曰，阮，侯風羽也。楚之人謂之五兩。」「綩」下引同，而「阮」作「綩」。考此爲《齊俗篇》文，今高本作「俔」，當以「䡄」爲正。此引同一許本，何以有阮、綩之異，亦屬可疑。故知斷斷非野王原本。黎氏惑於書鈔，未能審別，殊爲無識。其刻叢書，皆宜都楊守敬爲之經理，守敬工作僞，此本出後，論者皆目爲「楊氏《玉篇》」。余意其僞當在日本人，如皇侃《論語義疏》爲根本伯修竄亂之例（詳日人森立之《經籍訪古志》），楊氏尙不至如是拙劣。得能良介之摹刻「糸部」半卷，是繼而僞之者。柏木探古稱西京某氏尙存一卷，在此刻外。則又欲僞之，而留以有待者也。今存其目，並舉其失，俾野王不致終受誣焉。

四、敘古千文一卷

宋胡寅撰，黃灝注。寅有《讀史管見》，《四庫》已著錄。灝字商伯，都昌人，事蹟具《宋史》本傳。案六朝時《千字文》，原非一本，亦非一注，顧炎武《日知錄》考之已詳。唐有周逖《改千字文》，見封演《聞見記》。宋則侍其瑋有《續千字文》，葛剛正有《重續千字文》，並見陸心源《䘒宋樓藏書志》。侍其書，《四庫》亦附入《存目》。是編敘古字千文不重，仿周興嗣體製，著爲四言韻語，詞旨嚴正，節次亦復分明。末有朱熹跋，稱其「昭陳法戒，有《春秋》經世之志，發明道統，開示德門，又於卒章深致意焉」，良非虛語。又謂「新學小童，朝

夕諷之而問其義，亦足養正於蒙」，則文義似嫌稍深。觀於李瀚《蒙求》，同亦頗通行，而童蒙往往不甚了解可見。令則一變而尙猥陋之本，殆又熹所不及料也。又有李昂英跋，稱宋慈一再刻之，然傳本甚少，故《四庫》亦未著錄。此爲粵雅堂據鈔本付刊，或出於宋刻。瀚注尙明顯，惟以禹、貢、湯爲謚，則周公始作謚法，其前安得有證。胡安國〈修春秋箚子〉云，古者不以名爲諱，〈堯典〉稱「有鰥在下曰虞舜」，則堯、舜者，固二帝之名，而〈堯典〉乃虞氏史官所作，直載其君之名而不避也。此說甚明切，瀚爲寅書作注，乃於安國說亦未之聞歟。

五、重續千字文二卷

宋葛剛正撰。剛正字德卿，丹陽人，爲葛邲從孫，其先江陰人，故自稱「申浦葛叟」。先是，侍其瑋摭周興嗣《千字文》所遺之字，爲《續千字文》，《四庫》已著錄，剛正復摭其所遺之字，續爲是書。既成，並前二書篆之，各爲之注。今前二書篆注本均未之見。此江南圖書館所藏影宋本，卷首題：重續千字文。次題：水雲清隱丹陽葛剛正撰並篆注，皆篆書。而每行之後，俱以眞書釋之。又次正文，亦篆書，每行四字，每二行之後，復釋以眞書並注，分卷上、下。前有淳祐戊申自序，稱「曩侍宦通川，四明潘侯伯恭以其先大夫昌年所書《梁千字文》手澤眞蹟出示，余嘗作摹本，閱二十餘載，思廣其傳，近得侍其公瑋《續千字文》，旨意微奧，文意該洽，因綴緝謏聞而三之，悉書以古篆，仍加之詁注，義有未通，則闕疑以俟博識」云云。今核其書。凡字已見《正》《續千字文》者均不用。自注萬三千餘言，悉有根據，所采逸書甚夥。《唐韻》自《崇文總目》外不復見，此獨引三十五條，尤資考證。篆注雖展轉摹寫，而結體之工，尙可概見。至如廇、廡、鞦、轓、箅、篂等俗字，即從隸體作篆，亦不得不然。惟以「耕穜」之「穜」爲「種稑」之「種」，是其失也。丁氏《寶書閣著錄》作一卷，當屬傳寫之誤。咸豐甲寅楊氏海源閣重刊宋本，乃眞書，且易標題爲「三續」，當由宋人轉刻所改，非剛正之舊矣。

六、敍古千文集解一卷

明姚福撰。福字世昌，鳳陽人，事蹟無考。其書就胡寅書爲之注，采集前人之解，不詳所出，蓋用杜預《春秋左傳集解》、朱子《論孟集注》之例。迄今莫由知其姓氏，惟黃灝注尙可考見。全書分爲十二節，與晁希弁《讀書附志》所稱熊大

年本合。傳本甚少，故各家書目均未著錄。此爲瞿氏所藏鈔本，錄之以見胡寅書之
尚重於明代焉。

七、班馬字類補遺五卷

宋李曾伯撰。曾伯有《可齋雜稿》，《四庫》已著錄。是編以婁機《班馬字
類》列於前，附《補遺》於每韻之後。原注有遺，復補於注下，亦以「補遺」二字
別之。所補凡一千二百三十九字，補注五百六十三。錢泰吉《曝書雜記》疑所補不
當有千餘字之多，蓋未見此書。據其自序，與蜀人王揆共成之。其稱婁氏爲「鄉先
生」者，曾伯後居嘉興故也。其書於《史》《漢》古文假借之字、古今音讀之殊，
幾於蒐采靡遺，而於婁氏原書，又頗多更正。如《史記·項羽紀》及《漢》傳「楚
蠭起之將」之「蠭」，係古「蜂」字，而〈趙廣漢傳〉「專屬彊壯蠭氣」之
「蠭」，讀曰「鋒」。婁氏誤合爲一，李氏爲別出之。《漢書·王褒傳》「萬祥畢
溱」，及《史記·三王世家》「西溱月氏」，蓋皆以「溱」爲「臻」，婁氏誤分爲
二，李氏爲合併之（案「西溱月氏」之「溱」，婁作「湊」，李作「溱」，蓋其所
見又是一本。然《正義》曰「溱」音「臻」，與《王褒傳》顏注「溱與臻同」合，
似以季氏爲是）。〈司馬相如傳〉「通殷勤」之「殷」，「听然而笑」之「听」，
並誤入「十七眞」，李氏移之「二十一欣」。《漢書·禮樂志》「大氏皆因秦舊」
之「氏」〈匈奴傳〉「北邸郅居水」，〈張耳傳〉「邸父客」之「邸」，並誤入
「四紙」，李氏移之「十一薺」。分併改易，此類甚多。其他增刪字句，尤難悉
數，蓋亦婁氏之功臣矣。至若《武帝紀》「作柏梁桐柱承露仙人掌」之屬，證以
《封禪書》、《郊祀志》，皆作「銅」，如其假「桐」爲「銅」。《楚世家》「莊
王侶立」，證以《春秋左氏傳》，如其假「侶」爲「旅」，或書作「侣」，誤，而
各家注皆未之及。《漢書·古今人表》「尾生畂」，即「尾生畝」，而「尾」無
音。「尾生高」，「尾」即「尾」字，顏氏亦無注。其正俗本之誤，訂舊注之疏，
均有裨於史學，允爲讀《史》《漢》者不可少之書。傳本較稀，張氏《藏書志》始
從黃丕烈舊藏鈔本傳寫著於錄。此常熟瞿氏所藏鈔本，蔣光煦《述聞梓舊》所刊
《補遺》本，其增多處往往即《補遺》文，而又不盡合，蓋別一本也。

八、漢隸分韻七卷

不著撰人名氏。其書取洪适《隸釋》、《續隸釋》所輯漢隸，依次編纂，又

以各碑字跡異同，纚列辨析，頗足以資考證。案《宋史藝文志》小學類載馬居易《漢隸分韻》七卷，今本卷數與之合，當即居易所撰，惟用「一東」、「二多」、「三江」分韻，與正大六年《王文郁平水韻》略同，與《禮部韻略》云。陸心源《儀顧堂題跋》謂，居易當是金人，非宋人。並謂遼金人著述，往往有南宋覆本，如遼釋行均《龍龕手鑑》、金成無己《傷寒論》皆是。成無己《傷寒論》前有金皇統元年嚴器之序，《宋史》既誤爲器之所著，又誤以爲宋人，此書亦猶是。其言頗近理。惟平水韻初刊於正大，原書載許古序甚明，陸氏以爲大定，當屬涉筆之訛。金哀宗正大六年，當宋理宗紹定二年，下距帝昺祥興二年宋亡，尚五十三年，宜是書之有宋刻也。此即陸氏所藏宋槧元修本，「惇」字缺筆，「惇」爲光宗御名，其書當刊於光宗、寧宗間，其時平水韻尚未行。據平水韻許序，有「《禮部韻》或譏其嚴且簡，今私韻歲久，又無善本，文郁精加校讎，又多添注語」云云，豈居易用當時相傳之私韻，非用平水韻，而居易實爲宋人，《宋志》並未誤歟。丁氏《藏書志》有殘本三卷，云著書已在元時，則謬矣。

按，《提要》已收。

九、師古篆韻六卷

元李鏞撰，明陶漁校刪。鏞字竹安，漁字耕山，里貫皆未詳。其書以《說文》部首分韻編次，仿李燾《五音韻譜》例，而各部之字，亦以韻次其先後。又仿司馬光《類編》例，但標部分，不標韻目，先以小篆，次以漢印古文，而不注所出，頗乖體例。又以古文列漢印後，尤爲顚倒。考吾丘衍有《續古文篆韻》，見阮元《揅經室外集》，似非續此書。此爲瞿氏所藏舊鈔本，既經明人校刪，則亦非李氏原本也。

十、古文奇字一卷

原題：潭叟龔黃集。不詳其始末。其書輯古人詩文中不常用之字，以筆畫多少爲次，自一畫至二十九畫，凡五百六十三字，體例窳陋，采摭亦多舛漏。前有黃自序，稱「古文者，黃帝史蒼頡所造。奇字者，周太史籀所作。余好古耽奇，然不經古人詩文用過者，雖古雖奇，玉厄無當，故每於佳文韻事中，見一古文，見一奇字，書之片楮，貯以小罌。一日倒瀉案上，紛若裂衲，以字畫數次之，用以破山中寥寂，不堪令草玄人見」云云。是其人本非迪小學，偶然集錄，以資消遣，亦非著

書也。此江南圖書館所藏明寫本，有毛晉、毛扆諸印，又有篆書「乾隆辛卯仲冬吳氏拜經樓收藏」一條，及「小桐谿上人家」、「拜經樓吳氏藏書」諸印，而《拜經樓題跋記》不載，豈當時騫亦不滿意於其書而略之歟。

十一、三鱻堂篆韻正義五卷

明楊昌文撰。昌文字憲卿，自署嶺南人，不知隸廣東何縣也。是書《明史藝文志》著錄，此本卷數與之合。前有自序及黃士俊、何吾騶序。爲江南圖書館所藏。黃序稱其書「本《洪武正韻》及許氏《說文》、《六書統》、《復古編》、《韻會》、《韻府》、《字原》、《字林》、《廣韻》，近而《韻瑞》、《韻譜》諸書悉合，以采其精義，去其謬訛」云云。今案書中別無考證，惟就諸書意爲去取，如集注之例，聲韻文字之學甚淺，往往惑於新說，明人言六書者大率如是，殆不足爲昌文責矣。

十二、金石韻府五卷

明朱雲撰。雲字時望，無錫人。是書取夏竦《古文四聲韻》、薛尚功《鍾鼎款識》、楊桓《六書統》諸編，增損其文，按四聲列之。古文籀篆二字，先以楷書領之，各注其所出。反切則依《玉篇》等書。更列古文所出書傳目一百三十有奇，實則其書什九不存，非雲所得見，即本之夏竦等，殊爲蛇足。凡所采撮，亦多漏略，故林尚葵、李根復爲《廣韻府》五卷。此江南圖書館所藏朱寫本，題「毗陵朱雲時望輯纂　雲間俞顯謨予昭校正」，有嘉靖十年豐坊序，又有顯謨序，蓋即從原刊傳錄者。《提要》於林、李書下引及此書，而未之載，蓋僅據彼書序跋，未見原書，故稱雲之字而未舉其名也。

十三、新編分類增注正誤決疑韻式一卷

案是書本五卷，今存入聲「一屋」至「三十四乏」一卷，爲瞿氏所藏本。撰人姓氏無考。大致本歐陽德隆《押韻釋疑》，而有所增益。如「穀」字注：《釋疑》謂，前輩嘗言此字與高廟旁諱相似，場屋中不共寫「五穀」爲「五谷」，「公穀」爲「公谷」，試官檢點，不過係筆誤，當一點耳。此則引浙漕出「天地和應五穀登賦」，太學秋試出「嘉穀垂重穎詩」，以證其非犯諱。又《釋疑》不載《禮部韻略》所附《釋文互注》，此則悉采入之，而復有增補，如「卜」字注增「又姓」，「濮」字注增「又州名」，「餗」字注引《易》「覆公餗」，「肅」字注引

《爾雅》「進也速也，肅歍聲也」，故有「增注」之名。每韻之前，並載「字畫之誤」、「音韻之疑」兩條，一摘韻中字之有俗體者而正之，如「穀」從「吉」、從「禾」，作「穀」非之類，蓋即所謂「正誤」；一摘韻中字之有重音者而辨之，如「谿谷」之「谷」，當押入「三濁」，不當入「一屋」之類，列其目於此而詳其說於韻中字注，蓋即所謂「決疑」。每字下凡字同音異，及字異義同者，辨晰頗精，而宋代嫌諱，如「吉」字、「蕃」字等類，亦一一明其當避不當避。間及場屋軼事，如「八勿」「艿」字下注云，莆陽解試「道者心之主宰賦」，士人多以「芒艿」字，押在「八勿」韻內，考官以失韻不取，莆人為之詩曰：「可憐芒艿三千字，一夜沈埋古戰場」。為他書所未見。其韻字悉從《韻略》，無所謂增損，音紐次第皆同，惟擇其字之罕用者，別出每韻後，以陰文「少押類」三字隔之，殆即所謂「分類」歟？其通用之韻，則兩韻三韻並一少押韻，如「二沃」之少押韻，不繫「二沃」後，而並繫「三濁」後；「五質」、「六術」，則並繫「七櫛」後，又可見二百六韻，久已合併，不始於劉淵也。錄之以著韻部變遷之漸焉。

十四、直音篇七卷

明章黼撰。黼有《韻學集成》，《四庫》已附《存目》。是書以《集成》所編四萬三千餘字，一百四十四聲，恐學者猝不易得，乃作此以便檢尋，本與《集韻》合刊。為錢塘丁氏所藏成化本，有徐溥、桑悅、劉魁諸序。此編嘉靖己未因火補版，又有張清序。《提要》僅錄《集成》，茲別而出之焉。

十五、讀易小傳一卷

錢塘馮李驊撰。李驊有《左繡》，《四庫》已附入《存目》。是書以顧炎武《易本音》所舉甚疏，且有全闕者，因考求他書有韻之文，為之補注八十餘條。實則上下經十翼，有韻有不韻，李驊所采，雖可補苴顧書一二，而牽合傅會，轉甚於炎武。前有自序，稱「試述其略，有倒誤之文，有傳訛之字，有失讀之句，有久晦之叶，有讀若之例」云云，即可知其大概矣。此錢塘丁氏所藏舊鈔本，其《藏書志》列入「易類」，今援《四庫》錄《易音》之例，改附於小學類焉。

十六、讀詩小匡一卷

錢塘馮李驊撰。李驊有《讀易小傳》，已著錄。是書前有自序，稱「三百篇之韻，非可以後人之韻拘也。吳氏《韻補》，朱子以之叶《詩》，陳氏又專有《毛

詩古音考》。此外則如韓、魯以及白、嚴諸家，莫不各有試法，其中離合彊半，驊已注有全本，今先摘其尤與古人發明者五十餘條，就正博雅」云云。爲江南圖書館所藏書鈔本。其云《詩》韻非可以後人之韻拘，似知古音之本，其云韓、魯諸家各有試法，則仍未知故音之本。書中往往襲取顧炎武《詩本音》，故《讀易小傳序》，尙明攻《易本音》，此序置《詩本音》不言。李驊本沾明人之餘習，所稱「注有全本」，未足憑信。而丁氏《藏書志》以爲序稱「全韻」，蕙本定佚，若深喜摘本之幸存者，未免爲所紿矣。《詩》韻自陳第、顧炎武遞推遞密，至江永《古韻標準》，復爲正其譌闕，益臻完善。此書殆不足論，今亦姑存其目，改隸於小學類焉。

五經總義類

一、授經圖二十卷

明朱睦㮮撰。案是書《四庫》著錄爲龔翔麟、黃虞稷竄改本，《提要》已議其非所睦㮮之舊。此道光己亥李氏惜陰軒據萬曆癸酉原本重刊者，其書以《崇文總目》所載無名氏《授經圖》已佚，章如愚《山堂考索》中《六經圖》，尙多訛舛，因取而訂正之，並考史傳，參以他說，各爲之傳，至漢而止。又附歷代經解，至明而止。凡《易》、《書》、《詩》、《春秋》、《禮》各四卷，各有義例，詳其去取，視舊圖出三十八人，移置八八，入一百十六人。大致以嘗請業及家學者爲斷。所附經解，一千一百七十一人，凡一千一百九十八部、二萬一千七十一卷。前有萬曆元年自序，稱「東漢而下，諸儒授受，尟有的派，其經義或私淑，或自治，或習之國學，未可稱爲某授某受」，所見甚爲精卓。其所訂正，如歐陽生子，世世相傳，「世」非其名；翁君爲尹更始字，非二人；段仲、殷仲，形近音近，亦非二人。俱極允當。惟京房並列二人，當存其頓丘人。杜子春緱氏人，明見賈公彥序〈周禮廢興〉，乃惑於鄭樵《通志》，以爲非緱氏人，殊嫌謬戾。所附經解，如麻心道者《正易心法》、俞琰《易外別傳》之類，無當經旨，亦失之濫，即欲登載，亦應略加區別，方合體裁。然條析諸經源流，實爲朱彝尊《經義考》之先導。其後畢沅、洪亮吉《經傳表》、《通經表》，蔣曰豫《兩漢傳經志》，精核雖遠出其上，而以明代論，則睦㮮要自較有根柢者矣。

經 學 研 究 論 叢
第 七 輯　　頁295～316
臺灣學生書局　　1999 年 9 月

近二十年來出土文獻
對經學研究的影響

張淑惠*

一、前言

　　經學是我國特有的文化國寶，它深深影響著中華民族生命的脈動。然而受到時間及人為、天災等眾多因素的影響，許多重要的文獻資料亡佚、殘缺，導致今日在經學的研究上，因為證據的不足，面臨永無止盡的爭論，公說公有理，婆說婆有理，真相究竟如何，實有待出土文獻為據。近二十年來，在大陸地區挖掘出大量出土文物，其中不乏經學方面之文獻。這些文獻對於經學研究，一方面有助於解決千古的疑難，一方面帶給經學新的研究方向，同時對於校讎經書有莫大的助益和貢獻。

　　本文擬就一九七三年五至十二月發現於河北省定縣四十號漢墓出土的竹簡、一九七三年底湖南長沙市馬王堆三號漢墓出土之帛書、一九七七年安徽省阜陽雙古堆一號漢墓之竹簡、一九九三年十月湖北省荊門市郭店村一號墓之竹簡，其出土文獻對經學的影響，以及目前之研究成果作一綜合整理。對其他出土之文獻相關者，亦略加說明。

---

*　張淑惠，東吳大學中文系碩士班研究生。

二、河北定縣八角廊漢墓出土之經學文獻

一九七三年五月至十二月在河北省定縣八角廊四十號漢墓，據考證其墓主為中山懷王。懷王卒於西漢宣帝五鳳三年（西元前五五年）。墓中出土之竹簡約有八種，涉及儒家典籍者有《論語》、《儒家者言》、《哀公問五義》、《保傅傳》四種，其中最重的文獻是《論語》殘簡、《儒家者言》二書。

㈠《儒家者言》

自宋以來，學者多以為《孔子家語》乃王肅割裂編輯《左傳》、《國語》、《孟子》、《荀子》、《禮記》諸書而來。清代學者對於此書，亦多考證，范家相著《家語證偽》十一卷、孫志祖撰《家語疏證》六卷，皆認定《孔子家語》為王肅所偽。有清一朝以來，《孔子家語》乃偽書，幾成定論。然一九七三年河北定縣四十號漢墓出土之《儒家者言》，使《孔子家語》之真偽，有重新商榷的必要。

《儒家者言》共計二十七章簡文，內容涉及《禮記》、《大戴禮記》、《呂氏春秋》、《晏子春秋》、《荀子》、《新書》、《說苑》、《新序》、《韓詩外傳》、《史記》、《淮南子》等。然上述之典籍，或見一章、或見幾章，數量未為可觀。而《儒家者言》與《孔子家語》相對應的，則有十章文字，且內容多為孔子及其門人之言行居多，又不少地方見於劉向所編之《說苑》、《新序》，故知王肅沒有偽作《孔子家語》，是書並非偽書。

《儒家者言》的出現，不但證實了《孔子家語》的真實性，亦使學者注意到《孔子家語》與漢魏孔氏家學間的關係，使得與孔家相關之文獻，如《孔叢子》、《尚書》孔傳再次引起學者的關心與討論。學者以為今傳古文《尚書》、《孔叢子》、《孔子家語》可能經由孔安國、孔僖、孔季彥、孔猛等孔氏學者陸續編修而成，其編纂、改動、增補的過程相當長。

㈡《論語》殘簡

西漢流行之《論語》有三種版本：《齊論》、《魯論》、《古論》。清代考據學者崔東壁於《洙泗考信錄》、《論語餘說》中，討論了《論語》版本的流傳及篇目、文字等，他指出：

（鄭康成）所注之《魯論》即張禹所定之《魯論》，其中固雜有《齊論》，非漢初之《魯論》矣。故今《論語》稱爲《魯論》，而或以〈季氏〉一篇爲《齊論》。然則《論語》一書中未必無一、二篇之可疑，一篇中未必無一、二章之可疑者也。❶

今所見之《論語》後五篇，除〈子張〉篇專記弟子之言，無可疑者外，〈季氏〉、〈陽貨〉、〈微子〉、〈堯曰〉，可疑者甚多。推知今本之《論語》並非漢初齊、魯之古本，係經張禹彙編更動，成爲定本。

　　據一九七三年定縣出土之《論語》殘簡考今傳《論語》，簡文約爲今傳《論語》之半數，且其中部分篇章簡文與今傳本相較，文句相近處達百分之七十左右，故可知定縣《論語》之殘簡係今發現最古、且文字保存最多之古本。尤其殘簡之年代係《魯論》、《齊論》、《古論》三家並存之時代，對三論流傳、演變之研究，及校勘今本《論語》提供了直接有力的依據。

　　近代有關《論語》一書的出土文獻資料，還有《論語鄭氏注》。通行本的《論語》主要以《論語鄭氏注》及何晏《論語集解》爲依據。然而《論語鄭氏注》自唐以後即佚而不傳，即使敦煌發現之寫本，亦爲何晏《論語集解》與皇侃《論語義疏》，《論語鄭氏注》極爲罕見。今所出土之《論語鄭氏注》有二：一是一九六九年發現於新疆吐魯番阿斯他那墓地唐墓中，十二歲小學生卜天壽之手寫本，內容爲：〈爲政〉六條、〈八佾〉二十二條、〈里仁〉二十五條、〈公冶長〉二十六條，共計七十九條。一是八十年代初期王素在整理斯坦因編號六一二一佚名之《論語注》殘篇，發現〈雍也〉之尾、〈述而〉之首，共計九行爲《論語鄭氏注》之內容。由這兩個部分，加上清‧馬國翰《玉函山房輯佚書》所收之佚文、原先發現於敦煌所存書中的三件六篇❷，一共獲得二十篇本《論語》中十一篇的《論語鄭氏

---

❶　崔述：《崔東壁遺書》（上海：上海古籍出版社，1983 年），頁 407。

❷　敦煌文書中所整理出來的《論語鄭氏注》有三件六篇：一是英國斯坦因文書中編號三三三九的〈八佾〉篇，殘存二十一行；二是法國伯希和文書編號二五一〇的〈述而〉、〈泰伯〉、〈子罕〉、〈鄉黨〉四篇；三是日本大谷光瑞文書中〈子路〉篇殘存之九行。

注》的全部或一部分文字。利用這些文獻，對於研究《論語》、鄭學，或校讎等等，都是極爲重要的資料。

三、湖南長沙出土之經學文獻
——兼述安徽阜陽雙古堆出土之《易經》殘簡

一九七三年底發現於湖南長沙市馬王堆三號漢墓的帛書中，經學的部分以帛書《周易》最受矚目，〈五行〉篇亦引發不少討論。

㈠《周易》

帛書《周易》分爲經、傳兩部分，以墨抄寫在兩塊幅寬四八厘米的整幅帛布上，然因長年浸泡，出土後折疊的痕跡切割成數十片高約二四厘米、寬約一〇厘米的長方帛片。其中傳的部分有：〈二三子問〉、〈繫辭〉、〈易之義〉、〈要〉、〈繆和〉、〈召力〉六篇，除〈繫辭〉外，其餘五篇皆爲佚失的另本《易傳》。有關帛書《周易》的研究，大致可以分爲兩個階段：第一個階段是一九七三年至一九九二年初。這個階段中主要是「整理」和〈六十四卦〉的研究，至於〈繫辭〉部分之研究，以介紹性文章爲主。第二個階段自一九九二年五月至現在。因爲《馬王堆漢墓文物》的出版，將帛書《周易》的研究帶入新的階段，其中《易傳》的研究掀起了高潮。

相較於今傳本《周易》，帛書《周易》與阜陽雙古堆《周易》在卦名、卦畫、卦辭、爻辭等各方面有許多地方與今傳本不同：

　甲、卦序不同，卦名或異

帛書《周易》有〈六十四卦〉一篇，其卦名與排列次序均與今傳《周易》本不同。今傳本《周易》以「乾卦」爲首，「未濟卦」最末；帛書《周易》則以「乾卦」爲始，以「益卦」爲末。❸張政烺先生對卦序的不同，提出〈六十四卦〉的排列方法乃以上卦爲主。據此，劉大鈞先生又指出：帛書《周易》以上卦爲主的重卦

---

❸ 有關今傳本《周易》與帛書《周易》及其他版本《周易》之卦序比較，可詳見于豪亮先生〈帛書周易〉見《文物》，1984 年第 3 期，頁 15-24。茲將其比較不同版本《周易》卦名、卦序比較表附轉載於附二。

法，可能由〈歸藏〉演化而來。❹李學勤先生則將帛書《周易》中有關卦序的問題作了綜合性歸納：

第一、帛書《周易》的經傳是相互結合，密不可分。

第二、帛書卦序已經包含了八卦取象的觀念。

第三、帛書卦序充分貫穿了陰陽對立交錯的觀念。❺

李學勤先生還說，帛書本的卦序蘊含陰陽學的哲理，在體現陰陽規律這一點上，帛書本顯然勝於今傳本。

韓仲民先生則據安陽四盤磨、岐山鳳雛村出土的甲骨上刻有六個數目字一組的符號和先秦文獻資料中沒有關於重卦的記載，只在解釋卦象時分為上、下的情形，認為通行本的六十四卦主要是用「復」和「變」兩種方法組成。因此他認為八卦重卦而成六十四卦乃漢人之說。❻霍斐然先生則將朱熹《周易本義・說卦傳》第三章與帛書《周易》相較，文中特別論證有關通行本《易傳》「水火不相射」與帛書本「水火相射」之異同，並根據卦象升降的實例，揭示帛書「水火」易位之謎。❼

至於卦名方面，帛書《周易》與通行本同者二十九個，異者三十五個，卦辭中與通行本不同的字有八十一個，爻辭中則有七百七十一處不同。❽

乙、卦畫多樣

關於卦畫的部分，歷來多為學者所忽略，一般皆以「━」為陽爻，「━━」為

---

❹ 詳見劉大鈞：〈帛《易》初探〉（《文史哲》，1985 年第 4 期），頁 53-60。

❺ 李學勤：〈馬王堆帛書《周易》的卦序、卦位〉，見《李學勤集》（哈爾濱：黑龍江教育出版社，1989 年），頁 352。

❻ 詳見韓仲民：〈帛書《周易》六十四卦淺說〉，《江漢論壇》，1984 年第 8 期，頁 20-24。

❼ 詳見霍斐然：〈帛書《周易》「水火相射」釋疑〉，《文史》，第 29 輯（1988 年），頁 357-363。

❽ 詳見鄧球柏：《帛書《周易》校釋》（長沙：湖南人民出版社，1996 年增訂本），頁 51-67。

陰爻。然而馬王堆《周易》將陰爻畫作「⌒」，阜陽漢簡《周易》則畫作「︿」。如：臨卦，今傳本作「▤▤」，馬王堆《周易》作「▦」，阜陽漢簡《周易》作「▦」。從這三種不同的卦畫來看，陽爻的卦畫顯然沒有經過變動，而陰爻則經過演變，阜陽漢簡之「︿」應是較爲古老的畫法，馬王堆作「⌒」則可能是過渡形態，東漢熹平石經陰爻作「--」則成爲定型。

丙、提供《易傳》新的論證資料〈二三子問〉、〈要〉、〈易之義〉……等。

有關《易經》、《易傳》產生的年代，或謂《易傳》作於戰國、或言成書於漢代，學術界一直爭論不休。據馬王堆三號漢墓出土之帛書《周易》殘卷，除〈六十四卦〉一文外，尚有〈六十四卦〉卷後的佚書有千餘字及〈繫辭〉六千七百餘字。李學勤先生針對《易傳》的部分，發表了一系列的論文❾，對帛書《易傳》與孔子、《子思子》、及荀子之易學的關係，分別進行研究。他認爲帛書〈繫辭〉的著作年代不會晚於〈樂記〉，即不晚於戰國中期，且很可能爲楚人所傳。

佚書的部分大體有五篇，有的有篇題，有的沒有。書寫文字大多不曾出現於漢之後，爲研究《周易》提供重要材料。內容爲記載孔子和弟子討論卦、爻辭的問答的部分，經整理後定名爲〈二三子問〉。

〈易之義〉現存四十五行。第十三行以前缺損嚴重，無法進行分段工作。第十三行下端至第十六行爲第三段，內容相當於〈說卦〉第一章到第三章；第十六行到第十九行爲第四段，稱之爲〈易贊〉；第十九行下端至第二十三行上端爲第五段，命名爲〈乾坤之參說〉；第二十三行至第二十九行爲第六段，名爲〈乾之詳說〉；第二十九行下端至第三十四行爲第七段，名爲〈坤之詳說〉；第三十五至三十七行則爲段八段，內容近於〈繫辭〉第六章至第八章前半。李學勤先生在〈帛書〈易傳〉、〈易之義〉研究〉一文中，歸納幾點看法：

　　第一、〈易之義〉是由不同來源的材料混編而成。具體來說，即在〈易

---

❾　其相關論文有：〈帛書〈繫辭〉略論〉，《齊魯學刊》1989 年第 4 期，頁 17-20。〈〈易傳〉與〈子思子〉〉、〈帛書《周易》與荀子一系《易》學〉，《中國文化》，1989 年創刊號〉，頁 25-29，30-36。

贊〉、〈乾坤之參說〉、〈乾之詳說〉、〈坤之詳說〉這一系列作
品中，綴以〈說卦〉前三章和〈繫辭下〉第六至八章。

第二、〈易贊〉到〈坤之詳說〉等，內容呼應，思想通貫，當出自一源，
甚至是一手所作。

第三、〈易贊〉等的作者，曾引據「十翼」的〈彖〉、〈象〉、〈繫
辭〉，可能還有〈說卦〉。看其文字中有卦氣說萌芽，時代應該較
晚。

第四、帛書《周易》抄寫在漢文帝初年，這是〈易之義〉成書的下限。但
就其輯集艱難等現象而言，其編成當為時更早一些，推想當在秦亡
之後不久。

第五、〈易贊〉等所據的經文，與帛書所錄經文，其卦序和文字均有差
別，來源顯然不同。只插入的〈說卦〉前三章中「天地定位」等
語，同帛書經文卦序相應。究竟是帛書經文和這幾章來自一家，還
是輯成〈易之義〉者加以改竄，尚須探討。不過看〈易之義〉以及
帛書其他部分，彼此都不統一，前一種可能性似乎更大。❿

〈要〉篇為學術上提供了新的資料，解決了許多長久以來爭論不休的問題，例如：
它證實了孔子與《周易》的關係密切。如《論語·述而》云：「加我數年，五十以
學《易》，可以無大過矣。」原有學者以為句中之「易」，應依《釋文》所引《魯
論》，讀「易」為「亦」。然對照〈要〉篇，證明此說實誤。《論語·述而》篇中
關於孔子與《易》的問題，已經由〈要〉篇的出土而解開。其次，關於古代經籍的
問題，如：《樂經》是否曾經存在？《尚書》名稱之始……等，皆因〈要〉篇而找
到有力的證據。關於「五行」的問題，也在〈要〉篇中找到答案。〈要〉篇說敘五
行次序，既非相生、亦非相克，保存了早期五行的次序和形式。

　　〈繫辭〉部分，字數較通行本為多，分上下篇。內容包括通行本〈繫辭〉

---

❿　李學勤：〈帛書〈易傳〉、〈易之義〉研究〉，收入《古文獻叢論》（上海：上海遠東出版
　　社，1996 年），頁 54-55。

外，尚多出二千餘字，及通行本中屬於〈說卦〉的部分內容。李學勤先生以為帛書所根據的〈繫辭〉，其構成與今傳本基本上是一致的，但是有一部分脫失，而又有一部分散入他篇。⓫

　　綜觀現今有關帛書《周易》之研究，大體上著重於以下幾點：

　甲、對《易傳》內容結構的整理與討論

　　例如：于豪亮先生在〈帛書《周易》〉⓬中，主張把帛書《周易》分為三部分：一是經文〈六十四卦〉；二為〈六十四卦〉卷後佚書，分為五篇，〈二三子問〉為前兩篇，加上〈要〉、〈繆和〉、〈昭力〉三篇；三為〈繫辭〉，分為上下兩篇。

　　韓仲民先生則有不同的分法，在〈帛《易》概述〉⓭中說，帛書《周易》應分為兩件：第一件是〈六十四卦〉和〈二三子問〉，〈二三子問〉視為一篇；第二件是〈繫辭〉與卷後幾篇佚書，包含以「子曰易之義」（今稱〈易之義〉）開始的一篇。

　　陳松長於《馬王堆漢墓文物‧綜述》中則提出第三種分法：他以帛書《周易》為一件，而經文後的佚書〈二三子問〉、〈繫辭〉、〈子曰〉（即今稱〈易之義〉、〈要〉、〈繆和〉、〈昭力〉為第二件。

　　李學勤先生則綜合三人之說，就其差異歸納為三點：第一、帛書的拼接。帛書經過細心綴合，可以看出三大塊。第一塊是經文和緊接著的〈二三子問〉，第二塊是〈繫辭〉與〈易之義〉，第三塊是〈要〉、〈繆和〉、〈昭力〉。李學勤先生據廖名春先生〈帛書〈易之義〉簡說〉⓮一文以為第二塊〈易之義〉最後一行有殘缺，但仍可看出下一行有墨丁標誌，說明緊接它的是帛書〈要〉篇。而墨丁是篇首的記號，又傳文各篇唯〈要〉篇未見篇首，故證明第二塊與第三塊是連接一起的。第二、〈二三子問〉的篇數。經文之後，第一塊還有文字三十六行。但在第十六行

⓫　詳見李學勤：〈帛書《周易》的幾點研究〉，收入《簡帛佚籍與學術史》（臺北：時報文化出版社，1994 年）。

⓬　于豪亮：〈帛書《周易》〉，《文物》，1984 年第 3 期，頁 15-24。

⓭　韓仲民：《帛易略說》（北京：北京師範大學出版社，1992 年初版）。

⓮　收錄於《馬王堆帛書專號》。

下端，留有三個字的空白位置，似爲一篇之末，故于豪亮先生以爲兩篇。按先秦到漢初之書籍，分爲上、下篇之情形相當普遍，例如：《墨子》有〈經上〉、〈經下〉、〈經說上〉、〈經說下〉；《管子》有〈君臣上〉、〈君臣下〉、〈心術上〉、〈心術下〉。又今傳本〈繫辭〉亦分爲上、下兩篇，據上述理由，〈二三子問〉應分爲兩篇。第三、〈易之義〉之命名。韓仲民先生提出：此篇「頂端也塗有長方形墨釘」，以「子曰易之義」開始，且其與〈繫辭〉之體例不同，顯係另一篇易說佚書。張立文先生在〈帛書《周易》注譯〉中，取其首句爲篇名，命名〈易之義〉。綜上所述，帛書《周易》應分爲兩件，可稱上、下卷：

　　上卷　經文、〈二三子問〉上、下篇

　　下卷　〈繫辭〉、〈易之義〉、〈要〉、〈繆和〉、〈昭力〉

其編排係經精心考慮，經文在最前，〈二三子問〉到〈要〉則爲孔子說《易》之語。〈二三子問〉分說經文，故置於諸篇之首。〈繫辭〉、〈易之義〉通論大義，排於二。〈要〉篇，論說之外，雜有記事，故置於三。〈繆和〉、〈昭力〉乃傳《易》經師個人言論，故置於末。由此來看，帛書《周易》自成一完整體系。

　　乙、帛書《易傳》成書年代與作者之相關研究

　　帛書《周易》雖發掘於漢墓，然有學者以爲，帛書《周易》之成書年代並不早於通行本。張政烺先生指出：帛書本係漢初筮人依實用原則而改動，據其字體，其成書時間大約是漢文帝初年，西元前一八〇～前一七年間。李學勤先生亦支持張氏之說，認爲帛書《周易》是學者對規律性之偏好而改編經文，因此帛書《周易》並非最早的本子。

　　于豪亮先生則持不同意見，他以爲帛書《周易》之卦序排列規律，不需要藉助〈序卦傳〉的說明，應爲較早的傳本，然據其抄寫之字體考據，抄寫的時間應爲漢文帝初年無誤。

　　饒宗頤亦以爲帛書《周易》爲較早之傳本。他根據帛書本的古文和「無咎」二字未脫，認爲帛書本應同於中秘所藏之《易經》寫本。據帛書本卦序與通行本及《韓詩外傳》所載之卦序相較，饒宗頤先生指出帛書《周易》非燕人傳本，係馯臂子弓、陸賈、矯疵、子庸等楚人之傳本，故其成書應爲戰國時期，然就其抄寫年代則同於其他學者之意見，約爲高后元年至漢文帝十二年（前 187 年－前 168 年）。

〈要〉與〈易之義〉篇的編成可能較晚，但其所採用的內容卻應該是較早的。〈要〉篇載有孔子言：

> ……文王仁，不得其志以成其慮。紂乃無道，文王作諱而辟咎，然後《易》始興也。予樂其知之……

這段話說明了《易》的背景與動機，並確定了《周易》經文之形成應在周初，最遲至文王之時。

利用這些出土文獻，至少可以推知二件事：第一、《易傳》十篇形成於戰國時期，今所見之通行本的體例、篇目與規模，應是經由漢儒刪修、整理而成定本；第二、《易傳》並非孔子一人所著，亦不是荀子弟子一人之作，其書應爲孔子與弟子們解釋、闡發《易經》義理，或作具體討論之記錄，後來又經儒門弟子整理編輯而成。

丙、帛書《易傳》在學派歸屬問題的探究

除了單篇論文之外，專研帛書《周易》的著作亦不爲少，如：李學勤的《周易經傳溯源》❶、韓仲民的《帛易說略》❶、張立文的《帛書周易注釋》❶、陳鼓應的《易傳與道家思想》❶等，不僅爲研究帛書《周易》的重要成果，亦提供了豐富的研究素材與思考方向。

□〈五行〉

〈五行〉篇是子思、孟子一派的儒學作品。發現於馬王堆漢墓時，原與《老子》甲本等同抄於一卷帛上，其字體近於篆字，原無篇題。經學者考證其內容，證實該篇爲講述倫家「仁、義、禮、智、聖」的「五行」說，故命名爲「五行」。以其不避諱「邦」字研判，抄書的年代應爲漢初劉邦卒年之前。其文體大致上近似於

---

⑮　長春：長春出版社，1992年初版。

⑯　同註⑬。

⑰　鄭州：中州古籍出版社，1992年初版。

⑱　臺北：臺灣商務印書館，1994年初版。

《大學》，文句則多襲用《孟子》。由此可以推證其作者可能是子思、孟軻學派的門徒。在一九八〇年出版的《馬王堆漢墓帛書・壹》中，馬王堆漢墓帛書整理小組，已經對這篇文章作了詳細的注釋。⑲通過帛書〈五行〉，可以進一步認識思孟學派的思想與內容。

　　據〈帛書〈五行〉與《尚書・洪範》〉一文，李學勤先生將《荀子・非十二子》篇與〈五行〉篇相較，提出幾點看法：第一、子思是五行說的始倡者。第二、五行說的創立，乃「案往舊造說」。第三、據《荀子・非十二子》所云：「材刻志大，聞見雜博。」推論，五行說應是一種包容廣大的理論。第四、據《荀子・非十二子》之評論，皆以各家學說之要旨爲對象，故知五行說當爲思孟學派的中心內容。⑳李學勤先生又提出「子思創其五行說，所依據的思想資料，是《尚書・洪範》」。㉑

　　〈五行〉篇的出土解決了「五行」說倡始的疑問。顧頡剛先生曾於〈五德終始說下的政治和歷史〉㉒一文中指出：「五行」說始自鄒衍，而非孟軻，由於鄒、孟皆爲鄒人，學說流傳於齊魯間，且多相似之處，故荀子誤將鄒衍「五行」說當爲思孟學派之要旨而加以批評。實乃《荀子・非十二子》中關於思孟「五行」學說一段文字有僞誤之嫌。然〈五行〉篇的出土，推翻了顧氏之說，證明荀子並沒有將鄒衍與思孟之學混淆。〈五行〉篇反復論釋「仁、義、禮、智、聖」五種德行，正爲思孟學派之具體精神。

四、安徽阜陽雙古堆出土之經學文獻

　　一九七七年安徽省阜陽雙古堆一號漢墓，墓主是西漢第二代汝陰侯夏侯灶。夏侯灶是西漢開國功臣夏嬰之子，卒於漢文帝十五年（前 165 年）。據此推證，墓中所出土的文物不可能晚於此年。由於夏侯灶墓歷經洗劫，棺槨垮塌，墓中文物遭

⑲　詳見《馬王堆漢墓帛書・壹》（北京：文物出版社，1980 年），頁 17-27。

⑳　詳見李學勤：〈帛書〈五行〉與《尚書・洪範》〉，收入《李學勤集》（哈爾濱：黑龍江教育出版社，1989 年），頁 363-371。

㉑　同註⑳，頁 368。

㉒　詳見顧頡剛：《古史辨》第五冊（北京：樸社，1935 年），頁 404-597。

到嚴重破壞，因此未能窺知完整面貌。在這些發現的文物中包含一批簡牘，經李學勤先生及其他學者共同鑑定後，確定內容爲《周易》、《詩經》與其他各類古籍數十種。礙於簡牘的殘缺、破舊，整理起來特別費時，歷經六年才整理出《詩經》。以下簡述有關《詩經》的部分：

　　《阜詩》的材質爲竹片，長短不一，故其形制規格已不得其詳。最長者爲〈伐木〉第二章一條，長二十二厘米，共二十四字。殘簡共計一百七十餘條，書體應爲早期隸書，或謂之八分書，仍殘存篆字風格。〈小雅〉、〈陳風〉字寬而密，〈二南〉、〈鄭〉、〈齊〉則方廣而疏，其他則狹長而密，且書體前後不一，可見《阜詩》絕非出自一人之手，甚至非一時之作。

　　以《阜詩》與今本《毛詩》對照，考定爲〈國風〉與〈小雅〉。〈國風〉的部分有：〈周南〉、〈召南〉、〈邶〉、〈鄘〉、〈衛〉、〈王〉、〈鄭〉、〈齊〉、〈魏〉、〈唐〉、〈秦〉、〈陳〉、〈曹〉、〈豳〉，未見〈檜風〉；〈小雅〉則僅存〈鹿鳴之什〉中〈鹿鳴〉、〈四牡〉、〈常棣〉、〈伐木〉四首詩之殘句。此外，尚有部分殘章斷句歸屬未定，整理者列於附錄一；另有三片殘簡，文字近於〈詩序〉，亦未定歸處，列於附錄二。

　　這些文句存有大量異文，與今本《毛詩》相較，共計一百四十一字相異。其中有些屬於假借字或異體字，甚至虛詞，在詩文中的意義沒有太大的差異；有些則是異文異義。其次在篇次上，就目前之研究，能確定篇次者，只有一處與今傳《毛詩》同篇相疊，餘皆無一處相同，情況甚爲複雜。如此看來，《阜詩》不屬於《毛詩》系統應可斷定。那麼，是否屬於齊、魯、韓三家詩呢？依據對照的情況顯示，《阜詩》亦非三家詩系統。據李學勤先生在〈馬王堆帛書與楚文化的流傳〉所提，他推測《阜詩》當是楚國流傳下來的另一種傳本。不論李先生的推論是否正確，至少我們可以了解一件事，即漢代的詩學並非只有《毛詩》與齊、魯、韓四家系統。同時藉由《阜詩》，可以與《毛詩》、三家詩相互校證，不論在文法、譯音等各方面，都提供《詩經》研究者新的研究資料。然不容否認，由於簡牘的過份殘破，以及發掘數量的有限，目前研究《阜詩》者並不多，在大陸方面，唯胡平生、韓自強、饒宗頤等學者，國內方面唯文幸福較爲著名。

五、郭店竹簡出土之經學文獻

　　一九九三年十月，在湖北省荊門市郭店村發掘郭店一號墓，墓主爲楚國貴族。據考古學家研判，墓葬的時間約爲西元前四世紀末，不會晚於西元前三〇〇年。陪葬品中，有一漆器，底部刻有銘文，經李學勤先生考證，讀之爲「東宮之師」，故推其墓主爲楚國太子橫（即後爲之楚頃襄王）之師。㉓而廖名春先生又進一步推斷這位「東宮之師」係孔子七十子之後學，尤其以子思之徒最爲可能。㉔姜廣輝先生則以陳良之卒年約爲西元前三二五年～前三二〇年，約與墓葬之年代吻合，又墓葬品中有「鳩杖」一物，依古禮，年八十、九十賜鳩杖，故推知墓主年齡應在八十歲以上，長於孟子，依思孟學派之師承，孟子乃爲四傳，陳良則相當於三傳，故姜廣輝先生據此以爲墓主爲可能是楚國的陳良。㉕

　　郭店一號墓中出土的文獻經過整理，涉及儒家的部分，已知有十一種十四篇：〈緇衣〉、〈魯穆公問子思〉、〈窮達以時〉、〈五行〉、〈唐虞之道〉、〈忠信之道〉、〈成之聞之〉、〈尊德義〉、〈性自命出〉、〈六德〉、〈語叢〉四篇。〈緇衣〉的內容與今本《禮記・緇衣》大體相合，差別較大的部分在分章及章次上，文字亦見不同。〈五行〉曾見於馬王堆漢墓帛書，對照楚簡，在文字上有些相異。〈魯穆公問子思〉、〈窮達以時〉抄寫在形制相同的竹簡上，字體亦相近似。其中〈窮達以時〉的大部分內容，見於《韓詩外傳》卷七及《說苑・雜言》。〈性自命出〉、〈成之聞之〉、〈尊德義〉、〈六德〉皆抄寫在形制相同的竹簡，字體亦相近似。〈唐虞之道〉、〈忠信之道〉兩篇竹簡的形制基本相同。〈語叢〉四篇竹簡，是楚簡中最短的，內容近似格言類的文句，體例與《說苑・談叢》、《淮南子・說林》相似。各篇內容的歸屬，經李學勤等學者之考證，大體上一致認爲係子游、子思學派之作。然其是否爲《子思子》？學者們的意見，並無太大的歧異，唯尺度略有不同。李學勤先生直接指出郭店楚簡的內容，屬於儒家《子思

㉓　詳見李學勤：〈先秦儒家著作的重大發現〉，《中國哲學》，第 20 輯（1998 年）。
㉔　詳見廖名春：〈荊門郭店楚簡與先秦儒學〉，《中國哲學》，第 20 輯（1998 年）。
㉕　詳見姜廣輝：〈郭店一號墓墓主是誰？〉，《中國哲學》，第 20 輯（1998 年）。

子》，廖名春先生則傾向保守，以爲這批楚簡係與《子思子》相關之儒家文獻，姜
廣輝先生提出四個是否爲評論標準：

一、以《荀子・非十二子》爲標準：《荀子・非十二子》涉及郭店楚簡之內
　　容者，至少有〈唐虞之道〉、〈緇衣〉、〈五行〉三篇；

二、以《中庸》爲子思的代表作，郭店楚簡之〈性自命出〉開頭兩段論命、
　　性、道、教相互關聯的思想內容，爲《中庸》「天命之謂性，率性之謂
　　道，修道之謂教」所包含，故推知〈性自命出〉當出子思。

三、以子思「求己」的學術主旨爲標準：〈窮達以時〉篇與〈求己〉（〈成
　　之聞之〉之前二十簡），均合子思「求己」的思想主旨。

四、以子思的思想性格爲標準：考諸文獻，子思個性剛風傲骨。而〈魯穆公
　　問子思〉、〈六德〉所反映之思想性格，亦當屬子思。

故〈緇衣〉、〈魯穆公問子思〉、〈窮達以時〉、〈五行〉、〈唐虞之道〉、〈性
自命出〉、〈六德〉、〈求己〉八篇當爲子思學派之作品。

　　陳來先生以現存文獻與郭店楚簡比照，認爲從文字、內容、思想各方面研
判，最近者爲《禮記》。然李學勤先生則以爲《禮記》的內容是具體討論禮制的，
而楚簡則沒有這樣的內容，故不應稱爲《禮記》。

　　目前諸多學者熱衷於研究郭店楚簡，其與《禮記》、《子思子》等典籍之間
的關係，正熱烈地被討論著。單篇文章的研究亦正進行：如〈唐虞之道〉中的「禪
讓」思想，證實了「禪讓」是遠古時代原始民主制度的遺響，《尚書・堯典》、
《孟子・萬章》、《論語・堯曰》所載之內容，皆爲信史；而「禪讓」之說起於儒
家，更無疑惑。〈性自命出〉一篇，更勾勒出儒家早期心性說的輪廓。〈五行〉篇
的出現，正好與二十年前馬王堆漢墓中《老子甲本卷後古佚書》（後經學者考證，
命名爲〈五行〉）相互印證。過去學者多以爲《老子甲本卷後古佚書》乃子思、孟
軻之徒的作品，又郭店楚簡經考證，亦與子思關係密切，兩者相互印證，皆爲子思
學派之作應屬無疑。

六、結語

　　近年來若干簡帛古籍的發現，使人們更清楚地認識到，古書的形成和定型每

每經過許多年代，有著分合增刪的複雜過程。每一件文獻的出土，都爲學術研究帶來新的方向與材料。

　　綜觀這些出土文獻之研究情形，顯然帛書《周易》的研究在數量及成果上最爲卓著，歸究其原因，乃由於卦序的不同，使研究者注意到它與今傳本大異，引發研究者廣泛興趣。加上出土的數量較多，內容較爲完整，較能窺知其原始面貌，探究其體系，是故研究者最多。又郭店楚簡，乃最近最爲熱門的出土簡牘，原因除了數量多、完整性高之外，其中最引人注目的係《老子》的出土，它解決了馬王堆帛書《老子》與今傳本《老子》道經、德經的先後問題，加上在儒家方面出現多種典籍，是以研究者日益增加。至於湖北定縣發掘的儒家作品《儒家者言》、《論語》等，受制於研究材料，研究者顯然較少；阜陽《詩經》的研究，亦因出土文獻的殘破，較少學者研究。

　　這些出土文獻，除了提供學術研究基本的校讎資料外，亦澄清了許多爭論不休的學術問題，其價值是不容抹殺的。但由於種種原因，出土文獻的出版往往延遲數年，甚至數十年，造成研究時相當不便。臺灣方面對這些出土文獻的研究受到的限制又更爲多了，研究成果實難與大陸學者相比。唯近年來，兩岸學術交流頻繁，臺灣學者赴大陸研究者亦日漸增加，有縮短兩岸研究差距的作用。

附錄一、經學出土文獻之參考資料舉要

(一)綜合性

李學勤集　李學勤著　哈爾濱　黑龍江教育出版社　1989年5月

簡帛佚籍與學術史　李學勤著　臺北　時報文化出版社　1994年12月

古文獻叢論　李學勤著　上海　上海遠東出版社　1996年11月

饒宗頤史學論著選　饒宗頤著　上海　上海古籍出版社　1993年

中國文化與中國哲學　深圳大學國學研究所編　北京　三聯書店　1991年

臺灣地區公藏大陸考古類刊物及文獻目錄索引一覽表　陳光祖編　田野考古　第一
　　卷二期　1990年12月　頁91-93

近二十年大陸考古關於中國哲學文獻的新發現　趙吉惠撰　哲學與文化　二十卷三
　　期　1993年3月　頁264-276

(二)專論

1.帛書周易

馬王堆漢墓帛書　馬王堆整理小組編　北京　文物出版社　1980年

馬王堆漢墓研究資料目錄索引　左松超編　中國書目季刊　23卷1期　1989年6月
　　頁95-116

長沙馬王堆漢墓帛書概述　韓仲民撰　文物　1974年9期　1974年9月　頁40-44

(1)通論及校注

帛易說略　韓仲民著　北京　北京師範大學出版社　1992年

馬王堆帛書易經初步研究——周易經傳文字的結構和錯簡——　經子叢書第5冊
　　嚴靈峰著　臺北　成文出版社　1980年

馬王堆帛書易經斠理　嚴靈峰著　臺北‧文史哲出版社　1994年7月

周易經傳溯源——從考古學、文獻學看周易　李學勤著　北京　長春出版社　1992
　　年

帛書《周易》校釋　鄧球柏撰　長沙　湖南人民出版社　1996年增訂本

周易帛書今注今譯　張立文著　臺北　臺灣學生書局　1991年

白話帛書周易　鄧球柏著　長沙　岳麓書社　1995年

易傳與道家思想　陳鼓應著　臺北　臺灣商務印書館　1994年

周易研究論文集　第1輯　北京　北京師範大學出版社　1987年9月

大易集要　（帛書周易論文選集）　濟南　齊魯書社　1994年

道家文化研究　第3輯（馬王堆帛書專號）　上海　上海古籍出版社　1993年

國際易學研究　第1輯（帛書周易專號）　北京　華夏出版社　1995年

單篇論文

略論馬王堆易經寫本　饒宗頤著　古文字研究　1982年第7輯　1982年6月　頁232-
　　242

馬王堆出土帛書易經初探　蒯超英、夏一方撰　文博通訊　第2期　1983年2月

西漢馬王堆帛書斷片之研究　徐芹庭撰　易經深入(2)　桃園　普賢出版社　1991
　　年10月　頁671-682

關於帛書《周易》整理過程中的一些問題　廖名春撰　鵝湖月刊　21卷9期　1996
　　年3月　頁16-34

再論帛書「易傳」整理過程之問題　陳松長撰　鵝湖月刊　2卷1期　1996年7月
　　頁33-34

帛書周易　于豪亮撰　文物　第3期　1984年3月　頁15-24

讀帛書周易　連劭名撰　周易研究　第1期　1988年　頁8-14

帛易芻議　于載治撰　中華易學　12卷7期　1991年9月　頁22-26

帛《易》初探　劉大鈞撰　文史哲　1985年4期　1985年7月　頁53-60

帛書「周易」研究現況概述　黃琪莉撰　中國文哲研究通訊卷　5卷4期　1995年12
　　月　頁95-117　（附：帛書「周易」研究論著目錄，頁106-117。）

帛書「周易」研究綜述　陳松長撰　中國文化月刊　第193期　1995年11月　頁20-
　　36

論「帛書周易」的文獻價值　張善文撰　中華易學　16卷10期　1995年12月　頁
　　12-23

論帛書易傳與易書易經的關係　廖名春撰　孔子研究　1994年4期　1994年12月
　　頁40-47

儒學與周易——馬王堆帛書研究的視角　邢文撰　中國社會科學院研究生院學報

1995年2期　1995年3月　頁40-44

周易研究的新途徑——讀《帛書周易校釋》　李學勤撰　湘潭大學學報（社會科學版）　1991年3期　1991年7月　頁154-155

《馬王堆帛書易經斠理》　許維萍撰　經學研究論叢　第2輯　1994年10月　頁369-370

帛書《周易》與荀子一系《易》學　中國文化　1989年創刊號　1989年12月　頁30-36

⑵經文及傳文

帛書六十四卦跋　張政烺撰　文物　1984年3期　1984年3月　頁9-14

帛書《周易》六十四卦淺說　韓仲民撰　江漢論壇　1984年8期　1984年8月　頁20-24

帛易六十四卦芻議　周立升撰　文史哲　1986年4期　1986年7月　頁25-30

馬王堆帛書六十四卦校讀札記　王輝撰　古文字研究　1986年第14輯　1986年6月　頁281-294

馬王堆帛書周易卦文校證　王永嘉撰　寧波師院學報（社會科學版）　1987年第3期　頁81-86

馬王堆帛書周易異文考　王建慧撰　香港中文大學中國文化研究所學報　第19卷　1988年　頁45-69

帛書周易卦名校釋　連劭名撰　文史　1992年第26輯　1992年8月　頁51-76

帛書易經異文校釋　劉大鈞撰　周易研究　1994年第2期　1994年　頁1-5

帛書易經異文校釋　劉大鈞撰　周易研究　1994年第3期　1994年　頁30-33

「三易」和「帛書」卦序表徵稿　陳道生撰　哲學與文化　8卷3期　1981年3月　頁41-45

論馬王堆帛書易經之卦序　黃沛榮撰　中國書目季刊　18卷4期　1985年3月　頁141-152

馬王堆帛書周易卦序研究　溫公翊撰　哲學研究　12期增刊　1990年12月　頁70-77

也談「帛書卦位」與「先天卦位」－上－　李仕徵撰　中華易學　18卷3期　1997年5月　頁6-95

也談「帛書卦位」與「先天卦位」－下－ 李仕徵撰 中華易學 18卷4期 1997年6月 頁6-9

馬王堆帛書易經中孔子贊易和「說卦」 嚴靈峰撰 大陸雜誌 89卷1期1994年7月 頁1-3

馬王堆帛書易傳及孔門易學 陳來撰 哲學與文化 21卷2期 1994年2月 頁150-168

從帛書「易傳」看孔子之「易」教及其象數 鄧立光撰 鵝湖月刊 21卷4期 1995年10月 頁12-20

〈易傳〉與〈子思子〉 李學勤撰 中國文化 1989年創刊號 1989年12月 頁30-36

從帛書「易傳」重構孔子之天道觀 鄧立光撰 鵝湖學誌 第13期 1994年12月 頁43-62

帛書「易傳」引「易」考 廖名春撰 漢學研究 12卷2期 1994年12月 頁333-344

帛書「易傳」象數說探微 廖名春撰 漢學研究 13卷2期 1995年12月 頁37-46

⑶繫辭及卷後佚書

帛書繫辭淺說──兼論易傳的編纂 韓仲民撰 孔子研究 1988年4期 1988年4月 頁23-28

帛書〈繫辭〉略論 李學勤撰 齊魯學刊 1989年4期 1989年4月 頁17-20

帛書繫辭上篇析論 李學勤撰 江漢考古 1993年1期 1993年1月 頁80-83

帛書「繫辭傳」「大恆」說 饒宗頤撰 中國文化研究所學報 1992年1期 1992年 頁85-98

「帛書繫辭釋文」補正 廖名春撰 中國文化研究所學報 1993年2期 1993年 頁1-9

「大衍之數」章與帛書「繫辭」 廖名春撰 中國文化 1994年9期 1994年2月 頁37-41

馬王堆帛書繫辭傳校讀 黃沛榮撰 周易研究 第4期 1992年 頁1-9

論帛書繫辭的學派性質 廖名春撰 哲學研究 1993年7期 1993年7月 頁58-65

馬王堆漢墓帛書周易〈要〉篇的研究　池田知久撰　（東京大學）東洋文化研究所
　　紀要　第123冊　1994年2月　（譯文見：周易研究　第2期　1995年　頁27-
　　34，牛建科譯。）

馬王堆漢墓帛書周易〈要〉篇的思想　池田知久撰　（東京大學）東洋文化研究所
　　紀要　第125冊　1994年8月

帛書釋「要」　廖名春撰　中國文化　第10期　1994年8月　頁63-76

帛書「要」篇及其學術史意義　李學勤撰　中國史學　1994年10期　1994年10月
　　頁81-88

(4)其他

馬王堆漢墓帛書易經與邵雍先天易學　冒懷辛撰　哲學研究　1982年10期　1982年
　　10月　頁79-80

漢初帛書周易八卦研究　呂沛銘撰　中華易學　6卷11期　1986年1月　頁8-12

帛書「周易」中的通假字　陳徽治撰　中華易學　13卷1期　1992年3月頁64-68

帛書繫辭傳異文通假字考　王新華撰　國立僑生大學先修班學報　第6期　1998年7
　　月　頁1-94

帛書周易別字諧聲臆測　丁南撰　中華易學　3卷2期　1982年4月　頁12-13

談帛書周易的別字諧聲　季旭昇撰　中華易學　3卷5期　1982年7月　頁17-19

帛書《周易》「水火相射」釋疑　霍斐然撰　文史　第29輯　1988年1月　頁357-
　　363

從帛書異文看周易訓詁中存在的問題　吳辛丑撰　華南師範大學學報（社會科學
　　版）　1993年1期　1993年1月　頁38-42

2.其他

阜陽漢簡詩經研究　胡平生、韓自強撰　上海　上海古籍出版社　1987年

郭店楚墓竹簡　荊門市博物館編　北京　文物出版社　1998年

阜陽漢簡詩經探究　文幸福撰　國文學報　第15期　1986年

先秦儒家著作的重大發現　李學勤撰　中國哲學　第20輯　1998年

荊門郭店楚簡與先秦儒學　廖名春撰　中國哲學　第20輯　1998年

郭店一號墓墓主是誰？　姜廣輝撰　中國哲學　第20輯　1998年

附錄二、不同版本《周易》卦名卦序比較表

帛書《六十四卦》	卷後佚書	帛書《繫辭》	漢石經	通行本	帛書《六十四卦》	卷後佚書	帛書《繫辭》	漢石經	通行本
鍵	鍵	鍵	乾	乾	川	川	川	川	坤
婦		婦	否	否		奈		泰	泰
掾			遯	遯	嗛	嗛、溓	嗛		謙
禮	履	履	履	履	林		林		臨
訟		容	訟	訟	師	師	師	師	師
同人	同人			同人	明夷	明夷			明夷
无孟	无孟	无孟		无妄	復	覆	復	復	復
狗		均句		姤	登		登	升	升
根	根		艮	艮	奪		說	兌	兌
泰蓄		大蓄		大蓄	夬			夬	夬
剝		剝	剝	剝	卒				萃
損	損	損	損	損	欽				咸
蒙		蒙	蒙	蒙	困	困		困	困
蘩		賁	賁	賁	勒			革	革
頤		頤	頤	頤	隋		隋		隋
箇		蠱	蠱	蠱	泰過		大過		大過
贛		欲		坎	羅		羅	離	離
襦		嬬		需	大有		大有	大有	大有
比	比	比	比	比	溍				晉
蹇	蹇	寋	寋	蹇	旅			旅	旅
節			節	節	乖		諆	睽	睽
既濟		既齎		既濟	未濟	未濟	未齋		未濟
屯	屯	肫		屯	筮□	筮蓋、筮闔		噬□	噬嗑
井		井	井	井	鼎	鼎		鼎	鼎
辰		震	震	震	筭			巽	巽
泰壯		中壯、	大壯	大壯	少蔉		小蓄		小蓄

		大壯、 □壯							
餘	予	余	豫	豫	觀	觀	觀	觀	觀
少過		少過	小過	小過	漸			漸	漸
歸妹	歸妹	歸妹	歸妹	歸妹	中復	中覆			中孚
解			解	解	渙	奐、渙	奐		渙
豐	豐		豐	豐	家人		家人		家人
恆	恆	恆	恆	恆	益	益	益	益	益

經 學 研 究 論 叢
第 七 輯　　頁317～330
臺灣學生書局　　1999 年 9 月

環中國海地域以儒家爲
主體的思想形態

連清吉*

一、問題提起

　　一九八〇年代後半，東亞新興工業經濟地區（NIES）的經濟急劇成長，進入二十一世紀，由於東亞的經濟發展更爲蓬勃，以中國沿海爲中心的環中國海地域將成爲世界的資金薈集，貿易活絡的經濟據點。❶所謂環中國海地域是指以大連、青島、天津爲中心的渤海、黃海區域、以上海爲中心的華東沿海地區、以廣州、香港、臺北爲中心的華南沿海地區、韓國南部的慶尙南道、日本九州及東南亞各國。此海域的國家和地區的貿易或開發等經濟活動的盛行，國際化的持續發展，勢必成爲今後世界關注的地域。因此，環中國海經濟組織的設立固然是當務之急，而其共通意識和共同理念之文化素質的探求，將是維繫環中國海地域長治久安的重要課題。至於環中國海地域如何可能成爲二十一世紀世界經濟貿易的中心，又如何證成

---

* 　連清吉，日本長崎大學環境科學部文化環境講座副教授。

❶ 　九十年代以後中華文化圈（中國、香港、臺灣）的經濟快速成長，又根據 1998 年 9 月 1 日人民日報的報導中國 1997 年的經濟成長率爲 8%，98 年 1-7 月的實際成長率也是 8%。足見中國的經濟發展極爲穩定。Huntington 說：「中國逐漸發展成大國，則中國將成爲東亞的霸權國」（《The Clash of Civilizations and the Remaking of the Worldorder》的日譯本（《文明の衝突》），鈴木主稅譯，東京：集英社，1998 年 8 月），頁 4。

此海域的思想形態是以儒家爲主體而開展的問題，則以內藤湖南文明中心移動論的歷史循環規律、Huntington 的東亞經濟發展帶動文化復興說、牟宗三先生「一心開二門」的思想體系爲根據的。茲論述於下。

二、理論根據之一：內藤湖南的文明中心移動論

　　內藤湖南以爲文化形成主要的因素是時與地，即文化的形成是與時代、地域有密切的關連。內藤湖南說：

> 文物者民族之英華、風土之果實也。或應其時而榮，譬猶櫻桃杏李之於盛
> 春，桔梗、胡枝之於初秋。或因其壞而得宜，譬猶椰子、榕樹之蔭交於炎
> 日之下，松杉檜柏之翠見於堆雪之中。❷

即自然景物乃因循時序而顯其英華，又浸染風土而成長壯碩，自然景物如此，人文的化成亦然。內藤湖南用「文物與時代」「文物與風土」的關係，分別敘述華夏文化因時代地域的差異而各領風騷的情況。❸順隨著時代的變遷，其文化形態有所不同。至於文物與風土的關係，乃由於中國幅員廣大，所表現出來的文化即有東西分殊、南北別相的現象。內藤湖南又說由於時代與風土的結合而形成人文化成文化薈萃的中心，至於文化中心的所在，又因爲各個時代的政治、經濟等因素而有移動，即所謂的「文明中心移動論」。內藤湖南是根據趙翼的「文化集中說」而提出「文明中心移動」的主張。趙翼於所著《二十二史箚記》中提出「長安地氣說」，主張中國歷代帝王大抵定都於長安，至唐天寶以後，長安地氣極盛而衰，自始轉移至洛

---

❷　見於內藤湖南《近世文學史論》的〈序論〉（《內藤湖南全集》第一卷，東京：筑摩書房，1996 年 10 月，頁 19）。《近世文學史論》的原名是《關西文運論》，連載於明治 29 年（1896）的大阪朝日新聞，敘述德川時代三百年間學術文化發展的大勢。其旨趣在論述德川時代的政治中心雖然轉移至江戶，但是學術文化的發源地則在關西、即京都與大阪一帶。再就學術文化而言，關西的學問不僅能與江戶分庭抗禮，甚且有超越江戶的所在。

❸　內藤湖南的文化形成論參拙著〈內藤湖南的日本文化論〉（《張以仁先生七秩壽慶論文集》，臺北：臺灣學生書局，1999 年 1 月，下冊，頁 771-774）。

陽、汴梁、北京。但是內藤湖南以爲長安以前,洛陽匯聚冀州的軍事力與豫州的經濟財富而爲三代政治文化的中心所在。再者,燕京雖爲明清以後發布政權的所在地,但是文化的中心則在江南一帶。至於文化類型的形成是前後因襲相承的,如殷承夏禮,周因商禮而形成儒家所尊崇的禮文。但是政治文化湊合的中心所在一旦衰微以後,再度復起的可能性就微乎其微了。要而言之,內藤湖南以爲文化因時而異,因地而適宜,即文化的形成乃以時地爲經緯,而文化的中心所在又順隨著時代的推移而有所轉移。如中國三代以迄魏晉的文化移動方向是東西方向,南北朝以後則南北方向。再者,文化中心一旦轉移,昔日的風光就難再重現。長安的文物鼎盛於唐代,長安文化即代表了唐代的文化,又處於東西文明交會的所在,故唐代的長安文化即是中國文明足以誇耀世界的象徵。但是今日的西安只是偏處西陲的一省都城,也無國際交流的要衢形勝之地位,昔日帝王紫氣象會聚的錦繡文化既已不在,所謂長安也只是秦皇漢唐陵墓所在的歷史名詞而已。❹萌芽、開花、爛熟、落花的盛衰循環是自然界的常理,文化的發展亦有盛衰,然盛極而衰之後,就不再復甦了。換而言之「文明再生不可能」是歷史的規律,而此規律不但能說明中華文明的發展軌跡,也足以說明世界文明的歷史發展。內藤湖南說:

> 希臘盛於 Perikles 之時,其後雖有日亞歷山大王者固非純希臘人,其事業又止於攻伐。羅馬之神聖帝國一崩壞,意大利之人力,不足復爲歐洲文明之中心。……埃及、印度、波斯、希臘、羅馬、相踵迭興,亦各以時而命之。❺

順隨時代的推移,文化中心的轉移,希臘、羅馬的文明相繼興亡。十八世紀末期產業革命興起,科學技術的發達而近代西洋文明開花結果。十九世紀初期開始到二十

---

❹ 文明中心移動的主張,見於內藤湖南《近世文學史論》的〈序論〉。內藤湖南的文明中心移動論,參見拙著〈內藤湖南的日本文化論〉(《張以仁先生七秩壽慶論文集》,臺北:臺灣學生書局,1999 年 1 月,下冊,頁 774-776)。

❺ 《近世文學史論・序論》(《內藤湖南全集》第一卷,東京:筑摩書房,1996 年 10 月),頁 22。

世紀初期，英國、西班牙、葡萄牙等西歐各國以文明先進國的姿態遂行其改造原始落後地區的野心，競相以精銳發達的武力科技，略奪海外市場，亞非各地先後淪落爲西歐各國的殖民地。在此一、二百年間，西歐勢力遍及世界各地。然而二十世紀中期以後，美國以雄厚的自然資源，薈集世界各國的優秀人才，開發尖端技術，以科技王國、世界經貿的據點，取代英國而成爲今日世界的主導地位。雖然如此，文化的盛衰循環、文明再生不可能之歷史發展果眞是不變規律的話，繼十九世紀的歐洲、二十世紀的美國之後，以文明開化以來一百年而科技發達、經濟鼎盛，足與歐美各國並駕齊驅的日本和擁有廣大消費市場，且經濟成長率逐年上昇的中國沿海地區爲中心的環中國海地域，將成爲二十一世紀世界各國所矚目，甚至左右世界經濟貿易動向的所在。畢竟中國沿海地域的消費潛在能力、日本的科技與經貿的遂行經驗和東南亞的資源，是經濟發展的原動力。因此中國沿海地區、日本的九州、韓國慶尙南道、東南亞各國能超越國境，提供自身的利益，促進技術與物資的流通，進而締結環中國海經濟聯盟的組織，則環中國海地域勢必成爲今後世界經濟貿易的中心。

三、理論根據之二：
Huntington 的亞洲文化復興運動說

Huntington 說：「東亞的經濟發展是二十世紀後半世界最大的事件。」[6]其理由是在世界經濟停滯不前的情況中，東亞大部分的國家在最近十年中始終維持著百分之八到十的經濟發展率，而且東亞對世界，或亞洲各國間的貿易額飛躍地擴大。特別是中國的經濟，由於一九九三年世界銀行斷言「中國經濟圈」是僅次於美國、日本、德國，而居世界第四位的經濟支柱，因此大部分的專家預測：中國的經濟在二十一世紀的初期勢必成爲世界最大規模的發展。由於以「中國經濟圈」爲中心的東亞經濟飛躍發展的關係，形成了學習中國語言的熱潮與東亞文化復興的現象。Huntington 說：

---

[6] 同注[1]，頁 151。

有史以來，世界語言的分布即反映著世界的勢力。使用最廣泛的英語、中國語、西班牙語、法語、俄語、阿拉伯語始終是擁有強大勢力而足以誇示於世的語言。·……德國統一以後，擅長英語的德國人在國際會議中使用德語的傾向逐漸顯著。受到日本經濟的刺激，即使不是日本人，也學習日本語。同樣地，由於中國經濟急劇發展，中國語的學習也形成當今熱潮。……將來如果中國取代西歐成爲支配世界的文明，中國語或將取代英語而成爲世界共通的語言。❼

由於領土、人口、宗教、軍事、經濟等因素，世界各主要語言的使用狀況，正反映出該文化圈活躍於世界舞臺的推移。繼十九世紀的西歐語言、二十世紀的英語之後，二十一世紀，因爲中華文化圈經濟飛躍成長，世界交流的語言媒體或將是中國語。Huntington 又說：

隨著經濟發展，東亞各國毫不猶豫地強調自身文化的獨立性。甚至自豪地主張其價值觀、生活習慣較西歐及其他國家爲優越。……一九九三年美國駐日大使 Tommy Koh 用「文化復興運動席捲亞洲全地域」來形容東亞各國的文化覺醒。……文化復興之所以蓬勃地發展，是因爲亞洲各國不但強調自身有著固有的文化主體，並且強烈的意識著自身的文化不但是亞洲共通的文化而且足以對抗於西歐文化。❽

Huntington 按著又列舉亞洲各國領導階層的政治宣言，來說明東亞的文化復興運動的經緯及其精神價值所在。Huntington 說：

二十世紀末，中國政治領導者與西歐社會學者殊途同歸地主張儒學是中國發展的泉源。……臺灣政府在一九九〇年代以後，以「儒家思想的繼承

---

❼　前引書，頁 86-87。
❽　前引書，頁 152-153。

者」自居，李登輝總統以臺灣民主化的根源即是堯、舜、孔子、孟子一脈
相承的中國「文化遺產」。……李光耀以下的新加坡領導階層強調亞洲的
抬頭，並以爲自身成功的根據乃在是儒學爲中心的亞洲文化價值觀。亞洲
文化價值觀是建立在秩序、規律、家庭責在、勤勉、集團主義、質素儉約
之上。……馬來西亞的首相亦以爲以規律、忠誠、勤勉爲主旨的日本、韓
國的價值觀是促進亞洲各國經濟、社會發展的原動力。❾

二十世紀末，由於東亞經濟持續發展，引發亞洲人思考東亞經濟如何得以快速成長
的原因所在。結果發現致使東亞經濟成功的「秩序、勤勉、簡素」等精神即是以儒
家思想爲主體之儒家文化圈所固有的傳統精神。換言之，儒家文化圈的傳統精神即
是亞洲經濟發展的原動力，又由於經濟的長期維持景氣的原因，終於造成東亞文化
亦有足以與西洋文化抗衡的文化覺醒。

　　Huntington 是根據經濟發展帶動文化復興運動之覺醒的觀點，來說明東亞各國
何以形成文化復興自覺的原因所在，進而指出儒家文化圈特有的文化價值觀、經濟
倫理觀念是維繫東亞經濟長期發展的重要因素。果眞如此，固有文化復興的覺醒是
東洋共同的理念，或者可以說是東洋共通的心。Huntington 引述星馬領導階層所說
的「秩序、規律、家庭責任、勤勉、集團主義、質素儉約」的精神，則是固有文化
而濟用於當代社會之實踐性功能的所在。

四、理論根據之三：牟宗三的「一心開二門」

　　牟宗三先生說：《大乘起信論》的「一心」就是指如來藏自性清淨心，也就
是指超越的眞常心；「二門」是生滅門和清淨門，生滅門是感觸界而清淨門則是智
思界。就哲學發展的領域而言，這個（「一心開二門」）有其獨特的意義，我們可
以把它看成是一個有普遍性的共同模型，可以適用於儒釋道三教，甚至亦可籠罩及
康德的系統。若將其當做形而上學的問題看，則此種問題即是屬於「實踐的形而上
學」（practical metaphysics），而不是屬於平常的「理論的（知解的）形而上學

---

❾　前引書，頁 156-159。

（immanent metaphysics）。❿就以「致良知」爲例，「良知的一心，既開出德性這一門，又開出知識這二門，也就是道德宇宙與知識宇宙的合一，道德系統將知識系統涵攝於其中。『致』良知一方面是德行的致，一方面則是知識的致。」⓫但是王邦雄先生以爲：

> 對康德來說，智的直覺專屬於上帝，人只有感觸直覺，將兩個主體錯開，所以他的哲學體系，只能說一心開一門，只開出感觸界的生滅門，卻沒有開出智思界的清淨門。……在一心開二門所展開的兩層存有論之下，由於認知心開不出，沒有獨立的地位，是以中國文化傳統也是一心開一門，僅能開出智思界的清淨門，卻開不出感觸界的生滅門。⓬

因此必須「由孔孟讓開一步到老莊」的「曲」，再「由老莊下來一步到荀韓」的「成」，「曲」是作用的放開，「成」是作用的建構，由孔孟到老莊的讓開一步，可以化解主體的執著，由老莊到荀韓的下來一步，可以開展客觀的規制。由此「曲成」的自我轉化過程，才能由中學的超越之體，開出西學的內在之體，再引進西學之用。王邦雄先生進一步地說：

> 牟先生的「一心開二門」的理論架構，正是回應時代而開展出來的。儒釋道三家的超越眞心，自我轉化而爲知性主體，知性主體就是西學的內在之體，再引進民主與科學的西學之用，以建構現代化社會。⓭

王邦雄先生曲成牟宗三先生「一心開二門」的哲學體系，證成了以儒道爲中心的中

---

❿　〈大乘起信論之「一心開二門」〉，《中國哲學十九講》（臺北：臺灣學生書局，1983 年 10 月），頁 291-293。

⓫　王邦雄先生之論儒學客觀化的曲成問題──爲「一心開二門」進一解〉，《國立中央大學人文學報》第五期（1987 年 6 月），頁 43。

⓬　前引文，頁 44-47。

⓭　前引文，頁 50-52。

國思想既有超越的眞心，又能開出道德主體與知性主體二門。本文即以此理論結構
爲前提，探究環中國海域以儒道爲主體的思想形態，其例證則是日本的明治維新。
明治初期政治改革派掌握政權，傾注全力於西歐技術、習慣、制度的引進實行，而
促成日本的近代化。雖然如此，在近代化的過程中，也留意適用於當代之傳統文化
的保存與施行。由於傳統文化的要素有助於近代化的完成，因此明治政府乃利用並
改善傳統文化的要素而做爲近代化的基盤⓮，進而遂行其近代化。明治政府的近代
化意識是超越傳統體制的心的主體，西歐技術、習慣、制度的引進實行是知性主體
的濟用，以傳統文化的要素爲近代化的基盤則是道德主體之挺立。

四、環中國海地區的思想形態

從內藤湖南文明中心移動論所說的歷史循環的規律，Huntington 經濟發展的觀
點來看，環中國海海域有居二十一世紀世界中心地位的趨勢。雖然此海域的思想文
化大抵是以儒家和佛教爲主而開展的，而且此所謂的佛教，不是印度佛教而是中國
化的佛教。因此環中國海海域可以說是儒家文化圈，其思想形態則是以儒家爲主體
而形成的。但是環中國海海域並非單一國家；而是包含著多數的國家、地區。此一
海域的國家、地區都有其獨自的傳統思想及以此思想而展開的文化形態。爲了因應
世界潮流的趨勢，居於主導地位，則必須以牟宗三先生「一心開二門」的思想體
系，開創環中國海海域獨特的思想形態。即以超越的眞宰的主體意識，構築共存共
榮的理念和展開經貿科技高度發展的連網。至於環中國海地域的思想形態則是以儒
家的安仁忠信、道家的因是兩行、日本的惜物保有爲主體而架構的。

㈠儒家的安仁忠信

「仁」是儒家最高的道德，宋明儒以高遠的哲理闡述之；然則「仁」未嘗無
內在於人，且爲安民實用之學而活用於世之義。日本江戶時代的儒者伊藤仁齋以爲
《論語》是以道德爲中心的，所謂「道德」是人生活方式的指針，具有現實意義
的。伊藤仁齋又以爲《論語》的內容都是平凡無奇而不離日常生活的，由於人的眞

⓮ 將忠孝的思想推進至忠君愛國（〈教育勅語〉），將家庭倫理的秩序觀擴充到社會結構與政
　治體制中，皆是傳統文化要素的利用與改善，以遂行日本近代化的例證。

實即在日常生活中，越「卑近」才越重要，正由於其平凡無奇，才顯出其偉大，故伊藤仁齋說：「愚斷以《論語》爲最上至極、宇宙第一書。」（《論語古義》綱領⑮）如「老者安之，朋友信之，少者懷之」（〈公冶長篇〉）即是極其親近的言語，使年老的人能安享晚年，朋友能相互信賴，年幼的人能有所依怙，都是社會生活中日常性的課題，雖然極爲平凡，卻是極其重要的人生問題。

　　龜井南冥一生學問大成於《論語語由》。其以爲《論語》是孔子的言行錄，故《論語》所載孔子的言論不但是「語語必有由」（《家學小言》），而且都有其具體的狀況做爲其敘述的背景，故要正確的理解則必須以「明聖語之所由出」（《同上》）爲第一義。至於《論語》的內容，龜井南冥則以爲是「聖人活物活用之書」，不只是修身的教科書，爲政者的參考書，而是孔子人格躍動之實際描寫的經典。換句話說龜井南冥以爲人格的養成只要根據《論語》即可圓滿具足。⑯龜井南冥之子龜井昭陽論述《論語》的旨趣說：

> 子曰主忠信。而宋儒別創主敬之說。家言也。……普稽經籍，忠信之教，合規前聖。而孔門無主敬之教。施之庠序，行之邦家，則主敬不如忠信，固也。故我門不設多少條目，百事以主忠信爲教。唯是三字，終身用之有餘。（《家學小言》⑰）

　　宋儒以「主敬」爲聖人之道，龜井南冥、昭陽則以「忠信」爲孔子思想的第一義，而做爲龜井一門的座右銘。「忠」是內實的工夫，也足自立於社會的根本涵

---

⑮　有關伊藤仁齋的《論語》理解，參考吉川幸次郎〈仁齋東涯學案〉，《仁齋・徂徠・宣長》（東京：岩波書店，1975 年 6 月），頁 19-59。

⑯　荒木見悟「龜井學の特色」，《江河萬里流る──甦る孔子と能古龜陽文庫一》（福岡・龜陽文庫・能古博物館，1994 年 12 月），頁 187-188。

⑰　《家學小言》一卷（收載於《龜井南冥・昭陽全集》第六卷，福岡：葦書房，1979 年 8月）。關於龜井南冥、昭陽父子的學問參考町田三郎〈龜井南冥・昭陽の生涯と學問〉，《江戶の漢學者たち》（東京：研文出版，1998 年 6 月），頁 63-81，與拙著〈龜井昭陽の《家學小言》について〉，《町田三郎教授退官記念中國思想史論叢》下卷（福岡：中國書店，1995 年 3 月），頁 348-375。

養。「信」是誠實的眞心，是待人接物的基本要素。人人皆能內實其自身，又以誠實眞心相對待，則調和的社會即有實現的可能。故龜井父子以「忠信」爲教授子弟的宗旨。

環中國海的各國家、地區皆各有其自身獨特的條件，如中國的經濟發展的可能性，日本的經貿、科技的先進性，東南亞的自然和人力資源即是。盡己所能地發揮自己的特長而至於無限的可能，則是忠的意義的發揚。信是建構調和的協力關係之基本理念，國際經貿外交的折衝，往往以自身的利益爲前提，而再三地展開交涉協商。若能誠意信實以相對待，則可化解彼此以利益爲優先而引起矛盾與衝突。仁者安仁，內實自身是愛己，推己及人是以己之所欲而及於人，是尊他愛人。境內之人人安樂共生以建構和諧的社會，以跨越國境之彼我共存共榮的理念而構築調和的國際社會，則是安仁的極致。

㈡道家的因是兩行

《莊子》雖是道家的著作，以其內篇的寓言中有借孔子、顏回敘述其重要思想，可以說與儒家的關係甚深。又在思想上，亦有祖述孔子思想的所在，如以「安」而展開的思想架構即是。《論語・里仁》有「仁者安仁」一語。《孟子・公孫丑上》說：「惻隱之心，仁之端也」，即以不忍人之心的良心的發動爲仁的發用。換句話說仁既是道德的規律，也是安定社會的道德根源⓲。「安仁」則是人如何在與社會全體的緊密關係中，盡己所能地發展個人與安定社會的道德行爲。

《莊子・德充符》說：「不擇地而安之，孝之至也。……不擇事而安之，忠之至也。……知其不可奈何而安之若命，德之至也。」「命」是宿命，是人存在於世的必然的制約，是人力所不能改變的，人唯有「安時處順」的順隨安在而已。雖然如此，「因是」而安於宇宙萬物的自然，即是究極的人生。「因是」安順以事上，即是最善的忠孝。衍繹此義於彼此的對待，以「因是」皆可而相對待，即是和諧的人際關係。故《莊子》的「安命」未嘗無以自身的良善架構自喻適志之社會的意義在焉。如是，孔子「安仁」與《莊子》「安順」的極致，皆在於以天賦本有的發用，而建構理想的社會。《莊子》雖沒有使用「忠信」的詞彙，卻也提倡盡己之

⓲　遠藤隆吉：《孔子傳》（東京：丙午出版社，1910 年 11 月），頁 176。

善，而排除彼此是非之執著，以構築適意之生活空間的思想。如〈齊物論〉所說的「自喻適志」，「自」是指「常因自然」（〈德充符〉）、「因其固然」（〈養生主〉）的「自然」或「固然」的意思，即本來所有，不依任何他物而自力獨立的存在。以此本來所有的存在而生存於世，即是快意逍遙的理想人生。換句話說莊子以爲超越世俗規制的價值體系，以天生賦與的才能而終其天年，即是不受在何事物束縛之絕對自由而且圓滿的生涯。至於此圓滿自在的生涯如何而爲可能，則是以〈齊物論〉的「和之以是非而休乎天鈞，是之謂兩行」爲依據的。放下善惡之價值判斷，超越「我是彼非」之心知的分別，以安住於自然平衡之絕對唯一之「天鈞」的境界。如此則既無對立的本質，亦無絕對善惡的執著，既重視自身的存在，也尊重他人的存在，調和順遂之理想社會即有可能實現。人果能相忘於道術，就可能像「魚相忘於江湖」，魚優遊於廣闊的江湖而體得眞正解放自得之樂，人生活於萬物齊同的世界而忘去一切人爲的造作，才是了無拘束自由逍遙的境界。於萬物齊同之實存世界的自由自在的生活，即是究極的社會形態。

　　環中國海域的各國家、地區放下自我優先之偏執的主體意識，排除我彼優劣之心知的成見，而以兩行皆可之相共並存的意念爲共識，則能架構達到均齊平衡的理想社會。

㈢日本的惜物保有

　　內藤湖南在所著《日本文化史研究（下）》[19]的〈日本國民の文化的素質〉一節中說：鎌倉時代（1185-1333）到足利時代（1336-1573）雖然是日本歷史上的黑暗時代；但是由於應仁之亂（1467-1477），日本人創造出自身具有特質的文化。故應仁之亂是日本文化自中國文化獨立而出的契機。

　　內藤湖南以爲目錄學不但是圖書分類、書目品評的學問，也是擁有優良文化的證據。《本朝書籍目錄》是足利時代所編纂的圖書目錄，從編目看來，有中國傳來的，也有日本固有的書籍，雖然未必能顯現出日本絕無僅有的獨特性，卻足以證

---

[19]　《日本文化史研究》收載於《內藤湖南全集》第九卷（東京：筑摩書房，1969 年 4 月），亦有單行本，即講談社學術文庫 76、77，於 1976 年 11 月出版。

明在混亂時代中，日本人極盡可能地保存古來相傳的文化。⑳如一條兼良爲避免所
藏的書籍遭到戰火的焚燬，將充棟的書籍藏之於書庫。豐原統秋爲了家傳的笙譜能
傳諸後世而撰述《體源抄》一書。可見於擾攘之際，盡力保存古代文化之一端，是
當時公卿士族共通的理念。在保存中華文物上，中國人也未必如此費心，就此意義
而言，日本人竭盡心血以保存古來相傳的文化，因而得以傳之後世的文化就可以說
是日本的文化。㉑再者，知識技藝的傳授，固然是應仁亂後，公卿貴族用以糊口的
手段，卻由於時代思潮的影響，形成日本獨特的文化。如神道的傳授，從奈良時代
到平安時代的神代記事，並沒有哲學性的思考。到了鎌倉時代末期到足利時代之間
所形成的神道，則用佛教的教義解釋《日本書紀》神代卷的記述，神道因而具備了
哲學性的意義。如吉的神道即是。又由於吉田神道具有形上架構，吉田神道乃建立
其權威性。即非得到吉田家的傳授就不是正統的神道。其他的技藝傳授、如和歌亦
然。換句話說由於尊敬專門性、正統性與權威性而形成所謂「某家」「某道」、即
「文化的權威」的觀念，是在應仁之亂前後的黑暗時代。㉒

　　在日本歷史的黑暗時代中，由中國傳入的文化喪失殆盡，但是由於當時文化
階層人士竭盡所能地保存古來相傳文化，日本人也因此而擁有創造文化的要素，日
本獨特的文化乃得以創生。換句話說愛惜文物而善加保存的精神是日本人創生文化
的原動力。而此惜物以創生的原動力正是今日人我共生、人與自然共存的基本精
神，也是維繫社會結構的健全與自然生態平衡的原點。

五、結語

　　Huntington 根據經濟發展的觀點以爲二十一世紀世界經貿的中心在東亞，而此
一區域的課題是如何構築具有思想文化共識的經濟組織。雖然環中國海域的思想是
以儒家精神爲主體而展開，放大抵皆具有勤勉、簡素的性格；但是彼此依然有文化

---

⑳　〈日本國民の文化的素質〉，《日本文化史研究（下）》（東京：講談社，1976 年 11 月，
　　講談社學術文庫 77），頁 96-97。
㉑　〈應仁の亂について〉，前引書，頁 73-74。
㉒　〈日本國民の文化的素質〉，前引書，頁 98-100。

的差異，再加上由於經濟利益的結合，即不免有主體意識的衝突與矛盾產生。因此以普遍性的價值觀而構築協調性的體制則是此地區的首要之務。在思想共識上，Huntington 舉日本爲例說：明治維新期的日本人選擇了「脫亞入歐」的方向；但是傳統文化復興期的二十世紀末的日本人則必須有「脫美入亞」的共識。因爲東亞經濟的成功即是道德性優越的證據，東亞道德之優越性即在於具有普遍性的價值觀，而此普遍性價值觀若能構築「亞洲的世界化」形態，則能成爲維繫世界新秩序的根據所在。❸然而爲何東亞地區具有「普遍性價值觀」，又 Huntington 所謂的「普遍性價值觀」到底爲何，東亞的思想形態又爲何，則是值得探究的課題。

　　東亞地區之具有「普遍性價值觀」的問題，可以用東洋文化形態的歷史發展的軌跡來說明。就東洋文化形態的歷史發展而言，內藤湖南提出了「螺旋循環狀」的文化影響論。內藤湖南以爲歷史的演進與文化形態的形成既不是直線式的，也不是圓環式的，而是螺旋狀循環式的。內藤湖南說：東洋文化的中心在中國，在黃河沿岸發芽的文化，首先延伸至西方，再到南方，其後出東北而蔓延至日本。由於中華文化的刺激，中國周邊各民族終於產生文化覺醒，其後周邊民族的新興文化又倒流到中國。此正向運動與逆向運動的反復循環，即是東洋文化形成的軌跡。❹換句話說東亞文化是以中華文化爲中心而開展成的，故具有全體性和普遍性。就中國內部而言，中國古代思想的主流是儒家思想，儒家思想南傳，道家的莊子受到儒家，特別是孔子、顏回的思想或行誼的影響，而提倡以自身的良善架構自喻適志之社會的思想。就中日交流關係而言，儒家思想根植於日本社會之中，由「愛物」而產生的惜物保有的精神則中國所闕如的。至於「普遍性價值觀」與東亞的思想形態的問題，吾人以爲是儒家「安仁」與道家「安順」之極致發用的「和諧」及日本惜物而保有的精神。由於「和諧」的體得珍惜而長久保有，才能構築協調性的組織。

　　孔子的仁是發自骨肉之間的自然而且調和的情感，即道德的根本就在人的自身。全幅肯定此道德，以爲是人天生而有的是孟子的性善說。就此意義而言，以孔

---

❸　同注❶，頁 157-161。

❹　〈日本文化とは何ぞや（その二）〉，《日本文化史研究（上）》（東京：講談社，1976 年 10 月，講談社學術文庫 76），頁 25。

孟爲中心的儒家思想的主旨是在強調人的社會性的意義，人是與他人共存於社會而非獨立生存於世的，因此人際關係的諧調是絕對必要的。《論語·學而》說：「禮之用和爲貴」，禮的作用在於調和的追求，即秩序整然而且諧調的社會才是理想的社會。《孟子·梁惠王下》說：「君子不以其所以養人者害人」，「所以養人者」是指生養眾生的土地，爲了食糧或財產的取得而殘害百姓是君子所不爲的。土地再貴重，也是生養大眾的大地，爲了爭奪土地而犧牲人命是本末倒置的行爲㉕。以人際關係爲前提而無彼我是非善惡的紛爭，再推廣此義，以尊重彼此立場而消解民族對立、國際糾紛，則是「和」的究極意義。換句話說，「和」的究極意義不但是以調和的精神孕育出的共同社會之結合意識的倫理思想，同時也是泯除彼我的差別，進而產生人與自然共生的和諧思想。

　　東亞各國的文化雖然是以儒家思想爲主體而形成的；但是依然有其獨自開展而成的所在。在自身歷史文化的發展過程中，由於與鄰接國家的交錯，終不免會發生文化的衝突。雖然如此，Huntington 說：今日世界有阻止文化、文明間衝突的必要性之認識逐漸提高，呼籲「文明化對話」以探索減少文化、文明差異之道，增進文化、文明的共通、融合性的互動是世界和平的重要課題㉖。若然，以「和」而開展出來的人與人共生、人與自然共存的思想則是環中國海地域的共同意識。就時代趨勢而言，今後環中國海的國家、人民緊密結合，構成一個國際社會是必然的走向，故此海域的國家、地區以「和」爲普遍價值觀，發揮自身之所長，並相互尊重彼此的存在的立場與利益，即以「和」的精神所構築的共存倫理，增進有連帶感與親和感之共同社會意識，建立以共生共存爲主體的環中國海地域經濟組織，則是當急之務。

㉕　「仁」的解釋和以《孟子·梁惠王下》爲例證而說明「和」的意義，是參採金谷治之說。見《中國思想を考える》（東京：中央公論社，1993 年 3 月），頁 35-37、頁 59。

㉖　同注❶，頁 2-3。

經 學 研 究 論 叢
第 七 輯　　頁331～352
臺灣學生書局　1999 年 9 月

越南所存的漢文經學古籍

王小盾、王福利*

一、漢語文在越南的流傳

　　越南和中國是擁有共同文化淵源的國家。從古代史的角度看，越南文化可以說是中華文化的一個分支。根據《史記・趙世家》正義的看法，越南的古王朝甌駱是中國東南部越族中的一支。而其它記載表明，從南越王趙佗至吳權奠都古螺（939 年）的一千多年裏，越南曾作爲中國的一個行政區存在；此後至明代嘉靖年間，越南一直接受中原王朝所頒封號，其國王亦多爲華裔。❶儘管從一五二七年起，越南進入了「自主時代」，但以推行漢文化爲實質的科舉制度卻一直實行到一九一八年。也就是說，只是在本世紀，拉丁化的越南語文才佔據統治地位，在日常生活中逐步代替了漢字和喃字。

　　上述情況，使大批漢文古籍完好地保存在越南。其數有七千多種。這個數目包括一千多種喃文古籍，而基本上不包括越南少數民族（儂族、瑤族、芒族、山族、岱依族）利用漢字所造的本民族文字的書籍。這七千多種書，有大約五〇三八種得到整理，編入一九九三年用越、法兩種文字出版的《越南漢喃遺產目錄》。❷

---

*　王小盾，揚州大學中國文化研究所所長。王福利，徐州師範大學副教授。

❶　參見張秀民《從歷史上看中越關係》、《安南王朝多爲華裔創建考》，均載《中越關係史論文集》（臺北：文史哲出版社，1992 年）。

❷　越南古籍中的絕大部分是手抄本圖書，故其裝幀方式頗與中國不同：多把數種內容相近的書抄於一冊，合用一名。故按形式計，《越南漢喃遺產目錄》著錄圖書 5038 種；按內容計，亦

據統計，其中有三分之一（1641 種）是從中國傳去的古籍，包括這些古籍的重抄重印本；另外三分之二是越南人在中國古籍影響下寫作的作品。

除越南以外，在歷史上受漢文化沾溉較深厚的國家有韓國、朝鮮和日本。同這幾個國家一樣，古越南也沒有自己的文字；但在使用漢字方面，越南卻有最悠久的歷史。從古代越南銅鼓的銘文和見於西漢南越王墓的出土物❸看，在公元以前，漢語篆字即在越南得到應用。歷史記載則表明，早在漢武帝置南越九郡，設太守、刺史治理之時，詩書教化便成爲南國的制度。而在此前的秦代，有越南人李翁仲入中原任職校尉，守臨洮；在此後的東漢靈帝年間，有交州茂才、孝廉各一人仕漢而爲夏陽令、六合長：由此可見漢語教育當秦漢之時便已在越南展開。嚴可均《全宋文》卷六三所記釋道高、法明〈答李交州淼難佛不見形〉等文，是現存最早的越南文獻，亦是越南作爲「文獻之邦」的證明。《全唐文》卷四四六所載著有〈白雲照春海賦〉、〈對直言極諫表〉等文的姜公輔，則是產生於越南的第一名進士。科舉制度自唐代傳入越南之後，經久不衰，越南歷史上於是有了三千多名像姜公輔一樣的進士，同時有了不計其數的秀才舉人。這支隊伍，正是創作漢籍並使之流通的強大力量。

隨著漢語文的流傳和應用，一種用漢文字形來拼寫越南語音的新文字產生出來，人們稱之爲「字喃」或「喃字」。東漢末年的交州太守士燮（即傳說把交州治成文獻之邦的那位太守），爲推廣漢語文，假借漢字形聲以記越語，其造字法被看作喃字之始。一般認爲，喃字的產生經過了兩個階段：一是用漢字來拼音，記寫人名、地名、草木名、禽獸名的階段；二是系統製作喃字以表意的階段。關於喃字的最早證據，有越南歷史博物館所藏、鑄於一〇七六年的鐘銘，以及刻于一二〇九年的報恩碑——它們是第一階段的喃字的代表。而系統使用喃字的作品出現在十三世紀以後。陳朝（1225-1400 年）的《禪宗本行》、黎朝初年（1428 年）阮薦所作的《國音詩集》，是第二階段的喃字的代表。十八世紀以後，隨著通俗文學的蓬勃發

即按劉向、劉歆整理圖書之後的中國圖書單元概念計，則應爲一萬六千多種。這個數字尚不包括 1993 年以後入藏的近八百種圖書，以及三萬件已入藏的碑文拓片。

❸ 〈西漢南越王墓發掘報告〉，載《考古》1984 年第 3 期。

展，喃字作品終於蔚成大國。《越南漢喃遺產目錄》中收錄了一三七三種純用喃文寫成的古籍，它們基本上是十八世紀至二十世紀的作品。

　　文字是記錄語言、表達思想、傳播文化的工具。漢文化對越南文化的影響以及這種影響的深度和廣度，正可以從漢文古籍在越南流傳、發展的規模中見出。因此，根據以下幾個事實——日本從公元九世紀起就開始造假名，朝文的創立在一四四四年，而越南的拉丁文字則到一八八五年才出現，到一九四五年才成爲法定文字——可以認爲，域外漢文古籍滲透最深的地方是越南，漢文化在域外影響最大的地方也是越南。另外一個值得注意的指標是：越南語有 70%-80%的詞匯來源於漢語。在這種被稱作「漢越語」和「古漢越語」的語言中，保留了許多在現代漢語中已經消失的古漢語詞匯，同時也保留了大批對于漢語語言學研究具重要意義的資料。這一點，正好也反映了漢民族傳統在越南文化中的深厚積澱。

　　以上所述，可以看作越南漢文經學產生發展的背景。就此背景不難理解：既然中國文化在越南的傳播是以儒學爲核心而進行的，那麼，經學古籍作爲主流思想文化的載體，自然是越南所傳漢文化中至爲重要的組成部分，自然會在越南得到強勁的發展。不過，下文的統計數字卻表明，在越南古籍中，經學古籍所佔比例并不大。這意味著，經學在越南的發展狀況比我們想象的更爲複雜——具有不同於中國經學史的種種特點，其著作體裁和典籍功能亦有異於中國的經學典籍。正因爲這樣，探討越南漢文經學古籍的遺存和流傳情況，便有一些特別的意義。

二、越南的漢文經學古籍

　　關於越南所藏的漢文古籍，現存有二十幾種目錄。其中時代較早的有《黎昭統史·藝文志》和載于《明都史》的《皇黎四庫書目》，產生于一七五九年及稍後；時代較晚約有分別於一九七七年、一九九三年在河內印行的《漢喃書目》和《越南漢喃遺產目錄》。後者由法國遠東學院和越南漢喃研究院合編，著錄圖書約五〇三八種。據初步統計，其分類比例如下：

經部　　　3.1%

史部　　　30.5%

　　　　　正史 0.9%、編年 0.3%、雜史 2.2%、燕行記 0.4%、史評 2.4%、

政書 9.6%、傳記 9.6%、地理 4.9%

子部　　　32.4%

儒學 3.5%、雜學 1.3%、佛教 7%、基督教 0.5%、道教 1.9%、
俗信 6.3%、醫家 6.7%、曆算 0.8%、數術 3.8%、藝術 0.4%

集部　　　34%

總集 6.5%、別集 9%、北使詩文 1.6%、酬應文 3.4%、
舉業文 5.6%、賦和六八體 2.4%、戲曲曲藝 2.6%、小說 3%

這些數據，可以同有關清四庫全書的一些數據相比較。在《四庫全書總目》所著錄的全部圖書（包括附錄書和存目書）中，經部書佔 17.7%，共一八八一部；史部書佔 20.7%，共二二〇六部；子部書佔 28.8%，共三〇七〇部；集部書佔 32.8%，共三四九七部。由此可見，無論從數量上看還是從比重上看，越南的經學古籍都是很貧弱的：同中國經學典籍的數量相比，只相當於它的十三分之一；同其比重相比，只相當於它的六分之一；同越南古籍的其他部類比，只相當於史、子、集等每一部的十分之一，而不及史部中的政書、傳記、地理等類，不及子部中的儒學、佛教、俗信、醫家、數術等類，也不及集部中的總集、別集、酬應文、舉業文等類。其原因應當在於：越南漢文古籍主要產生在 16 世紀以後，亦即產生在經學衰落的「自主時代」；政治上的「自主」，正可以成爲導致經學衰落的原因。從另一方面看，則可以說越南漢文古籍具有更強的應用性，同社會各階層的日常生活有更密切的關聯。通過以下書目，我們可以就此得到更明確的認識。這份書目的基礎，是我們對《越南漢喃遺產目錄》著錄的全部書籍所作的詳細分類。爲便查核和統計，書名前保留了該書（《遺產目錄》）的編號，並用「口」表示用於舉業的典籍、用「★」表示用喃文寫作的典籍、用「✓」表示採用六八體的典籍：

㈠易

492　　　《周易究原》，黎文敔（字應和）編輯並序，1916 年
抄本 282 頁，有圖。

493　　　《周易啓蒙圖象》
抄本 92 頁，有圖。

✓　492　494　　　《周易國音歌》，鄧泰滂編撰，李子晉校訂，有阮浩軒 1750 年序、

　　　　　　武欽鄰 1757 年序、范貴適 1815 年序

　　　　　　印本 438 頁，有 9 幅圖。六八體。

496　　《周易問解撮要》，范貴適撰并序，1805 年

　　　　　　抄本 184 頁，有圖。

713　　《易學啓蒙》

　　　　　　抄本 128 頁。

714　　《易學入門》（又名《易經參考》、《易箋註備考》）

　　　　　　抄本 74 頁。

★　715　　《易經正文演義》

　　　　　　抄本 268 頁，有圖，有喃文。

★　717　　《易經大全節要演義》，范貴適撰，1740-1786 年

　　　　　　印本三種，694 頁至 768 頁。喃文間有漢字。

★　718　　《易經講義》，丹山范先生撰

　　　　　　抄本 316 頁。喃文間有漢字。

720　　《易略》

　　　　　　抄本 52 頁。關於《乾》、《坤》、《屯》、《蒙》四卦的注解。

(★)　721　　《易義存疑》，1805 年抄

　　　　　　抄本 214 頁，漢文間有喃字。

(★)　722　　《易膚叢記》，阮衙撰

　　　　　　抄本 115 頁，漢文間有喃字。內容包括用問答形式來解釋易經的
　　　　　　義理、伏羲 64 卦注解等。

723　　《易膚叢說》二卷，黎貴惇編輯

　　　　　　抄本四種，132 頁至 238 頁。

　　　　　　附應溪先生所集《律呂本源》

724　　《易軌秘奧集》，蔡善養編撰，范喬年校正，1769 年

　　　　　　抄本 112 頁，內容包括易經卦法、太乙卦法和年月日時的計算。

725　　《易數求聲法》

　　　　　　抄本 62 頁。

1362　《羲經蠡測》，一本題丁酉年范撰，一本東塾氏 1786 年抄

抄本五種：102 頁、108 頁、174 頁、302 頁、374 頁。以問答形式
對《易經》的圖說。

3929　《竹堂周易隨筆》，吳世榮著，陳銘新抄

抄本 380 頁。

4551　《周易》

抄本兩種，92 頁和 406 頁。

4552　《周易折中》三十二卷，李光地編輯

印本 1408 頁。

4574　《易經》四卷，明永樂年（1403-1425 年）編撰

印本 626 頁，有圖。

4576　《易春精義》四卷，武林黃、淦偉文編撰

抄本 276 頁，包括：

1.《周易精義》二卷，1804 年序。

2.《春秋精義》，1804 年序。

4601　《大易經》，宋朱熹、程頤等撰

抄本 262 頁。含《易經入門》、《易卦》、《筮策》、《變卦》
等項目。

1266　《河洛圖說略問》

抄本 122 頁。關於河圖、洛書、陰陽、八卦的 170 段問答。

（★）　1267　《河洛理數》

抄本兩種，148 頁、160 頁。漢文間有喃字。

★　3134　《雜錄備考》

抄本 198 頁。漢文有喃字。內容包括：

1.《河圖洛書略問》，喃文。

2.《備考》。

□　495　《周易策略》

抄本 192 頁。關於《周易》的 470 篇策文。

　　　　　　　附朱熹《周易圖說》

□　716　《易經大段策目》

　　　　　　　抄本，85 頁。

□　719　《易經策略》

　　　　　　　抄本三種，226 頁。關於《易經》的 431 篇策文。

□　4575　《易經精義略》

　　　　　　　抄本 472 頁。168 篇經義文。

□　1363　《羲經策略》

　　　　　　　抄本 924 頁。關於《易》經的 596 段問答。

(二)書

　　3647　《書經演義》，黎貴惇 1772 年編撰，李陳貫 1778 年跋

　　　　　　　抄本 284 頁。

★　3648　《書經大全節要演義》六卷存三卷

　　　　　　　抄本 382 頁，喃文間有漢字。

　　3650　《書經節要》，裴輝碧撰，1836 年

　　　　　　　抄本 704 頁。

　　3651　《書經精義》

　　　　　　　抄本 85 頁。

　　4932　《書經》

　　　　　　　抄本 166 頁。存《堯典》、《舜典》二章。

□　3649　《書經策略》（又名《書經略文》）

　　　　　　　抄本四種，分別爲 272 頁、302 頁、416 頁、429 頁。

□　3652　《書略問》

　　　　　　　抄本 138 頁，收錄 59 篇策文。

(三)詩

★　3424　《詩經演音》

　　　　　　　抄本 300 頁。《詩經》喃譯。

★✓　3425　《詩經演音》

抄本 394 頁。用六八體和七七六八體詩對《詩經》的仿譯。

★　　3426　《詩經演義》，1836-1837 年印

印本五種，分別爲 204 頁、232 頁、240 頁、348 頁、754 頁。喃文。

★　　3427　《詩經解音》，1792 年印

印本 924 頁。喃文間有漢字。

★✓　3428　《詩經書經國語歌》（又名《毛詩吟詠實錄附書經國語歌》）

印本 80 頁；抄本兩種，80 頁、62 頁。喃文，六八體。

★✓　3429　《詩經書經國語歌》，陳青川抄

抄本 68 頁。喃文，六八體。

　　　3430　《詩經捷錄》，1856 年重印

印本 718 頁。

　　　3661　《識名圖說》（又名《詩經識名圖說》、《新編詩經識名圖說》），

黎叔獲編，1890 年

抄本 118 頁。

　　　4728　《毛詩集說彙選》，江巢編撰

抄本 220 頁。

　　　4906　《詩經》

印本 656 頁。

★　　59　《葩詩國語歌》

抄本 42 頁。《詩經》31 首的喃譯，有漢字。

附祭文若干篇，又附《猛虎出平原》、《龍虎鬥》等。

★　　478　《征婦吟曲》

抄本 42 頁。內容爲《詩經》征婦題材的詩篇。漢文間有喃譯。

附：《人影問答》（六八體詩）；

《秋夜旅懷吟》（丁日愼撰）；

《香跡日程歌》（鄧氏撰）

□　　3465　《詩書策略》

抄本 344 頁。共收錄 180 篇策文。

□　2138　《毛經策略》（又名《詩經策略》）

印本五種，242 頁、276 頁、286 頁、385 頁。350 篇策文。

四禮

500　《周禮節要》（又名《周禮注疏刪翼節要》）四卷，有明崇禎己丑
年（1649 年）序，裴輝璧編輯，1827 年印
印本 707 頁。

4706　《禮記雜說》，陳澔撰
抄本 88 頁。

4741　《儀禮》
抄本 180 頁。

2323　《儀禮集要》，阮氏 1782 年序，范氏 1827 年編並序
抄本 148 頁。關於殯葬、嫁娶、祭祀等儀式的記錄，附有輓聯和
祭文。

★　1923　《禮記大全演義》（又名《禮記大全節要演義》）四卷
印本 680 頁。喃文間有漢字。

1924　《禮經》，黎文敬編輯並序，1928 年
抄本 158 頁。

★✓　2467　《月令國音歌》
抄本 8 頁。《禮記·月令》的喃譯，六八體。

1925　《禮經略文目次》，武聲希抄錄，1844 年
抄本 192 頁。

□　1927　《禮書略編》
抄本 178 頁。270 段摘自《禮記》的文句和 36 段摘自《尚書》的
文句，以婚喪祭祀等禮儀爲主題，用於舉業。

□　498　《周禮策學纂要策學提綱略抄》
抄本 142 頁。包括：
1.《周禮略抄》

　　2.《策學提綱略卷》

　　3.《十科策略節抄》

　　4.《策學纂要節抄》

☐　499　　《周禮策略》（又名《周禮序策略》、《周禮略文》）

　　　　　抄本三種，124 頁、126 頁、206 頁。

☐　1926　《禮經策略》，丹亭緝齋阮氏抄，1892 年

　　　　　抄本六種，106 頁、116 頁、118 頁、178 頁、284 頁。

㈤春秋

　　3057　《左傳要詮》

　　　　　抄本 46 頁。

☐　4430　《春秋制義》，丁葆軒、儒光搜集

　　　　　抄本 238 頁。64 篇經義文。

★　4431　《春秋演義》（又名《春秋大全節要演義》）六卷

　　　　　印本三種，730 頁、980 頁。關於《春秋》的喃譯。

(★)　4433　《春秋略抄》，1896 年抄

　　　　　抄本 54 頁。漢文間有喃字。

　　　　　附《春秋十二公城築歌》

　　4435　《春秋義例總論》

　　　　　抄本 206 頁。

　　4436　《春秋管見》（又名《吳家文派春秋管見》），吳時任 1786 年撰

　　　　　抄本 1010 頁。

　　5026　《春秋》

　　　　　抄本 132 頁。

　　5027　《春秋體註大全》四卷，宋胡安國注解，有 1711 年序

　　　　　印本 514 頁。

☐　728　　《易春經策略》

　　　　　抄本 308 頁。關於《易》、《春秋》義理的 395 篇策文。

☐　4434　《春秋略文》

抄本 120 頁。46 篇經義文。

□ 4438 《春秋序論策問》

抄本 126 頁。

(六)五經總義

4758 《五經大全》

中國印本

1.《易經大全》九卷，2012 頁，有 1715 年序；

2.《書經大全》十卷，1306 頁，有 1730 年序；

3.《詩經大全》十五卷，1396 頁，有 1177 年及 1727 年序；

4.《禮記大全》三十卷，2228 頁，題黃際飛 1686 年校訂；

5.《春秋大全》三十五卷，2270 頁。

4759 《五經欽定》

據中國印本重印。

1.《周易折中》二十二卷，1938 頁，1861 年據 1715 年版印；

2.《書經傳說》二十五卷，2318 頁，1861 年據 1730 年版印；

3.《詩經傳說》二十五卷，3178 頁，1860 年據 1727 年版印；

4.《禮記義疏》二十六卷，4958 頁，1863 年據 1721 年版印；

5.《春秋傳說》四十卷，3734 頁，1862 年據 1721 年版印。

4760 《五經捷解》（又名《五經捷大全》、《合纂五經捷》），鄭珠江
審定，鄭際泰 1711 年序。印本。

1.《詩經注捷錄》八卷，860 頁；

2.《書經大傳捷錄》六卷，706 頁；

3.《周易本義捷錄》八卷，648 頁；

4.《春秋胡傳捷錄》十二卷，594 頁。

3947 《中學五經撮要》，楊琳、阮忠勸編輯，杜文心審定

抄本 834 頁。關於《易》、《書》、《詩》、《春秋》、《禮
記》諸書內容的概說。

4049 《資深集補編注釋》

抄本 272 頁。關於五經名言、典故的解釋，四言體。

1783　《經傳演歌》，1890 年印

印本 150 頁。《禮記・月令》、《詩經・七月》、《尚書・禹貢》、《中庸》等書的喃譯，六八體。

2377　《五經節要》，1846 年裴序

印本兩種：1846 年本、1897 年本。

1.《書經大全》（節要）四卷，576 頁；

2.《詩經大全》（節要）四卷，696 頁；

3.《易經大全節要》四卷，596 頁；

4.《禮記》（節要）三卷，500 頁；

5.《春秋》（節要）四卷，720 頁。

2378　《五經節要演義》，裴輝碧撰，1837 年

喃文印本 3150 頁。其中《詩經》802 頁、《書經》634 頁、《易經》732 頁、《春秋經》982 頁。

2379　《五經精義》

抄本 74 頁。關於《春秋》的經義文，用為舉業範文。

2380　《五經精義短篇》，1838 年印

印本 224 頁。115 篇經義文，用為舉業範文。

2381　《五經串珠序》（附《漢高唐太評》）

抄本 40 頁。內容為介紹《詩》、《書》、《易》、《禮》、《春秋》之意義宗旨的序文，以及傳說為漢高祖、唐太宗的評論。

1581　《鄉會五經精義》

抄本 166 頁。取材于五經的 81 篇經義文。

2375　《五經類說》

抄本 264 頁。策文，內容取自《易》、《詩》、《書》、《禮》、《春秋》等。

附碑文、對聯、挽文若干。

1787　《經傳精義》

抄本三種，共收錄 193 篇經義策文。其中 116 頁本 25 篇，204 頁本 78 篇，218 頁本 90 篇。

(七)四書

817 　《大學講義》
　　　　抄本 30 頁。

(★) 818 　《大學晰義》，黎文敬編撰並序，1927 年
　　　　抄本 116 頁。漢文間有喃字。

4604 　《大學演義》一百六十卷，明丘濬編撰，有周洪謨 1488 年序、萬曆
　　　　皇帝 1605 年序
　　　　印本 6028 頁

★ 3943 　《中庸演歌》（又名《中庸演歌·易卦演歌》），范少遊撰，高春
　　　　育跋，1891 年印
　　　　抄本（據 1891 年印本抄）78 頁。內容爲《中庸》三十三章、《周
　　　　易》六十四卦、《禮記·月令》、《詩經·七月》和《小戎》的
　　　　喃譯。喃文間有漢字。
　　　　附六八體喃詩二篇。

3944 　《中庸講義》
　　　　抄本 168 頁。

★ 3945 　《中庸說約》，黎艾敬撰，1927 年
　　　　印本 282 頁，抄本 186 頁。對漢文《中庸》作喃文解釋。

4092 　《四書節要》，裴輝碧摘編，1895 年印
　　　　印本三種：1300 頁、186 頁、150 頁。

★ 4094 　《四書約解》，黎貴惇校訂，1839 年印
　　　　印本 895 頁。喃文間有漢字。

□ 4095 　《四書文選》四卷，鄧輝著編輯
　　　　印本 956 頁。288 篇經義文。

4988 　《四書引解》，張達焯（乾隆間人）序，1847 年重印
　　　　印本 2420 頁。

4989　《四書大全》（又名《四書大全引解》），張達焯 1768 年序，1847
　　　年重印

　　　印本兩種：4720 頁、2860 頁。

4990　《四書人物備考》，陳仁錫 1719 年重印序

　　　印本 456 頁，抄本 40 頁。關於四書中人名物名的考證和解釋。

4991　《四書體註》

　　　印本 792 頁。對四書的章、句、字的解釋。

□　2051　《論語制義》

　　　抄本 266 頁。內容爲關於《論語》的 151 篇經義文。

2052　《論語正文小對》

　　　印本 62 頁。關於《論語》的 144 對聯語，每聯四字。

2053　《論語愚按》十九卷，范立齋撰，1781 年

　　　抄本 422 頁。

2054　《論語菁華幼學》，厝腥編著，鄧文瑞序，阮文腥跋，1914 年

　　　印本 92 頁。

□　2055　《論語集義》

　　　抄本 88 頁。228 篇經義文。

(★)　2056　《論語釋義歌》七卷，嗣德編撰，黃有秤等審閱，黃炳等校，1896
　　　年

　　　印本兩種：798 頁（存兩卷），1110 頁。漢文間有喃字。

2057　《論語節要》，黎文敬編輯並序，1927 年

　　　抄本 298 頁。

□　2058　《論語精義》

　　　抄本 376 頁。161 篇經義文。

★✓　1783　《經傳演歌》，1890 年印

　　　印本 150 頁。關于《禮》、《詩》、《中庸》、《四書》的六八
　　　體喃歌。

□　4090　《四書短篇》四卷，長文堂 1838 年印

　　　　印本兩種，314 頁、150 頁。內容為 170 篇經義文，題材采自四
　　　　書，篇名有「里仁為美」、「為政以德」等。

□　　4091　　《四書策略》
　　　　抄本五種：412 頁、268 頁、168 頁、160 頁、100 頁。

□　　4093　　《四書精義》
　　　　抄本三種：644 頁、203 頁、186 頁。各考場的策文文選，題材均
　　　　采自四書。

□　　4096　　《四傳義選》（又名《四傳精義》）
　　　　抄本兩種：186 頁、98 頁。各考場的經義文選，題材采自四書。

□　　2050　　《論孟策段》
　　　　抄本 158 頁。內容為 184 篇策文，題材采自《論語》、《孟
　　　　子》、《中庸》、《性理》。

(八)孝經

(★)　1373　　《孝經譯義》，陳文燏喃譯，1918 年印
　　　　印本 36 頁。漢文間有喃字。

★✓　1374　　《孝經立本》，棉寯編撰，范有儀序
　　　　印本兩種：222 頁、96 頁。一本附以下三書：
　　　　1.《孝史略詮》126 頁，有棉貞 1887 年序。
　　　　2.《孝經國音演義歌》26 頁，葦野、楊維德評，范有儀序。六八
　　　　體喃歌。
　　　　3.《孝史國音歌》36 頁，綏理公審定，陳仲書評。六八體喃歌。

★✓　1375　　《孝經國音演歌》，棉寯撰，范有儀序
　　　　印本 40 頁。《孝經》的六八體喃譯。
　　　　附：《活世生幾孝子光傳》（采自中國邵紀堂作品）
　　　　《補正二十四孝傳演義歌》（喃文）

　　1376　　《孝經釋義》
　　　　印本 26 頁。

　　4645　　《孝經註解》，宋元宗皇帝注解，司馬光釋義，范祖禹疏，道光二

　　　　　十七年（1847）印

　　　　　印本 44 頁。

4646　《孝經譯說闡義》，蔡懷清評注，李芝有鑒定，林時可等序，1893
　　　　　年

　　　　　印本 164 頁。

4647　《孝經集註》

　　　　　抄本 42 頁。

　　　　　附《忠經集註》，題鄭玄撰注

4960　《忠經孝經》（又名《忠經孝經節要》），毛師鄭、沈明遠、李章
　　　　　羨編輯，1852 年重印

　　　　　印本 66 頁。

(九)小學

(★)　865　《大南國語》，海珠子編輯，1899 年印

　　　　　印本 170 頁。漢喃分類詞典。

　　1341　《漢字自學》，阮春琳 1942 年編撰并序，陳子潤、裴有造跋

　　　　　抄本 178 頁。漢越分類詞典。

(★)　544　《字國語古》，1918 年編撰

　　　　　抄本兩種：一本 64 頁；一本題《安南國語新式》，22 頁。漢文，
　　　　　有喃字和國語（越南文）字。

(★)　434　《指南備類》（又名《宿醫院注解》）

　　　　　抄本 80 頁。漢喃雙語詞典，分成天文、地理、草木、禽獸、農耕
　　　　　等目。

(★)✓　435　《指南玉音解義》（又名《重鐫指南品匯野潭並補遺大全》、《指
　　　　　南野潭》），1761 年再版

　　　　　印本兩種，160 頁、164 頁。抄本兩種，158 頁、192 頁。漢喃雙
　　　　　語詞典，分成 40 目，詞條 3400 條，用六八體釋義。

★　3089　《三千字解音》

　　　　　印本五種，47 頁、60 頁。喃文對三千個漢字的注解。

★　3090　《三千字解譯國語》

印本六種：1908 年本 130 頁，1909 年本 86 頁，1915 年本 94 頁。

用喃字解釋二千個漢字並用國語（越南文）爲之注音。1917 年本

無喃文釋義。

3091　《三千字歷代文註》，徐崑玉撰，阮有愼注釋，段伯貞校訂，

1819 年重印

印本 232 頁。

★　3540　《千字文解音》，1890 年印，1909 年印

印本四種：1890 年本 24 頁，喃文間有漢字；1909 年本 40 頁，增

用國語字。

4107　《字典節錄》，范公輝編撰，1852 年

抄本 160 頁。對《康熙字典》的節錄，共有五千字頭。

✓　4119　《字學求精歌》，杜輝苑編輯，蘇叔達音義，1879 年印

印本 38 頁。關于學習漢字的六八體歌。

4120　《字學訓蒙》，黎直撰，1877 年抄

抄本 140 頁。

4121　《字學四言詩》，黎直撰，1882 年抄

抄本 52 頁。

(★)　4123　《字類演義》

抄本 77 頁。漢喃分類詞典。

2833　《國音新字》，阮子編輯

抄本 16 頁。關於音韻學和《康熙字典》的解釋，內容包括二十二

干音（元音）、一百十支音（輔音）、八聲及標聲符號、反切、

拼音方法等。

1654　《欽定輯韻摘要》，范文誼、黎維忠、阮文超編輯，1839 年印

印本八種，1320 頁、1392 頁、1516 頁。關於《佩文韻府》的摘

要。

1703　《檢字》，楊嘉訓編撰，1895 年印

印本 40 頁。用韻文說明 232 個漢字的寫法。

附：黎永祐（1735-1740）關於佛教的答疑、阮文爽（1536-?）出使北京時所寫的〈飛來寺賦〉。

1750　《今文字略》

抄本 42 頁。

★✓　2388　《五千字譯國語》，阮秉喃譯並序，1909 年印

印本 128 頁。用六八體把 5000 漢字譯成喃文和越南文。

★　2306　《難字解音》

抄本 88 頁。對 1066 個漢字的喃譯。

4800　《翻切字韻法》，1834 年據 1745 年版重印

印本 208 頁。其中附《經識直音增補》186 頁，原為 1690 年抄本。

這份書目表明，越南漢文古籍中有 144 種經學著作。其中《易》30 種、《書》7 種、《詩》14 種、《禮》12 種、《春秋》11 種、五經總義 14 種、《四書》27 種、《孝經》8 種、小學 21 種。《易》和《四書》所佔的比例最大，而《書》和《孝經》所佔比例最小。從形式上看，則有抄本多、喃文書多、舉業用書多的特點。這些特點，事實上已經暗示了越南經學古籍的主要功能。

三、對越南經學古籍若干特點的分析

同中國的《四庫全書總目》相比，越南經學古籍各類別的比重是略為特殊的。其詳情可見以下對照表：

經學古籍	易	書	詩	禮	春秋	五經	四書	孝經	小學	樂
越南所存書的部數	30	7	14	12	11	14	27	8	21	
在經部書中的比重	21%	5%	10%	8%	7.5%	10%	19%	5.5%	14.5%	
清四庫書的部數	530	147	155	231	242	83	168	29	229	67
在經部書中的比重	28%	8%	8%	12%	13%	4%	9%	1.5%	12%	3.5%

　　此表反映了中越兩國經學古籍的結構異同。它表明：在越南經學古籍中，有五個小類超過了同類清四庫書的比重，依次是「孝經」、「四書」、「五經總義」、「詩」和「小學」；另有四個小類不及同類四庫書的比重，依次是「春秋」、「易」、「禮」和「書」。一般來說，越南漢文經學古籍和見於《四庫全書總目》的中國經學古籍，在結構上是基本一致的。這意味著越南對漢文化的吸納比較全面而且系統。但上述區別，以及越南古籍中無「樂」類的情況，卻表明越南經學有重應用的特點。因爲「樂」、「禮」、「書」等小類比重的下降，可以理解爲禮樂之教在越南漸趨衰微，而被倫常之教代替；同時表明越南經學已非純粹的學術，而是文化教育之學。與之相應的另一種情況——在越南經學古籍中，「孝經」、「四書」、「五經總義」等小類的比重相當於中國同類書約兩、三倍——恰好也可以證明這一點。因爲這幾類書正是可用於維繫宗族倫理、可用於普通教育的書。這就是說，越南經學古籍結構的變動，乃反映了它的特殊功能，即服務於宗族倫理和文化教育的功能。

　　越南經學重應用的特點，也可以從以下一表中看出：

	易	書	詩	禮	春秋	五經	四書	孝經	小學	總計
抄本	26種 87%	7種 100%	9種 64%	10種 83%	9種 82%	7種 50%	14種 50%	1種 12.5%	10種 48%	93種 64.6%
喃文	7種 23%	1種 14%	8種 57%	2種 17%	2種 18%	2種 14%	6種 22%	3種 37.%	10種 48%	41種 28.5%
舉業用書	5種 18.5%	2種 28.5%	2種 14%	4種 33%	4種 36%	5種 36%	9種 33%	2種 25%		33種 23%

　　此表所反映的多抄本、多用喃文、多爲舉業用書的現象，究其實質，同樣表明了服務於文化教育的功能。且不說舉業用書明顯產生於科舉教育的需要，即就喃文書的通俗化色彩看，它也應當是具有教科書性質的圖書，主要用於各類學校的啓蒙教育。而多以手抄本形式流傳的情況，也是與上述用途相對應的。越南經學古籍中有33種舉業用書，其中絕大部分（28種）製爲抄本，即反映了手抄方式同舉業的聯繫。而抄本中「書」的比重最大，「孝經」的比重最小；喃文書中「詩」的比

重最大，「五經正義」的比重最小（《書》有若干種與喃文《詩》合編）；舉業用
書中《春秋》和「五經正義」的比重最大，《詩》的比重最小：則反映了三種體裁
形式同三種功能的對應——《詩》實際上是最重要的語言文學教科書，故多采用喃
文「演音」的方式作爲原本的對照；《書》是舉業的必修功課，故多用漢文，多以
「演義」、「節要」、「精義」、「略問」的方式用爲撰寫策文的參考；《孝經》
則是用於教化的儒家經典，故多以印本的形式流傳，多採用「注解」、「集注」、
「譯義」、「釋義」、「立本」等闡發內容的方式。結合前文關於越南經學古籍結
構變動的看法，可以認爲，越南經學的功能，主要就是教化（以《孝經》爲代
表）、語文教育（以《詩經》爲代表）、服務於科舉這三種功能。

　　經學古籍傳入越南之後，在非常廣大的範圍內發生了影響。在現存的越南古
籍中，有四十六種儒學書、四十四種家訓書，此外還有大批鄉約（約 95 種）和譜
牒（約 256 種）。這些書籍反映了《孝經》、《四書》所代表的教化功能的輻射。
《詩經》的傳入，則直接導致了越南書面文學的產生。事實上，對《詩經》的「演
音」或「解音」（即喃譯），就是喃文文學或曰越南本土的古典文學的萌芽。在現
存的越南古籍中，有六八體文學作品至少四十二種，有關于金雲翹的喃文詩傳至少
十四種，此外在「傳記」、「風土」、「宗教」、「俗信」、「小說」以至「醫
家」、「數術」等小類中，又有大批喃文六八體作品。這些作品都可以看作《詩
經》在越南的流變。至於科舉制度對越南古籍的影響，則有二七○多種舉業著作以
及近五十種科舉條例、一七○多種酬應文著作可作例證。而這種影響的核心表現，
就是經學古籍中的三十多種「策略」。上述情況，還可以換一種方式來表述。——
但把越南古籍和中國古籍作一比較，便可注意到前者有這樣幾個體裁特點：

　　一、有很大一批被稱作「演音」、「演歌」、「國音」、「國語」的翻譯性
質的著作。例如前文書目中列舉的《詩經演音》、《周易國音歌》、《詩經書經國
語歌》、《經傳演歌》、《中庸演歌》、《孝史國音歌》、《孝經國音演歌》等。

　　二、有很大一批通俗性或應用性文件。例如集部有二十來種「民間歌曲」、
三十七種「陶娘歌」、三十多種「戲曲」、一五○多種「小說」（包括「喃話
傳」、「演義」、「傳奇」等體裁），史部有五十多種「田丁簿」、二十多種「交
詞」（包括「囑書」）、八十種「玉譜」（又稱「神譜」）和不計其數的「古

紙」、「社志」、「碑文」。

　　三、往往創製在同中國文化交流的場合。例如史部有二十多種「燕行記」、三十多種「日記」、集部有八十多種「北使詩文」，均由出使中國的越南官員所撰。

　　這些特點，正好提示了越南經學古籍的生存環境，說明它植根於漢文化對越南文化的浸潤；說明越南經學古籍多喃文的特點、具通俗色彩或應用色彩的特點，以及其比重低下（和清《四庫全書》中經部的比重相較，懸殊很大）的特點，乃是兩種文化相交融的表現；說明上述特點和大批新體裁圖書的出現相伴隨，乃反映了越南漢文古籍的整體風格。事實上，在古代中國的每一區域，應當都出現過類似的情況。因爲中國每一區域的古籍，都必定是中央文化同地方文化相交融的產物。從這一角度看，越南古籍可以看作漢文古籍的一個區域現象，越南古籍的風格也應當反映了中國古籍的眞實風格。這樣一來，通過越南所存的經學古籍，我們可以重新認識被中國目錄學家掩蓋或遺棄的那個通俗古籍的世界。

經　學　研　究　論　叢
第　七　輯　　　頁353～356
臺灣學生書局　　1999年9月

《周易》、《左傳》國際學術研討會

編輯部

　　中華民國經學研究會於民國八十六年五月成立。當時約定每兩年開一次學術研討會。第一屆的研討會是「《周易》、《左傳》國際學術研討會」，由國立臺灣大學中國文學系、中央研究院中國文哲研究所一起主辦，民國八十八年五月八日至九日在臺灣大學第二學生活動中心國際會議廳舉行，共有國內外學者百餘人參加，發表《周易》研究之論文二十篇，《左傳》之研究論文十一篇。茲將各場之主持人、發表人、發表論文題目、特約討論人，臚列如下：

五月八日（星期六）

　第一場（主持人：賴明德）

　　1. Kidder Smith（蘇德愷）：史易之間：三種易學的遐想（黃俊傑）

　　2.林忠軍：論以史治易（張永堂）

　　3.季旭昇：古文字中的易卦材料（葉國良）

　第二場（主持人：胡自逢）

　　4.何澤恒：孔子與易相關問題覆議（鍾彩鈞）

　　5.鄧立光：從帛書易傳析述孔子晚年的學術思想（楊儒賓）

　　6.金春峰：帛書繫辭反映的時代與文化（夏長樸）

　　7.戴璉璋：王陽明與周易

　第三場（主持人：戴璉璋）

　　8.林益勝：周易六爻爻位研究（呂　凱）

9.高懷民：西漢孟喜卦序排列中的哲學性（黃慶萱）

10.林麗眞：王弼雜錄黃老說辨正（陳麗桂）

11.孫劍秋：宋儒張載「以易爲宗」思想探析（王開府）

第四場（主持人：李威熊）

12.李　申：河圖考（趙中偉）

13.李伯聰：從「要」這個概念看儒道分野及儒道互滲（傅武光）

14.鄭吉雄：易圖明辨與儒道之辨（詹海雲）

15.岑溢成：焦循易學的邏輯結構與易圖略的校勘問題（黃沛榮）

五月九日（星期日）

第五場（主持人：陳新雄）

16.張其根：周易與內經的關係

17.馮錦榮：「格義」與六朝周易義疏學——以日本奈良興福寺藏講周易疏論
　　　　　家義記殘卷爲中心（張寶三）

18.賴貴三：許慎說文解字易理蠡探（許錟輝）

19.黃沛榮：「釋詞」諸書中之易說（左松超）

第六場（主持人：Jeffery Riegel 王安國）

20. Scott Davis（戴思客）：傳統忽略的傳統——易經、論語與左傳的隱藏共同
　　　　　架構（朱曉海）

21.康義勇：左傳敘事的喜劇技巧（蔡宗陽）

22.劉正浩：「春秋」一名五義考辨（董金裕）

23. Jens Oestergoard Petersen（裴彥士）：The Distribution of '于' and '於' in
　　　　　Zuozhuan 左傳：a Stylistic Approach（劉承慧）

第七場（主持人：胡楚生）

24.張高評：左傳據事直書與以史傳經（簡宗梧）

25.張素卿：左傳戰爭敘事論析（洪順隆）

26.劉文強：論晉國早期中的軍帥（方炫琛）

27. Jeffery Riegel：The Zuozhuan Lecture of Physician He 醫和 on Passion and

Disease（李建民）

第八場（主持人：蔡信發）

28.宋淑萍：捨生豈不易，處死誠獨難——從左傳所戴十死事論「處死」之難
　　　（黃湘陽）

29.蔣秋華：郝敬對左傳的批評（林聰舜）

30.林慶彰：劉逢祿左氏春秋考證的辨偽方法（徐漢昌）

31.單周堯：錢鍾書先生管錐篇杜預春秋序札記管窺（李偉泰）

經 學 研 究 論 叢
第 七 輯　　頁357～358
臺灣學生書局　1999 年 9 月

「乾嘉學者的治經方法」研討會
（二～四）

編輯部

　　中央研究院中國文哲研究所自民國八十七年七月起，開始執行「乾嘉經學研究計畫」，分三年執行。第一年研究「乾嘉學者的治經方法」。第一次研討會已於八十七年十二月三十一日舉行。今年五月至七月間，在該所二樓會議室，陸續舉行第二、三、四次研討會。

第二次研討會

八十八年五月二十日（星期四）

　第一場（主持人：陳鴻森）

　　1.漆永祥：論中國傳統經學研究方法——古書通例歸納法

　　2.曾聖益：乾嘉時期的輯佚書與輯佚學

　第二場（主持人：張壽安）

　　1.陳智賢：段玉裁《說文注》以小學通經學之方法研究

　　2.張惠貞：論乾嘉歷史考據學家王鳴盛以治經之法考史

　第三場（主持人：蔣秋華）

　　1.劉文強：略論乾嘉學者的治經方法——以《禮記注疏附校勘記》為例

　　2.劉玉國：阮元訓詁的特色及其貢獻

第四場（主持人：楊晉龍）

　　1.許華峰：王引之《尙書訓詁》的訓詁方法

　　2.陳進益：論焦循易學詮釋系統中的基本法則與其易例之設立

第三次研討會

八十八年六月十日（星期四）

第一場（主持人：陳鴻森）

　　1.莊雅州：論高郵王氏父子經學著述中的「因聲求義」

　　2.賴貴三：從《昭代經書手簡》析論乾嘉學者之治經方法

第二場（座談會）（主持人：張以仁）

　　引言人：周昌龍、李明輝、鄭再發

第三場（座談會）（主持人：蔣秋華）

　　引言人：張壽安、鄭吉雄、詹海雲

第四次研討會

八十八年七月十二日（星期一）

　　1.鄭吉雄：乾嘉學者治經方法釋例

　　2.陳逢源：乾嘉漢宋學之分與經學史觀關係試析——以《四庫全書經部總
　　　序》爲中心

經 學 研 究 論 叢
第 七 輯　　頁359～376
臺灣學生書局　　1999年9月

出版資訊

一、本專欄收國內外最新出版，有關經學和經學人物之相關專著。惟舊籍重印或再
　　版書，則不予收入。

二、各提要略依經學總論、周易、尚書、詩經、三禮、三傳、四書、孝經、爾雅、
　　讖緯、經學人物等之順序排列。

三、提要前之目錄項，分別依書名、作譯者、出版地、出版者、頁數（冊數）、出
　　版年月等項排列。

四、各提要以簡介各書之內容為主，如有所評論，僅代表作者之意見。

五、歡迎各界人士提供與本專欄性質相符之著作，以便推介，來書請寄臺北市和平
　　東路一段198號臺灣學生書局經學研究論叢編輯部收。

《周易入門》

《周易入門》　張善文著　上海　華東師範大學出版社　171頁　1998年11月

　　《周易》可分為經、傳兩部分，經的部分是產生於西周初年；傳的部分，又
稱《易傳》、《十翼》，約產生於戰國至漢初。此後研究《易》學者有象數派、義
理派和圖書派等三大派別，各派中的學者又有許多差別，說是一家一派也不為過。
本書作者在〈後記〉中說：「時至今日，研究《易》學者誠然大有人在，出現的注
釋、講解《周易》的著作也屢屢出現，但由於著書者的師承門戶有異，學力深淺不
同，更重要的是對《易》學史上的諸多流派、義例，甚至對經傳本文的理解尤有透
徹與膚淺之明顯差距，所以，當今問世的《易》著中的良者、莠者不啻天壤之
別。」（頁170）因此，選擇內容簡要、觀點正確的《易》學入門書也就顯得相當
重要。

　　張善文教授是研究《易》的專家，此書旨在針對《易》學的基本問題，提出

分析說明，讓初學者有進入《易》學堂奧的簡便門徑。全書分十三章，分別是：
《周易》包括哪些內容、《周易》命名的含義何在、誰是《周易》的作者、讀《周
易》必須注意哪些基本條例、怎樣理解《周易》的性質、八卦有哪些象徵意義、如
何領會六十四卦的擬象原理、六十四卦的排列順序有何意義、為什麼說〈乾〉
〈坤〉是《周易》的門戶、《周易》是用來算卦占筮的嗎、太極圖是怎麼一回事、
《周易》學說的流傳經過了幾個階段、研究《周易》應當掌握哪些主要方法。

　　本書內容簡潔扼要，對《周易》的各種基本問題，也都有說明，是相當有用
的入門書。　　　　　　　　　　　　　　　　　　　　　　　　　　（編輯部）

《周易譯注》

《周易譯注》　黃壽祺、張善文譯注　臺北　建安出版社　188 頁　1999 年 2 月

　　儒家經籍本是中華文化的主幹，也是人文精神寄託所在。自從清末民初以
來，國事頹唐，民族自信心日漸喪失。西學東漸，歐風美雨，益以日曬，古籍光環
逐漸退卻，花果飄零，乏人聞問，經典命運搖搖欲墜，如何延續傳統儒家文化的命
脈，已成為刻不容緩，亟需加以解決的課題。為挽救儒家經籍的生命，復興文化，
遂有將經典普及化的構想，使社會大眾人人都看得懂，不再視閱讀儒家經典為畏
途，是一種比較平實而可行的作法。比較重要的有：南懷瑾、徐芹庭合著的《周易
今註今譯》，黃慶萱的《周易讀本》，孫振聲的《白話易經》，劉大鈞、林忠軍合
著的《周易古經白話解》，劉大鈞、林忠軍的《周易傳文白話解》，周振甫的《周
易譯注》，徐志銳著的《周易新譯》，黃壽祺、張善文合譯的《周易譯注》（上海
古籍出版社，1989 年 5 月）等。本書是黃壽祺、張善文繼前部著作後又一部的
《周易譯注》。

　　全書分卷，採通行的朱熹《周易本義》四卷本，凡底本有錯訛者，參考阮元
《十三經注疏》、其它刻本及學者的考證校改。由於本書係專門為中等以上文化程
度的文史愛好者所編著，特別要求文白對照，全文語譯，注釋簡明。因而全書文字
採用上下兩欄方式，上欄為《周易》經文，下欄為語譯，方便讀者對照閱覽，譯文
以直譯為主，意譯為輔。注釋方面，只注解通假字、生僻疑難字詞，儘量簡單扼要
明確，不旁徵博引，達到閱讀普及的要求。

作者張善文是黃壽祺先生的高足,專門研究《周易》,曾著有:《象數與義理》(瀋陽:遼寧教育出版社,1993 年 5 月)、《周易入門》(上海:華東師範大學出版社,1998 年 11 月)、《周易辭典》(上海:上海古籍出版社,1992 年 12 月)、《易經初階》(臺北:頂淵文化事業有限公司,1996 年 1 月)等書,本書是作者繼前一部《周易譯注》後,又一部有關《易經》普及化的作品,相信對有心研究《周易》的愛好者必有幫助。 (陳恆嵩)

《周易虞氏學》

《周易虞氏學》 王新春撰 臺北 頂淵文化事業公司 2 冊 1406頁 1999 年 2 月

《易》學發展到漢代,是所謂象數學當道的時期。西漢末期的孟喜講卦氣、講曆法、講陰陽災異,是西漢後期象數易學的代表。生當東漢末年的虞翻,自稱五世家傳孟喜《易》學,所作《易注》,並批評了馬融、荀爽、鄭玄、宋忠(衷)等人的《易》說。

王弼的《周易注》出現以後,虞氏《易》學日漸衰微。中唐時李鼎祚作《周易集解》,所採虞氏《易注》相當完備,也成了後人研究虞氏最基礎的材料。入清以後,漢學復興,惠棟作《易漢學》、《周易述》,對虞氏《易》學有較系統之介紹。之後,張惠言作《周易虞氏義》九卷、曾釗作《周易虞氏義箋》、方申作《虞氏易象彙編》、紀磊作《虞氏易義補注》等,對虞氏《易》作了相當深入的研究。民國以來,李翊灼將張惠言的《周易虞氏義》和曾釗的《周易虞氏義箋》彙爲一書,並加以補訂,成《周易虞氏義箋訂》二十卷。徐昂作《周易虞氏學》、《周易對象通釋》,補張惠言之不足。徐芹庭撰《虞氏易述解》,對虞氏《易》的特色和價值,有相當精闢的見解。

前人雖有不少研究虞氏《易》的成果,但今人受現代知識體系之洗禮,對虞氏《易》學自當有新的契會和詮釋,這是作者所以撰述此書的主因。全書分上下兩篇。上篇〈虞氏易學發微〉,是對虞翻生平、著述、《易》學淵源、內涵的論述、評判。下編〈虞氏周易注今詮〉,將虞氏《易》之遺文,按六十四卦之順序編排,每段遺文先錄本文,再加以註釋和新詮。

　　作者希望此書能達到三個目標，一是使讀者系統地了解虞氏《易》學；二是透過虞氏《易》加深對兩漢《易》學的認識；三是便於讀者了解《易》之經傳。從全書的內容觀察，要達到這三個目標並不太難。　　　　　　　　　　　（編輯部）

《易經圖書大觀》

《易經圖書大觀》　趙中偉註譯　臺北　洪葉文化事業公司　310頁　1999年3月

　　《易》學研究，一般可歸納為象數派、義理派和圖書派。象數派大盛於漢代，義理派興於王弼，圖書派肇始於北宋。就中以圖書派最為玄妙。圖書派又可分為三派：一是傳〈先天圖〉的邵雍；二是傳〈河圖〉、〈洛書〉的劉牧；三是傳〈太極圖〉的周敦頤。圖書派從宋朝起，一直到現在，都有不少研究者。

　　本書總共收錄七十三個易圖，包括：(1)北宋劉牧的《易數鉤隱圖》，有圖五十五個。(2)北宋劉牧《易數鉤隱圖遺論九事》，有圖九個。(3)南宋朱熹《周易本義·圖說》，有圖九個。每一圖皆包括解說、注解、譯文、說明四部分，將每一圖的內涵及意義，作完整的說明和詮釋。

　　前代有關易圖的著作雖多，大多僅將圖式排列，缺乏詳細的說明和詮釋。本書作者精研《易》學多年，對每一《易》圖的詮釋較有學理基礎，是探尋《易》圖堂奧，相當有用的參考用書。　　　　　　　　　　　　　　　　　（編輯部）

《朱伯崑論著》

《朱伯崑論著》　朱伯崑撰　遼寧　瀋陽出版社　891頁　1998年5月

　　朱伯崑先生，河北省寧河縣人，清華大學哲學系畢業。現任教北京大學哲學系，主要教授中國哲學史，又兼任中國易學與科學研究會理事長、東方國際易學研究院院長。著有《先秦倫理學概論》、《戴震倫理學說述評》、《管子的國家管理學說》、《易學哲學史》四卷等，另外又主編《國際易學研究》。

　　本書為朱先生從四十餘年來，所發表過有關中國哲學方面的文章中選錄編輯而成。全書凡分為哲學史編、儒學編、道家道教編、易學編四類。與經學相關的易學編共收錄文章十六篇。論文的篇目依次為：〈請來認識《易經》〉、〈帛書本《繫辭》文讀後〉、〈帛書本《易》說讀後〉、〈帛書易傳研究中的幾個問題〉、

〈談儒家人文主義占筮觀〉、〈《周易》與儒家的安身立命觀〉、〈易經的憂患意識與民族精神〉、〈《易傳》的天人觀與中國哲學傳統〉、〈易學中邏輯思維與辯證思維傳統〉、〈論《易經》中形式邏輯思維對中國傳統哲學的影響〉、〈方氏易學中的邏輯思維與儒家形上學傳統〉、〈從太極圖看易學思維的特徵〉、〈易學與中國傳統科技思維〉、〈易學與中國傳統文化〉、〈易學研究中的若干問題〉、〈談周易文化中的兩種傳統〉等等。

縱觀全書有關《易》學論文所述，主要偏重在儒家傳統文化與《易》學的邏輯思維方面，逐漸拋棄政治色彩，不再使用大陸學人動輒「唯物史觀」的觀點，論述尚稱平實可讀，值得研究《周易》學者參考。　　　　　　　　　（陳恆嵩）

《尚書譯注》

《尚書譯注》　周秉鈞譯注　臺北　建安出版社　249 頁　1999 年 2 月

《尚書》是一部古代史官記錄三代政教的史料記載。因時代悠遠，語言詞彙、語法的差異，益以古今書寫工具限制之故，致文字簡奧難懂，在群經之中，歷來以難讀著稱，唐代韓愈就用「周誥殷盤，詰屈聱牙」來形容它的艱澀難懂。因而司馬遷寫《史記》時，已將它翻譯成當時通行語言，以便利閱讀。爾後，歷代學者均不斷嘗試用後人能懂的詞彙去注解它，以期使後人深入去體會先聖先賢的睿智。民初五四運動以來，廢除文言，採行語體文，使後人接觸古籍機會減少，一般文言典籍已嫌其艱深難懂，更遑論經書文字。近年隨著研究中國傳統文化的熱潮，為一般讀者之需，也為普及經書古籍，紛紛推出古籍全譯，幫助讀者了解。

作者早在一九四六年任教湖南大學時，即利用課餘時間，研讀《尚書》，流覽諸家成說，「核之以詁訓，衡之以語法，求之以史實，味之以文情，猶有未明，則益以己說」，專為《今文尚書》二十八篇作訓詁，撰成《尚書易解》五卷。其後又應嶽麓書社之要求，對《尚書》全書五十八篇作譯注，寫成《白話尚書》。本書則是作者應中國訓詁學會《文白對照十三經》計畫的《尚書》一經所撰寫的《尚書譯注》。全書體例，經文完全以阮元《十三經注疏》本為底本，各本的異文，間有不同之處，根據他本校勘。語譯部分，作者為求注重文意準確，文情允洽，文字順暢，故採用直譯法，力求扣緊經文。注釋力求簡明易曉，不作繁瑣考證。在編排方

面，本書與《周易譯注》相同，也採用上下兩欄方式排列，上欄爲《尚書》經文，下欄爲語譯，便利讀者對照閱覽，譯文以直譯爲主，流暢通順，簡明平實，對初學者學習瞭解《尚書》，實爲不可或缺的參考書籍。　　　　　　　　　　（陳恆嵩）

《尚書文字校詁》

《尚書文字校詁》　臧克和撰　上海　上海敎育出版社　767 頁　1999 年 5 月

　　漢時《尚書》有今文、古文之分。漢代最早傳《尚書》者爲濟南伏生，秦時焚書，伏生將《尚書》藏於牆壁中。漢定，伏生從牆壁中取出《尚書》，因殘爛及亡失之故，僅剩二十九篇，遂以之授徒。伏生傳授時，已用漢代通用的隸書將《尚書》文字重新寫定，遂稱爲「今文尚書」。漢景帝時，魯恭王壞孔子宅，得百篇《尚書》於牆壁中，因其係用先秦古文字書寫，有別伏生所傳，稱爲「古文尚書」。今、古文《尚書》非但使用的字體不同，文字歧異處也相當多。爾後在傳衍過程中，又經漢熹平年間，以隸書更改整理《尚書》文字，再經唐天寶年間衛包以楷書改寫隸古定字體，兩次字體變遷所生的訛誤，益以在傳抄刊刻時所產生的文字歧異，更增添《尚書》文字的古奧難讀，爲徹底弄清《尚書》義理內涵，實有必要先全面而系統的正定文字，以作爲深入研究的基礎。

　　全書所校正文僅限於《今文尚書》二十八篇，正文共分爲：正文用字的校詁、校勘用字的校訂、單位用字的考釋三部分。《今文尚書》二十八篇正文用字的校詁部分，包括：⑴就字形結構流變來考釋《尚書》用字；⑵就聲韻聯繫考釋《尚書》用字；⑶就語法結構考釋《尚書》用字；⑷就詞彙訓詁考釋《尚書》用字；⑸就文史重詁考釋《尚書》用字。在阮元校勘記用字的校訂部分，⑴提供補出阮元校勘記所謂古本作乂的證據；⑵指出阮校所據文獻的句限，不能顧及整體的失察；⑶補說阮校本未及細檢的古本；⑷印證阮元理校的結果；⑸補訂阮校破句失讀的問題；⑹揭示阮校體例方面存在的問題。在單位用字的考釋部分，係就《尚書》文獻單位文字使用情況，考釋「象」、「格」、「禹」、「誥」、「堯」等五個字的語言結構、意義內涵。

　　作者蒐羅《尚書》各種板本，及相關的文獻材料，先釐清文字的流變，進而詳細比勘文字的異同，分析考訂文字的結構、意義，並儘可能利用出土甲骨文、金

文材料來作參考互證，旁徵博引，整理校訂之功，值得吾人肯定。　　（陳恆嵩）

《書序通考》

《書序通考》　程元敏撰　臺北　臺灣學生書局　609 頁　1999 年 4 月

　　《書序》與《古文尚書》同出於孔子壁中，本係專言《尚書》各篇的作意。班固《漢書‧藝文志》：「故書之所起遠矣；至孔子纂焉，上斷於堯，下訖於秦，凡百篇，而爲之序，言其作意。」以爲係孔子所作，唐代以前學者大抵均承襲此種看法，無甚異說。迨宋學昌明，疑經之風大盛，紛起致辨舊說，或謂乃歷代史官轉相授受者所作；或謂周、秦間人所作；或曰先秦經師所作；或謂先秦齊魯間儒者所作；或謂漢人所作；或曰王肅之徒所作。諸家所論，概屬空說，羌無實證，以致眾說紛紜，終莫能定。實仍有待進一步作更深入全面完整而系統的探討，期使《書序》的作者及其學術價值，有一明確的定位，此斯編之所由作也。

　　全書凡分十二章。首章引言及今存《書序》全文，說明撰述緣起及作爲論證之依據。二、三、四章，敘述《書序》的稱名、出現時間及今古文本之異同；五章討論《書序》的體製淵源；六章說明漢唐間學者論《書序》作者；七章論述漢唐至南宋初葉學者疑《書序》之情形及說法；八、九兩章，說明朱熹、蔡沈師徒《書序辨說》之板本，及其後學者懷疑《書序》之情形；十章敘述宋以後人論《書序》的作者；十一章探討《書序》之著成年歲，論定《書序》之著成當在漢文帝、景帝之前；十二章闡明書序之價值，《書序》言本經作意，發明經旨，具有保存虞夏商周四代重要史料，書末附總結論及引用書舉要。此書爲全面考訂《書序》的專門之學術著作，舉凡從書序之名稱、文本及出現情形、體製淵源，篇目據定，引書及敘史事之依據，諸家之疑經論說，皆旁徵博引，討源尋根，言必有據，論據詳實可信，誠可謂考辨《書序》的定論之作。

　　程元敏先生，臺灣大學中國文學系畢業，國家文學博士，臺灣大學中文系教授。主要著作有：《王柏之詩經學》、《王柏之生平與學術》、《三經新義輯考彙評——尚書》、《三經新義輯考彙評——詩經》、《三經新義輯考彙評——周禮》、《春秋左氏經傳集解序疏證》、《三國蜀經學》等書，另外單篇論文近百篇。　　　　　　　　　　　　　　　　　　　　　　　　　　（陳恆嵩）

《詩經雅頌》

《詩經雅頌》　白川靜譯注　東京　平凡社　2冊　1998年6、7月

　　《詩經》是什麼時候傳入日本，尚缺乏確切的證據。但在日本平安時代已受《詩序》和孔穎達《毛詩正義》的影響。德川時代，朱子學大盛，研習朱子《詩集傳》者不少。但朱子《詩集傳》遭到太宰春臺的強烈批評。近代日本學者受法國漢學家葛蘭言《中國古代的祭禮與歌謠》一書的影響，開始以民俗學的方法來研究《詩經》。成就最高的是松本雅明和白川靜。

　　白川靜從一九六〇年印行《稿本詩經研究》起，近四十年間完成了多種《詩經》的著作。其中的《詩經——中國の古代歌謠》（東京：中央公論社，1970年6月），已有杜正勝先生的譯本。自一九九〇年五月起，白川先生又出版《詩經國風》，這是對《國風》百六十篇的注釋、翻譯。一九九六年又出版《詩經雅頌》二冊。白川先生辛苦多年的翻譯工作也大功告成。

　　第一冊前有〈詩經雅頌について〉，可視爲本書之導言。接著是〈小雅〉七十四篇的譯釋。第二冊〈大雅〉三十一篇、〈周頌〉三十一篇、〈魯頌〉四篇、〈商頌〉五篇的譯釋。每一詩篇皆分爲三欄，上欄爲經文，次欄爲訓讀，三欄爲譯文。之後有「主題」、「構成」、「語釋」、「餘說」等。

　　由於白川先生精研甲骨文、金文，行文中引用金文相印證者甚多，此點和日本其他《詩經》注本相比，顯然特別突出。　　　　　　　　　　　　　（編輯部）

《詩經新采》

《詩經新采》　葛培齡譯注　鄭州　中州古籍出版社　181頁　1998年11月

　　本書爲研究《詩經》的入門書籍，選錄並譯注了《詩經》三百五篇中的六十六篇。書前作者所撰的〈前言〉，分別論述了《詩經》中的幾個重要課題，即：一、詩與經；二、風雅頌；三、賦比興；四、詩言志；五、注評譯，清楚明白地交待了《詩經》在經學與文學上的地位。本書的撰作體例，可分爲四個部份：一、詩篇正文；二、詩篇正文翻譯；三、字詞注釋；四、詩篇內容考證與析評，而其中注、評部份，作者不但努力吸收前人的研究成果，同時儘量反映當代學者的最新成

就，並且省略繁雜的考證，而對古今較重要的研究成果予以說明，故本書可謂深入淺出、明白易懂，可方便初讀《詩經》者閱讀使用。 （蕭開元）

《詩義知新》

《詩義知新》 劉運興著 濟南 山東教育出版社 522頁 1998年3月

此書爲作者十年積學之作。作者劉運興，1957年生於山東，1982年畢業於復旦大學中文系，並由杜月村教授指導發表畢業論文《周南召南考辨》，另有〈三監考〉、〈武丁伐鬼方進軍路線及其他〉、〈太王翦商及先周有關史事探析〉、〈考槃解析〉、〈論《尙書‧盤庚》之「生生」〉、〈關於《金瓶梅詞話的札記》的札記〉多篇論文發表。作者撰著此書的動機在於歷代注《詩》者，不下千家，然而由於各家受今、古文學的限制，在《詩》義注釋上難免有所隱晦，而作者又以爲宋學釋《詩》過於自由，有背謬《詩》義之嫌，漢學釋《詩》在乎考證，對理解《詩》義助益不多，故作者取《詩》義漸久漸離者三百餘事，沿本討原，並且題爲「知新」，希望能夠藉由今日的出土文物，來幫助學《詩》者理解《詩》義。作者自述本書的編撰體例有三：一、重文本而略演繹；二、重求索而略訟爭；三、重詩辭而略詩藝，故作者於詩辭上求之於文字之本義，是基於讀書必先識字之緣故，因此作者撰著此書時，全以詩句作爲討論的主題，然後再求各字之本義，最後即得詩句之旨。如說《周南‧關雎》「左右流之」，即以「左右流之」此句爲討論主題，次引《說文》、《石鼓文》之說，求得「流」字本義，最後再比較「左右流之」與四章「左右采之」、五章「左右芼之」之詞句關係。故此書在《詩》義的思想啓發上，可作爲學《詩》者之參考。 （蕭開元）

《詩經》

《詩經》 公木、趙雨著 瀋陽 春風文藝出版社 109頁 1999年1月
（插圖本中國文學小叢書）

本書內容共分爲四大部份，即：一、《詩經》概說；二、《詩經》的思想內容；三、《詩經》的語言和藝術；四、《詩經》的地位和影響。在《詩經》的思想內容中，又分別敘述了：㈠周族初興的部族史詩和農事歌詠；㈡殷商貴族的祖先頌

歌和祭祀詩章；㈢西周初年的政治變遷和禮俗風情；㈣周衰之世的社會苦難和信仰
變革；㈤春秋時代的禮樂崩壞和憤懣情懷。然而《詩》無達詁，注家紛紜，卻從來
缺乏厚重有據的文化疏解，本書即站在上古民族文化的立場，融通詩、史，試圖透
過具體歷史文化的再現，圓融通透地化解一些歷來聚訟紛紜的疑難之點，並進而達
到對先民的審美情趣和生命智慧的揭示，梳理出夏、商、周精神文化演進的脈絡線
索。另外，作者嘗試著把《詩經》中的詩歌還原到三代的生活中去，使得本書的論
說更具有生動的質感及鮮活的意趣。　　　　　　　　　　　　　　　　（蕭開元）

《詩經韻讀圖解及其他》

《《詩經》韻讀圖解及其他》　龐存周著　重慶　重慶出版社　539頁　1999年
1月

　　本書共收錄作者龐存周教授的七種著述：⑴《《詩經》韻讀圖解》（八
卷）；⑵《六書・轉注說》；⑶〈《唐詩紀事校箋》後序〉；⑷〈《史記》中的人
才學〉；⑸〈《詩詞曲鑒賞及寫作》緒論〉；⑹〈《書譜》研究〉；⑺《老鳳新
聲》詩詞曲選集（1977-1997 年 3 月，共 289 首），書末並附錄作者參加過的國際
性、全國性詩書畫活動。本書作者龐存周，1915 年 5 月 4 日生，四川南充人，前
華西大學文學士，曾任前川北大學教授，現任渝州大學教授、導師。原治樸學，系
出章太炎先生門下。此書所刊之《《詩經》韻讀圖解》，爲作者 1939 年左右在華
西大學中文系所撰著的畢業論文，今重加補正修訂，是一部探討《詩經》韻讀的著
作。《詩經》的韻讀問題，自來都未妥善解決。朱熹所創的「叶音說」，遭到後世
不少音韻學家的非議；其後顧炎武、段玉裁也都對《詩經》的韻律作研究，並列
「古聲韻」一門以圖溝通隔閡，功績甚大。但作者以爲這樣的研究方法，恐有缺
失，因爲顧氏、段氏都是以《切韻》演變而來的韻部作爲研究的基礎，也就是說，
以今聲韻的基礎作研究，是有問題的。作者認爲《詩經》中的詩篇既然是由中國各
地所採集而來的，何不「各依方音協韻，取諧口讀而已」。於是作者試圖從方言的
角度，去推論《詩經》中各詩篇的韻腳，並探討古代詩歌中有關韻讀的問題。因此
作者在《詩經》韻讀的研究上，提供了另一思考的途徑。　　　　　　　（蕭開元）

《詩經百科辭典》

《詩經百科辭典》　遲文浚主編　瀋陽　遼寧人民出版社　2065頁　3冊　1998年1月

　　本辭典內容共分六大部分：⑴譯析篇，即對《詩經》305 篇的語譯和評析。語譯以現代散文的形式呈現，評析則在闡釋各詩的主旨及寫作特點。⑵詞語篇：專收《詩經》中的詞、詞組和言簡意賅的名句。詞的釋義，主要依據毛《傳》鄭《箋》，若二者不同，則參以朱熹《集傳》，而清代學者的見解，間有引用。⑶草木篇：即研究《詩經》中的草、木、鳥、獸、蟲、魚，並以插圖展示其形貌特徵。⑷什器篇：即研究《詩經》中的器物。以《爾雅》說釋及出土文物為依據，並間以插圖呈現器物形貌。⑸史地篇：收錄有益於理解詩意的歷史事件，考證《詩經》中的山川地理。⑹研究篇：概括性的介紹《詩經》學史，並撰歷代《詩經》研究專著提要。另外，此書在《毛詩》正文之下，標錄有助理解詩義的三家詩異文，同時以王力《詩經韻讀》作為詩篇韻部分部的依據。書末並附有〈五四以來研究論文索引〉，收錄大陸地區 1919-1993 年研究《詩經》的各種論文。此書又附有〈音序索引〉，便於讀者檢閱，故此書為研究《詩經》者必備之工具書。　　　　（蕭開元）

《少年禮記：寫給青少年看的禮記》

《少年禮記：寫給青少年看的禮記》　林素英著　臺北　漢藝色研文化事業公司　223頁　1999年1月

　　本書共分四卷，第一卷「孔門世界禮事多」與第二卷「春秋人士論禮勤」，選錄了發生在孔子和其門下弟子，以及春秋時期著名人士身邊有關禮的短篇故事，欲藉易懂、有趣的篇章引發讀者閱讀《禮記》的興趣；第三卷「直入禮儀探涵義」，則直取《禮記》中說明各種禮儀規範的篇章加以闡釋之，如：〈男女有別〉、〈命名的禁忌〉、〈重要的冠禮〉、〈結婚有六禮〉、〈夫唱婦隨〉等，從人生的重要禮儀活動探討其立禮的原意；第四卷「規範理想一線牽」，則從〈人與禽獸之別〉、〈人生的禁忌〉、〈改變自己的方法〉、〈無益的自欺〉、〈紮好穩固的根〉、〈志同道合以義為友〉、〈貧和孝沒有絕對關係〉、〈孝的層次〉、

〈另一種「四維」〉到〈可能的理想國〉，作者透過小節之間的貫串，提出從建立規範到成爲理想國的可能途徑。

　　作者林素英，現任花蓮師範學院語教系副教授，她嚮往生命理想的實現，因此勤於耕耘「禮」學的園地，從而發現「禮」建立了人生的秩序與條理，在本書中作者試圖透過淺顯的白話文，用說故事的方式，將選文的意思融入每篇主題之中，再加上適度的闡釋分析，使讀者能確實明瞭其中的意義。本書之撰文方式首先選擇性的摘錄《禮記》一書中的短篇名人故事，然後再稍微提及禮儀的涵義，並抽樣式地說明規範的意義，期望呈現出《禮記》中「理」而有「禮」的理想國度，使讀者對於《禮記》有大體的瞭解。　　　　　　　　　　　　　　　　　　　（陳淑誼）

《中國禮制史》

《中國禮制史（隋唐五代卷）》　陳戌國著　長沙　湖南教育出版社　550 頁　1998 年 12 月

　　本書是作者撰寫《中國禮制史》系列著作中的一種。之前已完成《魏晉南北朝禮制研究》（長沙市：湖南教育出版社，1995 年），頗受學界重視。作者在六年前即已開始閱讀並收集隋唐五代禮制的資料，整整六年完成這本《中國禮制史（隋唐五代卷）》。

　　全書分四章。第一章〈隋朝禮儀〉，討論隋朝的祭祀、喪葬、軍禮、射禮、外交禮儀、巡狩、朝會錫命禮儀、冠婚輿服樂制等禮。第二章〈唐禮〉，先討論唐代宗法與傳承制度、皇帝登基、諸王諸臣受冊禮儀。再分別論述唐代祭祀、喪葬、軍禮、射禮、田狩禮、巡狩巡察禮、朝會禮、外交禮、藉田禮、躬桑禮、養老尊師禮、冠昏禮。章末附論唐代的輿服宮室和音樂制度、民間禮俗等。第三章〈五代十國禮儀〉，先討論五代十國的宗法觀念與傳承制度，再敘述祭祀禮、喪葬禮、軍禮、田狩禮、外交禮，以及朝會、宴饗、婚姻、宮室、服飾、樂舞等。第四章〈餘論〉，討論隋唐五代的蠻夷之禮和二氏禮。

　　本書引用資料相當豐富，敘述條理分明，對研究中國古代禮制，是頗有價值的參考書。　　　　　　　　　　　　　　　　　　　　　　　　　　　（編輯部）

《宋代三禮學研究》

《宋代三禮學研究》　吳萬居著　臺北　國立編譯館　526頁　1999年5月

　　《周禮》、《儀禮》、《禮記》合稱三禮。由於三禮的編成和內容，有相當大的不同，歷來學者都作各自的研究，要統合完成一部歷代三禮學史，也就有相當的困難。是以研究三禮的學者雖多，一部三禮學史則遲遲未出現。短期內要期待一部三禮學史雖有困難，但如能分時段來撰寫，不失爲一彌補不足的好方法。吳萬居先生的《宋代三禮學研究》，就是分段研究三禮學史的重要著作。

　　全書分六章。首章〈緒論〉。二章〈宋儒隆禮之內因與外緣〉，討論宋代禮學發達的內外在因素。三章〈宋代之周禮學〉，討論宋代治《周禮》的重點、王安石的《周禮義》等。四章〈宋代之儀禮學〉，討論朱子之《家禮》及宋儒治《儀禮》之特色。五章〈宋代之禮記學〉，討論宋儒治《禮記》之重點及特色。六章〈結論〉，舉出宋代禮學之精神爲主於致用、應於時變、勇於懷疑。書末附有〈宋代治三禮之學者及著作一覽表〉及〈參考書目舉要〉。

　　根據本書末的附錄，宋代三禮學之著作有二百餘種，本書所論及者雖稍嫌不足，但仍有一定之參考價值。　　　　　　　　　　　　　　　　（編輯部）

《融裁文史的經典——左傳》

《融裁文史的經典——左傳》　簡宗梧著　臺北　黎明文化事業公司　181頁
　1999年4月

　　姑且不論「傳《春秋》」與否，《左傳》詳實地記載春秋時代的史事，應該是無庸置疑的；而《左傳》的文辭優美、敍事生動、人物刻畫深得神韻，更是被歷來從事文章創作者奉爲仿習大宗。所以，自古學者研討《左傳》，除了從經學的角度入手之外，對於其中的歷史記載、文學技巧及價值，也多有論述，同樣地，本書的作者也承襲了這樣的傳統，針對《左傳》的文學敍事技巧以及藝術成就進行專門論述。

　　除了介紹《左傳》一書的性質以及說明其研讀方法的〈《左傳》的性質及其閱讀策略〉以外，本書自第二編〈《左傳》鎔裁文史的藝術律則〉至第五編〈《左

傳》屬辭比事的藝術成就〉所收錄的十三個子題，自 1980 年起都已經先後於期刊、報紙或者學術研討會發表，就此而言，本書實際上彙集了作者近二十年來研究《左傳》文學技巧、藝術表現的成果。

　　作者分別就《左傳》「鎔裁文史的藝術律則」、「寄寓褒貶的文外重旨」、「精心塑造的人物形象」、「屬辭比事的藝術成就」四個方向討論左傳的文學成就，主要的討論方式是采錄實際的文例進行說明，在作者依據實例爲說的論述之下，《左傳》傳文表現出來的「串敘法」、「對照律」、「統一律」等文學技巧、關於微言大義的表述、對於人物形象的精湛描寫、藉「屬辭比事」顯現人物史事眞實性格等環節，都清晰地展現出來。

　　一般來說，從事經學研究的學者，對於經書的文字，大多僅是單純地追尋其中義理，對於經書文字所展現的寫作技巧，極少給予關注，本書的討論方式，或許能夠給學者若干啓示，並且試著以更多角度觀察經文、尋求義理。　　　　（馮曉庭）

《諸經總龜——《春秋》與中國文化》

《諸經總龜——《春秋》與中國文化》　涂文學、周德鈞著　開封　河南大學出版社　377 頁　1998 年 8 月

　　本書所涵蓋的，主要有以下五項功能：其一，討論《春秋》的本質；內容包括解釋《春秋》義涵，推求作者，敘述書寫體例，衡量《春秋》在儒家經典中的地位，說明《春秋三傳》。其二，論述《春秋》與中國傳統政治文化的關係；內容包括討論《春秋》一書的政治文化理念，敘述《春秋》對於中國歷代政治的影響。其三，陳述《春秋》與中國傳統民族觀的關係；內容包括討論《春秋》的華夷之辨，檢討《春秋》對於中國歷代民族觀以及民族政策的影響。其四，述說《春秋》與中國近代變革的關係；主要討論敘述清朝乾、嘉以降《公羊》學的復興，道、咸之際經世思潮的創生，「三統」、「三世」說與康有爲、梁啓超的維新變法思維。其五，說明《春秋》與中國傳統學術的關係；內容包括論述歷代《春秋》學，分析《春秋》與中國傳統史學的淵源，《三傳》的詮釋路線與中國傳統學術的關聯。

　　本書作者的陳述與分析，主要是以歷代《公羊》學家的理論爲中心，例如在討論《春秋》與中國傳統政治文化的關係之際，僅只徵引《公羊傳》、漢人董仲

舒、清人皮錫瑞的說法，僅只陳述《公羊》學重系譜，同時將近代《公羊》學的復興規劃爲單獨環節，似乎都說明了作者對於「今文學」或《公羊》學可能較爲喜好或研究得較爲深入。就此看來，本書雖然以《春秋》爲題，實際上應該是《公羊》學的相關著作，對於《左傳》與《穀梁傳》，不但著墨甚少，而且所述內容也存在著若干偏頗。嚴格來說，本書或許陳述了若干與《春秋》學相關的問題，但卻不能稱爲完整的《春秋》學作品。　　　　　　　　　　　　　　　　　　（馮曉庭）

《中國早期敘事文論集》

《中國早期敘事文論集》　王靖宇著　臺北　中央研究院中國文哲研究所籌備處
226 頁　1999 年 4 月

　　本書一共收錄單篇論文九篇，分別爲：

　1.中國敘事文的特性——方法論初探

　2.從《左傳》看中國古代敘事作品

　3.歷史‧小說‧敘述——以晉公子重耳出亡爲例

　4.怎樣閱讀中國敘事文——從《左傳》文藝欣賞談起

　5.《左傳》晉楚鄢陵之戰析讀

　6.從敘事文學角度看《左傳》與《國語》的關係

　7.再論《左傳》與《國語》的關係

　8.從帛書《戰國縱橫家書》來看今本《戰國策》和史記的關係

　9.附錄：美國的《左傳》研究

　　就內容來看，各篇論文著重的，是關於「中國早期敘事文」的論述，因此，雖然以經部典籍《左傳》爲文例中心，本書並不能算是解經的作品，只能視爲廣義的經學類書籍，或許，歸類爲文學理論的著作，更能凸顯其特色。

　　雖然並非一般定義的經學著作，對於學者詮釋《左傳》或研習《春秋》學並無直接或實質的指導與輔助作用，但是作者以《左傳》爲檢討探述「中國早期敘事文」的中心文例，卻可以指示研究者閱讀或欣賞《左傳》或者其他性質類似經書的另一種途徑，對於經學發展層面的拓廣，具備著相當程度的貢獻。

　　此外，對於歷來從文學角度討論《左傳》的學者或書籍，作者認爲，由於絕

大多數以「文章」的角度看待《左傳》，所以這些作品總是僅僅偏重《左傳》中的煉字造句以及文章總體結構，忽略了《左傳》文字的「敘事文」成分，無法觀察書中的敘事過程，進而失卻了捕捉事件演變過程的機能，對於《左傳》文字完整性欣賞與了解傷害頗大。另一方面，作者也提示了閱讀「敘事文」的兩種方法——「圖畫式」和「音樂式」；所謂「圖畫式」，著重的是作品中的煉字造句和總提結構，有就是將《左傳》視爲「文章」者所爲；所謂「音樂式」，著重的是讀者在閱讀過程中的種種感受與反映，這是以「敘事文」角度閱讀《左傳》將會獲得的結果；兩種方式的提出，對於研究《左傳》文學成就的學者來說，頗具指導功能。

（馮曉庭）

《論語孟子縱言》

《論語孟子縱言》　王晉光著　臺北　臺灣書店　252頁　1999年2月
（中華民國中山學術文化基金會中山文庫・人文系列）

　　本書縱論《論語》與《孟子》二書，全書內容可分爲「從社會生活方向讀《論語》」與「從論辯推理角度看《孟子》」二大部分。

　　有關《論語》的部分，分別以〈孔子生平和論語的成書〉、〈論語討論教與學〉、〈《論語》標舉的倫理基準〉、〈從論語看孔子的政治思想〉、〈《論語》談天〉、〈去國與隱居——微子篇〉、〈從文學角度欣賞論語〉、〈從語言學角度讀論語〉、〈孔門關係圖〉等九個小節對《論語》一書進行概括性的介紹，各篇內容的介紹方式，則偏重於以原文章節分析《論語》，並從中發掘新的意涵，試圖激發讀者各種不同的思考方向，以求對《論語》此一儒家經典名著有更全面性的了解。

　　第二部分討論《孟子》的篇章，則因孟子之善辯，而試圖從論辯推理之方向引導讀者去欣賞或批判孟子善辯的行爲，此一部分所討論的議題有：〈孟子其人和孟子的成書〉、〈孟子的「類辯」〉、〈孟子的假言條件推理及其作用〉、〈孟子指出矛盾及化解矛盾性詰責的方式〉、〈孟子論辯策略四——歸納法和確立定義〉、〈從推理角度思考孟子性善說與四端說〉、〈孟子巧辯存疑〉等七小節。

　　本書因以推廣文化知識爲目的並以普及化爲前提，故結構和行文皆力求通

俗、新穎，有意疏離煩瑣的考據與引證，以期能親近年輕讀者與一般大眾，而議題
討論的範圍亦刻意留有思考與發揮的空間，意欲引發讀者自行閱讀原文的興趣。

（陳淑誼）

《周公攝政稱王與周初史事論集》

《周公攝政稱王與周初史事論集》　郭偉川編　北京　北京圖書館出版社　229頁
　1998 年 11 月

　　本書是論文集，其中選錄了近世有關周公攝政稱王與周初社會制度研究的文
章共十一篇，篇目如下：

　　1.殷周制度論（王國維）

　　2.周公執政稱王——周公東征史事考證之二（顧頡剛）

　　3.周公對鞏固姬周政權所起的作用（金景芳）

　　4.周公攝政與成王建國（楊向奎）

　　5.西周金文和周曆的研究（節錄）（馬承源）

　　6.周初的王位紛爭和周公制禮（王冠英）

　　7.周公居東新說——兼論〈召誥〉、〈君奭〉著作背景和意旨（夏含夷）

　　8.周公何以攝政稱王（宮長爲）

　　9.關於召公奭歷史的幾個問題（王彩梅）

　　10.周公攝政稱王質疑（王愼行）

　　11.周公稱王與周初禮治——《尚書·周書》與《逸周書》新探（郭偉川）

　　周公之是否攝政稱王，自漢代以後，就是中國政治與學術領域備極爭論的一
大問題，可謂眾說紛紜，莫衷一是，至今仍未有定論，這個問題不徹底弄清楚，許
多周初歷史上的大問題便含混不清，中國上古史中最早的典籍《尚書·周書》及
《逸周書》的若干篇什便難以解讀，這亦正是古今許多譯註本導致錯誤百出、難以
自圓其說的要害所在。本書所收十一篇文章，其中觀點迥異，論說不同，皆予以包
容，將有助於廓清歷史之眞相。

（陳淑誼）

《清代義理學新貌》

《清代義理學新貌》　張麗珠著　臺北　里仁書局　388頁　1999年5月

　　歷來研究清代學術者，多半停留在對「方法論」的發揚，即推崇考據學成就的層次上，鮮少有發揚清代思想的專著問世，作者認為考據學固然以方法論見長，其所以形成此一典範之核心價值觀，卻不是侷限在辨、證、校、補之方法論上，因此本書採取了一種宏觀的視角，以儒學的全幅演進歷程做為一個發展整體——一個必須兼具形上與形下、具體與抽象，才算是完整發展的學術歷程。

　　本書共分八章。第一章〈緒論——兼論應該從什麼角度看待清代學術〉，作者試圖透過對「歷史」定義的重整與思考，以釐定清代學術在歷史上的新定位，進而引領讀者從義理學的角度審視清代學術；第二章探討清代考據學興盛的原因；第三章〈戴震「發狂打破宋儒《太極圖》」的重智主義道德觀〉、第四章〈焦循發揚重智主義道德觀的「能知故善」說〉、第五章〈凌廷堪「以禮代理」的禮治理想暨乾嘉復禮思潮〉及第六章〈阮元向「群學」過渡的「相人偶」仁論〉，作者分別論述了戴震、焦循、凌廷堪、阮元等人的思想，並透過其《孟子字義疏證》、《校禮堂文集》、《雕菰集》、《揅經室集》等義理專著，或散見其思想言論的文集諸作，以探討他們通過「考據學之義理目的」實踐所建構起來的、經驗領域義理學之樣貌；第七章〈乾嘉學術中的「學」、「思」之辨〉與第八章〈結論〉，作者縱觀了乾嘉學術之演進軌跡，以為全書尾聲。

　　作者認為乾嘉義理學，雖然以其經驗主張，而不免有侷限性；其理論建構，也未能成為當時學界的主流發展，卻能夠以客觀實踐、以迥異於宋明理學的形下著眼，從理學主觀內向的心性之說中破繭而出，正是完成了儒學全幅發展中、除了宋明理學的形上義理學以外之經驗領域義理學開發的有識者。相對於歷來對清代學術的研究，作者有全新角度的切入。

（陳淑誼）

附錄一

《經學研究論叢》撰稿格式

本《論叢》爲方便編輯作業，謹訂下列撰稿格式：

一、各章節使用符號，依一、(一)、1、(1)……等順序表示。

二、請用新式標點，惟書名號改用《　》，篇名號改用〈　〉，書名和篇名連用時，應以「‧」斷開，如《詩經‧小雅‧鹿鳴》。

三、引用語句所用括號，外括號用「　」表示，有內括號時，用『　』表示。

四、獨立引文，每行低三格。

五、注釋號碼請用阿拉伯數字標式，如❶，❷，……。

六、注釋之體例，請依下列格式：

　(一)引用古籍

　　1.古籍原刻本

　　　清毛奇齡撰：《周禮問》（清嘉慶元年刊毛西河先生全集本），卷 3，頁 5 上。

　　2.古籍影印本

　　　明郝敬撰：《尙書辨解》（臺北：藝文印書館，1969 年，百部叢書集成影印湖北叢書本），卷 5，頁 8 下。

　(二)引用專書

　　王夢鷗撰：《禮記校證》（臺北：藝文印書館，1976 年 12 月），頁 102。

　(三)引用論文

　　1.期刊論文

　　　屈萬里撰：〈宋人疑經的風氣〉，《大陸雜誌》第 29 卷第 3 期（1964 年 8 月），頁 23－25。

　　2.論文集論文

　　　屈萬里撰：〈論禹貢著成的時代〉，《書傭論學集》（臺北：臺灣開明書

店，1969 年），頁 116。

3.學位論文

張以仁撰：《國語研究》（臺北：臺灣大學中文研究所碩士論文，1958
年），頁 201。

4.報紙論文

丁邦新撰：〈國內漢學研究的方向和問題〉，《中央日報》，第 22 版，
1988 年 4 月 2 日。

(四)再次徵引

1.再次徵引時，可用簡單方式處理，如：

❶　程元敏撰：〈書疑考〉，《書目季刊》第 6 卷 3、4 期合刊（1971 年 6
　　月），頁 93。

❷　同前註。

❸　同前註，頁 98。

2.如果再次徵引的註，不接續，可用下列方式表示：

❹　同註❶，頁 96。

附錄二

《經學研究論叢》稿約

一、本《論叢》每年三、九月各出版一輯。每年一、七月底截稿。

二、本《論叢》刊載海內外人士有關經學和經學家的相關論文和資訊。

三、本《論叢》僅刊登中文稿，且不接受任何已刊登過之稿件。

四、學術論文以一萬至兩萬字爲原則；出版資訊，每則以六至八百字爲限。特約稿
　　不在此限。

五、稿件中涉及版權部分（如：圖片及較長之引文），請事先徵得作者或出版者之
　　書面同意，本《論叢》不負版權責任。

六、來稿刊出後，學術論文部分贈送本《論叢》一冊，抽印本三十本；其他專欄，
　　贈送本《論叢》一冊。皆不另付稿酬。

七、來稿請註明姓名、現職、電話（傳眞）、通信地址，以便連繫。

八、來稿請寄：

　　[106]　臺北市和平東路一段 198 號

　　　　　臺灣學生書局經學研究論叢編輯部

國家圖書館出版品預行編目資料

經學研究論叢・第七輯

林慶彰主編.— 初版.—臺北市：臺灣學生，
1999[民 88]　面；公分

ISBN 957-15-0998-1 (平裝)

1. 經學 – 論文 – 講詞等

090.7　　　　　　　　　　　　　　　　89000581

經學研究論叢・第七輯（全一冊）

主　編　者：林　　　慶　　　彰
責　任　編　輯：游　　　均　　　晶
出　版　者：臺　灣　學　生　書　局
發　行　人：孫　　　善　　　治
發　行　所：臺　灣　學　生　書　局
　　　　　　臺 北 市 和 平 東 路 一 段 一 九 八 號
　　　　　　郵 政 劃 撥 帳 號 00024668 號
　　　　　　電　話　：（0 2）2 3 6 3 4 1 5 6
　　　　　　傳　真　：（0 2）2 3 6 3 6 3 3 4
本書局登
記證字號　：行政院新聞局局版北市業字第玖捌壹號
印　刷　所：宏　輝　彩　色　印　刷　公　司
　　　　　　中 和 市 永 和 路 三 六 三 巷 四 二 號
　　　　　　電　話　：（0 2）2 2 2 6 8 8 5 3

定價：平裝新臺幣四○○元

西 元 一 九 九 九 年 九 月 初 版